Publisher: Absolute Value Publications

Authors: Alan Appleby, Greg Ranieri

Reviewers and Contributors: Mike Nare and Kenny Vo

Printed in Canada.

ISBN 978-0-9780872-9-6

For information contact:

Absolute Value Publications Inc.
P.O. Box 71096
8060 Silver Springs Blvd. N.W.
Calgary, Alberta
T3B 5K2

Bus: (403) 313-1442
Fax: (403) 313-2042

e-mail: workbooks@absolutevaluepublications.com

web site: www.absolutevaluepublications.com

Sequences and Series Lesson #1:
Investigating Patterns and Sequences

Investigation 1

Table A

Row Number	1	2	3	4	5
Number of Additional Cards in the Row	3	6	9	12	15

Table B

Row Number	1	2	3	4	5
Number of Triangles in the Row	1	3	5	7	9

Investigation 2

Table C

Row Number	1	2	3	4	5	6	7
Sum of the Numbers in the Row	1	2	4	8	16	32	64

	Row
1	1
1 1	2
1 2 1	3
1 3 3 1	4
1 4 6 4 1	5
1 5 10 10 5 1	6
1 6 15 20 15 6 1	7

Investigation 3

a)

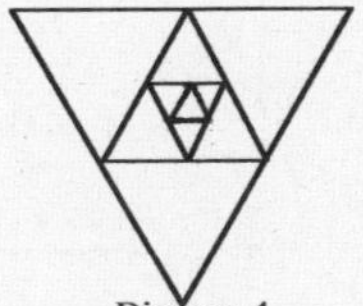

Diagram 4

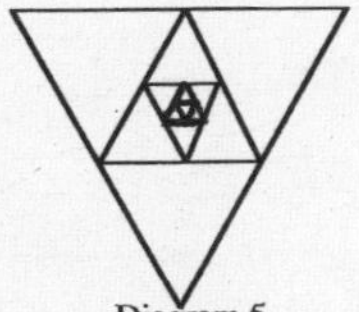

Diagram 5

b)

Table D

Triangle Number	1	2	3	4	5
Length of Side of Triangle (cm)	32	16	8	4	2

Table E

Diagram Number	1	2	3	4	5
Number of Triangles of any Size in the Diagram	1	5	9	13	17

Investigation 4

Table F

Day Number	1	2	3	4	5
Temperature (°C)	8	4	0	-4	-8

Class Ex. #1

Table A

n	1	2	3	4	5
t_n	3	6	9	12	15

The next term can be calculated by adding 3 to the previous term.

t_6 = 18 and t_7 = 21.

Table B

n	1	2	3	4	5
t_n	1	3	5	7	9

The next term can be calculated by adding 2 to the previous term.

t_6 = 11 and t_7 = 13.

Table C

n	1	2	3	4	5	6	7
t_n	1	2	4	8	16	32	64

The next term can be calculated by multiplying the previous term by 2

t_8 = 128 and t_9 = 256.

Table D

n	1	2	3	4	5
t_n	32	16	8	4	2

The next term can be calculated by multiplying the previous term by $\frac{1}{2}$

t_6 = 1 and t_7 = ½.

Table F

n	1	2	3	4	5
t_n	8	4	0	-4	-8

The next term can be calculated by adding -4 to the previous term.

t_6 = -12 and t_7 = -16.

(or subtracting 4 from)

Table E

n	1	2	3	4	5
t_n	1	5	9	13	17

The next term can be calculated by adding 4 to the previous term.

t_6 = 21 and t_7 = 25.

Class Ex. #2

Arithmetic : A, B, E, F Geometric : C, D

Class Ex. #3

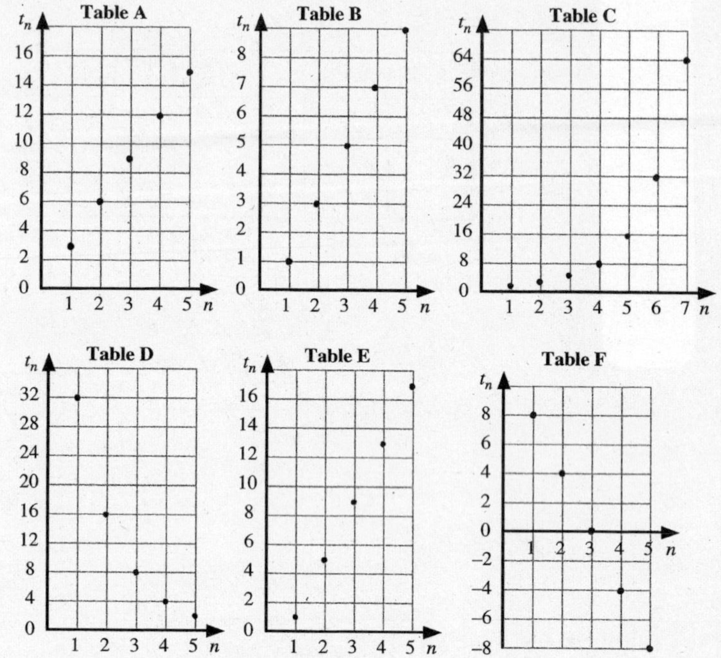

Class Ex. #4

a) A sequence in which the next term is determined by adding a constant to the previous term is an arithmetic / geometric sequence. (arithmetic circled)

The sequence can be represented by a linear / non-linear function. (linear circled)

b) A sequence in which the next term is determined by multiplying the previous term by a constant is an arithmetic / geometric sequence. (geometric circled)

The sequence can be represented by a linear / non-linear function. (non-linear circled)

Assignment

1. a)

b)

Diagram Number	1	2	3	4
Number of Triangles in the Diagram	4	8	12	16

1. c) (i) The next term can be calculated by adding 4 to the previous term.

(ii) State the value of the following terms. t_1 = 4 t_5 = 20 t_6 = 24

(iii) The sequence is an (arithmetic) / geometric sequence and can be represented by a (linear) / non-linear function.

2. a)

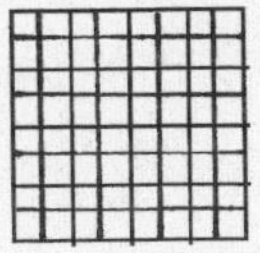

b)

Diagram Number	1	2	3	4
Number of Congruent Squares in the Diagram	1	4	16	64

c) (i) The next term can be calculated by multiplying the previous term by 4.

(ii) State the value of the following terms. t_4 = 64 t_5 = 256 t_6 = 1024

(iii) The sequence is an arithmetic / (geometric) sequence and can be represented by a linear / (non-linear) function.

3. a) arithmetic b) geometric c) geometric d) geometric
e) neither f) arithmetic

4. a) finite b) infinite c) infinite d) finite
e) infinite f) infinite

5. b) 1, −1, 1 c) 1500, 7500, 37500
e) 5, 8, 13 f) 100, 50, 0

6. a) arithmetic
20, 25
add 5 to the previous term

b) geometric
40, 80
multiply the previous term by 2

c) geometric
150, 50
multiply the previous term by $\frac{1}{3}$

d) geometric
1562.5, 3906.25
multiply the previous term by 2.5

e) arithmetic
4, −3
add −7 to the previous term

f) geometric
$\frac{1280}{9}$, $\frac{5120}{27}$
multiply the previous term by $\frac{4}{3}$

7. a)

b)

Diagram Number	1	2	3	4
Number of New Triangles in the Diagram	1	3	9	27

c) geometric

d) 1, 3, 9, 27, 81, 243, 729, 2187 $t_8 = 2187$

8. a)

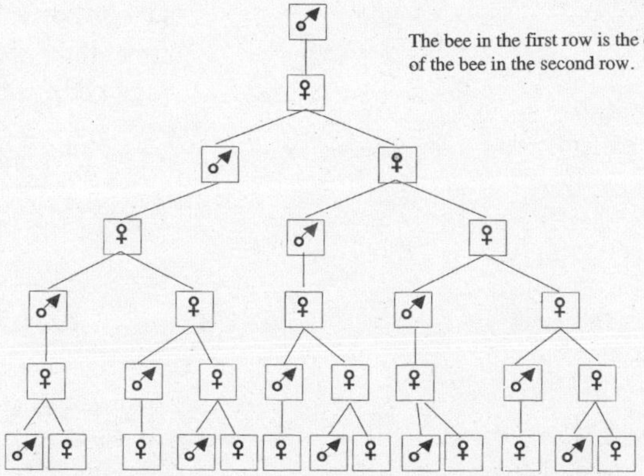

The bee in the first row is the child of the bee in the second row.

b)

Row Number	1	2	3	4	5	6	7
Number of Bees in the Row	1	1	2	3	5	8	13

c) neither d) 8 e) 8 + 13 = 21

9. If the graph is linear, the sequence is arithmetic.
Sequence 2 is arithmetic.

10. Write the terms of the sequence. If each term is formed from the previous term by multiplying by a constant, the sequence is geometric.
The sequence is 1, 2, 4, 8, 16 so the sequence is geometric.

Left page

11. Sequence 1 : multiply the previous term by 2.
Sequence 2 : add −5 to the previous term.

12. Sequence 1 : 1, 2, 4, 8, 16, 32, 64, 128 $t_8 = 128$
Sequence 2 : 35, 30, 25, 20, 15, 10, 5, 0 $t_8 = 0$

Multiple Choice

13. (D.) none of the above 1, 3, 7, 15, 31

14. (B.) a geometric sequence 2, 4, 8, 16

15. (C.) 63

1, 3, 7, 15, 31 (differences +2, +4, +8, +16, +32)

3 − 1 = 2
7 − 3 = 4
15 − 7 = 8
31 − 15 = 16

31 + 32 = 63

Group Investigation

a) 13

b)

grid	# moves
2 × 2	5
3 × 3	13
4 × 4	21

arithmetic sequence

extend the pattern to get 197 moves for a 26 × 26 grid

There is also a rule to get from grid size to # moves.

(grid size × 8) − 11 = # moves

(26 × 8) − 11 = 197

Right page

Sequences and Series Lesson #2: Arithmetic Sequences

Arithmetic Sequence

- Each term is determined by adding 3 to the previous term.
- Calculate the differences: $t_2 - t_1 = 3$ $t_3 - t_2 = 3$ $t_4 - t_3 = 3$

The common difference in this example is 3.

Class Ex. #1

The **common difference** in the sequence is −3.

13 − 16 = −3
10 − 13 = −3
7 − 10 = −3

Class Ex. #2

a) arithmetic
common difference = 2

c) arithmetic
common difference = 6

Class Ex. #3

i) $a = -8$ $d = 10$

ii) $a = 15$ $d = -5$

Investigation

a) $t_1 = 2$ $t_2 = 12$ $t_3 = 22$ $t_4 = 32$ $t_5 = 42$ $a = 2$ $d = 10$

b)
$t_4 = 2 + 3(10) = 32$ $t_4 = a + 3d$
$t_5 = 2 + 4(10) = 42$ $t_5 = a + 4d$
$t_{30} = 2 + 29(10) = 292$ $t_{30} = a + 29d$
$t_n = 2 + (n-1)(10)$ $t_n = a + (n-1)d$

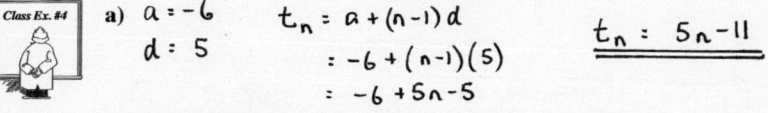

Class Ex. #4

a) $a = -6$, $d = 5$

$t_n = a + (n-1)d$
$= -6 + (n-1)(5)$
$= -6 + 5n - 5$

$t_n = 5n - 11$

b) $t_{12} = 5(12) - 11 = 49$

Class Ex. #5

$a = 3$
$d = -4$
$t_n = -117$

$t_n = a + (n-1)d$
$-117 = 3 + (n-1)(-4)$
$-117 = 3 - 4n + 4$
$-117 = 7 - 4n$
$4n = 7 + 117$
$4n = 124$
$n = 31$

31 terms

Class Ex. #6

-4 _ _ _ 8

$a = -4$
$t_5 = 8$

$t_n = a + (n-1)d$
$t_5 = a + 4d$
$8 = -4 + 4d$
$12 = 4d$
$d = 3$

Add 3 to the previous term

$-4, -1, 2, 5, 8$

Class Ex. #7

a) Common difference
$d = t_2 - t_1$
or $t_3 - t_2$

$(3x-1) - (x+2) = (2x+1) - (3x-1)$
$3x - 1 - x - 2 = 2x + 1 - 3x + 1$
$2x - 3 = -x + 2$
$3x = 5$
$x = \frac{5}{3}$

b) $t_1 = x + 2 = \frac{5}{3} + 2 = \frac{11}{3}$
$t_2 = 3x - 1 = 3\left(\frac{5}{3}\right) - 1 = 4$
$t_3 = 2\left(\frac{5}{3}\right) + 1 = \frac{13}{3}$

Class Ex. #8

a) _ _ 12 _ _ _ _ -18
t_3 ... t_8

let $a = 12$
and $t_6 = -18$

$t_6 = a + 5d$
$-18 = 12 + 5d$
$-30 = 5d$
$d = -6$

_ _ 12 _ t_5 _ _ -18
add -6 to the previous term
$t_5 = 12 - 6 - 6 = 0$

b) $a = 12 + 6 + 6 = 24$
$d = -6$

c) $\frac{-18-12}{5} = -6$

d) $t_3 = a + 2d$
$t_8 = a + 7d$

$\frac{t_8 - t_3}{8-3} = \frac{(a+7d) - (a+2d)}{8-3}$
$= \frac{a + 7d - a - 2d}{5} = \frac{5d}{5} = d.$

e) $d = \frac{t_q - t_p}{q - p}$

Class Ex. #9

$t_8 = a + 7d = -18$
$t_3 = a + 2d = 12$
Subtract
$5d = -30$
$d = -6$

$a + 7d = -18$
$a + 7(-6) = -18$
$a - 42 = -18$
$a = 24$

first term $= 24$
Common difference $= -6$

$t_5 = a + 4d$
$= 24 + 4(-6)$
$= 0$

Assignment

1. a) i) 6 ii) 26, 32, 38	b) i) 12 ii) 31, 43, 55	c) i) -17 ii) 2, -15, -32
d) i) -2.9 ii) -1.6, -4.5, -7.4	e) i) $-\frac{3}{5}$ $\left(\frac{1}{15} - \frac{2}{3}\right)$ ii) $-\frac{17}{15}$, $-\frac{26}{15}$, $-\frac{7}{3}$	f) i) $(-5x+y) - (-2x+3y)$ $= -5x + y + 2x - 3y$ $= -3x - 2y$ ii) $-11x - 3y$, $-14x - 5y$, $-17x - 7y$

2. a) -6, -3, 0, 3, 6: $d = 3$ b) 18, 11, 4, -3, -10: $d = -7$
c) 5, 3, 1, -1, -3: $d = -2$ d) 5, 7.5, 10, 12.5, 15: $d = 2.5$

3. a) 5, 11, 17, 23 b) 19, 17, 15, 13 c) 24, 23, 22, 21

4. a) $a = 12$
$d = -7$
$t_n = a + (n-1)d$
$= 12 + (n-1)(-7)$
$= 12 - 7n + 7$
$t_n = 19 - 7n$

b) $t_{19} = 19 - 7(19) = -114$

c) solve $19 - 7n = -268$
$287 = 7n$
$n = 41$

solve $19 - 7n = -350$
$369 = 7n$
$n = 52\frac{5}{7}$

n must be a natural number so only -268 is a term of the sequence.

5. a) $a = -1$, $d = -3$

$t_5 = a + 4d = -1 + 4(-3) = -13$

$t_{24} = a + 23d = -1 + 23(-3) = -70$

$t_n = a + (n-1)d = -1 + (n-1)(-3) = -1 - 3n + 3 = 2 - 3n$

$t_5 = -13$, $t_{24} = -70$, $t_n = 2 - 3n$

b) $a = -21$, $d = 15$

$t_{10} = a + 9d = -21 + 9(15) = 114$

$t_{90} = a + 89d = -21 + 89(15) = 1314$

$t_n = a + (n-1)d = -21 + (n-1)(15) = -21 + 15n - 15 = 15n - 36$

$t_{10} = 114$, $t_{90} = 1314$, $t_n = 15n - 36$

c) $a = -b$, $d = 2a - b - (-b) = 2a$

$t_{12} = a + 11d = -b + 11(2a) = 22a - b$

$t_n = a + (n-1)d = -b + (n-1)(2a) = 2an - 2a - b$

$t_{12} = 22a - b$, $t_n = 2an - 2a - b$

6.

x
x
x
x
x
x x x x x

a) 4, 6, 8, 10

b) $a = 4$, $d = 2$

$t_{34} = a + 33d = 4 + 33(2) = 70$

70 stars in the 34th pattern.

7. a) $a = 4$, $d = 3$, $t_n = 49$

$t_n = a + (n-1)d$

$49 = 4 + (n-1)(3)$

$49 = 4 + 3n - 3$

$48 = 3n$

$n = 16$

16 terms

b) $a = -52$, $d = -4$, $t_n = -148$

$-148 = -52 + (n-1)(-4)$

$-148 = -52 - 4n + 4$

$4n = 100$

$n = 25$

25 terms

8. $a = 25$, $d = 5$, $t_n = 315$

$315 = 25 + (n-1)(5)$

$315 = 25 + 5n - 5$

$295 = 5n$ $\quad n = 59$

59 multiples

9. a) first term = 56 $\quad$ last term = 273

b) $a = 56$, $d = 7$, $t_n = 273$

$273 = 56 + (n-1)(7)$

$273 = 56 + 7n - 7$

$224 = 7n$ $\quad n = 32$

32 multiples

10. first term = 180

last term = 888

$a = 180$ $\quad d = 12$

$t_n = 888$

$888 = 180 + (n-1)(12)$

$888 = 180 + 12n - 12$

$720 = 12n$

$n = 60$

60 multiples

11. a) 20 _ _ _ _ _ −76 (t_1 … t_7)

$a = 20$, $t_7 = -76$

$t_7 = a + 6d$

$-76 = 20 + 6d$

$6d = -96$

$d = -16$

20, 4, −12, −28, −44, −60, −76

b) $a + 7d = -94$

$a + 2d = -24$

subtract $\quad 5d = -70$

$d = -14$

$a + 7d = -94$

$a + 7(-14) = -94$

$a = 4$

$t_4 = a + 3d = 4 + 3(-14) = -38$

$t_5 = a + 4d = 4 + 4(-14) = -52$

$t_6 = a + 5d = 4 + 5(-14) = -66$

$t_7 = a + 6d = 4 + 6(-14) = -80$

12. $t_2 - t_1 = t_3 - t_2$

$(3x+1) - (2x+3) = (8x-1) - (3x+1)$

$3x + 1 - 2x - 3 = 8x - 1 - 3x - 1$

$x - 2 = 5x - 2$

$0 = 4x$

$x = 0$

$t_1 = 2(0) + 3 = 3$

$t_2 = 3(0) + 1 = 1$

$t_3 = 8(0) - 1 = -1$

13. $t_2 - t_1 = t_3 - t_2$

$(3x-1) - (x+3) = (7x-2) - (3x-1)$

$3x - 1 - x - 3 = 7x - 2 - 3x + 1$

$2x - 4 = 4x - 1$

$-3 = 2x$

$x = -\frac{3}{2}$

$t_1 = -\frac{3}{2} + 3 = \frac{3}{2}$

$t_2 = 3(-\frac{3}{2}) - 1 = -\frac{11}{2}$

$d = t_2 - t_1 = -\frac{11}{2} - \frac{3}{2} = -7$

$t_n = a + (n-1)d = \frac{3}{2} + (n-1)(-7)$ $\quad t_n = \frac{17}{2} - 7n$

14. a) 3 _ _ _ _ _ _ _ _ 9

let $a = 3$, $t_{10} = 9$

$a + 9d = 9$

$3 + 9d = 9$

$9d = 6$ $\quad d = \frac{2}{3}$

$t_7 = 3$

$t_1 = 3 - 6(\frac{2}{3}) = -1$

common difference $= \frac{2}{3}$

first term $= -1$

b) $a + 6d = 3$

$a + 15d = 9$

subtract $\quad -9d = -6$

$d = \frac{2}{3}$

$a + 6d = 3$

$a + 6(\frac{2}{3}) = 3$

$a + 4 = 3$

$a = -1$

common difference $= \frac{2}{3}$

first term $= -1$

c) $t_{19} = a + 18d = -1 + 18(\frac{2}{3}) = 11$

$t_n = a + (n-1)d = -1 + (n-1)(\frac{2}{3})$

$t_n = \frac{2}{3}n - \frac{5}{3}$

15. a) $41 = a + 9d$

$21 = a + 4d$

subtract $\quad 20 = 5d$

$d = 4$

$a + 9(4) = 41$

$a = 5$

$t_n = a + (n-1)d = 5 + (n-1)(4) = 5 + 4n - 4 = 4n + 1$

$a = 5$, $d = 4$, $t_n = 4n + 1$

15. b)

$-9 = a + 3d$
$-31 = a + 14d$
subtract $22 = -11d$

$a + 3(-2) = -9$
$a - 6 = -9$
$a = -3$

$d = -2$
$t_n = -3 + (n-1)(-2)$
$= -3 - 2n + 2$
$= -2n - 1$

$a = -3,\ d = -2,\ t_n = -2n - 1$

Multiple Choice 16. A. 8, 4, 2, 1 . . . (not arithmetic) B. 20, 24, 28, 32 . . . ($d = 4$) C. 32, –8, 2, –0.5 . . . (not arithmetic) **(D.)** 20, 16, 12, 8 . . . ($d = -4$)

17. **(B.)** 1 and 3 only

$t_2 - t_1 = t_3 - t_2$
$(p+3) - (p-1) = (3p-1) - (p+3)$
$p + 3 - p + 1 = 3p - 1 - p - 3$
$4 = 2p - 4$

$4 = 2p - 4$
$2p = 8$
$p = 4$ { even, perfect square

18. **(B.)** t_{15} is smaller in Rob's sequence

Rob: $a = -14$, $d = 8$
$t_{15} = a + 14d$
$= -14 + 14(8)$
$= 98$

Jason: $a = 166$, $d = -4$
$t_{15} = a + 14d$
$= 166 + 14(-4)$
$= 110$

19. **(B.)** 0

$(3x - 4) - (x + 2) = (7x - 6) - (3x - 4)$
$3x - 4 - x - 2 = 7x - 6 - 3x + 4$
$2x - 6 = 4x - 2$
$-4 = 2x$
$x = -2$

$t_1 = x + 2$
$= -2 + 2$
$= 0$

Numerical Response 20. $t_1 + 27 + t_{last} = 29$

2	9		

Sequences and Series Lesson #3: Arithmetic Growth and Decay

a) Joel: $a = 6$, $d = 15$, $n = 12$
$t_{12} = a + 11d$
$= 6 + 11(15)$
$= 171$ inches

Jenna: $a = 21$, $d = 15$, $n = 11$
$t_n = a + 10d$
$= 21 + 10(15)$
$= 171$ inches

b) $t_n = a + (n-1)d$
$= 6 + (n-1)(15)$
$= 6 + 15n - 15$
$= 15n - 9$

c) $t_n = a + (n-1)d$
$= 21 + (n-1)(15)$
$= 21 + 15n - 15$
$= 15n + 6$

d) Different values for the first term which leads to different values of n when solving a specific problem.

e) 28 ft = 28 × 12 in
= 336 in

Joel: $336 = 15n - 9$
$345 = 15n$
$n = 23$

Jenna: $336 = 15n + 6$
$330 = 15n$
$n = 22$

Joel: n = 1 in 2000, n = 23 in 2022
Jenna: n = 1 in 2001, n = 22 in 2022 | Year 2022

a) Let t_n = value n years after 1992

$t_5 = 311000$
$t_{18} = 2900$

$a + 4d = 311000$
$a + 17d = 2900$

subtract $-13d = 308100$
$d = -23700$

Annual depreciation = $23700

b) $a + 4d = 311000$
$a + 4(-23700) = 311000$
$a - 94800 = 311000$
$a = 405800$

t_1 = value at end of year 1 = $405800

Initial value = $405800 + $23700
= $429500

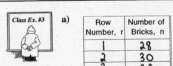

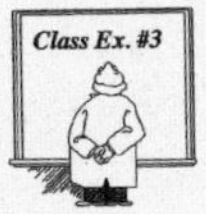

a)

Row Number, r	Number of Bricks, n
1	28
2	30
3	32
4	34
5	36
6	38
7	40
8	42
9	44
10	46

Class Ex. #3

b)

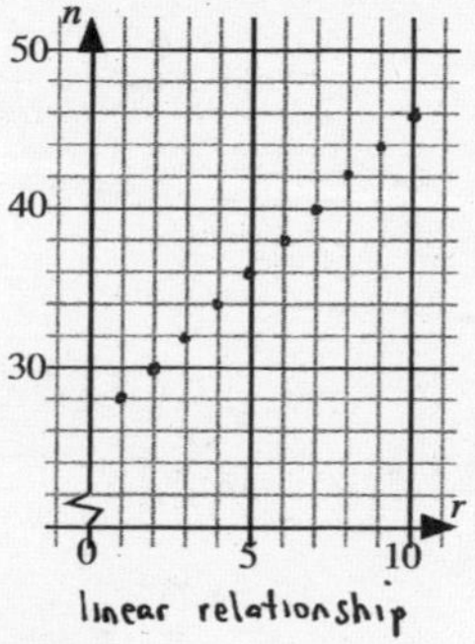

c) The range is an arithmetic sequence with the first term = 28 and the common difference = 2

d) set of natural numbers [up to 10 in a) and b)]

e) We cannot have a row number of zero.

f) $t_n = a + (n-1)d$

$n = 28 + (r-1)(2)$

$n = 28 + 2r - 2 \qquad n = 2r + 26$

Assignment

1. a) 68, 110, 152 $\quad \underline{a = 68} \quad d = 110 - 68 = \underline{42}$

b) $\underline{\$42}$

c) $\$68 - \$42 = \underline{\$26}$

d) $t_6 = a + 5d = 68 + 5(42) = \underline{\$278}$

2. a) 15800, 16600, 17400, 18200

b) $a = 15800$, $d = 800$ $\quad \underline{t_n = 15800 + (n-1)(800)}$

c) i) $15800 + 22(800) = \underline{\$33400}$ **ii)** $15800 + 53(800) = \underline{\$58200}$

d) $E = 15800 + (n-1)(800)$

$E = 15800 + 800n - 800$

$E = 800n + 15000$

e) i) $E = 800(23) + 15000 = \underline{\$33400}$

ii) $E = 800(54) + 15000 = \underline{\$58200}$

3. $t_8 = 58 \qquad a + 7d = 58$

$t_{15} = 107 \qquad a + 14d = 107$

subtract $\quad -7d = -49$

$d = 7$

$a + 7d = 58 \qquad a + 7(7) = 58$

$a = 9$

row 1 → 9

row 2 → 9 + 7 = 16

row 3 → 9 + 2(7) = 23

total = 9 + 16 + 23 = $\underline{48}$

4. a)
b)

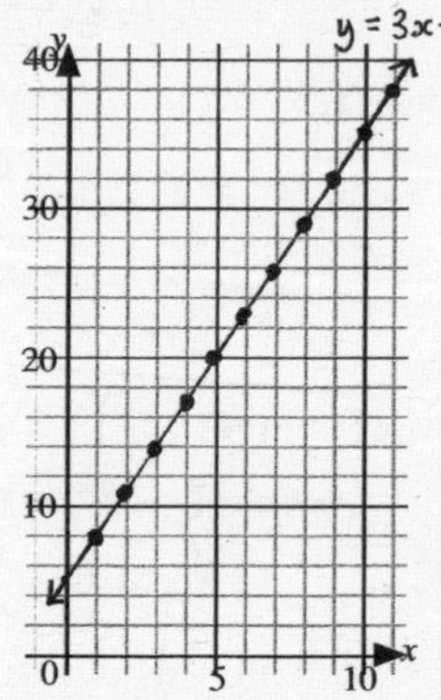

c) 8, 11, 14, 17, 20

d) 11 − 8 = 14 − 11 = 17 − 14 = 20 − 17 = 3
arithmetic sequence with a common difference of 3

5. a) $t_1 = a = 36000$

$d = 2750$

$t_7 = a + 6d = 36000 + 6(2750) = 52500$

Rate of pay = $\underline{\$52500}$

b) $t_n = a + (n-1)d$

$60000 = 36000 + (n-1)(2750)$

$24000 = 2750n - 2750$

$26750 = 2750n$

$n = 9.727\ldots$

In the $\underline{10\text{th year}}$ she will earn more than \$60000

6. let t_n = value at end of nth year (in dollars)

$a = t_1 = 35000 - 5000 = 30000$

$d = -2400$

$t_{11} = a + 10d = 30000 + 10(-2400)$

$= 30000 - 24000$

$= 6000$

Value = $\underline{\$6000}$

7. a) consider the sequence 27, 30, 33 114

$a = 27 \quad d = 3 \quad t_n = 114$

$t_n = a + (n-1)d$

$114 = 27 + (n-1)(3)$

$114 = 27 + 3n - 3$

$90 = 3n$

$n = 30$

30 terms in the sequence

rows = 2(30) = $\underline{60}$

b) i) $t_7 = a + 6d$

$= 27 + 6(3)$

$= 45$ $\quad$ 45 chairs

ii) $t_{15} = a + 14d$

$= 27 + 14(3)$

$= 69$ $\quad$ 69 chairs

Multiple Choice

8. (D.) 20

$a = t_1 = 35$

$d = 8$

$t_n = 3(60) = 180$

$t_n = a + (n-1)d$

$180 = 35 + (n-1)(8)$

$180 = 35 + 8n - 8$

$153 = 8n$

$n = 19.125$

20th day

9. (A.) 48

$t_1 = 6$

$t_2 = 9$

$t_3 = 12$

$a = 6$

$d = 3$

$t_{15} = a + 14d$

$= 6 + 14(3)$

$= 48$

Numerical Response

10. $t_n = a + (n-1)d$

$= 6 + (n-1)(3)$

$= 6 + 3n - 3 = 3n + 3$

$m = 3$

$b = 3$

3			

Sequences and Series Lesson #4:
Arithmetic Series

Arithmetic Series

The symbol, S_n is used to represent the sum of n terms of an arithmetic series. In the example above S_5 = 35 .

Investigation

$2S_{100} = 101 + 101 + 101 + 101 + 101 + \ldots + 101 + 101 + 101 + 101 + 101$

$2S_{100} = 100 \times 101$

$2S_{100} = 10100$

$S_{100} = 5050$

Class Ex. #1

$a = 9$

$d = 6$

$n = 14$

$S_n = \frac{n[2a + (n-1)d]}{2}$

$S_{14} = \frac{14[2(9) + 13(6)]}{2} = 672$

Class Ex. #2

$t_{22} = a + 21d = 45$

$t_1 = a = -18$

$-18 + 21d = 45$

$21d = 63$

$d = 3$

$n = 22$

$S_n = \frac{22[2(-18) + 21(3)]}{2}$

$= 297$

OR

$a = -18 \quad t_n = 45$

$n = 22$

$S_n = \frac{n(a + t_n)}{2}$

$= \frac{22(-18+45)}{2}$

$= 297$

Class Ex. #3

$a = 17$

$d = -5$

$t_n = -38$

we need to determine n.

$t_n = a + (n-1)d = -38$

$17 + (n-1)(-5) = -38$

$17 - 5n + 5 = -38$

$-5n = -60$

$n = 12$

$S_n = \frac{n[2a + (n-1)d]}{2}$

$= \frac{12[2(17) + 11(-5)]}{2} = -126$

OR $S_n = \frac{n(a + t_n)}{2} = \frac{12(17 - 38)}{2} = -126$

Sum = -126

Class Ex. #4

a) $a = t_1 = 16000$

$d = 850$

$n = 12$

$t_{12} = a + 11d$

$= 16000 + 11(850)$

$= 25350$

Salary = $25 350

b) $S_n = \frac{n[2a + (n-1)d]}{2}$

$S_{12} = \frac{12[2(16000) + 11(850)]}{2}$

$= 248100$

OR $S_n = \frac{n(a + t_n)}{2} = \frac{12(16000 + 25350)}{2}$

$= 248100$

Total = $248100

Investigation #2

a) $S_3 = 2(3)^2 - 3 = 15 \Rightarrow S_3 = S_2 + t_3 \Rightarrow t_3 = S_3 - S_2 \Rightarrow t_3 = 15 - 6 \quad \therefore t_3 = 9$

$S_4 = 2(4)^2 - 4 = 28 \Rightarrow S_4 = S_3 + t_4 \Rightarrow t_4 = S_4 - S_3 \Rightarrow t_4 = 28 - 15 \therefore t_4 = 13$

b) $t_{10} = S_{10} - S_9$

c) $t_n = S_n - S_{n-1}$

d) i) $a = 1$

$d = 5 - 1 = 4$

$t_n = 1 + (n-1)(4)$

$= 1 + 4n - 4$

$t_n = 4n - 3$

ii) $t_n = S_n - S_{n-1}$

$= 2n^2 - n - (2(n-1)^2 - (n-1))$

$= 2n^2 - n - (2(n^2 - 2n + 1) - n + 1)$

$= 2n^2 - n - (2n^2 - 4n + 2 - n + 1)$

$= 2n^2 - n - 2n^2 + 4n - 2 + n - 1$

$t_n = 4n - 3$

Class Ex. #5

$S_1 = \frac{1}{2}(1)(11-1) = 5$

$S_2 = \frac{1}{2}(2)(11-2) = 9$

$S_3 = \frac{1}{2}(3)(11-3) = 12$

$S_4 = \frac{1}{2}(4)(11-4) = 14$

$t_1 = 5$

$t_2 = S_2 - S_1 = 9 - 5 = 4$

$t_3 = S_3 - S_2 = 12 - 9 = 3$

$t_4 = S_4 - S_3 = 14 - 12 = 2$

The first four terms are 5, 4, 3, 2

Assignment

$S_n = \frac{n[2a+(n-1)d]}{2}$

1. a) $a = 2$, $d = 1$, $n = 30$

$S_{30} = \frac{30[2(2)+29(1)]}{2} = \underline{\underline{495}}$

b) $a = -8$, $d = 4$, $n = 27$

$S_{27} = \frac{27[2(-8)+26(4)]}{2} = \underline{\underline{1188}}$

c) $a = 2.5$, $d = 0.2$, $n = 16$

$S_{16} = \frac{16[2(2.5)+15(0.2)]}{2} = \underline{\underline{64}}$

d) $a = \frac{5}{2}$, $d = \frac{-2}{3}$, $n = 12$

$S_{12} = \frac{12[2(\frac{5}{2})+11(-\frac{2}{3})]}{2} = \underline{\underline{-14}}$

2. a) $S_n = \frac{n(a+t_n)}{2}$

$S_{15} = \frac{15(8+120)}{2} = \underline{\underline{960}}$

b) $S_n = \frac{n(a+t_n)}{2}$

$S_{23} = \frac{23(-11+(-253))}{2} = \underline{\underline{-3036}}$

3. a) $a = 11$ $d = 12$ $t_n = 179$

$t_n = a+(n-1)d$ $\quad 179 = 11+(n-1)(12)$

$179 = 11+12n-12$ $\quad 180 = 12n$ $\quad n = 15$

$S_n = \frac{n(a+t_n)}{2}$ $\quad S_{15} = \frac{15(11+179)}{2} = \underline{\underline{1425}}$

b) $a = 29$ $d = -8$ $t_n = -27$

$t_n = a+(n-1)d$ $\quad -27 = 29+(n-1)(-8)$

$-27 = 29-8n+8$ $\quad 8n = 64$ $\quad n = 8$

$S_n = \frac{n(a+t_n)}{2}$ $\quad S_8 = \frac{8(29+(-27))}{2} = \underline{\underline{8}}$

4. a) $a = t_1 = 3.5$, $d = 0.5$, $n = 52$

$t_n = a+(n-1)d$

$t_{52} = 3.5+51(0.5)$

$= 29$

Allowance $= \underline{\underline{\$29}}$

b) $S_n = \frac{n(a+t_n)}{2}$

$S_{52} = \frac{52(3.5+29)}{2} = \underline{\underline{\$845}}$

5. series up + series down

$a = 7$, $d = 7$, $n = 14$

$S_n = \frac{n[2a+(n-1)d]}{2}$

$S_{14} = \frac{14[2(7)+13(7)]}{2} = 735$

up and down $= 2(735) = \underline{\underline{1470\text{ m}}}$

6. Sally is correct. The first term is -15. The last term is 12.
The number of terms is $1+8+1 = 10$

$S_n = \frac{n(a+t_n)}{2}$ $\quad S_{10} = \frac{10(-15+12)}{2} = -15$

The sum of the 8 arithmetic means $= S_{10} - t_1 - t_{10} = -15-(-15)-12 = \underline{\underline{-12}}$

7. a) $S_1 = 3(1)-1 = 2$ $\quad t_1 = 2$

$S_2 = 3(2)-1 = 5$ $\quad t_2 = S_2 - S_1 = 5-2 = 3$

$S_3 = 3(3)-1 = 8$ $\quad t_3 = S_3 - S_2 = 8-5 = 3$

$S_4 = 3(4)-1 = 11$ $\quad t_4 = S_4 - S_3 = 11-8 = 3$

The terms are $\underline{\underline{2, 3, 3, 3}}$

b) The sequence is not arithmetic. There is not a common difference between the terms.

8. a) $S_1 = 3(1)^2-1 = 2$ $\quad t_1 = 2$

$S_2 = 3(2)^2-2 = 10$ $\quad t_2 = 10-2 = 8$

$S_3 = 3(3)^2-3 = 24$ $\quad t_3 = 24-10 = 14$

$S_4 = 3(4)^2-4 = 44$ $\quad t_4 = 44-24 = 20$

The terms are $\underline{\underline{2, 8, 14, 20}}$

b) $t_8 = S_8 - S_7 = 3(8)^2-8-[3(7)^2-7]$

$= 184 - 140$

$= \underline{\underline{44}}$

OR the sequence is arithmetic with $a = 2$ and $d = 6$

$t_8 = a+7d = 2+7(6)$

$= \underline{\underline{44}}$

[redacted] **9.** (C.) $6+2+(-2)+(-6)$ $\quad d = -4$ common difference and sum.

10. (D.) -9600 $\quad a = 3$, $d = -2$, $n = 100$

$S_n = \frac{n[2a+(n-1)d]}{2}$ $\quad S_{100} = \frac{100[2(3)+99(-2)]}{2}$

$= -9600$

11. (A.) \$49 380

$t_5 = 65328 = a+4d$

$t_9 = 81276 = a+8d$

Subtract $-15948 = -4d$

$d = 3987$

$a+4d = 65328$

$a+4(3987) = 65328$

$a+15948 = 65328$

$a = 49380$

12. (B.) \$673 215

$t_{10} = t_9 + d = 81276+3987 = 85263$

Total in 12 years $= S_{10} + 2(85263)$

$S_n = \frac{n(a+t_n)}{2}$ $\quad S_{10} = \frac{10(49380+85263)}{2}$

$= 673215$

Total $= 673215 + 2(85263)$

$= \$843741$

Numerical Response **13.** $t_5 = a+4d = 64$

$t_9 = a+8d = 92$

Subtract $-4d = -28$

$d = 7$

$a+4(7) = 64$

$a+28 = 64$

$a = 36$

3	6		

14. $S_n = \frac{n[2a+(n-1)d]}{2}$ $\quad S_n = \frac{n(a+t_n)}{2}$

$S_9 = \frac{9[2(36)+8(7)]}{2}$ OR $= \frac{9(36+92)}{2}$ $\quad$ [5|7|6|]

$= 576$ $\quad = 576$

15. $S_1 = 6$ $\quad t_1 = 6$ $\quad S_4 = 36$ $\quad t_4 = 36-24 = 12$

$S_2 = 14$ $\quad t_2 = 14-6 = 8$ $\quad t_2 + t_3 = 8+10 = 18$

$S_3 = 24$ $\quad t_3 = 24-14 = 10$ $\quad$ [1|8| |]

16. $t_1 = 3(1)-7 = -4$ $\quad a = -4$ $\quad S_{18} = \frac{18[2(-4)+17(3)]}{2}$

$t_2 = 3(2)-7 = -1$ $\quad d = -1-(-4) = 3$

$n = 18$

$S_n = \frac{n[2a+(n-1)d]}{2}$ $\quad = 387$

Sequences and Series Lesson #5:
Geometric Sequences

Warm-Up

i) Add 2 to the previous term $\quad t_5 = 10 \quad t_6 = 12$

ii) Multiply the previous term by 2 $\quad t_5 = 32 \quad t_6 = 64$

Class Ex. #1

a) $\frac{12}{6} = \frac{24}{12} = \frac{48}{24} = 2$ common ratio of 2

b) $\frac{5}{-1} = \frac{-25}{5} = \frac{125}{-25} = -5$ common ratio of -5

c) $\frac{-5}{-10} = \frac{-5/2}{-5} = \frac{-5/4}{-5/2} = \frac{1}{2}$ common ratio of $\frac{1}{2}$

Class Ex. #2

a) geometric, common ratio $= 3$, $t_5 = 648 \quad t_6 = 1944$

b) arithmetic, common difference $= -36$, $t_5 = -36 \quad t_6 = -72$

c) geometric, common ratio $= -\frac{2}{3}$, $t_5 = \frac{-16}{27} \quad t_6 = \frac{32}{81}$

Investigation

t_4	$8 \times 1.5 \times 1.5 \times$ <u>1.5</u> $= 27$	$t_4 = ar^3$
t_5	$8 \times 1.5 \times 1.5 \times 1.5 \times 1.5 = 40.5$	$t_5 = ar^4$
t_n		$t_n = ar^{n-1}$

a)
b)

c) $t_n = ar^{n-1}$

Class Ex. #3

a) $a = 5$, $r = 3$, $t_n = ar^{n-1}$, $t_n = 5(3)^{n-1}$

$t_9 = 5(3)^8 = 32805$

b) $a = \frac{1}{3}$, $r = -\frac{1}{2}$, $t_n = ar^{n-1}$, $t_n = \frac{1}{3}\left(-\frac{1}{2}\right)^{n-1}$

$t_7 = \frac{1}{3}\left(-\frac{1}{2}\right)^6 = \frac{1}{192}$

Class Ex. #4

a) $a = 32$, $r = 2$, $t_n = 16384$

$t_n = ar^{n-1}$

$16384 = 32(2)^{n-1}$

$512 = 2^{n-1}$

$2^{n-1} = 512$

b) $2^{n-1} = 2^9$

$n-1 = 9$

$n = 10$

10 terms

c) graph $y_1 = 2^{x-1}$ $\quad$ window $x: [-2, 20, 2]$ $\quad$ intersect $\Rightarrow x = 10$

graph $y_2 = 512$ $\quad y: [0, 1000, 100]$ $\quad$ 10 terms

Class Ex. #5

81 _ _ _ _ $\frac{1}{729}$

$t_1 = a = 81$

$t_6 = ar^5 = \frac{1}{729}$

$81r^5 = \frac{1}{729}$

$r^5 = \frac{1}{59049}$

$r = \frac{1}{9}$

multiply previous term by $\frac{1}{9}$

$81, 9, 1, \frac{1}{9}, \frac{1}{81}, \frac{1}{729}$

Class Ex. #6

$\frac{t_2}{t_1} = \frac{t_3}{t_2} = r$

$\frac{x}{x+3} = \frac{x-5}{x}$

$x^2 = (x+3)(x-5)$

$x^2 = x^2 - 2x - 15$

$2x = -15$

$x = \frac{-15}{2}$

$t_1 = x+3 = -\frac{15}{2}+3 = -\frac{9}{2}$

$t_2 = x = -\frac{15}{2}$

$t_3 = x-5 = -\frac{15}{2}-5 = -\frac{25}{2}$

Class Ex. #7

$t_4 = ar^3 = -54$

$t_7 = ar^6 = 1458$

method 1: $a = \frac{-54}{r^3}$

$\left(\frac{-54}{r^3}\right)r^6 = 1458$

$-54r^3 = 1458$

$r^3 = -27$

$r = -3$

method 2: $ar^6 = 1458$

$ar^3 = -54$

Divide $r^3 = -27$

$r = -3$

$ar^6 = 1458$

$a(-3)^6 = 1458 \quad a = \frac{1458}{(-3)^6} = 2$

$t_n = ar^{n-1} = 2(-3)^{n-1}$

first term $= 2$
common ratio $= -3$
general term $t_n = 2(-3)^{n-1}$

Assignment

1. No. More than two terms are required to determine a common difference or a common ratio.

2. a) geometric, common ratio = 3; 324, 972
   b) geometric, common ratio = $\frac{1}{8}$; $\frac{1}{8}$, $\frac{1}{64}$
   c) neither; 22, 29
   d) arithmetic, common difference = −10; −20, −30
   e) geometric, common ratio = $\frac{2}{3}$; $\frac{8}{63}$, $\frac{16}{189}$
   f) geometric, common ratio = −0.8; −2.56, 2.048
   g) geometric, common ratio = c; bc^4, bc^5
   h) neither; 21, 34

3. 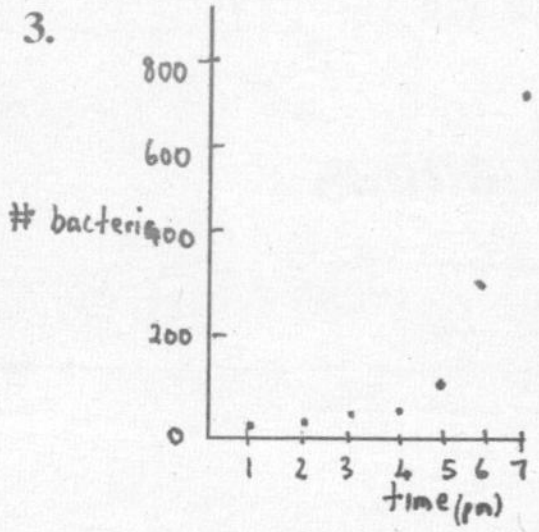

   a) 1, 3, 9, 27, 81, 243, 729
   b) geometric. common ratio = 3
   c) no

4. a) $r = -3$
   $t_5 = (-162)(-3) = 486$
   $t_6 = (486)(-3) = -1458$

   b) $r = \frac{-\frac{4}{3}}{2} = -\frac{2}{3}$
   $t_5 = \left(\frac{-16}{27}\right)\left(\frac{-2}{3}\right) = \frac{32}{81}$
   $t_6 = \left(\frac{32}{81}\right)\left(\frac{-2}{3}\right) = \frac{-64}{243}$

5. a) $a = 4$, $r = 3$, $t_n = ar^{n-1}$, $\underline{t_n = 4(3)^{n-1}}$
   b) $a = 3$, $r = 0.5$, $\underline{t_n = 3(0.5)^{n-1}}$
   c) $a = 5$, $r = -2$, $\underline{t_n = 5(-2)^{n-1}}$
   d) $a = -3$, $r = -\frac{1}{2}$, $\underline{t_n = 3\left(-\frac{1}{2}\right)^{n-1}}$

   c) $r = \sqrt{3}$
   $t_4 = 15\sqrt{3}$
   $t_5 = (15\sqrt{3})(\sqrt{3}) = 45$

6. a) $a = 8$, $r = 2$
   $t_n = ar^{n-1} = 8(2)^{n-1} = 2^3(2)^{n-1} = 2^{n+2}$
   Both students have the correct general term.
   b) Damien's
   c) $a = 9$, $r = 3$
   $t_n = ar^{n-1} = 9(3)^{n-1} = 3^2(3)^{n-1} = 3^{n+1}$
   $\underline{t_n = 3^{n+1}}$

7. a) $a = 2$, $r = 5$, $t_n = 2(5)^{n-1}$, $t_9 = 2(5)^8 = \underline{781250}$
   b) $a = 24$, $r = \frac{1}{2}$, $t_n = 24\left(\frac{1}{2}\right)^{n-1}$, $t_{10} = 24\left(\frac{1}{2}\right)^9 = \underline{\frac{3}{64}}$
   c) $a = \frac{1}{3}$, $r = -\frac{1}{2}$, $t_n = \frac{1}{3}\left(-\frac{1}{2}\right)^{n-1}$, $t_8 = \frac{1}{3}\left(-\frac{1}{2}\right)^7 = -\frac{1}{384}$
   d) $a = \frac{1}{48}$, $r = 2$, $t_n = \frac{1}{48}(2)^{n-1}$, $t_{11} = \frac{1}{48}(2)^{10} = \underline{\frac{64}{3}}$

8. a) $a = -6$, $r = 2$, $t_n = -192$
   $t_n = -6(2)^{n-1}$
   $-192 = -6(2)^{n-1}$
   $32 = 2^{n-1}$
   $2^5 = 2^{n-1}$
   $5 = n-1$, $n = 6$, $\underline{6 \text{ terms}}$

   b) $a = 512$, $r = -\frac{1}{2}$, $t_n = -1$
   $t_n = 512\left(-\frac{1}{2}\right)^{n-1}$
   $-1 = 512\left(-\frac{1}{2}\right)^{n-1}$
   $\frac{-1}{512} = \left(-\frac{1}{2}\right)^{n-1}$
   $\left(-\frac{1}{2}\right)^9 = \left(-\frac{1}{2}\right)^{n-1}$
   $n = 10$, $\underline{10 \text{ terms}}$

9. a) $a = -2$, $r = -2$, $t_n = 1024$
   $t_n = ar^{n-1}$
   $1024 = (-2)(-2)^{n-1}$
   $-512 = (-2)^{n-1}$
   $(-2)^9 = (-2)^{n-1}$
   $9 = n-1$, $n = 10$, $\underline{t_{10}}$

   b) $a = \frac{1}{384}$, $r = -2$, $t_n = -\frac{16}{3}$
   $-\frac{16}{3} = \frac{1}{384}(-2)^{n-1}$
   $-2048 = (-2)^{n-1}$
   $(-2)^{11} = (-2)^{n-1}$
   $11 = n-1$, $n = 12$, $\underline{t_{12}}$

10. Let t_n = middle term
    $a = 2$, $r = \frac{14}{2} = 7$, $t_n = 4802$
    $4802 = 2(7)^{n-1}$
    $2401 = (7)^{n-1}$
    $7^4 = 7^{n-1}$
    $4 = n-1$, $n = 5$
    middle term is term 5
    4 terms below middle
    4 terms above middle
    4 + 1 + 4 = $\underline{9 \text{ terms}}$

11. 1 + 7 + 1 = 9

12. $24 \_ \_ \_ \frac{3}{2}$
    $a = 24$, $t_5 = \frac{3}{2}$
    $t_5 = ar^4$
    $\frac{3}{2} = 24r^4$
    $r^4 = \frac{1}{16}$
    $r = \pm\frac{1}{2}$
    $24, 12, 6, 3, \frac{3}{2}$
    OR
    $24, -12, 6, -3, \frac{3}{2}$

13. $-54 \_ \_ 1458$
    $t_4 = -54$, $t_7 = 1458$
    first consider $t_1 = -54$ and $t_4 = 1458$
    $t_n = ar^{n-1}$
    $1458 = -54r^3$
    $-27 = r^3$
    $r = -3$
    now consider $t_4 = -54$ and $r = -3$
    $t_4 = ar^3$
    $-54 = a(-3)^3$
    $-54 = -27a$
    $a = 2$
    general term $= t_n = ar^{n-1} = 2(-3)^{n-1}$
    $\underline{\text{first term} = 2\text{, common ratio} = -3\text{, general term } t_n = 2(-3)^{n-1}}$

14. a) $r = \frac{t_2}{t_1} = \frac{t_3}{t_2}$

$\frac{x-25}{x+75} = \frac{x-45}{x-25}$

$(x-25)(x-25) = (x+75)(x-45)$

$x^2 - 50x + 625 = x^2 + 30x - 3375$

$-80x = -4000$

$x = 50$

b) $r = \frac{x-25}{x+75} = \frac{50-25}{50+75} = \frac{1}{5}$

$t_1 = x + 75 = 125$

sequence is $125, 25, 5, 1, \frac{1}{5}$

15. $\frac{p+5}{p} = \frac{p+9}{p+5}$

$(p+5)(p+5) = p(p+9)$

$p^2 + 10p + 25 = p^2 + 9p$

$p = -25$

$t_1 = p = -25$

$t_2 = p + 5 = -25 + 5 = -20$

$t_3 = p + 9 = -25 + 9 = -16$

16. a) $t_5 = ar^4 = 1792$

$t_2 = ar = 28$

divide $r^3 = 64$ $\quad r = 4$

$ar = 28 \quad 4a = 28 \quad a = 7$

$t_n = ar^{n-1} = 7(4)^{n-1}$

first term $= 7$, common ratio $= 4$, $t_n = 7(4)^{n-1}$

b) $t_9 = ar^8 = -\frac{1}{4}$

$t_4 = ar^3 = -256$

divide $r^5 = \frac{1}{1024}$

$r = \frac{1}{4}$

$ar^3 = -256 \quad a\left(\frac{1}{4}\right)^3 = -256 \quad a = -16384$

$t_n = -16384\left(\frac{1}{4}\right)^{n-1}$

first term $= -16384$, common ratio $= \frac{1}{4}$

general term $t_n = -16384\left(\frac{1}{4}\right)^{n-1}$

17. $t_7 = ar^6 = 729$

$t_2 = ar = 3$

divide $r^5 = 243$

$r = 3$

$ar = 3$

$3a = 3$

$a = 1$

$t_{10} = ar^9 = 1(3)^9 = 19683$

18. $t_7 = ar^6 = 9/8$

$t_3 = ar^2 = 18$

divide $r^4 = \frac{1}{16}$

$r = \pm\frac{1}{2}$

$ar^2 = 18$

$a\left(\pm\frac{1}{2}\right)^2 = 18$

$\frac{1}{4}a = 18$

$a = 72$

sequence 1

$a = 72 \quad r = \frac{1}{2}$

$t_{12} = 72\left(\frac{1}{2}\right)^{11}$

$= \frac{9}{256}$

sequence 2

$a = 72 \quad r = -\frac{1}{2}$

$t_{12} = 72\left(-\frac{1}{2}\right)^{11}$

$= -\frac{9}{256}$

there are two different sequences because there are two different values for the common ratio

Multiple Choice **19.** (B.) $t_n = 2(-3)^{n-1}$

$a = 2$

$r = -3$

$t_n = ar^{n-1}$

$= 2(-3)^{n-1}$

Numerical Response **20.** $\frac{2x+1}{x} = \frac{4x+10}{2x+1}$

$(2x+1)(2x+1) = x(4x+10)$

$4x^2 + 4x + 1 = 4x^2 + 10x$

$1 = 6x$

$x = \frac{1}{6} = 0.1666\ldots$

| 0 | . | 1 | 7 |

21. $a = 32$

$r = \frac{1}{2}$

$t_n = ar^{n-1}$

$= 32\left(\frac{1}{2}\right)^{n-1}$

$= 2^5(2^{-1})^{n-1}$

$= 2^5 \cdot 2^{-n+1} = 2^{6-n}$

$k = 6$

| 6 | | | |

22. $t_7 = 4y + 8 = ar^6$

$t_{10} = y - 4 = ar^9$

$\frac{ar^9}{ar^6} = \frac{y-4}{4y+8}$

$r^3 = \frac{y-4}{4y+8}$

$\frac{1}{8} = \frac{y-4}{4y+8}$

$4y + 8 = 8(y-4)$

$4y + 8 = 8y - 32$

$40 = 4y$

$y = 10$

$t_7 = 4y + 8 = 4(10) + 8 = 48$

$ar^6 = 48 \quad a\left(\frac{1}{2}\right)^6 = 48$

$a = \frac{48}{\left(\frac{1}{2}\right)^6} = 3072$

$t_{13} = ar^{12}$

$= 3072\left(\frac{1}{2}\right)^{12}$

$= 0.75$

| 0 | . | 7 | 5 |

Sequences and Series Lesson #6:
Geometric Growth and Decay

Class Ex. #1

a)

Year	2010	2011	2012	2013
Number of Rabbits	1500	1800	2160	2592

b) $\frac{t_2}{t_1} = \frac{1800}{1500} = 1.2 \quad \frac{t_3}{t_2} = \frac{2160}{1800} = 1.2 \quad \frac{t_4}{t_3} = \frac{2592}{2160} = 1.2$

The sequence is geometric because there is a common ratio of 1.2

c) term 16

d) $a = 1500$

$r = 1.2$

$n = 16$

$t_n = ar^{n-1}$

$t_{16} = 1500(1.2)^{15}$

$= 23110.53\ldots$

estimate 23110 rabbits

In the example above, the geometric growth factor is 1.2.

Class Ex. #2

a)

End of Year	1	2	3	4
Amount Owing ($)	9000	8100	7290	6561

b) $r = \frac{8100}{9000} = 0.9$ c) 0.9 d) $a = 9000$, $r = 0.9$, $n = 7$ $t_7 = ar^6 = 9000(0.9)^6 = \$4782.97$

Class Ex. #3

a) 1.035 d) $\frac{4}{5}$ e) $\frac{3}{4}$
b) 0.98
c) 2

Class Ex. #4

a) i) If $t_1 = 20$ then t_{15} is the height of the ball before the 15th bounce

ii) $a = 20$, $r = 0.8$, $n = 16$ $t_{16} = 20(0.8)^{15} = 0.7036..\text{ m} = 70\text{ cm}$

b) i) If t_{15} is the solution to the height after the 15th bounce then t_1 is the height after the first bounce. In this case $t_1 = 20(0.8) = 16$

ii) $a = 16$, $r = 0.8$, $n = 15$ $t_{15} = 16(0.8)^{14} = 0.7036...\text{ m} = 70\text{ cm}$

c) Lucasito: height $= 20(0.8)^x$
Nicolette: height $= 16(0.8)^{x-1}$

d) $2 = 20(0.8)^x$

e) solving $2 = 20(0.8)^x$ gives $x = 10.31....$
For the rebound height to be less than 2cm, 11 bounces are required

Class Ex. #5

a) 1.03
b) $5000(1.03)$
c) $5000(1.03)(1.03)$ or $5000(1.03)^2$

d) $a = t_1 = 5000(1.03)$, $r = 1.03$
$t_n = ar^{n-1}$
$t_{10} = ar^9 = 5000(1.03)(1.03)^9 = 5000(1.03)^{10}$

e) $5000(1.03) = \$5150$ $5000(1.03)^2 = \$5304.50$ $5000(1.03)^{10} = \$6719.58$

f) $a = t_1 = 5000(1.03)$, $r = 1.03$ $t_n = ar^{n-1} = 5000(1.03)(1.03)^{n-1} = 5000(1.03)^n$

Class Ex. #5

g) $r = 1 + \frac{i}{100}$, $a = P\left(1+\frac{i}{100}\right)$ $t_n = ar^{n-1} = P\left(1+\frac{i}{100}\right)\left(1+\frac{i}{100}\right)^{n-1} = P\left(1+\frac{i}{100}\right)^n$ $A = P\left(1+\frac{i}{100}\right)^n$

Assignment

1. a) 1.01 b) 0.88 c) 1.024 d) 0.925 e) $\frac{1}{3}$

2. a) 0.85 b) $a = 120$, $r = 0.85$, $n = 4$ $t_4 = ar^3 = 120(0.85)^3 = 73.695$ length of arc $= 73.695$ cm

3. a) 1.1 b) $3.5 \times 1.1 = 3.85$ inches
c) length $= 3.85(1.1)^3$ or $3.5(1.1)^4$ $= 5.12435$ inches area $= (5.12435)^2 = 26.26\text{ in}^2$
d) $(1.1)^2 = 1.21$ OR original area $= (3.5)^2$, area after 1 enlargement $= (3.85)^2$, $r = \frac{(3.85)^2}{(3.5)^2} = 1.21$

4. If value in 2010 $= t_1$, then value in 2016 $= t_7$. $a = 40000$, $r = 0.85$, $n = 7$ $t_7 = ar^6 = 40000(0.85)^6 = 15085.98$ Value $= \$15086$

5. a) $t_1 = 8400$, $r = 1.025$ calculate t_2 $t_2 = ar = 8400(1.025) = 8610$
b) calculate t_7 $t_7 = ar^6 = 8400(1.025)^6 = 9741.42...$ population $= 9741$

6. If value now $= t_1$, then value 5 years from now $= t_6$ $a = 410000$, $r = 1.04$, $n = 6$ $t_6 = ar^5 = 410000(1.04)^5 = 498827.69$ Price $= \$498\,828$

7. If $t_1 = 2010$ value, $t_{21} = 2030$ value $a = 5000$, $r = 1.039$, $n = 21$ $t_{21} = ar^{20} = 5000(1.039)^{20} = 10746.844...$ Value $= \$10746.84$

8. a) $2.80\text{m} = t_1$ = growth in first year.
growth in fourth year $= t_4$

$a = 2.80$
$r = 0.85$

$t_4 = ar^3 = 2.80(0.85)^3 = 1.719..$
growth $\doteq$ 1.72 m

b) growth in year n $= t_n$

$t_n = ar^{n-1}$

$0.5 = 2.80(0.85)^{n-1}$

graph $y_1 = 0.5$
graph $y_2 = 2.80(0.85)^{x-1}$ } intersect at $x = 11.6$

In the 12th year the growth is less than half a metre

9. a) 0.96 **b)** $a = t_1 = 750$
$r = 0.96 \quad n = 10$

$t_{10} = ar^9 = 750(0.96)^9 =$ $519.40

c) cost $= \$750(0.96)^{n-1}$

d) $t_n = ar^{n-1}$

$359.70 = 750(0.96)^{n-1}$

19th day

use the intersection feature of a graphing calculator

$y_1 = 359.7 \quad y_2 = 750(0.96)^{x-1}$

window $x:[0, 25, 5]$ $y:[0, 750, 50]$

solution $x = 19.047...$

10. a) $2500\left(\frac{19}{20}\right) =$ 2375 fish

c) $2500\left(\frac{19}{20}\right)^5 = 1934.452...$
1934 fish

b) $N = 2500\left(\frac{19}{20}\right)^t$

$a = t_1 = 2500\left(\frac{19}{20}\right)$
$r = \frac{19}{20}$

$t_n = ar^{n-1}$

$t_t = 2500\left(\frac{19}{20}\right)\left(\frac{19}{20}\right)^{t-1}$

d) $1100 = 2500\left(\frac{19}{20}\right)^t$

e) 16 years

graph $y_1 = 1100 \quad y_2 = 2500\left(\frac{19}{20}\right)^x$

window $x:[0, 25, 5]$ $y:[0, 2500, 100]$

11. a) $700(0.82)^7 = 174.5\text{g}$ OR $a = t_1 = 700(0.82)$ $\quad t_7 = ar^6$
$r = 0.82 \quad = 700(0.82)(0.82)^6$

b) $t_n = ar^{n-1}$

$= 700(0.82)(0.82)^{n-1}$

$t_n = 700(0.82)^n$

$80 = 700(0.82)^n$

use intersection feature of graphing calculator
$n = 10.929...$

11 filters are needed

12. a) 13% **b)** $t = 9$ $\quad V = V_0(1.13)^8 = V_0(2.658...)$
% increase $= 165.8.. \quad \doteq$ 166%

13. value $= 2500(1.037)^5 =$ $2998.01

14.
first investment: value $= 3000(1.033)^3 = \$3306.91$
second investment: value $= 3000(1.033)^2 = \$3201.27$
third investment: value $= 3000(1.033) = \$3099$
Total $= \$9607.18$

15. Let the rate be i%

$A = P\left(1+\frac{i}{100}\right)^n$

Annual rate = 9.0%

$9056 = 5400\left(1+\frac{i}{100}\right)^6$

$\frac{9056}{5400} = \left(1+\frac{i}{100}\right)^6$

$1 + \frac{i}{100} = \sqrt[6]{\frac{9056}{5400}}$

$i = 9.0$

16. $A = P\left(1+\frac{i}{100}\right)^n$

$4000 = 2000(1.0473)^n$

$2 = (1.0473)^n$

graph $y_1 = 2$
graph $y_2 = 1.0473^x$ } intersect $x = 15.0$

15 years

Multiple Choice

17. (C.) $V = \$24\,000(1.12)^t$ $\quad A = P\left(1+\frac{i}{100}\right)^n \quad V = 24000\left(1+\frac{12}{100}\right)^t$

18. (B.) 1.03 $\quad 1 + \frac{i}{100} = 1 + \frac{3}{100} = 1.03$

19. (B.) $63 651 $\quad$ Value after year 1 $= 120000(0.85) = \$102000$

5 more depreciations

Value after year 6 $= 102000(0.91)^5 = \$63651.28$

Numerical Response

20. Value after year n $= 102000(0.91)^{n-1}$ $\quad$ | 1 | 4 | | |

Solve $102000(0.91)^{n-1} = 30000$ by:

by graphing $\begin{cases} y_1 = 102000(0.91)^{x-1} \\ y_2 = 30000 \end{cases}$ $\quad$ Intersection point at $x = 13.976..$

Group Investigation

various methods possible.

e.g. let n = # years

Christine

rate per compounding period = 0.45%

compounding periods = 12n

value = $7000(1.0045)^{12n}$

Joe

rate per compounding period = 6.8%

compounding periods = n

value = $6000(1.068)^{n}$

Use the intersect feature to solve

Christine's value = Joe's value

Answer 14 years

Sequences and Series Lesson #7:
Geometric Series

Class Ex. #1

$$S_n = \frac{a(r^n-1)}{r-1} = \frac{ar^n-a}{r-1} = \frac{r(ar^{n-1})-a}{r-1} = \frac{rt_n-a}{r-1}$$

Class Ex. #2

a = −5
r = −2
n = 15

$$S_n = \frac{a(r^n-1)}{r-1}$$

$$S_{15} = \frac{-5((-2)^{15}-1)}{-2-1} = -54615$$

Class Ex. #3

a = 4
r = −3
$t_n = -8748$

$$S_n = \frac{rt_n - a}{r-1} = \frac{(-3)(-8748)-4}{-3-1}$$

$$= -6560$$

Class Ex. #4

a = −2
r = −4
$S_n = -104\,858$
$t_n = ?$

$$S_n = \frac{rt_n-a}{r-1} \qquad -104858 = \frac{-4t_n-(-2)}{-4-1}$$

$(-104858)(-5) = -4t_n + 2$

$524290 = -4t_n + 2$

$4t_n = -524288$

$t_n = -131072$

last term = −131072

Class Ex. #5

$t_5 = 1024$
r = 4
$S_7 = ?$

to find a

$t_5 = ar^4$

$1024 = a(4^4)$

$\frac{1024}{4^4} = a$

a = 4

$$S_n = \frac{a(r^n-1)}{r-1}$$

$$S_7 = \frac{4(4^7-1)}{4-1}$$

$= 21844$

Class Ex. #6

a) a = 5
r = 3
$S_n = 16400$

$$S_n = \frac{a(r^n-1)}{r-1}$$

$$16400 = \frac{5(3^n-1)}{3-1}$$

$32800 = 5(3^n-1)$

$6560 = 3^n - 1$

$6561 = 3^n$

$3^8 = 3^n$

n = 8

8 terms

b) graph $y_1 = 16400$

graph $y_2 = \frac{5(3^x-1)}{2}$

window x:[0, 10, 2] y:[0, 20000, 5000]

x = 8

8 terms

Class Ex. #7

a) 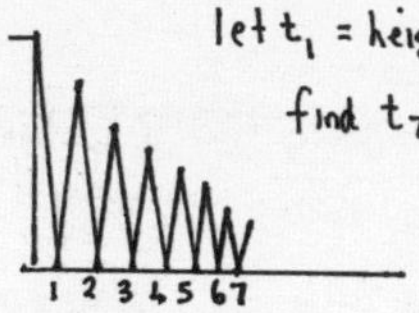

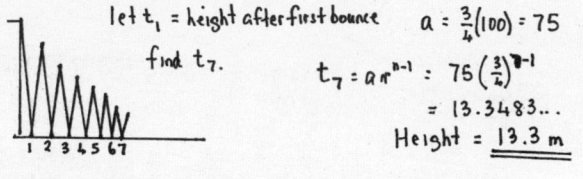

let t_1 = height after first bounce

find t_7.

$a = \frac{3}{4}(100) = 75$

$r = \frac{3}{4}$

n = 7

$t_7 = ar^{n-1} = 75\left(\frac{3}{4}\right)^{7-1}$

= 13.3483...

Height = 13.3 m

b) 7 down + 6 up

a = 75 $r = \frac{3}{4}$ n = 6

$$S_6 = \frac{75\left(\left(\frac{3}{4}\right)^6-1\right)}{\frac{3}{4}-1}$$

= 246.606...

total = 100 + $2(t_1 + t_2 + \dots + t_6)$

= 100 + $2S_6$

= 100 + 2(246.606...)

= 593.212...

total = 593.2 m

Class Ex. #7

c) part b) completed 6 bounces total $= 100 + 2S_6$

for n bounces, total $= 100 + 2S_n$ $S_n = \frac{a(r^n-1)}{r-1}$

$675 = 100 + 2\left[\frac{75\left(\left(\frac{3}{4}\right)^n-1\right)}{\frac{3}{4}-1}\right]$

$575 = \frac{150\left[\left(\frac{3}{4}\right)^n-1\right]}{-\frac{1}{4}}$

$-143.75 = 150\left[\left(\frac{3}{4}\right)^n-1\right]$

$-\frac{23}{24} = \left(\frac{3}{4}\right)^n - 1$ $\frac{1}{24} = \left(\frac{3}{4}\right)^n$

use the intersection feature of a graphing calculator to solve $\left(\frac{3}{4}\right)^n = \frac{1}{24}$

11 bounces

Class Ex. #8

a) $S_1 = 5(3^1-1) = 10$ $t_1 = 10$ terms are 10, 30, 90, 270

$S_2 = 5(3^2-1) = 40$ $t_2 = 40-10 = 30$

$S_3 = 5(3^3-1) = 130$ $t_3 = 130-40 = 90$

$S_4 = 5(3^4-1) = 400$ $t_4 = 400-130 = 270$

b) $t_9 = S_9 - S_8 = 5(3^9-1) - 5(3^8-1)$

$= 98410 - 32800 = 65610$

Class Ex. #9

$t_1 = 30$ $S_n = \frac{a(r^n-1)}{r-1}$ $r = 4$

$S_6 = 40950$

$40950 = \frac{30(r^6-1)}{r-1}$ $t_6 = ar^5 = 30(4)^5 = 30720$

graph $y_1 = 40950$

graph $y_2 = \frac{30(x^6-1)}{x-1}$

window $x: [0, 10, 2]$

$y: [0, 50000, 5000]$

intersect feature $x = 4$

30720 new bacterial cells are produced in the sixth hour

Assignment

1\. a) $a = 4$, $r = 4$, $n = 8$ $S_n = \frac{a(r^n-1)}{r-1}$ $S_8 = \frac{4(4^8-1)}{4-1} = 87380$

b) $a = 24$, $r = \frac{1}{2}$, $n = 7$ $S_7 = \frac{24\left(\left(\frac{1}{2}\right)^7-1\right)}{\frac{1}{2}-1} = \frac{381}{8}$

c) $a = 64$, $r = -\frac{1}{2}$, $n = 9$ $S_9 = \frac{64\left(\left(-\frac{1}{2}\right)^9-1\right)}{-\frac{1}{2}-1} = \frac{171}{4}$

d) $a = \frac{1}{8}$, $r = 2$, $n = 10$ $S_{10} = \frac{\frac{1}{8}(2^{10}-1)}{2-1} = \frac{1023}{8}$

e) $a = -\frac{1}{3}$, $r = -\frac{4}{3}$, $n = 11$ $S_{11} = \frac{-\frac{1}{3}\left(\left(-\frac{4}{3}\right)^{11}-1\right)}{-\frac{4}{3}-1} = -3.525.. = -3.5$

2\. a) $a = 1$, $r = 3$, $t_n = 729$ $S_n = \frac{rt_n - a}{r-1} = \frac{3(729)-1}{3-1} = 1093$

b) $a = 512$, $r = -\frac{1}{2}$, $t_n = -1$ $S_n = \frac{-\frac{1}{2}(-1)-512}{\left(-\frac{1}{2}\right)-1} = 341$

c) $a = -8$, $r = \frac{1}{4}$, $t_n = -\frac{1}{128}$ $S_n = \frac{\frac{1}{4}\left(-\frac{1}{128}\right)-(-8)}{\frac{1}{4}-1} = -\frac{1365}{128}$

d) $a = \frac{1}{384}$, $r = -2$, $t_n = -\frac{16}{3}$ $S_n = \frac{-2\left(-\frac{16}{3}\right)-\frac{1}{384}}{-2-1} = -3.554\ldots = -3.6$

3\. a) $t_1 = -3(-2)^0 = -3$ $t_2 = -3(-2)^{-1} = \frac{3}{2}$ $t_3 = -3(-2)^{-2} = -\frac{3}{4}$

b) $a = -3$, $r = \frac{3/2}{-3} = -\frac{1}{2}$, $n = 8$ $S_n = \frac{a(r^n-1)}{r-1}$ $S_8 = \frac{-3\left(\left(-\frac{1}{2}\right)^8-1\right)}{-\frac{1}{2}-1} = -\frac{255}{128}$

4\. a) $a = 125$, $r = -\frac{1}{5}$, $n = 6$ $t_n = ar^{n-1}$ $t_6 = 125\left(-\frac{1}{5}\right)^5 = -\frac{1}{25}$

b) $S_n = \frac{a(r^n-1)}{r-1}$ $S_6 = \frac{125\left(\left(-\frac{1}{5}\right)^6-1\right)}{-\frac{1}{5}-1} = \frac{2604}{25}$

5\. $t_3 = ar^2 = 1024$, $r = 0.5$ $a(0.5)^2 = 1024$ $a = \frac{1024}{(0.5)^2} = 4096$ $S_n = \frac{a(r^n-1)}{r-1}$

$S_9 = \frac{4096((0.5)^9-1)}{0.5-1} = 8176$

6. $t_1 = 2$ $a = 2$ $S_n = \frac{a(r^n-1)}{r-1}$ length of line

$t_5 = 162$ $ar^4 = 162$ $S_5 = \frac{2(3^5-1)}{3-1} = 242$ $= \underline{\underline{242 \text{ cm}}}$

$2r^4 = 162$

$r^4 = 81$

$r = 3 \quad (r > 0)$

7. a) There are 15 different terms in the sequence. Week 30 → term 15.

$a = 1$, $r = 2$ $t_n = ar^{n-1}$ $t_{15} = 1 \cdot (2^{14}) = 16384$ Allowance $= \underline{\underline{\$163.84}}$

b) $S_n = \frac{a(r^n-1)}{r-1}$ total allowance in 30 weeks

$S_{15} = \frac{1(2^{15}-1)}{2-1} = 32726$ $= 2(32726 \text{ cents})$

$= \underline{\underline{\$655.34}}$

8. a) $a = 1$, $r = 2$, $n = 64$ $t_n = ar^{n-1}$

$t_{64} = 1 \cdot 2^{63} = \underline{\underline{2^{63}}}$ (approx 9.22×10^{18} grains)

b) $S_n = \frac{a(r^n-1)}{r-1}$ $S_{64} = \frac{1(2^{64}-1)}{2-1} = \underline{\underline{2^{64}-1}}$

(approx 1.84×10^{19} grains)

9. a) The series is not geometric unless you disregard the first two terms.

b) Consider the series $\frac{1}{2} + \frac{1}{4} + \frac{1}{8} + \frac{1}{16} + \cdots + \frac{1}{512}$

$a = \frac{1}{2}$, $r = \frac{1}{2}$, $t_n = \frac{1}{512}$ $S_n = \frac{rt_n - a}{r-1} = \frac{\frac{1}{2}\left(\frac{1}{512}\right) - \frac{1}{2}}{\frac{1}{2}-1} = \frac{511}{512}$

Sum of given series $= 5 + 3 + \frac{511}{512} = 8\frac{511}{512}$ or $\underline{\underline{\frac{4607}{512}}}$

10. a) $a = 2$, $r = 4$, $S_n = 174762$

$S_n = \frac{a(r^n-1)}{r-1}$

$174762 = \frac{2(4^n-1)}{4-1}$

$\frac{3(174762)}{2} = \frac{2(4^n-1)}{2}$

$262143 = 4^n - 1$

$262144 = 4^n$

$4^9 = 4^n$

$n = 9$ $\underline{\underline{9 \text{ terms}}}$

b) graph $y_1 = 174762$ window $x:[0, 12, 2]$ intersect → $x = 9$

graph $y_2 = \frac{2(4^x-1)}{3}$ $y:[0, 200000, 50000]$ $\underline{\underline{9 \text{ terms}}}$

11. $a = -6$, $r = 2$, $S_n = -378$

$S_n = \frac{a(r^n-1)}{r-1}$

$-378 = \frac{-6(2^n-1)}{2-1}$

$\frac{-378}{-6} = 2^n - 1$

$63 = 2^n - 1$

$2^n = 64$

$2^n = 2^6$

$n = 6$ $\underline{\underline{6 \text{ terms}}}$

12. a) $a = 8$, $S_3 = 78$ $S_n = \frac{a(r^n-1)}{r-1}$ $78 = \frac{8(r^3-1)}{r-1}$

graph $y_1 = 78$

graph $y_2 = \frac{8(x^3-1)}{x-1}$

window $x:[0, 10, 2]$ $y:[0, 100, 20]$

$x = 2.5$ (intersect feature)

common ratio $= \underline{\underline{2.5}}$

b) $a = 8$, $S_6 = 74648$ $S_n = \frac{a(r^n-1)}{r-1}$ $74648 = \frac{8(r^6-1)}{r-1}$

graph $y_1 = 74648$ window

graph $y_2 = \frac{8(x^6-1)}{x-1}$ $x:[0, 10, 2]$ $y:[0, 100000, 20000]$

intersect feature → $x = 6$

$r = 6$ $a = 8$ $t_n = ar^{n-1}$

$t_3 = 8(6)^2 = \underline{\underline{288}}$

13. a) $S_1 = \frac{75}{4}(5^1-1) = 75$ $t_1 = \underline{75}$

$S_2 = \frac{75}{4}(5^2-1) = 450$ $t_2 = S_2 - S_1 = 450 - 75 = \underline{\underline{375}}$

$S_3 = \frac{75}{4}(5^3-1) = 2325$ $t_3 = S_3 - S_2 = 2325 - 450 = \underline{\underline{1875}}$

$S_4 = \frac{75}{4}(5^4-1) = 11700$ $t_4 = S_4 - S_3 = 11700 - 2325 = \underline{\underline{9375}}$

b) (i) the series is geometric with $a = 75$ and $r = 5$

$t_{12} = ar^{11}$

$= 75(5)^{11}$

$= \underline{\underline{3\,662\,109\,375}}$

(ii) $t_{12} = S_{12} - S_{11}$

$= \frac{75}{4}(5^{12}-1) - \frac{75}{4}(5^{11}-1)$

$= \underline{\underline{3\,662\,109\,375}}$

14. $S_7 = 3279$, $a = r$, $r = r$ $S_n = \frac{a(r^n-1)}{r-1}$ $3279 = \frac{r(r^7-1)}{r-1}$

graph $y_1 = 3279$ window $x:[0, 6, 1]$

graph $y_2 = \frac{x(x^7-1)}{x-1}$ $y:[0, 4000, 1000]$

intersect feature → $x = 3$

each person has to phone $\underline{\underline{3}}$ employees

15. a) t_1 = height after one bounce $= 10 \times (0.9) = 9$ feet Height $=$ 5.31 feet

$a = 9$ $r = 0.9$ $t_n = ar^{n-1}$ $t_6 = 9(0.9)^5 = 5.31441$

b)

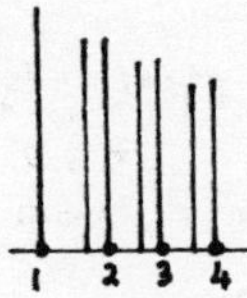

total $= 10 + 2t_1 + 2t_2 + 2t_3$ $= 10 + 2S_3$

$S_n = \dfrac{a(r^n - 1)}{r - 1}$ $= 10 + 2(24.39)$

$S_3 = \dfrac{9(0.9^3 - 1)}{0.9 - 1} = 24.39$ $=$ 58.78 feet

c) In b) 3 bounces led to a total distance of $10 + 2S_3$.

In c) n bounces will lead to $10 + 2S_n$ so $10 + 2S_n = 112.5$

$2S_n = 102.5$

$S_n = 51.25$

$\dfrac{9((0.9)^n - 1)}{0.9 - 1} = 51.25$

solve using technology → $n = 7.998\ldots$

8 bounces

Multiple Choice 16 (B.) 4

$S_1 = 3$

$S_2 = 15$ $t_2 = 15 - 3 = 12$

$S_3 = 63$ $t_3 = 63 - 15 = 48$ $r = \frac{12}{3} = 4$

series $= 3 + 12 + 48 + \cdots$

Numerical Response 17. $t_1 = 3(2)^0 = 3$ sequence is 3, 6, 12, ...

$t_2 = 3(2)^1 = 6$ $a = 3$

$t_3 = 3(2)^2 = 12$ $r = 2$

$S_n = \dfrac{a(r^n - 1)}{r - 1}$

$S_7 = \dfrac{3(2^7 - 1)}{2 - 1} = 381$

3	8	1	

18. t_1 = height after 1 bounce $= 5 \times \frac{4}{5} = 4$ m

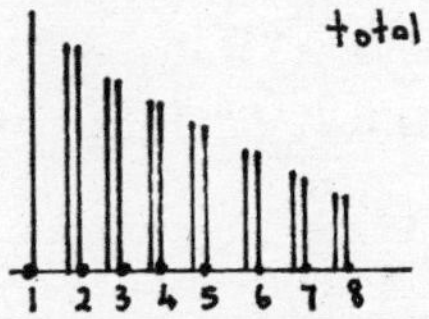

total $= 5 + 2S_7$

$= 5 + 2(15.805\ldots)$

$= 36.611\ldots$

$S_n = \dfrac{a(r^n - 1)}{r - 1}$

$S_7 = \dfrac{4((\frac{4}{5})^7 - 1)}{\frac{4}{5} - 1}$

$= 15.805\ldots$

3	6	.	6

19. $t_7 = S_7 - S_6 = 2(3^7 - 1) - 2(3^6 - 1)$

$= 2916$

2	9	1	6

20. Jordan

0.5, _, 18, _

$a = 0.5$

$t_3 = a + 2d = 18$

$0.5 + 2d = 18$

$2d = 17.5$

$d = 8.75$

sequence is 0.5, 9.25, 18, 26.75

$X = S_4 = 54.5$

Andrea

0.5 _, 18, _

$a = 0.5$

$t_3 = ar^2 = 18$

$0.5r^2 = 18$ $r^2 = 36$

$r = 6$ (since all terms are positive)

sequence is 0.5, 3, 18, 108

$Y = S_4 = 129.5$

$Y - X = 129.5 - 54.5 = 75$

7	5		

Sequences and Series Lesson #8:
Infinite Geometric Series

Investigation #1

a) Eventually the piece left will be too small to break into two.

b) $\frac{1}{2} + \frac{1}{4} + \frac{1}{8} + \frac{1}{16} + \cdots$

c) $a = \frac{1}{2}$ $r = \frac{1}{2}$

$S_n = \dfrac{a(r^n - 1)}{r - 1} = \dfrac{\frac{1}{2}((\frac{1}{2})^n - 1)}{\frac{1}{2} - 1} = \dfrac{\frac{1}{2}((\frac{1}{2})^n - 1)}{-\frac{1}{2}} = 1 - (\frac{1}{2})^n$

d)

n	1	2	3	4	5	6	7	8	9	10
S_n	0.5	0.75	0.875	0.938	0.969	0.984	0.992	0.996	0.998	0.999

e)

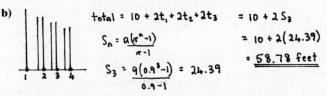

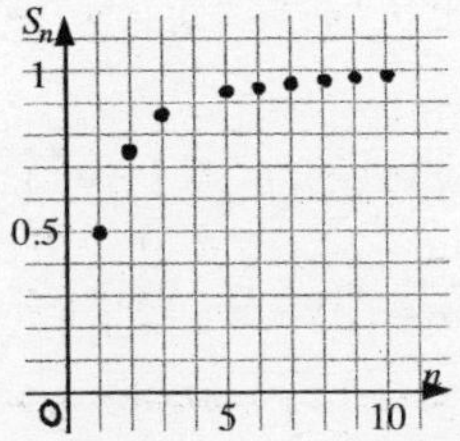

f) It would appear from the grid that as n gets larger, the sequence of sums $S_1, S_2, S_3, \ldots S_n, \ldots$ gets closer and closer to the value 1.

g) The whole pizza will be eaten.

Investigation #2

a) $a = 2$, $r = 2$ $S_n = \frac{a(r^n - 1)}{r - 1} = \frac{2(2^n - 1)}{2 - 1} = 2(2^n - 1)$

b)

n	1	2	3	4	5	6	7	8	9	10
S_n	2	6	14	30	62	126	254	510	1022	2046

c)

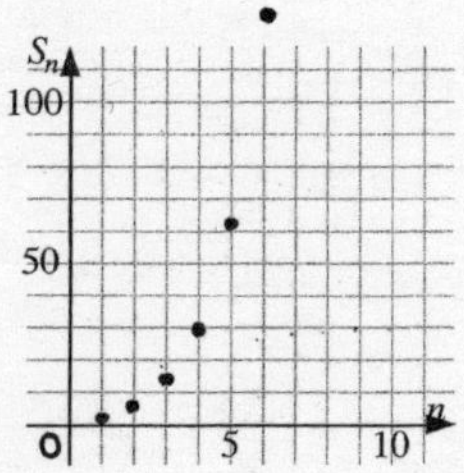

Investigation #3

a)

1	$(-2)^1 = -2$	$(-\frac{1}{4})^1 = -\frac{1}{4}$	$(\frac{2}{3})^1 = \frac{2}{3}$	$3^1 = 3$
2	$(-2)^2 = 4$	$(-\frac{1}{4})^2 = \frac{1}{16}$	$(\frac{2}{3})^2 = \frac{4}{9}$	$3^2 = 9$
3	$(-2)^3 = -8$	$(-\frac{1}{4})^3 = -\frac{1}{64}$	$(\frac{2}{3})^3 = \frac{8}{27}$	$3^3 = 27$
4	$(-2)^4 = 16$	$(-\frac{1}{4})^4 = \frac{1}{256}$	$(\frac{2}{3})^4 = \frac{16}{81}$	$3^4 = 81$
10	$(-2)^{10} = 1024$	$(-\frac{1}{4})^{10} = 9.5 \times 10^{-7}$	$(\frac{2}{3})^{10} = 0.173...$	$3^{10} = 59049$
20	$(-2)^{20} = 1048576$	$(-\frac{1}{4})^{20} = 9.1 \times 10^{-13}$	$(\frac{2}{3})^{20} = 3.0 \times 10^{-4}$	$3^{20} \approx 3.5 \times 10^9$
100	$(-2)^{100} \approx 1.3 \times 10^{30}$	$(-\frac{1}{4})^{100} \approx 6.2 \times 10^{-61}$	$(\frac{2}{3})^{100} \approx 2.5 \times 10^{-18}$	$3^{100} \approx 5.2 \times 10^{47}$

b)
- the sequence is convergent and approaches the value 0 if $r = -\frac{1}{4}$, or $r = \frac{2}{3}$.
- the sequence is divergent if $r = -2$, or $r = 3$.

Class Ex. #1

a) $r = \frac{1}{3}$ $S = \frac{a}{1-r} = \frac{1}{1-\frac{1}{3}} = \frac{3}{2}$

b) $r = -5$ a sum to infinity does not exist

c) $r = -\frac{1}{2}$ $S = \frac{a}{1-r} = \frac{2}{1-(-\frac{1}{2})} = \frac{4}{3}$

Class Ex. #2

$S = 4$, $a = 2$ $S = \frac{a}{1-r}$ $4 = \frac{2}{1-r}$ $4(1-r) = 2$, $4 - 4r = 2$, $2 = 4r$ $r = \frac{1}{2}$

Class Ex. #3

a) $0.07777... = 0.07 + 0.007 + 0.0007 + 0.00007 + \cdots$

b) $a = 0.07$, $r = \frac{0.007}{0.07} = 0.1$ $S = \frac{a}{1-r} = \frac{0.07}{1-0.1} = \frac{0.07}{0.9} = \frac{7}{90}$

Assignment

1. a) $r = \frac{1}{2}$ $S = \frac{a}{1-r} = \frac{4}{1-\frac{1}{2}} = 8$

b) $r = -\frac{1}{5}$ $S = \frac{5}{1-(-\frac{1}{5})} = \frac{25}{6}$

c) $r = -\frac{3}{2}$ a sum to infinity does not exist

d) $r = 1$ a sum to infinity does not exist

e) $r = -0.9$ $S = \frac{10}{1-(-0.9)} = \frac{10}{1.9} = \frac{100}{19}$

f) $r = -1$ a sum to infinity does not exist

g) $r = -\frac{3}{5}$ $S = \frac{15}{1-(-\frac{3}{5})} = \frac{15}{8/5} = \frac{75}{8}$

h) $r = -\frac{1}{2}$ $S = \frac{\frac{3}{4}}{1-(-\frac{1}{2})} = \frac{\frac{3}{4}}{\frac{3}{2}} = \frac{1}{2}$

i) $r = 10$ a sum to infinity does not exist

j) $r = \frac{1}{2}$ $S = \frac{2^6}{1-\frac{1}{2}} = 2^7 = 128$

k) $r = 2$ a sum to infinity does not exist

l) $r = \frac{1}{100}$ $S = \frac{\frac{3}{100}}{1-\frac{1}{100}} = \frac{1}{33}$

m) $r = \frac{\sqrt{3}}{3}$ $S = \frac{3}{1-\frac{\sqrt{3}}{3}} \times \frac{3}{3} = \frac{9}{3-\sqrt{3}}$

or $\frac{9}{3-\sqrt{3}} \cdot \frac{3+\sqrt{3}}{3+\sqrt{3}} = \frac{9(3+\sqrt{3})}{9-3}$

$= \frac{9(3+\sqrt{3})}{6} = \frac{3(3+\sqrt{3})}{2} = \frac{9+3\sqrt{3}}{2}$

2. a) $a=12$, $n=10$, $r=\frac{1}{2}$

$S_{10}=\dfrac{12\left(\left(\frac{1}{2}\right)^{10}-1\right)}{\frac{1}{2}-1}=\underline{\underline{23.9766}}$

$S_{12}=\dfrac{12\left(\left(\frac{1}{2}\right)^{12}-1\right)}{\frac{1}{2}-1}=\underline{\underline{23.9941}}$

b) terms 11 and 12 are very small

c) $\underline{\underline{24}}$

d) $S=\dfrac{a}{1-r}=\dfrac{12}{1-\frac{1}{2}}=\underline{\underline{24}}$

3. $a=81$, $t_3=1$

$ar^2=1$
$81r^2=1$
$r^2=\frac{1}{81}$
$r=\pm\frac{1}{9}$

$S=\dfrac{a}{1-r}=\dfrac{81}{1-\left(\pm\frac{1}{9}\right)}$

$S=\underline{\underline{\dfrac{729}{8}\text{ or }\dfrac{729}{10}}}$

4. a) $\dfrac{t_2}{t_1}=\dfrac{8x^{-1/3}}{4x^{4/3}}=2x^{-5/3}$

$\dfrac{t_3}{t_2}=\dfrac{16x^{-2}}{8x^{-1/3}}=2x^{-5/3}$

Since there is a common ratio the terms could be the first three terms of a geometric series.

b) If $x=8$ $\quad r=2(8)^{-5/3}=\dfrac{2}{8^{5/3}}=\dfrac{2}{32}=\dfrac{1}{16}$ $\qquad a=4x^{4/3}=4(8)^{4/3}=64$

Because $-1<r<1$, a sum to infinity exists.

$S=\dfrac{a}{1-r}=\dfrac{64}{1-\frac{1}{16}}=\underline{\underline{\dfrac{1024}{15}}}$

5. $a=1$, $r=-3x$

$S=\dfrac{a}{1-r}$

$\dfrac{4}{9}=\dfrac{1}{1+3x}$

$4(1+3x)=9$

$4+12x=9$

$12x=5$

$x=\dfrac{5}{12}$

$r=-3x=-3\left(\dfrac{5}{12}\right)=-\dfrac{5}{4}$

Common ratio $=\underline{\underline{-\dfrac{5}{4}}}$

6. a) $0.\overline{5}=0.5555\ldots$

$S=0.5+0.05+0.005+\ldots$

$a=0.5$, $r=0.1$

$S=\dfrac{a}{1-r}=\dfrac{0.5}{1-0.1}=\dfrac{0.5}{0.9}$

$0.\overline{5}=\underline{\underline{\dfrac{5}{9}}}$

b) $0.\overline{35}=0.353535\ldots$

$S=0.35+0.0035+0.000035+\ldots$

$a=0.35$, $r=0.01$

$S=\dfrac{a}{1-r}=\dfrac{0.35}{1-0.01}=\dfrac{0.35}{0.99}$

$0.\overline{35}=\underline{\underline{\dfrac{35}{99}}}$

6. c) $0.3\overline{5}=0.35555\ldots$

$=0.3+S$ where $S=0.05+0.005+0.0005+\ldots$

$a=0.05$, $r=0.1$ $\quad S=\dfrac{a}{1-r}$

$=\dfrac{0.05}{1-0.1}=\dfrac{0.05}{0.9}=\dfrac{5}{90}=\dfrac{1}{18}$

$0.3\overline{5}=\dfrac{3}{10}+\dfrac{1}{18}$

$=\underline{\underline{\dfrac{16}{45}}}$

7. a) i) $a=t_1=8000$, $r=0.98$

$t_6=ar^5=8000(0.98)^5=\underline{\underline{7231}}$

ii) $a=8000$, $r=0.98$, $n=10$

$S_n=\dfrac{a(r^n-1)}{r-1}$ $\quad S_{10}=\dfrac{8000\left((0.98)^{10}-1\right)}{0.98-1}=\underline{\underline{73\,171}}$

iii) $S=\dfrac{a}{1-r}=\dfrac{8000}{1-0.98}=\underline{\underline{400\,000}}$

b) Once the number of barrels produced per week drops below a certain level, it becomes uneconomical to keep the well open.

Multiple Choice

8. (B.) $\frac{3}{4}$

$a=t$, $r=t$

$S=\dfrac{a}{1-r}$

$4t=\dfrac{t}{1-t}$

$4t(1-t)=t$

$4t-4t^2=t$

$3t-4t^2=0$

$t(3-4t)=0$

$t=0$ or $t=\dfrac{3}{4}$

(reject $t\neq0$)

9. (A.) $\dfrac{x^4}{x^2-1}$

$a=x^2$, $r=\dfrac{1}{x^2}$

$S=\dfrac{a}{1-r}=\dfrac{x^2}{1-\frac{1}{x^2}}\cdot\dfrac{x^2}{x^2}=\dfrac{x^4}{x^2-1}$

Numerical Response

10. $r=-\frac{2}{3}$, $S=-12$

$S=\dfrac{a}{1-r}$

$-12=\dfrac{a}{1-\left(-\frac{2}{3}\right)}$

$-12=\dfrac{a}{5/3}$

$-12(5/3)=a$

$a=-20$

$t_2=ar$

$=-20\left(-\frac{2}{3}\right)$

$=\dfrac{40}{3}$

$=13.33\ldots$

1	3	.	3

11. $t_6 = ar^5 = \frac{32}{81}$

$t_3 = ar^2 = \frac{4}{3}$

divide: $r^3 = \frac{8}{27}$

$r = \frac{2}{3}$

$ar^2 = \frac{4}{3}$

$a\left(\frac{2}{3}\right)^2 = \frac{4}{3}$

$\frac{4}{9}a = \frac{4}{3}$

$a = \frac{4}{3} / \frac{4}{9}$

$a = 3$

$S_n = \frac{a(r^n - 1)}{r - 1}$

$S_5 = \frac{3\left(\left(\frac{2}{3}\right)^5 - 1\right)}{\frac{2}{3} - 1}$

$= 7.8148\ldots$

$S_\infty = \frac{a}{1-r}$

$= \frac{3}{1 - \frac{2}{3}}$

$= 9$

$S_\infty - S_5 = 9 - 7.8148$

$= 1.185\ldots$

$= 1.2$

1	.	2	

Sequences and Series Lesson #9: Practice Test

1. (B.) 3, 8, 13, 18, . . . 5*n* – 2, . . 498, $n \in N$.

2. (D.) The sequence is neither arithmetic nor geometric

Numerical Response 1.

$a = 32$ $\quad t_n = ar^{n-1}$

$r = \frac{3}{4}$ $\quad t_{15} = 32\left(\frac{3}{4}\right)^{14} = 0.57017..$

$n = 15$

0	.	5	7

Numerical Response 2.

$a = 8991$ $\quad t_n = a + (n-1)d$

$d = 4$ $\quad 10039 = 8991 + (n-1)4$

$t_n = 10039$ $\quad 1048 = 4n - 4$

$1052 = 4n \quad n = 263$

2	6	3	

3. (D.) $-\frac{2}{3}$

$t_1 = \frac{1}{3}(7 - 2(1)) = \frac{5}{3}$

$t_2 = \frac{1}{3}(7 - 2(2)) = 1$

$t_3 = \frac{1}{3}(7 - 2(3)) = \frac{1}{3}$

$d = 1 - \frac{5}{3}$ or $\frac{1}{3} - 1$ $= -\frac{2}{3}$

4. (B.) 62 and 82

burpees

$a = 8 \quad d = 3 \quad n = 19$

$t_n = a + (n-1)d$

$t_{19} = 8 + 18(3)$

$= 62$

push-ups

$a = 10 \quad d = 4 \quad n = 19$

$t_{19} = 10 + 18(4)$

$= 82$

5. (D.) 169

$d = -7$

$t_{15} = a + 14d$

$99 = a + 14(-7)$

$99 = a - 98$

$197 = a$

$t_5 = a + 4d$

$= 197 + 4(-7)$

$= 169$

6. (C.) 29.5 g

after 1 filter # grams

$= 50(0.9) = 45g$

$a = 45$ $\quad t_n = ar^{n-1}$

$n = 5$ $\quad t_5 = 45(0.9)^4$

$r = 0.9$ $\quad = 29.5245$

7. (B.) 2 only series 1: $r = 2$ series 2: $r = \frac{1}{2}$ series 3: $r = -1$

for convergence $-1 < r < 1$

8. (A.) $t_n = 2n + 5$

$S_1 = 6(1) + 1^2 = 7 \quad t_1 = 7$

$S_2 = 6(2) + 2^2 = 16 \quad t_2 = 16 - 7 = 9$

$S_3 = 6(3) + 3^2 = 27 \quad t_3 = 27 - 16 = 11$

$S_4 = 6(4) + 4^2 = 40 \quad t_4 = 40 - 27 = 13$

sequence is 7, 9, 11, 13 . . .

$a = 7 \quad d = 2 \quad t_n = a + (n-1)d$

$= 7 + (n-1)(2)$

$2n + 5 = 7 + 2n - 2$

9. (A.) $\frac{1}{2}$

$S_1 = 16 \quad t_1 = 16$

$S_2 = 24 \quad t_2 = 24 - 16 = 8$

$S_3 = 28 \quad t_3 = 28 - 24 = 4$

$S_4 = 30 \quad t_4 = 30 - 28 = 2$

sequence is 16, 8, 4, 2, 1

$r = \frac{1}{2}$

10. (B.) 12 feet

total growth $= 2.5 + \frac{3}{4}(2.5) + \frac{3}{4}\left(\frac{3}{4}(2.5)\right) + \ldots$

$a = 2.5 \quad S = \frac{a}{1-r} = \frac{2.5}{1 - 3/4} = 10$

$r = 3/4$

max. height $= 2 + 10 = 12$ ft

11. (D.) $h = 10(0.64)^n$

after 1 bounce, $h = 10(0.64) = 6.4$

$a = 6.4 \quad t_n = ar^{n-1}$

$r = 0.64 \quad = 6.4(0.64)^{n-1}$

$= 10(0.64)(0.64)^{n-1}$

$= 10(0.64)^n$

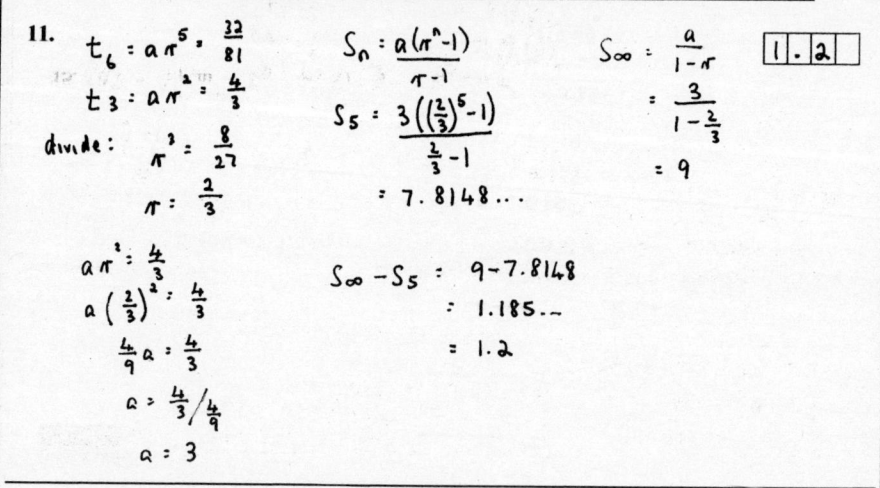

Numerical Response 3. $a = t_1 = 1.65$, $r = 0.8$, $S_n = 8.2$

$S_n = \frac{a(r^n - 1)}{r - 1}$

$8.2 = \frac{1.65((0.8)^n - 1)}{0.8 - 1}$

$-1.64 = 1.65((0.8)^n - 1)$

$-\frac{164}{165} = (0.8)^n - 1$

$\frac{1}{165} = (0.8)^n$

intersect feature on calculator or guess and check

$\Rightarrow n = 23$

12. (B.) 60

$d = (4x+30) - (2x+10)$
$= 4x + 30 - 2x - 10$
$= 2x + 20$

or $(8x+60) - (4x+30)$
$= 8x + 60 - 4x - 30$
$= 4x + 30$

$2x + 20 = 4x + 30$
$-10 = 2x$
$x = -5$

$t_1 = a = 2(-5) + 10 = 0$
$t_2 = 4(-5) + 30 = 10$

$t_3 = 8(-5) + 60 = 20$
$t_4 = 30$
$S_4 = 0 + 10 + 20 + 30 = 60$

Numerical Response 4. $t_2 = ar = 6000$, $t_5 = ar^4 = 10368$

$\frac{ar^4}{ar} = \frac{10368}{6000}$

$r^3 = 1.728$

$r = \sqrt[3]{1.728} = 1.2$

1	.	2	

Numerical Response 5. $a = t_1 = 10.5$, $S_3 = 45$

$S_n = \frac{n(2a + (n-1)d)}{2}$

$45 = \frac{3(2(10.5) + 2d)}{2}$

$90 = 3(21 + 2d)$

$30 = 21 + 2d$
$9 = 2d$
$d = 4.5$

$t_3 = a + 2d = 10.5 + 2(4.5)$
$= 19.5$

1	9	.	5

13. (C.) 9

$S = \frac{a}{1-r}$

$72 = \frac{a}{1 - 7/8}$

$72 = \frac{a}{1/8}$

$a = 9$

14. (A.) 180

Side of Δ1 = 30 perimeter 1 = 90
Side of Δ2 = 15 perimeter 2 = 45

$a = 90$
$r = \frac{1}{2}$

$S = \frac{a}{1-r} = \frac{90}{1 - \frac{1}{2}} = 180$

15. (A.) $2\left(\frac{2}{3}\right)^6$ m

$t_1 = 2\left(\frac{2}{3}\right) = \frac{4}{3}$
$r = \frac{2}{3}$
$n = 6$

$t_6 = ar^5$
$= 2\left(\frac{2}{3}\right)\left(\frac{2}{3}\right)^5$
$= 2\left(\frac{2}{3}\right)^6$

Written Response - 5 marks

1. second swing $= 48(0.95) = 45.60$ m

third swing $= 45.60(0.95) = 43.32$ m $\left[\text{or } 48(0.95)^2\right]$

length of nth swing $= 48(0.95)^{n-1}$

graph $y_1 = .8$
$y_2 = 0.95^{x-1}$

intersect at $x = 19.587\ldots$

20 swings

$a = 48$
$r = 0.95$
$n = 20$

$S_n = \frac{a(r^n - 1)}{r - 1}$

$S_{20} = \frac{48((0.95)^{20} - 1)}{0.95 - 1} = 615.853\ldots$

distance = 615.9 m

$S = \frac{a}{1-r} = \frac{48}{1 - 0.95} = 960$

distance = 960 m

Operations on Radicals Lesson #1:
Entire Radicals and Mixed Radicals

The fourth roots of 16 are 2 and −2. $\sqrt[4]{16} =$ 2.

The fifth root of −32 is −2. $\sqrt[5]{-32} =$ −2.

a) 8 b) not possible c) −4
d) $\frac{1}{2}$ e) not possible f) 10(5) = 50

a) 3 b) −4 c) $\frac{5}{6}$

a) 3.47
b) 0.92
c) 1.26

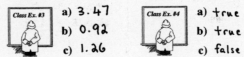

a) true
b) true
c) false

Entire Radicals and Mixed Radicals

i) $\sqrt{96}$ = 9.79796 ii) $2\sqrt{24}$ = 9.79796 iii) $4\sqrt{6}$ = 9.79796

What do you notice about the answers? the same

$\sqrt{96} = \sqrt{4 \times 24} = \sqrt{4} \times \sqrt{24} = 2\sqrt{24}$

$\sqrt{96} = \sqrt{16 \times 6} = \sqrt{16} \times \sqrt{6} = 4\sqrt{6}$

Converting Entire Radicals to Mixed Radicals

$\sqrt{36 \times 2}$, $\sqrt{36} \times \sqrt{2}$, $6 \times \sqrt{2}$, $\sqrt{72} = 6\sqrt{2}$

$\sqrt[3]{27 \times 4}$, $\sqrt[3]{27} \times \sqrt[3]{4}$, $3 \times \sqrt[3]{4}$, $\sqrt[3]{108} = 3\sqrt[3]{4}$

Class Ex. #5

a) $= \sqrt{64}\sqrt{5} = 8\sqrt{5}$ b) $= \sqrt[3]{1000}\sqrt[3]{6} = 10\sqrt[3]{6}$ c) $= \sqrt[5]{243}\sqrt[5]{2} = 3\sqrt[5]{2}$ d) $= 2\sqrt[3]{-8}\sqrt[3]{5} = 2(-2)\sqrt[3]{5} = -4\sqrt[3]{5}$

Class Ex. #6

a) $AB^2 = 9^2 + 3^2$
$AB^2 = 90$
$AB = \sqrt{90} = \sqrt{9}\sqrt{10} = 3\sqrt{10}$

b) $d = \sqrt{(3+6)^2 + (1+2)^2}$
$= \sqrt{9^2 + 3^2}$
$= \sqrt{90} = \sqrt{9}\sqrt{10} = 3\sqrt{10}$

Converting Mixed Radicals to Entire Radicals

$\sqrt{9} \times \sqrt{7}$, $\sqrt{9 \times 7}$, $\sqrt{63}$

$\sqrt[3]{1/8} \times \sqrt[3]{160}$, $\sqrt[3]{1/8 \times 160}$, $\sqrt[3]{20}$

Class Ex. #7

a) $= \sqrt{4}\sqrt{3} = \sqrt{12}$ b) $= -\sqrt{25}\sqrt{6} = -\sqrt{150}$ c) $= \sqrt[3]{-64}\sqrt[3]{6} = \sqrt[3]{-384}$ or $= -\sqrt[3]{64}\sqrt[3]{6} = -\sqrt[3]{384}$

Class Ex. #8

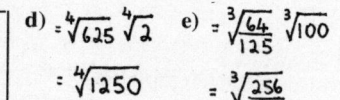

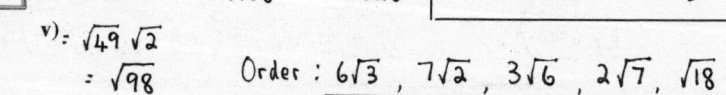

i) $= \sqrt{9}\sqrt{6} = \sqrt{54}$ ii) $= \sqrt{36}\sqrt{3} = \sqrt{108}$ iv) $= \sqrt{4}\sqrt{7} = \sqrt{28}$

v) $= \sqrt{49}\sqrt{2} = \sqrt{98}$

d) $= \sqrt[4]{625}\sqrt[4]{2} = \sqrt[4]{1250}$ e) $= \sqrt[3]{\frac{64}{125}}\sqrt[3]{100} = \sqrt[3]{\frac{256}{5}}$

Order : $6\sqrt{3}$, $7\sqrt{2}$, $3\sqrt{6}$, $2\sqrt{7}$, $\sqrt{18}$

Assignment

1. a) false b) true c) true d) false
2. a) true b) false c) false d) false e) true f) false
3. a) 9 b) not possible c) -4 d) 10 e) $\frac{3}{2}$ f) not possible

4. $= 4(1) = 4$; $= -2(-3) = 6$; $= \frac{3}{2}(2) = 3$; $= 4\sqrt{4} = 4(2) = 8$
Order : $\frac{3}{2}\sqrt[4]{16}$, $4\sqrt[5]{1}$, $-2\sqrt[3]{-27}$, $4\sqrt{\sqrt[3]{64}}$

5. = 3.16... = -9 = -3 = 8 = 1.9... = 2.49...
order : $\sqrt[3]{-729}$, $\sqrt[5]{-243}$, $\sqrt[5]{25}$, $\sqrt[6]{242}$, $\sqrt{10}$, $\sqrt[4]{4096}$

6. a) $= \sqrt{25}\sqrt{2} = 5\sqrt{2}$ b) $= \sqrt{4}\sqrt{15} = 2\sqrt{15}$ c) $= \sqrt[3]{27}\sqrt[3]{2} = 3\sqrt[3]{2}$ d) $= \frac{1}{2}\sqrt{64}\sqrt{5} = \frac{1}{2}(8)\sqrt{5} = 4\sqrt{5}$ e) $= \sqrt[3]{1000}\sqrt[3]{3} = 10\sqrt[3]{3}$
f) $= \sqrt[3]{-27}\sqrt[3]{3} = -3\sqrt[3]{3}$ g) $= -5\sqrt[4]{81}\sqrt[4]{2} = -5(3)\sqrt[4]{2} = -15\sqrt[4]{2}$ h) $= \sqrt[5]{-32}\sqrt[5]{5} = -2\sqrt[5]{5}$

7. $AD^2 = 12^2 - 8^2$, $AD^2 = 80$; $AB^2 = 6^2 + 80$, $AB^2 = 116$, $AB = \sqrt{116} = \sqrt{4}\sqrt{29} = 2\sqrt{29}$
a) $2\sqrt{29}$ b) 10.77

8. a) $= \sqrt{100}\sqrt{5} = 10\sqrt{5} = 22.4$ b) $= \sqrt{100}\sqrt{50} = 10\sqrt{50} = 70.7$ c) $= \sqrt{4}\sqrt{5} = 2\sqrt{5} = 4.48$ d) $= \frac{\sqrt{5}}{\sqrt{100}} = \frac{\sqrt{5}}{10} = 0.224$ e) $= \frac{\sqrt{50}}{\sqrt{100}} = \frac{\sqrt{50}}{10} = 0.707$

9. a) $d = \sqrt{(-1+3)^2 + (4-8)^2}$, $d = \sqrt{4+16}$, $d = \sqrt{20}$, $d = \sqrt{4}\sqrt{5} = 2\sqrt{5}$
b) $d = \sqrt{(-3-3)^2 + (-4-2)^2}$, $d = \sqrt{36+36}$, $d = \sqrt{72}$, $d = \sqrt{36}\sqrt{2} = 6\sqrt{2}$
c) $d = \sqrt{(9-15)^2 + (20-8)^2}$, $d = \sqrt{36+144}$, $d = \sqrt{180}$, $d = \sqrt{36}\sqrt{5} = 6\sqrt{5}$

10. a) $= \sqrt{49}\sqrt{5}$ $= \sqrt{245}$
b) $= \sqrt[3]{8}\sqrt[3]{4}$ $= \sqrt[3]{32}$
c) $= -\sqrt[4]{16}\sqrt[4]{3}$ $= -\sqrt[4]{48}$
d) $= \sqrt[3]{-1000}\sqrt[3]{7}$ $= \sqrt[3]{-7000}$ or $-\sqrt[3]{1000}\sqrt[3]{7} = -\sqrt[3]{7000}$
e) $= \sqrt{64}\sqrt{10}$ $= \sqrt{640}$
f) $= \sqrt[3]{\frac{1}{27}}\sqrt[3]{9}$ $= \sqrt[3]{\frac{1}{3}}$

11. $3\sqrt{5}$, $5\sqrt{3}$, $\sqrt{60}$, $2\sqrt{11}$, $\frac{1}{3}\sqrt{450}$

$=\sqrt{9}\sqrt{5} = \sqrt{45}$ | $=\sqrt{25}\sqrt{3} = \sqrt{75}$ | $=\sqrt{4}\sqrt{11} = \sqrt{44}$ | $=\sqrt{\frac{1}{9}}\sqrt{450} = \sqrt{50}$

order: $5\sqrt{3}$, $\sqrt{60}$, $\frac{1}{3}\sqrt{450}$, $3\sqrt{5}$, $2\sqrt{11}$

12. a) Write each mixed radical as an entire radical and compare the radicands. The new radicands are determined by cubing the original coefficients and multiplying by the original radicands.

b) $3\sqrt[3]{10} = \sqrt[3]{27}\sqrt[3]{10} = \sqrt[3]{270}$
$4\sqrt[3]{3} = \sqrt[3]{64}\sqrt[3]{3} = \sqrt[3]{192}$
$5\sqrt[3]{2} = \sqrt[3]{125}\sqrt[3]{2} = \sqrt[3]{250}$
$2\sqrt[3]{31} = \sqrt[3]{8}\sqrt[3]{31} = \sqrt[3]{248}$

order: $4\sqrt[3]{3}$, $2\sqrt[3]{31}$, $5\sqrt[3]{2}$, $3\sqrt[3]{10}$

Multiple Choice 13 (C.) $3\sqrt{24}$

$8\sqrt{3} = \sqrt{64}\sqrt{3} = \sqrt{192}$
$3\sqrt{24} = \sqrt{9}\sqrt{24} = \sqrt{216}$
$4\sqrt{12} = \sqrt{16}\sqrt{12} = \sqrt{192}$

Numerical Response 14. $x^2 = 12^2 + 12^2$
$x^2 = 288$
$x = \sqrt{288} = \sqrt{144}\sqrt{2} = 12\sqrt{2}$
$a = 12$ $b = 2$
$b^a = 2^{12} = 4096$

| 4 | 0 | 9 | 6 |

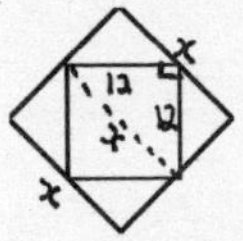

15. edge $= \sqrt[3]{32000}$
$= \sqrt[3]{1000}\sqrt[3]{32}$
$= 10\sqrt[3]{32} = 10\sqrt[3]{8}\sqrt[3]{4} = 10(2)\sqrt[3]{4} = 20\sqrt[3]{4}$.

$p = 20$ $q = 4$
$p - q = 16$

| 1 | 6 | | |

Operations on Radicals Lesson #2:
Adding and Subtracting Radicals

Investigation 1

a) i) $\sqrt{2} + 5\sqrt{2} = 6\sqrt{2}$ (circled)
ii) $4\sqrt[3]{5} - 7\sqrt[3]{5} = -3\sqrt[3]{5}$ (circled)
iii) $5\sqrt{8} - 2\sqrt{8} + 7\sqrt{8} = 10\sqrt{8}$ (circled)
iv) ~~$7\sqrt{5} + 7\sqrt[3]{5} = 14\sqrt[5]{5}$~~
v) ~~$\sqrt[3]{3} + \sqrt[3]{2} = \sqrt[3]{5}$~~

b) Radicals can be added or subtracted if they have the same radicand and the same index.

c) i) $20\sqrt{7}$
ii) $23\sqrt[5]{10}$
iii) $\sqrt{x}$

Investigation 2

a) i) true ii) true b) yes

c) i) $= \sqrt{2} + \sqrt{4}\sqrt{2}$
$= \sqrt{2} + 2\sqrt{2}$
$= 3\sqrt{2}$

ii) $= 5\sqrt{4}\sqrt{3} + 6\sqrt{16}\sqrt{3}$
$= 5(2)\sqrt{3} + 6(4)\sqrt{3}$
$= 10\sqrt{3} + 24\sqrt{3} = 34\sqrt{3}$

Class Ex. #1

a) $= \sqrt{16}\sqrt{5} - \sqrt{4}\sqrt{5}$
$= 4\sqrt{5} - 2\sqrt{5}$
$= 2\sqrt{5}$

b) $= \sqrt[3]{8}\sqrt[3]{10} + \sqrt[3]{27}\sqrt[3]{10}$
$= 2\sqrt[3]{10} + 3\sqrt[3]{10}$
$= 5\sqrt[3]{10}$

c) $= 7\sqrt{9}\sqrt{3} - 3\sqrt{25}\sqrt{3} + 2\sqrt{49}\sqrt{3}$
$= 7(3)\sqrt{3} - 3(5)\sqrt{3} + 2(7)\sqrt{3}$
$= 21\sqrt{3} - 15\sqrt{3} + 14\sqrt{3} = 20\sqrt{3}$

Class Ex. #2

a) $= -5\sqrt{36}\sqrt{3} + \frac{3}{4}\sqrt{4}\sqrt{2} - \frac{5}{4}\sqrt{16}\sqrt{3} + \frac{1}{2}\sqrt{25}\sqrt{2}$
$= -5(6)\sqrt{3} + \frac{3}{4}(2)\sqrt{2} - \frac{5}{4}(4)\sqrt{3} + \frac{1}{2}(5)\sqrt{2}$
$= -30\sqrt{3} + \frac{3}{2}\sqrt{2} - 5\sqrt{3} + \frac{5}{2}\sqrt{2}$
$= 4\sqrt{2} - 35\sqrt{3}$

b) $= \frac{4}{8} + 2\sqrt[3]{125}\sqrt[3]{3} - \frac{2}{3}\sqrt[3]{27}\sqrt[3]{2} - \frac{5}{2}\sqrt[3]{8}\sqrt[3]{3}$
$= \frac{1}{2} + 2(5)\sqrt[3]{3} - \frac{2}{3}(3)\sqrt[3]{2} - \frac{5}{2}(2)\sqrt[3]{3}$
$= \frac{1}{2} + 10\sqrt[3]{3} - 2\sqrt[3]{2} - 5\sqrt[3]{3}$
$= \frac{1}{2} + 5\sqrt[3]{3} - 2\sqrt[3]{2}$

Class Ex. #3

$x = (8\sqrt{2} + 2\sqrt{12}) - (5\sqrt{27} - 4\sqrt{18})$ a) $20\sqrt{2} - 11\sqrt{3}$

$x = 8\sqrt{2} + 2\sqrt{12} - 5\sqrt{27} + 4\sqrt{18}$ b) 9.2

$= 8\sqrt{2} + 2\sqrt{4}\sqrt{3} - 5\sqrt{9}\sqrt{3} + 4\sqrt{9}\sqrt{2}$

$= 8\sqrt{2} + 2(2)\sqrt{3} - 5(3)\sqrt{3} + 4(3)\sqrt{2}$

$= 8\sqrt{2} + 4\sqrt{3} - 15\sqrt{3} + 12\sqrt{2} = 20\sqrt{2} - 11\sqrt{3}$

Assignment

1. a) $3\sqrt{7}$ b) $11\sqrt[3]{13}$ c) $-4\sqrt{11}$ d) $4\sqrt{5} + 6\sqrt{2}$ e) $20\sqrt[4]{a}$ f) $\sqrt{2} - 3\sqrt{3}$

2. a) $= \sqrt{25}\sqrt{5} - \sqrt{5} = 5\sqrt{5} - \sqrt{5} = \underline{4\sqrt{5}}$

b) $= \sqrt{9}\sqrt{3} + \sqrt{4}\sqrt{3} = 3\sqrt{3} + 2\sqrt{3} = \underline{5\sqrt{3}}$

c) $= \sqrt{4}\sqrt{6} - \sqrt{9}\sqrt{6} + 2\sqrt{6} = 2\sqrt{6} - 3\sqrt{6} + 2\sqrt{6} = \underline{\sqrt{6}}$

d) $= \sqrt{25}\sqrt{6} + \sqrt{36}\sqrt{6} = 5\sqrt{6} + 6\sqrt{6} = \underline{11\sqrt{6}}$

e) $= \sqrt[3]{8}\sqrt[3]{2} + \sqrt[3]{64}\sqrt[3]{2} = 2\sqrt[3]{2} + 4\sqrt[3]{2} = \underline{6\sqrt[3]{2}}$

f) $= -7\sqrt[3]{27}\sqrt[3]{2} - 2\sqrt[3]{125}\sqrt[3]{2} = -7(3)\sqrt[3]{2} - 2(5)\sqrt[3]{2} = -21\sqrt[3]{2} - 10\sqrt[3]{2} = \underline{-31\sqrt[3]{2}}$

g) $= 2 + \sqrt[4]{81}\sqrt[4]{2} = \underline{2 + 3\sqrt[4]{2}}$

h) $= 2\sqrt{100}\sqrt{7} - 6\sqrt{9}\sqrt{7} = 2(10)\sqrt{7} - 6(3)\sqrt{7} = 20\sqrt{7} - 18\sqrt{7} = \underline{2\sqrt{7}}$

i) $= -3\sqrt{25}\sqrt{7} + 8\sqrt{4}\sqrt{7} - \sqrt{9}\sqrt{7} = -3(5)\sqrt{7} + 8(2)\sqrt{7} - 3\sqrt{7} = -15\sqrt{7} + 16\sqrt{7} - 3\sqrt{7} = \underline{-2\sqrt{7}}$

3. a) $= \sqrt{4}\sqrt{5} + \sqrt{36}\sqrt{2} - \sqrt{9}\sqrt{5} = 2\sqrt{5} + 6\sqrt{2} - 3\sqrt{5} = \underline{6\sqrt{2} - \sqrt{5}}$

b) $= \sqrt{9}\sqrt{3} + \sqrt{4}\sqrt{3} - \sqrt{16}\sqrt{2} - \sqrt{4}\sqrt{2} = 3\sqrt{3} + 2\sqrt{3} - 4\sqrt{2} - 2\sqrt{2} = \underline{5\sqrt{3} - 6\sqrt{2}}$

c) $= \sqrt{49}\sqrt{2} - \sqrt{4}\sqrt{5} + \sqrt{9}\sqrt{2} = 7\sqrt{2} - 2\sqrt{5} + 3\sqrt{2} = \underline{10\sqrt{2} - 2\sqrt{5}}$

d) $= 2\sqrt{36}\sqrt{7} - \sqrt{121}\sqrt{6} - 5\sqrt{9}\sqrt{7} = 2(6)\sqrt{7} - 11\sqrt{6} - 5(3)\sqrt{7} = 12\sqrt{7} - 11\sqrt{6} - 15\sqrt{7} = \underline{-3\sqrt{7} - 11\sqrt{6}}$

e) $= 2\sqrt[3]{27}\sqrt[3]{4} + \sqrt[3]{8}\sqrt[3]{4} + 3\sqrt[3]{64}\sqrt[3]{4} = 2(3)\sqrt[3]{4} + 2\sqrt[3]{4} + 3(4)\sqrt[3]{4} = 6\sqrt[3]{4} + 2\sqrt[3]{4} + 12\sqrt[3]{4} = \underline{20\sqrt[3]{4}}$

f) $= 12\sqrt{25}\sqrt{6} - 5\sqrt{9}\sqrt{6} + 3\sqrt{4}\sqrt{6} = 12(5)\sqrt{6} - 5(3)\sqrt{6} + 3(2)\sqrt{6} = 60\sqrt{6} - 15\sqrt{6} + 6\sqrt{6} = \underline{51\sqrt{6}}$

4. $AB = 16$

$AC = \sqrt{(2-6)^2 + (4-0)^2} = \sqrt{64 + 16} = \sqrt{80} = \sqrt{16}\sqrt{5} = 4\sqrt{5}$

$BC = \sqrt{(2-10)^2 + (4-0)^2} = \sqrt{64+16} = \sqrt{80} = \sqrt{16}\sqrt{5} = 4\sqrt{5}$

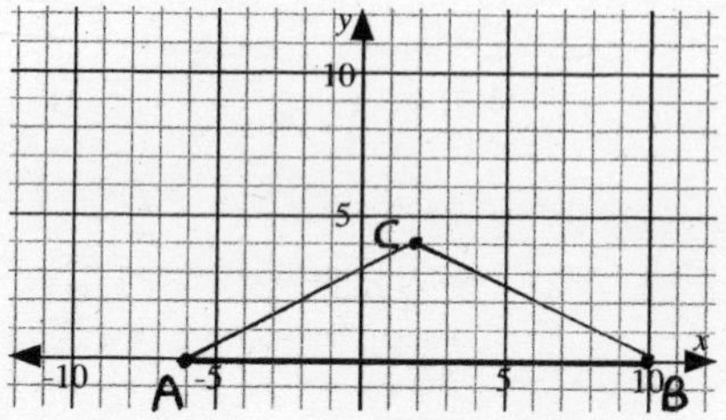

perimeter $= 16 + 4\sqrt{5} + 4\sqrt{5} = \underline{16 + 8\sqrt{5}}$

5. a) $= \frac{1}{3}\sqrt{9}\sqrt{7} + \frac{2}{5}\sqrt{100}\sqrt{7} - \frac{2}{3}\sqrt{16}\sqrt{7} + \frac{3}{2}\sqrt{4}\sqrt{7}$

$= \frac{1}{3}(3)\sqrt{7} + \frac{2}{5}(10)\sqrt{7} - \frac{2}{3}(4)\sqrt{7} + \frac{3}{2}(2)\sqrt{7}$

$= \sqrt{7} + 4\sqrt{7} - \frac{8}{3}\sqrt{7} + 3\sqrt{7}$

$= \underline{\frac{16}{3}\sqrt{7}}$

b) $= \frac{7}{2}\sqrt[3]{512}\sqrt[3]{2} + \frac{5}{12}\sqrt[3]{1000}\sqrt[3]{2} - 3\sqrt[3]{343}\sqrt[3]{2} + \frac{1}{8}\sqrt[3]{64}\sqrt[3]{2}$

$= \frac{7}{2}(8)\sqrt[3]{2} + \frac{5}{12}(10)\sqrt[3]{2} - 3(7)\sqrt[3]{2} + \frac{1}{8}(4)\sqrt[3]{2}$

$= 28\sqrt[3]{2} + \frac{25}{6}\sqrt[3]{2} - 21\sqrt[3]{2} + \frac{1}{2}\sqrt[3]{2}$

$= \underline{\frac{35}{3}\sqrt[3]{2}}$

6. a) $\sqrt{5} + 2\sqrt{45} + \sqrt{20} + \sqrt{125}$

$= \sqrt{5} + 2\sqrt{9}\sqrt{5} + \sqrt{4}\sqrt{5} + \sqrt{25}\sqrt{5}$

$= \sqrt{5} + 2(3)\sqrt{5} + 2\sqrt{5} + 5\sqrt{5}$

$= \sqrt{5} + 6\sqrt{5} + 2\sqrt{5} + 5\sqrt{5}$

$= \underline{14\sqrt{5}}$

b) $2(2\sqrt{80} + \sqrt{24}) + 2(-2\sqrt{96} + 5\sqrt{125})$

$= 4\sqrt{80} + 2\sqrt{24} - 4\sqrt{96} + 10\sqrt{125}$

$= 4\sqrt{16}\sqrt{5} + 2\sqrt{4}\sqrt{6} - 4\sqrt{16}\sqrt{6} + 10\sqrt{25}\sqrt{5}$

$= 4(4)\sqrt{5} + 2(2)\sqrt{6} - 4(4)\sqrt{6} + 10(5)\sqrt{5}$

$= 16\sqrt{5} + 4\sqrt{6} - 16\sqrt{6} + 50\sqrt{5}$

$= 66\sqrt{5} - 12\sqrt{6}$

7. $x = (5\sqrt{99} - \sqrt{208}) - (4\sqrt{44} - \sqrt{117})$

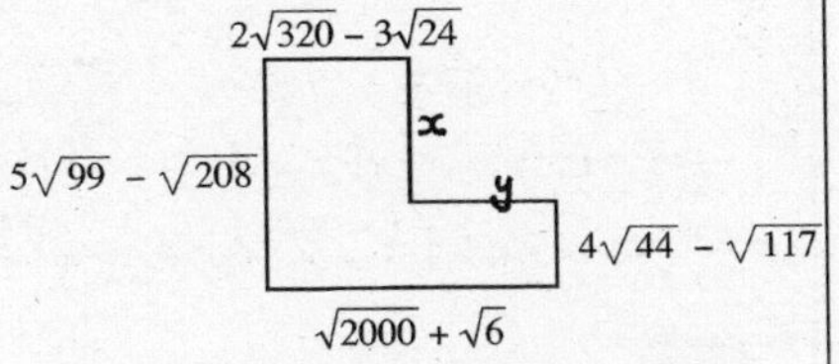

$= 5\sqrt{9}\sqrt{11} - \sqrt{16}\sqrt{13} - 4\sqrt{4}\sqrt{11} + \sqrt{9}\sqrt{13}$

$= 5(3)\sqrt{11} - 4\sqrt{13} - 4(2)\sqrt{11} + 3\sqrt{13}$

$= 15\sqrt{11} - 4\sqrt{13} - 8\sqrt{11} + 3\sqrt{13}$

$= \underline{7\sqrt{11} - \sqrt{13}}$

$y = (\sqrt{2000} + \sqrt{6}) - (2\sqrt{320} - 3\sqrt{24})$

$= \sqrt{400}\sqrt{5} + \sqrt{6} - 2\sqrt{64}\sqrt{5} + 3\sqrt{4}\sqrt{6}$

$= 20\sqrt{5} + \sqrt{6} - 2(8)\sqrt{5} + 3(2)\sqrt{6}$

$= 20\sqrt{5} + \sqrt{6} - 16\sqrt{5} + 6\sqrt{6}$

$= \underline{4\sqrt{5} + 7\sqrt{6}}$

8. a) common difference of $2 + \sqrt{2}$

$t_4 = (8 + 4\sqrt{2}) + (2 + \sqrt{2})$

$= 10 + 5\sqrt{2}$

$t_5 = (10 + 5\sqrt{2}) + (2 + \sqrt{2})$

$= 12 + 6\sqrt{2}$

b) common difference of $-3 - \sqrt{3}$

$t_4 = 0 + (-3 - \sqrt{3})$

$= -3 - \sqrt{3}$

$t_5 = (-3 - \sqrt{3}) + (-3 - \sqrt{3})$

$= -6 - 2\sqrt{3}$

Multiple Choice

9. (A.) $6\sqrt{3}$

$= \sqrt{25}\sqrt{3} + \sqrt{3}$

$= 5\sqrt{3} + \sqrt{3}$

$= 6\sqrt{3}$

10. (D.) $6\sqrt{5}$

$x = \sqrt{45} + 2\sqrt{5}$

$= \sqrt{9}\sqrt{5} + 2\sqrt{5}$

$= 3\sqrt{5} + 2\sqrt{5}$

$= 5\sqrt{5}$

$\sqrt{5} + x$

$= \sqrt{5} + 5\sqrt{5}$

$= 6\sqrt{5}$

11. (C.) $10\sqrt{3} + 4\sqrt{6}$

$\sqrt{48} + \sqrt{96} + \sqrt{108}$

$= \sqrt{16}\sqrt{3} + \sqrt{16}\sqrt{6} + \sqrt{36}\sqrt{3}$

$= 4\sqrt{3} + 4\sqrt{6} + 6\sqrt{3}$

$= 10\sqrt{3} + 4\sqrt{6}$

Numerical Response

12. $\sqrt{52} + \sqrt{208} - \sqrt{13} + \sqrt{169}$

$= \sqrt{4}\sqrt{13} + \sqrt{16}\sqrt{13} - \sqrt{13} + 13$

$= 2\sqrt{13} + 4\sqrt{13} - \sqrt{13} + 13$

$= 5\sqrt{13} + 13$

$= p\sqrt{13} + q$

$p = 5 \quad q = 13$

$pq = (5)(13)$

$= 65$

6	5		

13. $\frac{9}{2}\sqrt[3]{48} + \frac{3}{4}\sqrt[3]{162} - \frac{3}{5}\sqrt[3]{750}$

$= \frac{9}{2}\sqrt[3]{8}\sqrt[3]{6} + \frac{3}{4}\sqrt[3]{27}\sqrt[3]{6} - \frac{3}{5}\sqrt[3]{125}\sqrt[3]{6}$

$= \frac{9}{2}(2)\sqrt[3]{6} + \frac{3}{4}(3)\sqrt[3]{6} - \frac{3}{5}(5)\sqrt[3]{6}$

$= 9\sqrt[3]{6} + \frac{9}{4}\sqrt[3]{6} - 3\sqrt[3]{6} = \frac{33}{4}\sqrt[3]{6}$

$a = \frac{33}{4} = 8.25$

8	.	2	5

Operations on Radicals Lesson #3:
Multiplying Radicals

Investigation **a)** true **b)** true **c)** false **d)** true **e)** false

The index must be the same in each radical.

Multiply coefficient by coefficient. Multiply radicand by radicand.

a) $= \sqrt{64}$

$= 8$

b) $= 12\sqrt{30}$

c) $= 12\sqrt{xy}$

d) $= -10\sqrt{96}$

$= -10\sqrt{16}\sqrt{6}$

$= -10(4)\sqrt{6}$

$= -40\sqrt{6}$

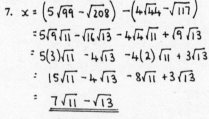

a) $= 2\sqrt{50} - \sqrt{25}$

$= 2\sqrt{25}\sqrt{2} - 5$

$= 2(5)\sqrt{2} - 5$

$= \underline{10\sqrt{2} - 5}$

b) $= 6\sqrt{225} - 16\sqrt{25} + 6\sqrt{100}$

$= 6(15) - 16(5) + 6(10)$

$= 90 - 80 + 60$

$= \underline{70}$

c) $= 2\sqrt{3} - 2\sqrt{5} - \sqrt{12} - \sqrt{20}$
$= 2\sqrt{3} - 2\sqrt{5} - \sqrt{4}\sqrt{3} - \sqrt{4}\sqrt{5}$
$= 2\sqrt{3} - 2\sqrt{5} - 2\sqrt{3} - 2\sqrt{5}$
$= \underline{\underline{-4\sqrt{5}}}$

d) $= -4\sqrt{a^2} + 36\sqrt{ab}$
$= \underline{\underline{-4a + 36\sqrt{ab}}}$

a) area $= (4+\sqrt{6})(7-\sqrt{6})$
$= 28 - 4\sqrt{6} + 7\sqrt{6} - \sqrt{36}$
$= 28 - 4\sqrt{6} + 7\sqrt{6} - 6$
$= \underline{\underline{22 + 3\sqrt{6}}}$

b) Simplify first
$2\sqrt{18} - \sqrt{27}$
$= 2\sqrt{9}\sqrt{2} - \sqrt{9}\sqrt{3}$
$= 2(3)\sqrt{2} - 3\sqrt{3}$
$= 6\sqrt{2} - 3\sqrt{3}$

area $= (6\sqrt{2}-3\sqrt{3})(6\sqrt{2}-3\sqrt{3})$
$= 36(2) - 18\sqrt{6} - 18\sqrt{6} + 9(3)$
$= 72 - 36\sqrt{6} + 27$
$= \underline{\underline{99 - 36\sqrt{6}}}$

Multiplying Conjugate Binomials

i) $= 5 + \sqrt{10} - \sqrt{10} - 2$
$= 3$

ii) $= 4(7) - 16\sqrt{7} + 16\sqrt{7} - 64$
$= 28 - 64 = -36$

no radical in the answer

a) $\dfrac{\underline{\underline{4\sqrt{6}-3}}}{(4\sqrt{6}+3)(4\sqrt{6}-3)}$
$= 16(6) - 12\sqrt{6} + 12\sqrt{6} - 9$
$= 96 - 9 = \underline{\underline{87}}$

b) $\dfrac{\underline{\underline{-3\sqrt{11}-\sqrt{2}}}}{(-3\sqrt{11}+\sqrt{2})(-3\sqrt{11}-\sqrt{2})}$
$= 9(11) + 3\sqrt{22} - 3\sqrt{22} - 2$
$= 99 - 2 = \underline{\underline{97}}$

c) $\dfrac{\underline{\underline{5\sqrt{x}+\sqrt{y}}}}{(5\sqrt{x}-\sqrt{y})(5\sqrt{x}+\sqrt{y})}$
$= 25x + 5\sqrt{xy} - 5\sqrt{xy} - y$
$= \underline{\underline{25x - y}}$

Assignment

1. a) $\underline{\underline{\sqrt{21}}}$ b) $\underline{\underline{8\sqrt{15}}}$ c) $\underline{\underline{-6\sqrt{10}}}$ d) $\underline{\underline{48\sqrt{pq}}}$

e) $= \sqrt{45}$
$= \sqrt{9}\sqrt{5}$
$= \underline{\underline{3\sqrt{5}}}$

f) $= 90(5)$
$= \underline{\underline{450}}$

g) $= 15\sqrt{60}$
$= 15\sqrt{4}\sqrt{15}$
$= 15(2)\sqrt{15}$
$= \underline{\underline{30\sqrt{15}}}$

h) $\underline{\underline{10a}}$

i) $= 7\sqrt{9}\sqrt{6} \cdot 2\sqrt{6}$
$= 7(3)\sqrt{6} \cdot 2\sqrt{6}$
$= 21\sqrt{6} \cdot 2\sqrt{6}$
$= 42(6)$
$= \underline{\underline{252}}$

j) $= \sqrt{16}\sqrt{2}\sqrt{6}$
$= 4\sqrt{12}$
$= 4\sqrt{4}\sqrt{3}$
$= 4(2)\sqrt{3}$
$= \underline{\underline{8\sqrt{3}}}$

k) $= \sqrt{15} \times 3\sqrt{9}\sqrt{3}$
$= \sqrt{15} \times 3(3)\sqrt{3}$
$= \sqrt{15} \times 9\sqrt{3}$
$= 9\sqrt{45}$
$= 9\sqrt{9}\sqrt{5}$
$= 9(3)\sqrt{5}$
$= \underline{\underline{27\sqrt{5}}}$

2. a) $\underline{\underline{(3\sqrt{3})(5\sqrt{6})}}$ or $\underline{\underline{(5\sqrt{3})(3\sqrt{6})}}$ b) $\underline{\underline{(5\sqrt{2})(7\sqrt{3})}}$ or $\underline{\underline{(7\sqrt{2})(5\sqrt{3})}}$

3. a) $\underline{\underline{3}}$ b) $= 16(2) = \underline{\underline{32}}$ c) $= 9(5) = \underline{\underline{45}}$ d) $\underline{\underline{-12}}$ e) $= (\sqrt{5})(5) = \underline{\underline{5\sqrt{5}}}$

4. a) $\underline{\underline{6\sqrt{30}}}$

b) $= 12\sqrt{36}$
$= 12(6)$
$= \underline{\underline{72}}$

c) $= 12\sqrt{90}$
$= 12\sqrt{9}\sqrt{10}$
$= 12(3)\sqrt{10}$
$= \underline{\underline{36\sqrt{10}}}$

d) $= \frac{2}{3}(\sqrt{9})\sqrt{3} \cdot \sqrt{6}$
$= \frac{2}{3}(3)\sqrt{3}\sqrt{6}$
$= 2\sqrt{18}$
$= 2\sqrt{9}\sqrt{2}$
$= 2(3)\sqrt{2}$
$= \underline{\underline{6\sqrt{2}}}$

e) $= 10\sqrt{\frac{16}{25}}$
$= 10\left(\frac{4}{5}\right)$
$= \underline{\underline{8}}$

f) $= 12\sqrt[3]{128}$
$= 12\sqrt[3]{64}\sqrt[3]{2}$
$= 12(4)\sqrt[3]{2}$
$= \underline{\underline{48\sqrt[3]{2}}}$

5. a) $3.42 \times 8.49 = 113.94$

b) $18\sqrt{40} = 18\sqrt{4}\sqrt{10} = 18(2)\sqrt{10} = 36\sqrt{10}$

c) 113.84 | d) c) because rounding is not done until the last step

6. a) $= 2(6) - \sqrt{30}$
$= \underline{\underline{12 - \sqrt{30}}}$

b) $\underline{\underline{\sqrt{2} - 2}}$ c) $\underline{\underline{4\sqrt{21} - 8\sqrt{15}}}$

7. a) $= 2\sqrt{18} - \sqrt{36}$
$= 2\sqrt{9}\sqrt{2} - 6$
$= 2(3)\sqrt{2} - 6$
$= \underline{\underline{6\sqrt{2} - 6}}$

b) $= \sqrt{48} - \sqrt{16}$
$= \sqrt{16}\sqrt{3} - 4$
$= \underline{\underline{4\sqrt{3} - 4}}$

c) $\underline{\underline{\sqrt{xy} - 9y}}$

d) $= 2\sqrt{11}(3\sqrt{2} - \sqrt{25}\sqrt{2} + 3\sqrt{16}\sqrt{2})$
$= 2\sqrt{11}(3\sqrt{2} - 5\sqrt{2} + 3(4)\sqrt{2})$
$= 2\sqrt{11}(-2\sqrt{2} + 12\sqrt{2})$
$= 2\sqrt{11}(10\sqrt{2})$
$= \underline{\underline{20\sqrt{22}}}$

e) $= \sqrt{5}(3\sqrt{5} - \sqrt{25}\sqrt{3} + 3\sqrt{3})$
$= \sqrt{5}(3\sqrt{5} - 5\sqrt{3} + 3\sqrt{3})$
$= \sqrt{5}(3\sqrt{5} - 2\sqrt{3})$
$= 3(5) - 2\sqrt{15}$
$= \underline{\underline{15 - 2\sqrt{15}}}$

8. a) $= (4 + \sqrt{9}\sqrt{3})(1 - \sqrt{4}\sqrt{3})$
$= (4 + 3\sqrt{3})(1 - 2\sqrt{3})$
$= 4 - 8\sqrt{3} + 3\sqrt{3} - 6(3)$
$= 4 - 5\sqrt{3} - 18$
$= \underline{\underline{-14 - 5\sqrt{3}}}$

b) $= 2\sqrt{18} - 14\sqrt{60} - \sqrt{60} + 7\sqrt{200}$
$= 2\sqrt{9}\sqrt{2} - 15\sqrt{60} + 7\sqrt{100}\sqrt{2}$
$= 2(3)\sqrt{2} - 15\sqrt{4}\sqrt{15} + 7(10)\sqrt{2}$
$= 6\sqrt{2} - 15(2)\sqrt{15} + 70\sqrt{2}$
$= \underline{\underline{76\sqrt{2} - 30\sqrt{15}}}$

9. a) area $= (5+\sqrt{3})(5-\sqrt{3})$
$= 25 - 5\sqrt{3} + 5\sqrt{3} - 3$
$= \underline{\underline{22}}$

b) area $= (\sqrt{2}+\sqrt{3})^2$
$= 2 + \sqrt{6} + \sqrt{6} + 3$
$= \underline{\underline{5 + 2\sqrt{6}}}$

c) area $= 2\sqrt{10}(\sqrt{6} + 4\sqrt{5})$
$= 2\sqrt{60} + 8\sqrt{50}$
$= 2\sqrt{4}\sqrt{15} + 8\sqrt{25}\sqrt{2}$
$= 2(2)\sqrt{15} + 8(5)\sqrt{2}$
$= \underline{\underline{4\sqrt{15} + 40\sqrt{2}}}$

d) area $= (3\sqrt{208} - 8)^2$
$= (3\sqrt{16}\sqrt{13} - 8)^2$
$= (3(4)\sqrt{13} - 8)^2$
$= (12\sqrt{13} - 8)^2$
$= 144(13) - 96\sqrt{13} - 96\sqrt{13} + 64$
$= 1872 - 192\sqrt{13} + 64$
$= \underline{\underline{1936 - 192\sqrt{13}}}$

10. a) $= 25(3) - 10\sqrt{3} - 10\sqrt{3} + 4$
$= 75 - 20\sqrt{3} + 4$
$= \underline{\underline{79 - 20\sqrt{3}}}$

b) $= 16(6) - 4\sqrt{12} - 4\sqrt{12} + 2$
$= 96 - 8\sqrt{12} + 2$
$= 98 - 8\sqrt{4}\sqrt{3} = 98 - 8(2)\sqrt{3}$
$= \underline{\underline{98 - 16\sqrt{3}}}$

c) $= 2(15 - 3\sqrt{75} - 3\sqrt{75} + 9(5))$
$= 2(15 - 6\sqrt{75} + 45)$
$= 2(60 - 6\sqrt{25}\sqrt{3})$
$= 2(60 - 6(5)\sqrt{3}) = 2(60 - 30\sqrt{3})$
$= \underline{\underline{120 - 60\sqrt{3}}}$

d) $= 49x - 14\sqrt{xy} - 14\sqrt{xy} + 4y$
$= \underline{\underline{49x - 28\sqrt{xy} + 4y}}$

11. a) $= 5 - \sqrt{5} + \sqrt{5} - 1$
$= \underline{\underline{4}}$

b) $= 8 - \sqrt{56} + \sqrt{56} - 7$
$= \underline{\underline{1}}$

c) $4(6) + 2\sqrt{12} - 2\sqrt{12} - 2$
$= 24 - 2$
$= \underline{\underline{22}}$

12. a) $\sqrt{2} + \sqrt{5}$ **b)** $4 - \sqrt{7}$ **c)** $-3\sqrt{8} + 15$

13. a) $\underline{\underline{\sqrt{3}+1}}$
$(\sqrt{3}-1)(\sqrt{3}+1)$
$= 3 + \sqrt{3} - \sqrt{3} - 1$
$= \underline{\underline{2}}$

b) $\underline{\underline{2-\sqrt{5}}}$
$(2+\sqrt{5})(2-\sqrt{5})$
$= 4 - 2\sqrt{5} + 2\sqrt{5} - 5$
$= \underline{\underline{-1}}$

c) $\underline{\underline{2\sqrt{6}+\sqrt{3}}}$
$(2\sqrt{6}-\sqrt{3})(2\sqrt{6}+\sqrt{3})$
$= 4(6) + 2\sqrt{18} - 2\sqrt{18} - 3$
$= 24 - 3$
$= \underline{\underline{21}}$

13. d) $\underline{\underline{2\sqrt{8}-\sqrt{27}}}$
$(2\sqrt{8}+\sqrt{27})(2\sqrt{8}-\sqrt{27})$
$= 4(8) - 2\sqrt{216} + 2\sqrt{216} - 27$
$= 32 - 27$
$= \underline{\underline{5}}$

e) $\underline{\sqrt{32}+\sqrt{3}}$
$(\sqrt{32}-\sqrt{3})(\sqrt{32}+\sqrt{3})$
$= 32 + \sqrt{96} - \sqrt{96} - 3$
$= \underline{\underline{29}}$

f) $\underline{\underline{-3\sqrt{40}-2\sqrt{10}}}$
$(-3\sqrt{40}+2\sqrt{10})(-3\sqrt{40}-2\sqrt{10})$
$= 9(40) + 6\sqrt{400} - 6\sqrt{400} - 4(10)$
$= 360 - 40$
$= \underline{\underline{320}}$

Multiple Choice

14. (B.) $a - b$
$= a + \sqrt{ab} - \sqrt{ab} - b = a - b$

15. (C.) $4\sqrt{2}$
$(\sqrt{2})(\sqrt{2})(\sqrt{2})(\sqrt{2})(\sqrt{2})$
$= 2 \cdot 2 \cdot \sqrt{2}$
$= 4\sqrt{2}$

16. $\sqrt{5}(\sqrt{10} + 12\sqrt{5}) - \sqrt{7}(\sqrt{7} - 2\sqrt{14})$
$= \sqrt{50} + 12(5) - 7 + 2\sqrt{98}$
$= \sqrt{25}\sqrt{2} + 60 - 7 + 2\sqrt{49}\sqrt{2}$
$= 5\sqrt{2} + 60 - 7 + 2(7)\sqrt{2}$
$= 5\sqrt{2} + 60 - 7 + 14\sqrt{2}$
$= 19\sqrt{2} + 53$
$= 53 + 19\sqrt{2}$
$a = 53 \quad b = 19 \quad c = 2$
$a + b + c = 53 + 19 + 2$
$= 74$

7	4		

17. $\sqrt{3}(\sqrt{6} - \sqrt{3}) = \sqrt{18} - 3$
$= \sqrt{9}\sqrt{2} - 3$
$= 3\sqrt{2} - 3$
$= -3 + 3\sqrt{2}$
$c = 2$

2			

Operations on Radicals Lesson #4:
Dividing Radicals - Part One

a) $\underline{\underline{\sqrt{5}}}$ **b)** $\underline{\underline{4\sqrt[3]{7}}}$ **c)** $\frac{3\sqrt{8}}{2} = \frac{3\sqrt{4}\sqrt{2}}{2} = \frac{3(2)\sqrt{2}}{2} = \underline{\underline{3\sqrt{2}}}$ **d)** $= \frac{\sqrt{b}}{3}$ or $\frac{1}{3}\sqrt{b}$

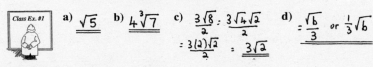

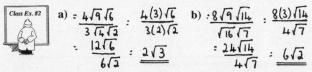

a) $= \frac{4\sqrt{9}\sqrt{6}}{3\sqrt{4}\sqrt{2}} = \frac{4(3)\sqrt{6}}{3(2)\sqrt{2}} = \frac{12\sqrt{6}}{6\sqrt{2}} = \underline{\underline{2\sqrt{3}}}$

b) $= \frac{8\sqrt{9}\sqrt{14}}{\sqrt{16}\sqrt{7}} = \frac{8(3)\sqrt{14}}{4\sqrt{7}} = \frac{24\sqrt{14}}{4\sqrt{7}} = \underline{\underline{6\sqrt{2}}}$

c) $= \dfrac{10\sqrt[3]{27}\sqrt[3]{6}}{20\sqrt[3]{64}\sqrt[3]{2}} = \dfrac{10(3)\sqrt[3]{6}}{20(4)\sqrt[3]{2}} = \dfrac{30\sqrt[3]{6}}{80\sqrt[3]{2}} = \dfrac{3}{8}\sqrt[3]{3}$

$= \sqrt{4} + \sqrt{8} - \sqrt{18}$
$= 2 + \sqrt{4}\sqrt{2} - \sqrt{9}\sqrt{2}$
$= 2 + 2\sqrt{2} - 3\sqrt{2}$
$= 2 - \sqrt{2}$

a) $\dfrac{1}{\sqrt{13}} \cdot \dfrac{\sqrt{13}}{\sqrt{13}} = \dfrac{\sqrt{13}}{13}$

b) $\dfrac{\sqrt{5}}{\sqrt{2}} \cdot \dfrac{\sqrt{2}}{\sqrt{2}} = \dfrac{\sqrt{10}}{2}$

c) $\dfrac{\sqrt{2}}{-\sqrt{6}} \cdot \dfrac{\sqrt{6}}{\sqrt{6}} = \dfrac{\sqrt{12}}{-6} = \dfrac{\sqrt{4}\sqrt{3}}{-6} = \dfrac{2\sqrt{3}}{-6} = -\dfrac{1}{3}\sqrt{3}$

d) $\dfrac{\sqrt{20}}{\sqrt{3}} \cdot \dfrac{\sqrt{3}}{\sqrt{3}} = \dfrac{\sqrt{60}}{3} = \dfrac{\sqrt{4}\sqrt{15}}{3} = \dfrac{2}{3}\sqrt{15}$

a) $\dfrac{7}{3\sqrt{7}} \cdot \dfrac{\sqrt{7}}{\sqrt{7}} = \dfrac{7\sqrt{7}}{3(7)} = \dfrac{7\sqrt{7}}{21} = \dfrac{1}{3}\sqrt{7}$

b) $\sqrt{\dfrac{18}{5}} = \dfrac{\sqrt{18}}{\sqrt{5}} \cdot \dfrac{\sqrt{5}}{\sqrt{5}} = \dfrac{\sqrt{90}}{5} = \dfrac{\sqrt{9}\sqrt{10}}{5} = \dfrac{3}{5}\sqrt{10}$

c) $\dfrac{3\sqrt{12}}{\sqrt{72}} = \dfrac{3}{\sqrt{6}} \cdot \dfrac{\sqrt{6}}{\sqrt{6}} = \dfrac{3\sqrt{6}}{6} = \dfrac{1}{2}\sqrt{6}$

a) $\dfrac{3\sqrt{18} - \sqrt{12}}{\sqrt{2}} \cdot \dfrac{\sqrt{2}}{\sqrt{2}} = \dfrac{3\sqrt{36} - \sqrt{24}}{2} = \dfrac{3(6) - \sqrt{4}\sqrt{6}}{2} = \dfrac{18 - 2\sqrt{6}}{2} = 9 - \sqrt{6}$

b) $\dfrac{3\sqrt{18} - \sqrt{12}}{\sqrt{2}} = 3\sqrt{9} - \sqrt{6} = 3(3) - \sqrt{6} = 9 - \sqrt{6}$

Assignment

1. a) $\sqrt{10}$ b) $\sqrt{5}$ c) $\sqrt[3]{13}$ d) $\sqrt{4} = 2$ e) $\sqrt{a}$ f) $4\sqrt{7}$ g) $5\sqrt{11}$ h) $-2\sqrt[4]{3}$ i) $\frac{1}{2}\sqrt{5}$ j) $\frac{2}{5}\sqrt{y}$

2. a) $= \sqrt{27} = \sqrt{9}\sqrt{3} = 3\sqrt{3}$

b) $= \sqrt{18} = \sqrt{9}\sqrt{2} = 3\sqrt{2}$

c) $= \frac{1}{4}\sqrt{32} = \frac{1}{4}\sqrt{16}\sqrt{2} = \frac{1}{4}(4)\sqrt{2} = \sqrt{2}$

d) $= \frac{3}{2}\sqrt{40} = \frac{3}{2}\sqrt{4}\sqrt{10} = \frac{3}{2}(2)\sqrt{10} = 3\sqrt{10}$

e) $= 4\sqrt[3]{16} = 4\sqrt[3]{8}\sqrt[3]{2} = 4(2)\sqrt[3]{2} = 8\sqrt[3]{2}$

3. a) $= \dfrac{2\sqrt{25}\sqrt{6}}{\sqrt{4}\sqrt{2}} = \dfrac{2(5)\sqrt{6}}{2\sqrt{2}} = 5\sqrt{3}$

b) $= \dfrac{4\sqrt{9}\sqrt{10}}{\sqrt{36}\sqrt{2}} = \dfrac{4(3)\sqrt{10}}{6\sqrt{2}} = \dfrac{12\sqrt{10}}{6\sqrt{2}} = 2\sqrt{5}$

c) $= \dfrac{3\sqrt{16}\sqrt{15}}{\sqrt{36}\sqrt{3}} = \dfrac{3(4)\sqrt{15}}{6\sqrt{3}} = 2\sqrt{5}$

d) $= \dfrac{18\sqrt{4}\sqrt{6}}{\sqrt{81}\sqrt{2}} = \dfrac{18(2)\sqrt{6}}{9\sqrt{2}} = 4\sqrt{3}$

e) $= \dfrac{3\sqrt[3]{8}\sqrt[3]{4}}{2(6)} = \dfrac{3(2)\sqrt[3]{4}}{12} = \frac{1}{2}\sqrt[3]{4}$

4. a) $\sqrt{5} - \sqrt{3}$ b) $3\sqrt{10} - \sqrt{5}$

c) $= 2\sqrt{14} + 3\sqrt{25} = 2\sqrt{14} + 3(5) = 2\sqrt{14} + 15$

d) $= 4\sqrt{4} + 5\sqrt{25} = 4(2) + 5(5) = 8 + 25 = 33$

e) $= \sqrt{25} + \sqrt{16} - \sqrt{9} = 5 + 4 - 3 = 6$

f) $= \sqrt{18} + 2\sqrt{8} - \sqrt{32}$
$= \sqrt{9}\sqrt{2} + 2\sqrt{4}\sqrt{2} - \sqrt{16}\sqrt{2}$
$= 3\sqrt{2} + 2(2)\sqrt{2} - 4\sqrt{2}$
$= 3\sqrt{2} + 4\sqrt{2} - 4\sqrt{2} = 3\sqrt{2}$

5. a) $\dfrac{1}{\sqrt{2}} \cdot \dfrac{\sqrt{2}}{\sqrt{2}} = \dfrac{\sqrt{2}}{2}$ or $\frac{1}{2}\sqrt{2}$

b) $\dfrac{6}{\sqrt{6}} \cdot \dfrac{\sqrt{6}}{\sqrt{6}} = \dfrac{6\sqrt{6}}{6} = \sqrt{6}$

c) $\dfrac{\sqrt{5}}{\sqrt{3}} \cdot \dfrac{\sqrt{3}}{\sqrt{3}} = \dfrac{\sqrt{15}}{3}$ or $\frac{1}{3}\sqrt{15}$

d) $\dfrac{\sqrt{3}}{-\sqrt{2}} \cdot \dfrac{\sqrt{2}}{\sqrt{2}} = -\dfrac{\sqrt{6}}{2}$ or $-\frac{1}{2}\sqrt{6}$

e) $\dfrac{\sqrt{10}}{\sqrt{7}} \cdot \dfrac{\sqrt{7}}{\sqrt{7}} = \dfrac{\sqrt{70}}{7}$ or $\frac{1}{7}\sqrt{70}$

f) $\dfrac{\sqrt{12}}{\sqrt{5}} \cdot \dfrac{\sqrt{5}}{\sqrt{5}} = \dfrac{\sqrt{60}}{5} = \dfrac{\sqrt{4}\sqrt{15}}{5} = \frac{2}{5}\sqrt{15}$

g) $\dfrac{2}{5\sqrt{6}} \cdot \dfrac{\sqrt{6}}{\sqrt{6}} = \dfrac{2\sqrt{6}}{5 \cdot 6} = \frac{1}{15}\sqrt{6}$

h) $\dfrac{\sqrt{32}}{\sqrt{18}} = \dfrac{\sqrt{16}\cdot\sqrt{2}}{\sqrt{9}\sqrt{2}} = \dfrac{4\sqrt{2}}{3\sqrt{2}} = \dfrac{4}{3}$

i) $\dfrac{5}{\sqrt{50}} \cdot \dfrac{\sqrt{50}}{\sqrt{50}} = \dfrac{5\sqrt{50}}{50} = \dfrac{5\sqrt{25}\sqrt{2}}{50} = \dfrac{5(5)\sqrt{2}}{50} = \frac{1}{2}\sqrt{2}$

j) $\dfrac{14}{\sqrt{98}} = \dfrac{14}{\sqrt{49}\sqrt{2}} = \dfrac{14}{7\sqrt{2}} = \dfrac{14\cdot\sqrt{2}}{7\sqrt{2}\cdot\sqrt{2}} = \dfrac{14\sqrt{2}}{14} = \sqrt{2}$

k) $\dfrac{-2}{\sqrt{88}} \cdot \dfrac{\sqrt{88}}{\sqrt{88}} = \dfrac{-2\sqrt{88}}{88} = \dfrac{-2\sqrt{4}\sqrt{22}}{88} = \dfrac{-2(2)\sqrt{22}}{88} = -\frac{1}{22}\sqrt{22}$

l) $\dfrac{3\sqrt{500}}{-\sqrt{27}} = \dfrac{3\sqrt{100}\sqrt{5}}{-\sqrt{9}\sqrt{3}} = \dfrac{3(10)\sqrt{5}}{-3\sqrt{3}} = \dfrac{-10\sqrt{5}}{\sqrt{3}} \cdot \dfrac{\sqrt{3}}{\sqrt{3}} = \dfrac{-10\sqrt{15}}{3}$ or $-\frac{10}{3}\sqrt{15}$

6. a) $=\frac{\sqrt{27}}{\sqrt{10}}\cdot\frac{\sqrt{10}}{\sqrt{10}} = \frac{\sqrt{270}}{10} = \frac{\sqrt{9}\sqrt{30}}{10} = \frac{3}{10}\sqrt{30}$

b) $=\frac{5}{\sqrt5}\cdot\frac{\sqrt5}{\sqrt5} = \frac{5\sqrt5}{5} = \sqrt5$

c) $=\frac{\sqrt{243}}{\sqrt2} = \frac{\sqrt{81}\sqrt3}{\sqrt2} = \frac{9\sqrt3}{\sqrt2}\cdot\frac{\sqrt2}{\sqrt2} = \frac{9}{2}\sqrt6$

d) $=\frac{20\sqrt4\sqrt3}{12\sqrt4\sqrt5} = \frac{20(2)\sqrt3}{12(2)\sqrt5} = \frac{40\sqrt3}{24\sqrt5}\cdot\frac{\sqrt5}{\sqrt5} = \frac{40\sqrt{15}}{24(5)} = \frac{40\sqrt{15}}{120} = \frac{1}{3}\sqrt{15}$

7. a) $\frac{\sqrt7-\sqrt2}{\sqrt2}\cdot\frac{\sqrt2}{\sqrt2} = \frac{\sqrt{14}-2}{2}$

b) $\frac{\sqrt3+2\sqrt2}{2\sqrt3}\cdot\frac{\sqrt3}{\sqrt3} = \frac{3+2\sqrt6}{2(3)} = \frac{3+2\sqrt6}{6}$

c) $\frac{\sqrt5+\sqrt2}{\sqrt6}\cdot\frac{\sqrt6}{\sqrt6} = \frac{\sqrt{30}+\sqrt{12}}{6} = \frac{\sqrt{30}+\sqrt4\sqrt3}{6} = \frac{\sqrt{30}+2\sqrt3}{6}$

8. a) Erica:

$\frac{6\sqrt{40}-8\sqrt{20}}{2\sqrt5}\cdot\frac{\sqrt5}{\sqrt5} = \frac{6\sqrt{200}-8\sqrt{100}}{2\cdot5} = \frac{6\sqrt{100}\sqrt2-8(10)}{10} = \frac{6(10)\sqrt2-80}{10} = \frac{60\sqrt2-80}{10} = 6\sqrt2-8$

Jaclyn:

$\frac{6\sqrt{40}-8\sqrt{20}}{2\sqrt5} = 3\sqrt8-4\sqrt4 = 3\sqrt4\sqrt2-4(2) = 3(2)\sqrt2-8 = 6\sqrt2-8$

b) 40 and 20 do not divide exactly by 7

9. a) $\frac{10\sqrt{18}-5\sqrt{24}}{\sqrt5}\cdot\frac{\sqrt5}{\sqrt5} = \frac{10\sqrt{90}-5\sqrt{120}}{5} = \frac{10\sqrt9\sqrt{10}-5\sqrt4\sqrt{30}}{5} = \frac{10(3)\sqrt{10}-5(2)\sqrt{30}}{5} = \frac{30\sqrt{10}-10\sqrt{30}}{5} = 6\sqrt{10}-2\sqrt{30}$

b) $\frac{15\sqrt{18}-3\sqrt{242}}{-3\sqrt8} = \frac{15\sqrt9\sqrt2-3\sqrt{121}\sqrt2}{-3\sqrt4\sqrt2} = \frac{15(3)\sqrt2-3(11)\sqrt2}{-3(2)\sqrt2} = \frac{45\sqrt2-33\sqrt2}{-6\sqrt2} = \frac{12\sqrt2}{-6\sqrt2} = -2$

10. a) width $= \frac{9\sqrt2-6\sqrt3}{3\sqrt6}\cdot\frac{\sqrt6}{\sqrt6} = \frac{9\sqrt{12}-6\sqrt{18}}{3(6)} = \frac{9\sqrt4\sqrt3-6\sqrt9\sqrt2}{18} = \frac{9(2)\sqrt3-6(3)\sqrt2}{18} = \frac{18\sqrt3-18\sqrt2}{18} = \sqrt3-\sqrt2$ metres

area = $9\sqrt2-6\sqrt3$ m^2

$3\sqrt6$ m

b) perimeter $= 2(3\sqrt6)+2(\sqrt3-\sqrt2) = 6\sqrt6+2\sqrt3-2\sqrt2 = 15.3$ metres

11. a) $A=\frac12bh$ $\quad 2A=bh$ $\quad h=\frac{2A}{b}$

height $= \frac{2(3\sqrt{288}-2\sqrt{12})}{3\sqrt2} = \frac{6\sqrt{288}-4\sqrt{12}}{3\sqrt2} = \frac{6\sqrt{144}\sqrt2-4\sqrt4\sqrt3}{3\sqrt2}$

$= \frac{6(12)\sqrt2-4(2)\sqrt3}{3\sqrt2} = \frac{72\sqrt2-8\sqrt3}{3\sqrt2}\cdot\frac{\sqrt2}{\sqrt2} = \frac{72(2)-8\sqrt6}{3(2)}$

$= \frac{144-8\sqrt6}{6} = \frac{72-4\sqrt6}{3}$ or $24-\frac{4}{3}\sqrt6$

b) 20.73 metres

Multiple Choice

12. (D.) $\frac{\sqrt{54}}{\sqrt3}$

$= \frac{36}{\sqrt{16}\sqrt3} = \frac{36}{4\sqrt3} = \frac{9}{\sqrt3}\cdot\frac{\sqrt3}{\sqrt3} = \frac{9\sqrt3}{3} = 3\sqrt3$

$= (\sqrt3)(\sqrt3)(\sqrt3) = 3\sqrt3$

$= \sqrt{64}\sqrt3-\sqrt{25}\sqrt3 = 8\sqrt3-5\sqrt3 = 3\sqrt3$

$= \sqrt{18} = \sqrt9\sqrt2 = 3\sqrt2$

13. (D.) $1+\sqrt2$ $\quad \frac{2+\sqrt4\sqrt2}{2} = \frac{2+2\sqrt2}{2} = 1+\sqrt2$

14. (C.) 5 $\quad 2\sqrt t = \frac{\sqrt{120}}{\sqrt6} = \sqrt{20}$

$\sqrt t = \frac{\sqrt{20}}{2} = \frac{\sqrt4\sqrt5}{2} = \frac{2\sqrt5}{2} = \sqrt5$ $\quad t=5$

Numerical Response 15 $\frac{1}{\sqrt{9}\sqrt{3}} - \frac{5}{4\sqrt{8}} = \frac{1}{3\sqrt{3}} - \frac{5}{4\sqrt{4}\sqrt{2}} = \frac{1}{3\sqrt{3}} - \frac{5}{4(2)\sqrt{2}}$

0	.	3	1

$= \frac{1}{3\sqrt{3}} - \frac{5}{8\sqrt{2}} = \frac{1}{3\sqrt{3}}\cdot\frac{\sqrt{3}}{\sqrt{3}} - \frac{5}{8\sqrt{2}}\cdot\frac{\sqrt{2}}{\sqrt{2}} = \frac{\sqrt{3}}{3(3)} - \frac{5\sqrt{2}}{8(2)}$

$= \frac{\sqrt{3}}{9} - \frac{5\sqrt{2}}{16} = \frac{1}{9}\sqrt{3} - \frac{5}{16}\sqrt{2}$

$a = \frac{1}{9} \quad b = \frac{5}{16} = 0.31$

16. $\sqrt{2} + a\sqrt{5} = \sqrt{36}\sqrt{2}$

1	0		

$\sqrt{2} + a\sqrt{5} = 6\sqrt{2}$

$\frac{a\sqrt{5}}{\sqrt{5}} = \frac{5\sqrt{2}}{\sqrt{5}} \qquad a = \frac{5\sqrt{2}}{\sqrt{5}}\cdot\frac{\sqrt{5}}{\sqrt{5}} = \frac{5\sqrt{10}}{5} = \sqrt{10}$

Operations on Radicals Lesson #5:
Dividing Radicals - Part Two

Class Ex. #1

a) $\frac{2}{\sqrt{5}-\sqrt{3}}\cdot\frac{\sqrt{5}+\sqrt{3}}{\sqrt{5}+\sqrt{3}} = \frac{2(\sqrt{5}+\sqrt{3})}{5-3} = \frac{2(\sqrt{5}+\sqrt{3})}{2} = \sqrt{5}+\sqrt{3}$

b) $\frac{\sqrt{6}-2}{\sqrt{6}+2}\cdot\frac{\sqrt{6}-2}{\sqrt{6}-2} = \frac{6-4\sqrt{6}+4}{6-4} = \frac{10-4\sqrt{6}}{2} = 5-2\sqrt{6}$

c) $\frac{1}{1-\sqrt{x}}\cdot\frac{1+\sqrt{x}}{1+\sqrt{x}} = \frac{1+\sqrt{x}}{1-x}$

Class Ex. #2

$\frac{\sqrt{8}-\sqrt{3}}{4\sqrt{3}-\sqrt{2}}\cdot\frac{4\sqrt{3}+\sqrt{2}}{4\sqrt{3}+\sqrt{2}} = \frac{4\sqrt{24}+\sqrt{16}-4(3)-\sqrt{6}}{16(3)-2} = \frac{4\sqrt{4}\sqrt{6}+4-12-\sqrt{6}}{48-2}$

$= \frac{4(2)\sqrt{6}+4-12-\sqrt{6}}{46} = \frac{8\sqrt{6}+4-12-\sqrt{6}}{46} = \frac{7\sqrt{6}-8}{46}$

Class Ex. #3

$A = \frac{1}{2}h(a+b)$

$2A = h(a+b)$

$\frac{2A}{a+b} = h$

$h = \frac{2(20)}{\sqrt{6}+\sqrt{5}}\cdot\frac{\sqrt{6}-\sqrt{5}}{\sqrt{6}-\sqrt{5}} = \frac{40(\sqrt{6}-\sqrt{5})}{6-5} = 40(\sqrt{6}-\sqrt{5})$ cm.

Assignment

1. a) $\frac{4}{\sqrt{5}-1}\cdot\frac{\sqrt{5}+1}{\sqrt{5}+1} = \frac{4(\sqrt{5}+1)}{5-1} = \frac{4(\sqrt{5}+1)}{4} = \sqrt{5}+1$

b) $\frac{1}{\sqrt{6}+2}\cdot\frac{\sqrt{6}-2}{\sqrt{6}-2} = \frac{\sqrt{6}-2}{6-4} = \frac{\sqrt{6}-2}{2}$

c) $\frac{3}{3-\sqrt{3}}\cdot\frac{3+\sqrt{3}}{3+\sqrt{3}} = \frac{3(3+\sqrt{3})}{9-3} = \frac{3(3+\sqrt{3})}{6} = \frac{3+\sqrt{3}}{2}$

d) $\frac{\sqrt{7}}{\sqrt{7}-2}\cdot\frac{\sqrt{7}+2}{\sqrt{7}+2} = \frac{7+2\sqrt{7}}{7-4} = \frac{7+2\sqrt{7}}{3}$

e) $\frac{3}{\sqrt{2}-\sqrt{3}}\cdot\frac{\sqrt{2}+\sqrt{3}}{\sqrt{2}+\sqrt{3}} = \frac{3(\sqrt{2}+\sqrt{3})}{2-3} = \frac{3(\sqrt{2}+\sqrt{3})}{-1} = -3\sqrt{2}-3\sqrt{3}$

f) $\frac{\sqrt{2}}{\sqrt{6}+\sqrt{2}}\cdot\frac{\sqrt{6}-\sqrt{2}}{\sqrt{6}-\sqrt{2}} = \frac{\sqrt{12}-2}{6-2} = \frac{\sqrt{4}\sqrt{3}-2}{4} = \frac{2\sqrt{3}-2}{4} = \frac{\sqrt{3}-1}{2}$

2. a) $\frac{2\sqrt{3}}{3\sqrt{2}+\sqrt{3}}\cdot\frac{3\sqrt{2}-\sqrt{3}}{3\sqrt{2}-\sqrt{3}} = \frac{6\sqrt{6}-2(3)}{9(2)-3} = \frac{6\sqrt{6}-6}{15} = \frac{2\sqrt{6}-2}{5}$

b) $\frac{3\sqrt{11}}{3\sqrt{11}+10}\cdot\frac{3\sqrt{11}-10}{3\sqrt{11}-10} = \frac{9(11)-30\sqrt{11}}{9(11)-100} = \frac{99-30\sqrt{11}}{-1} = 30\sqrt{11}-99$

c) $\frac{\sqrt{2}}{\sqrt{12}-\sqrt{8}}\cdot\frac{\sqrt{12}+\sqrt{8}}{\sqrt{12}+\sqrt{8}} = \frac{\sqrt{24}+\sqrt{16}}{12-8} = \frac{\sqrt{4}\sqrt{6}+4}{4} = \frac{2\sqrt{6}+4}{4} = \frac{\sqrt{6}+2}{2}$

d) $\frac{\sqrt{7}}{4-\sqrt{14}}\cdot\frac{4+\sqrt{14}}{4+\sqrt{14}} = \frac{4\sqrt{7}+\sqrt{98}}{16-14} = \frac{4\sqrt{7}+\sqrt{49}\sqrt{2}}{2} = \frac{4\sqrt{7}+7\sqrt{2}}{2}$

3. a) $\frac{\sqrt{3}-1}{\sqrt{3}+1}\cdot\frac{\sqrt{3}-1}{\sqrt{3}-1} = \frac{3-2\sqrt{3}+1}{3-1} = \frac{4-2\sqrt{3}}{2} = 2-\sqrt{3}$

b) $\frac{\sqrt{5}-2}{\sqrt{5}-1}\cdot\frac{\sqrt{5}+1}{\sqrt{5}+1} = \frac{5+\sqrt{5}-2\sqrt{5}-2}{5-1} = \frac{3-\sqrt{5}}{4}$

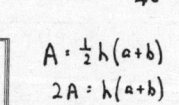

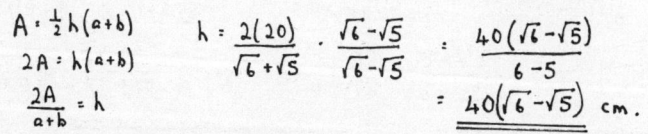

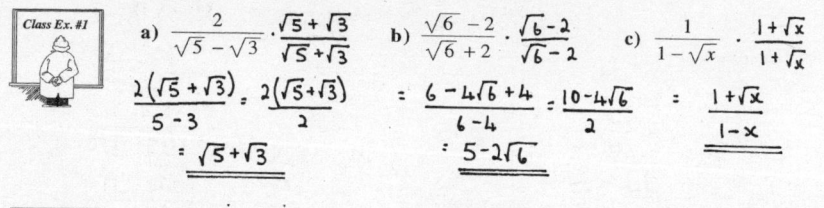

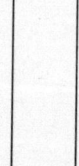

3. c) $\frac{\sqrt{6}+\sqrt{2}}{\sqrt{6}-\sqrt{2}} \cdot \frac{\sqrt{6}+\sqrt{2}}{\sqrt{6}+\sqrt{2}}$

$= \frac{6+2\sqrt{12}+2}{6-2} = \frac{8+2\sqrt{4}\sqrt{3}}{4}$

$= \frac{8+2(2)\sqrt{3}}{4} = \frac{8+4\sqrt{3}}{4} = 2+\sqrt{3}$

d) $\frac{5-\sqrt{10}}{3+\sqrt{10}} \cdot \frac{3-\sqrt{10}}{3-\sqrt{10}}$

$= \frac{15-5\sqrt{10}-3\sqrt{10}+10}{9-10} = \frac{25-8\sqrt{10}}{-1}$

$= 8\sqrt{10}-25$

4. a) $\frac{\sqrt{11}+5\sqrt{2}}{\sqrt{11}-2\sqrt{2}} \cdot \frac{\sqrt{11}+2\sqrt{2}}{\sqrt{11}+2\sqrt{2}}$

$= \frac{11+2\sqrt{22}+5\sqrt{22}+10(2)}{11-4(2)}$

$= \frac{11+7\sqrt{22}+20}{11-8}$

$= \frac{31+7\sqrt{22}}{3}$

b) $\frac{2\sqrt{6}-\sqrt{3}}{3\sqrt{3}+\sqrt{6}} \cdot \frac{3\sqrt{3}-\sqrt{6}}{3\sqrt{3}-\sqrt{6}}$

$= \frac{6\sqrt{18}-2(6)-3(3)+\sqrt{18}}{9(3)-6} = \frac{7\sqrt{18}-12-9}{27-6}$

$= \frac{7\sqrt{9}\sqrt{2}-21}{21} = \frac{7(3)\sqrt{2}-21}{21} = \frac{21\sqrt{2}-21}{21}$

$= \sqrt{2}-1$

c) $\frac{\sqrt{30}+3\sqrt{3}}{\sqrt{30}-3\sqrt{3}} \cdot \frac{\sqrt{30}+3\sqrt{3}}{\sqrt{30}+3\sqrt{3}}$

$= \frac{30+6\sqrt{90}+9(3)}{30-9(3)} = \frac{30+6\sqrt{90}+27}{30-27}$

$= \frac{57+6\sqrt{9}\sqrt{10}}{3} = \frac{57+6(3)\sqrt{10}}{3}$

$= \frac{57+18\sqrt{10}}{3} = 19+6\sqrt{10}$

d) $\frac{3\sqrt{5}-2\sqrt{3}}{3\sqrt{5}+2\sqrt{3}} \cdot \frac{3\sqrt{5}-2\sqrt{3}}{3\sqrt{5}-2\sqrt{3}}$

$= \frac{9(5)-12\sqrt{15}+4(3)}{9(5)-4(3)}$

$= \frac{45-12\sqrt{15}+12}{45-12} = \frac{57-12\sqrt{15}}{33}$

$= \frac{3(19-4\sqrt{15})}{33} = \frac{19-4\sqrt{15}}{11}$

5. a) $\frac{3}{2\sqrt{x}+3} \cdot \frac{2\sqrt{x}-3}{2\sqrt{x}-3}$

$= \frac{6\sqrt{x}-9}{4x-9}$

b) $\frac{x+\sqrt{10}}{x-\sqrt{10}} \cdot \frac{x+\sqrt{10}}{x+\sqrt{10}}$

$= \frac{x^2+2\sqrt{10}x+10}{x^2-10}$

c) $\frac{\sqrt{k}+\sqrt{2}}{\sqrt{k}-\sqrt{2}} \cdot \frac{k+\sqrt{2}}{k+\sqrt{2}}$

$= \frac{k+2\sqrt{2}\,k+2}{k-2}$

6. $A = LW$

$W = \frac{A}{L} = \frac{5}{3+\sqrt{3}} \cdot \frac{3-\sqrt{3}}{3-\sqrt{3}} = \frac{5(3-\sqrt{3})}{9-3} = \frac{15-5\sqrt{3}}{6}$

i) width $= \frac{15-5\sqrt{3}}{6}$ metres ii) width $= 1.06$ metres

7. $A = \frac{1}{2}bh$

$2A = bh$

$h = \frac{2A}{b}$

$h = \frac{2(2\sqrt{15}-3\sqrt{6})}{\sqrt{15}+\sqrt{6}} = \frac{4\sqrt{15}-6\sqrt{6}}{\sqrt{15}+\sqrt{6}} \cdot \frac{\sqrt{15}-\sqrt{6}}{\sqrt{15}-\sqrt{6}}$

$= \frac{4(15)-4\sqrt{90}-6\sqrt{90}+6(6)}{15-6} = \frac{60-10\sqrt{90}+36}{9}$

$= \frac{96-10\sqrt{9}\sqrt{10}}{9} = \frac{96-10(3)\sqrt{10}}{9} = \frac{96-30\sqrt{10}}{9}$

$= \frac{32-10\sqrt{10}}{3}$ units

Multiple Choice

8. (C.) $\sqrt{5}+\sqrt{3}$

$\frac{2}{\sqrt{5}-\sqrt{3}} \cdot \frac{\sqrt{5}+\sqrt{3}}{\sqrt{5}+\sqrt{3}} = \frac{2(\sqrt{5}+\sqrt{3})}{5-3}$

$= \frac{2(\sqrt{5}+\sqrt{3})}{2} = \sqrt{5}+\sqrt{3}$

9. (A.) $\frac{2-\sqrt{3}}{2}$

$\frac{1}{2(2+\sqrt{3})} \cdot \frac{2-\sqrt{3}}{2-\sqrt{3}} = \frac{2-\sqrt{3}}{2(4-3)}$

$= \frac{2-\sqrt{3}}{2}$

10. (D.) $\frac{27-\sqrt{15}}{17}$

$\frac{3\sqrt{5}+\sqrt{3}}{2\sqrt{5}+\sqrt{3}} \cdot \frac{2\sqrt{5}-\sqrt{3}}{2\sqrt{5}-\sqrt{3}} = \frac{6(5)-3\sqrt{15}+2\sqrt{15}-3}{4(5)-3}$

$= \frac{30-\sqrt{15}-3}{20-3} = \frac{27-\sqrt{15}}{17}$

11. (C.) $\frac{p(q+\sqrt{r})}{q^2-r}$

$\frac{p}{q-\sqrt{r}} \cdot \frac{q+\sqrt{r}}{q+\sqrt{r}}$

$= \frac{p(q+\sqrt{r})}{q^2-r}$

Numerical Response 12. $\frac{\sqrt{10}-\sqrt{2}}{\sqrt{10}+\sqrt{2}} \cdot \frac{\sqrt{10}-\sqrt{2}}{\sqrt{10}-\sqrt{2}} = \frac{10-2\sqrt{20}+2}{10-2} = \frac{12-2\sqrt{20}}{8}$

$= \frac{12-2\sqrt{4}\sqrt{5}}{8} = \frac{12-2(2)(\sqrt{5})}{8} = \frac{12-4\sqrt{5}}{8}$ [2.0]

$= \frac{12}{8} - \frac{4\sqrt{5}}{8} = \frac{3}{2} - \frac{1}{2}\sqrt{5}$ $a = \frac{3}{2}$ $b = \frac{1}{2}$ $a+b = 2$

Operations on Radicals Lesson #6:
Practice Test

1. (A.) $\sqrt[3]{56}$ $\sqrt[3]{8}\sqrt[3]{7} = \sqrt[3]{56}$

2.
A. $12\sqrt{5}$ $= \sqrt{144}\sqrt{5} = \sqrt{720}$
B. $4\sqrt{15}$ $= \sqrt{16}\sqrt{15} = \sqrt{240}$
C. $7\sqrt{10}$ $= \sqrt{49}\sqrt{10} = \sqrt{490}$
(D.) $10\sqrt{6}$ $= \sqrt{100}\sqrt{6} = \sqrt{600}$

3. (A.) 1 only $\sqrt{96} = \sqrt{16}\sqrt{6} = 4\sqrt{6}$

$7\sqrt{2} = \sqrt{49}\sqrt{2} = \sqrt{98}$

$24 = 4(6)$ not $4\sqrt{6}$

4. (B.) 48 $3\sqrt{16}\sqrt{5} + 4\sqrt{81}\sqrt{5}$

$= 3(4)\sqrt{5} + 4(9)\sqrt{5}$

$= 12\sqrt{5} + 36\sqrt{5}$

$= 48\sqrt{5}$

5. (B.) 176 $= 16(11) = 176$

Numerical Response 1. $\sqrt{10} - 12\sqrt{6} - \sqrt{24} + 2\sqrt{90}$ [37]

$= \sqrt{10} - 12\sqrt{6} - \sqrt{4}\sqrt{6} + 2\sqrt{9}\sqrt{10}$

$= \sqrt{10} - 12\sqrt{6} - 2\sqrt{6} + 2(3)\sqrt{10}$

$= \sqrt{10} - 14\sqrt{6} + 6\sqrt{10}$

$= 7\sqrt{10} - 14\sqrt{6}$

$a = 7$, $b = 10$, $c = 14$, $d = 6$, $a+b+c+d = 37$

6. (C.) $25\sqrt{5}$ $\sqrt{5}\cdot(\sqrt{5}\cdot\sqrt{5})\cdot(\sqrt{5}\cdot\sqrt{5})$

$= \sqrt{5}\cdot 5\cdot 5$

$= 25\sqrt{5}$

7. (C.) $4\sqrt{x} - x$ $4\sqrt{x} - x$

Numerical Response 2. $2\sqrt{3}(\sqrt{81}\sqrt{3}-2) - \sqrt{2}(5+7\sqrt{2})$ [31]

$2\sqrt{3}(9\sqrt{3}-2) - 5\sqrt{2} - 7(2)$

$= 18(3) - 4\sqrt{3} - 5\sqrt{2} - 14$

$= 54 - 4\sqrt{3} - 5\sqrt{2} - 14 = 40 - 5\sqrt{2} - 4\sqrt{3}$

$p = 40$ $q = -5$ $r = -4$

$p + q + r = 31$

8. (D.) $48\sqrt{2}$ cm $A = \pi r^2 = 144\pi$

$r^2 = 144$ $r = 12$

$x^2 = 12^2 + 12^2$

$x^2 = 288$ $x = \sqrt{288} = \sqrt{144}\sqrt{2} = 12\sqrt{2}$

perimeter $= 4x = 4(12\sqrt{2}) = 48\sqrt{2}$

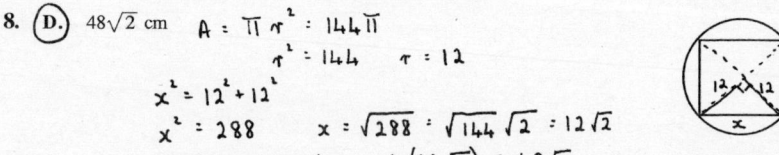

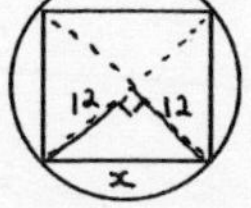

9. (C.) 16 $4\sqrt[3]{216} - 2\sqrt[3]{4x} = 16$

$4(6) - 2\sqrt[3]{4x} = 16$

$24 - 16 = 2\sqrt[3]{4x}$

$8 = 2\sqrt[3]{4x}$

$4 = \sqrt[3]{4x}$ $4^3 = 4x$ $64 = 4x$ $x = 16$

10. (B.) 7 $(5-3\sqrt{2})(5+3\sqrt{2})$

$= 25 - 9(2) = 25 - 18 = 7$

Numerical Response 3. $(2\sqrt{4}\sqrt{3} + \sqrt{4}\sqrt{6})^2 = (2(2)\sqrt{3} + 2\sqrt{6})^2$ [6912]

$= (4\sqrt{3} + 2\sqrt{6})^2 = 16(3) + 16\sqrt{18} + 4(6) = 48 + 16\sqrt{9}\sqrt{2} + 24$

$= 72 + 16(3)\sqrt{2} = 72 + 48\sqrt{2}$

$a = 72$ $b = 48$ $c = 2$

$abc = 6912$

11. (B.) $p < r < q$

$p = 3(4) = 12$

$q = \frac{48\sqrt{p}}{\sqrt{3}} = \frac{48\sqrt{12}}{\sqrt{3}} = 48\sqrt{4} = 48(2) = 96$

$r = \frac{40\sqrt[4]{q}}{\sqrt[4]{6}} = \frac{40\sqrt[4]{96}}{\sqrt[4]{6}} = 40\sqrt[4]{16} = 40(2) = 80$

12. (A.) $12\sqrt{2}$

$\frac{t_3}{t_2} = \frac{t_2}{t_1}$ $\frac{t_3}{12} = \frac{12}{6\sqrt{2}}$

$t_3 = \frac{144}{6\sqrt{2}} \cdot \frac{\sqrt{2}}{\sqrt{2}} = \frac{144\sqrt{2}}{6(2)} = 12\sqrt{2}$

13. (B.) $\sqrt{2}$

$$\frac{15\sqrt{48}}{6\sqrt{150}} = \frac{15\sqrt{16}\sqrt{3}}{6\sqrt{25}\sqrt{6}} = \frac{15(4)\sqrt{3}}{6(5)\sqrt{6}}$$

$$= \frac{60\sqrt{3}}{30\sqrt{6}} = \frac{2}{\sqrt{2}} \cdot \frac{\sqrt{2}}{\sqrt{2}} = \frac{2\sqrt{2}}{2} = \sqrt{2}$$

Numerical Response 4.

$$\sqrt{5} * \sqrt{2} = \sqrt{5}(\sqrt{5}+\sqrt{2}) = 5+\sqrt{10}$$

$$\sqrt{10} * (5+\sqrt{10}) = \sqrt{10}(\sqrt{10}+5+\sqrt{10})$$

$$= 10 + 5\sqrt{10} + 10 = 20 + 5\sqrt{10}$$

2	0		

14. (D.) $\frac{-15\sqrt{3}-3}{37}$

$$\frac{6}{-5\sqrt{3}+1} \cdot \frac{-5\sqrt{3}-1}{-5\sqrt{3}-1} = \frac{6(-5\sqrt{3}-1)}{25(3)-1}$$

$$= \frac{-30\sqrt{3}-6}{74} = \frac{-15\sqrt{3}-3}{37}$$

15. (C.) $\frac{\sqrt{q}-\sqrt{r}}{q-r}$

$$\frac{1}{\sqrt{q}+\sqrt{r}} \cdot \frac{\sqrt{q}-\sqrt{r}}{\sqrt{q}-\sqrt{r}}$$

$$= \frac{\sqrt{q}-\sqrt{r}}{q-r}$$

Numerical Response 5.

$$\frac{20}{\sqrt{2}} - \frac{16}{\sqrt{4}\sqrt{2}} = \frac{20}{\sqrt{2}} - \frac{16}{2\sqrt{2}}$$

$$= \frac{20}{\sqrt{2}} - \frac{8}{\sqrt{2}} = \frac{12}{\sqrt{2}} = \frac{12}{\sqrt{2}} \cdot \frac{\sqrt{2}}{\sqrt{2}} = \frac{12\sqrt{2}}{2} = 6\sqrt{2}$$

$k = 6$

6			

Written Response - 5 marks

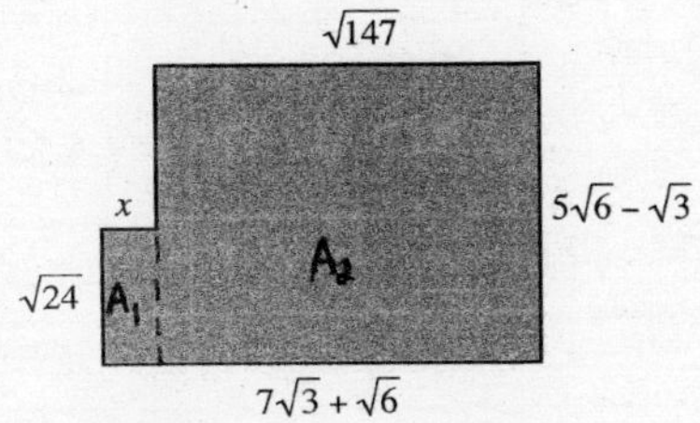

1.

$$x = (7\sqrt{3}+\sqrt{6}) - \sqrt{147}$$

$$= 7\sqrt{3}+\sqrt{6} - \sqrt{49}\sqrt{3}$$

$$= 7\sqrt{3}+\sqrt{6} - 7\sqrt{3} = \underline{\sqrt{6}}$$

$$A_2 = \sqrt{147}(5\sqrt{6}-\sqrt{3})$$

$$= 7\sqrt{3}(5\sqrt{6}-\sqrt{3})$$

$$= 35\sqrt{18} - 7(3) = 35\sqrt{9}\sqrt{2} - 21$$

$$= 35(3)\sqrt{2} - 21 = 105\sqrt{2} - 21$$

$$A_1 = \sqrt{6}\sqrt{24}$$

$$= \sqrt{144}$$

$$= 12$$

total area $= 12 + 105\sqrt{2} - 21$

$= \underline{105\sqrt{2} - 9}$

perimeter $= 2(7\sqrt{3}+\sqrt{6}) + 2(5\sqrt{6}-\sqrt{3})$

$= 14\sqrt{3} + 2\sqrt{6} + 10\sqrt{6} - 2\sqrt{3}$

$= \underline{12\sqrt{3} + 12\sqrt{6}}$

Trigonometry Lesson #1:
Rotation Angles and Reference Angles

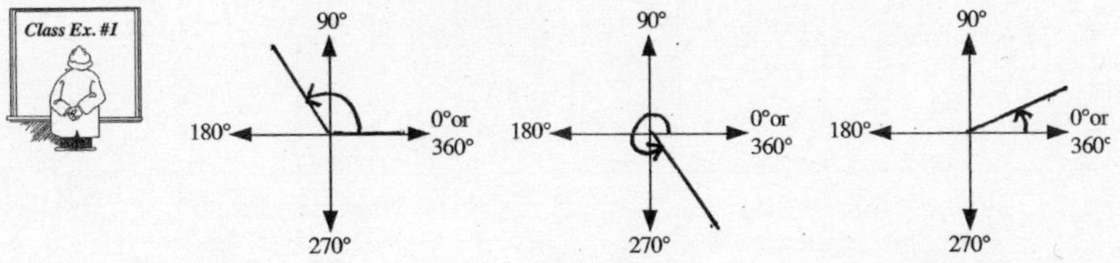

quadrant 2 quadrant 4 quadrant 1

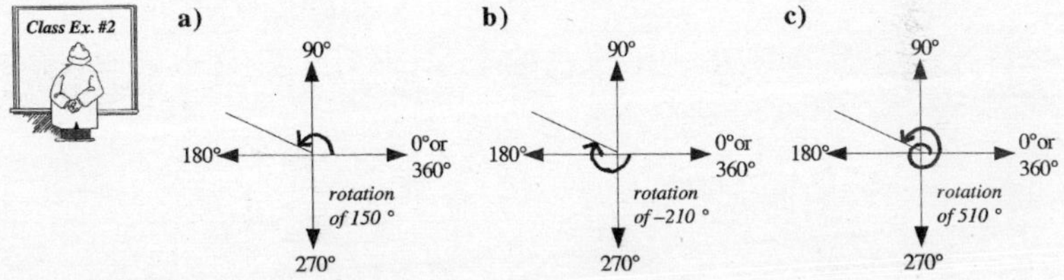

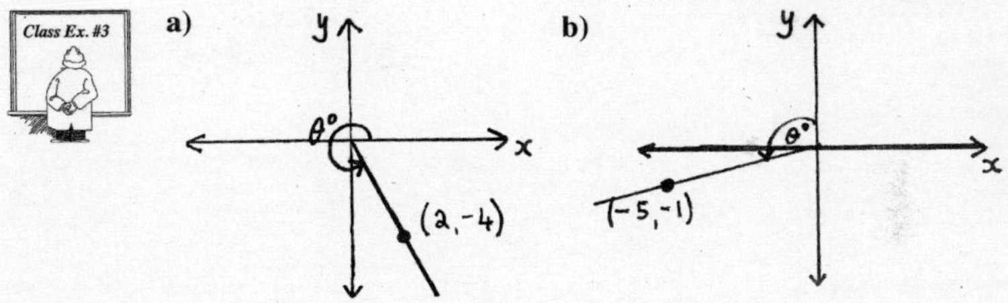

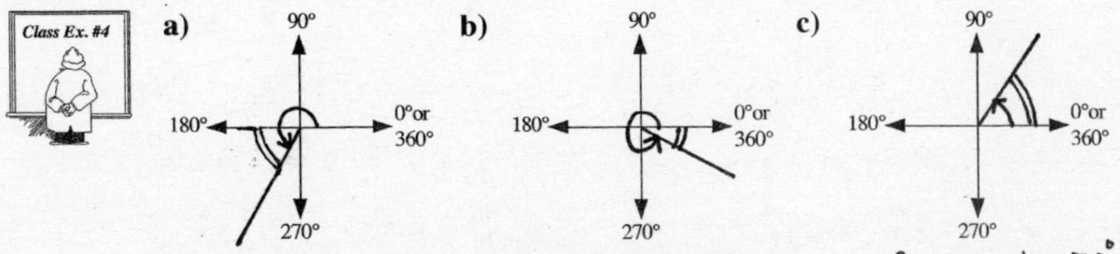

reference angle = 63° reference angle = 23° reference angle = 70°

a)

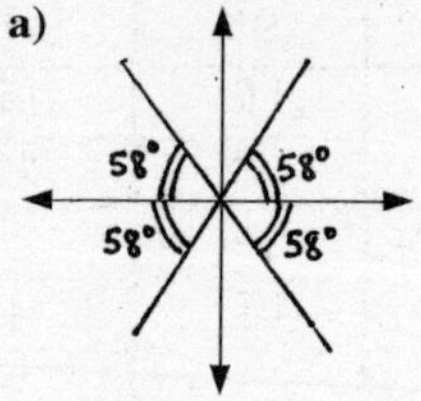

b) quadrant 1 : 58°
quadrant 2 : 180° − 58° = 122°
quadrant 3 : 180° + 58° = 238°
quadrant 4 : 360° − 58° = 302°

c) Q(−5, 8) R(−5, −8) S(5, −8)

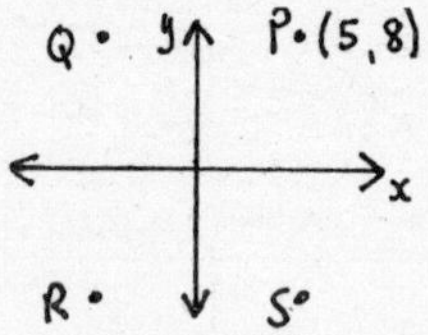

Reference Angle	Quadrant	Sketch	Rotation Angle
25°	2		180° − 25° = 155°
60°	4		360° − 60° = 300°
8°	3		180° + 8° = 188°
39°	1		39°
90°	between 3 and 4		180° + 90° = 270°

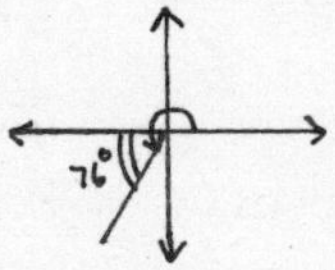

reference angle : 76°
quad. 1 76° quad. 4 360° − 76° = 284°
quad. 2 180° − 76° = 104° 76°, 104°, 284°

Assignment

1. a) b) c) d) e)

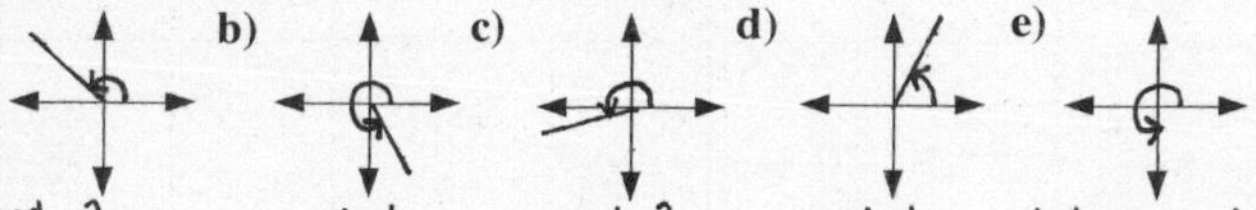

2. a) $P(7, -4)$ b) $Q(-2, 3)$ c) $R(-1, -4)$

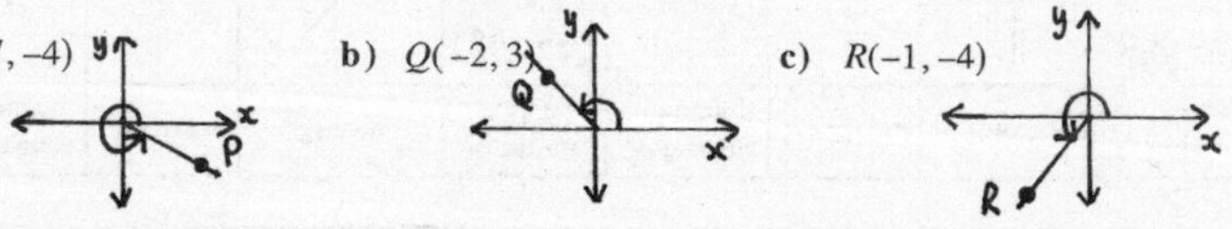

3. a) b) c) d) e) f)

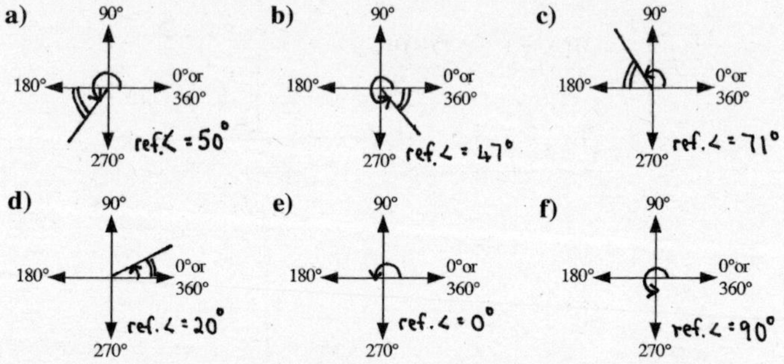

4. 180° − 135° = 45° 360° − 296° = 64° 237° − 180° = 57° 90°

5. a) i) 4 ii) 360° − 355° = 5°
b) 2 180° − 170° = 10°
c) 3 190° − 180° = 10°
d) 1 51°

6. a)

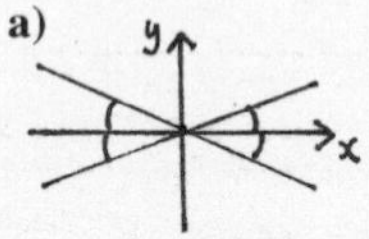

b) 30°, 180° − 30° = 150°, 180° + 30° = 210°, 360° − 30° = 330°

c) $Q\left(-\frac{\sqrt{3}}{2}, \frac{1}{2}\right)$ $R\left(-\frac{\sqrt{3}}{2}, -\frac{1}{2}\right)$ $S\left(\frac{\sqrt{3}}{2}, -\frac{1}{2}\right)$

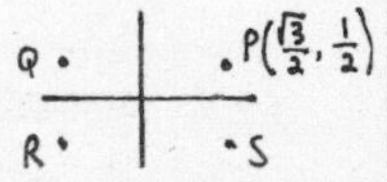

7. a)

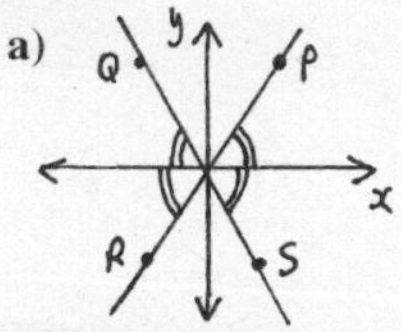

b) 77°, 180° − 77° = 103°, 180° + 77° = 257°, 360° − 77° = 283°

c) Q(−a, b) R(−a, −b) S(a, −b)

8.

Reference Angle	Quadrant	Sketch	Rotation Angle	Reference Angle	Quadrant	Sketch	Rotation Angle
30°	2		180° − 30° = 150°	30°	1		30°
30°	3		180° + 30° = 210°	30°	4		360° − 30° = 330°
60°	1		60°	4°	3		180° + 4° = 184°

8.

Reference Angle	Quadrant	Sketch	Rotation Angle	Reference Angle	Quadrant	Sketch	Rotation Angle
55°	2		$180°-55° = 125°$	89°	2		$180°-89° = 91°$
15°	4		$360°-15° = 345°$	0°	between 2 and 3		180°
76°	3		$180°+76° = 256°$	90°	between 1 and 2		90°

9. a) Jeff incorrectly used the angle marked x° as the reference angle.

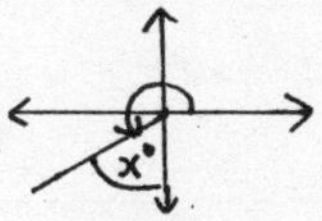

c) $214°-180° = 34°$

b) Mandy incorrectly used the angle marked y° as the reference angle.

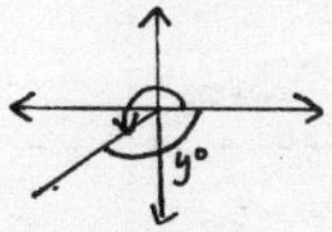

10. a)

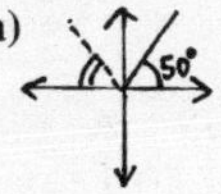

$180°-50° = 130°$

b)

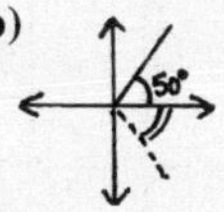

$360°-50° = 310°$

c) gle

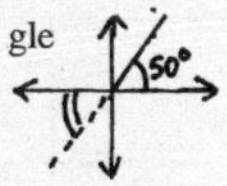

$180°+50° = 230°$

11. $(180-x)°$, $(180+x)°$ $(360-x)°$

12.

Reference Angle	Rotation Angle in:			
	Quad 1	Quad 2	Quad 3	Quad 4
28°	28°	152°	208°	332°
39°	39°	141°	219°	321°
$a°$	$a°$	$(180-a)°$	$(180+a)°$	$(360-a)°$
66°	66°	114°	246°	294°
21°	21°	159°	201°	339°
65°	65°	115°	245°	295°

13. ref. angle = 44° $180°+44° = 224°$, $360°-44° = 316°$

angles are 44°, 224°, 316°

14. ref. angle = $360°-303° = 57°$ $180°-57° = 123°$, $180°+57° = 237°$

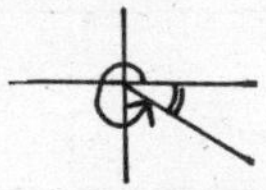

angles are 57°, 123°, 237°

Multiple Choice

15. (B.) 46° $180°-134° = 46°$

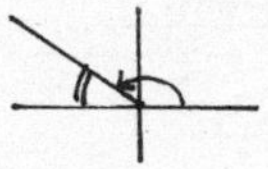

16. (C.) rows 1 and 4 only

17. (D.) 4

18. (D.) 345° = $360°-15°$ ref∠ = 15°

Numerical Response

19. 51° $180°-51° = 129°$ $180°+51° = 231°$ $360°-51° = 309°$ | 7 | 2 | 0 | |

$51+129+231+309 = 720°$

Trigonometry Lesson #2:
Trigonometric Ratios for Angles from 0° to 360°

a)

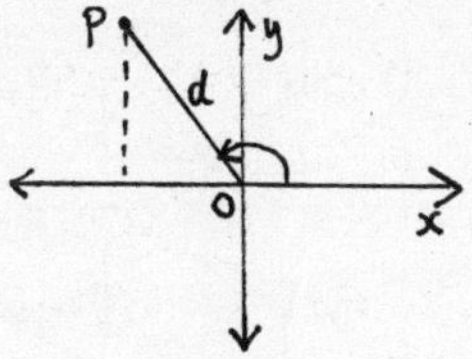

$d^2 = 5^2 + 12^2$
$= 169$
$d = \sqrt{169} = 13$

$\sin\theta = \frac{y}{r}$

$\cos\theta = \frac{x}{r}$

$\tan\theta = \frac{y}{x}$

b)

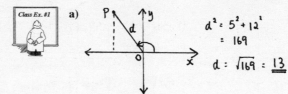

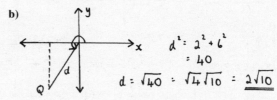

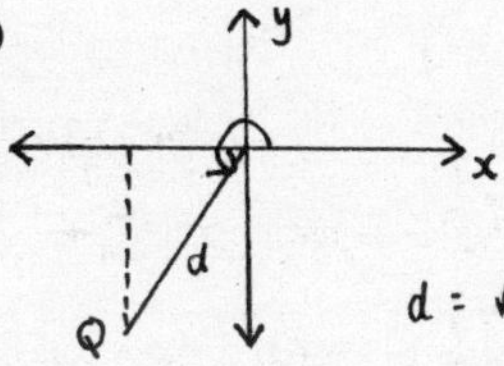

$d^2 = 2^2 + 6^2$
$= 40$
$d = \sqrt{40} = \sqrt{4}\sqrt{10} = 2\sqrt{10}$

Class Ex. #3

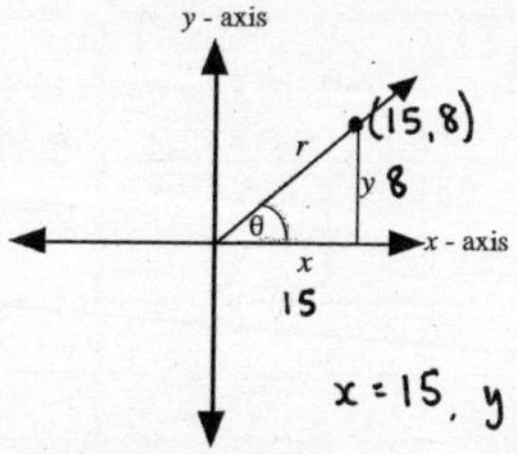

$r^2 = 15^2 + 8^2$

$r^2 = 289$

$r = \sqrt{289} = 17$

$x = 15,\ y = 8$

$\sin\theta = \frac{y}{r} = \frac{8}{17}$

$\cos\theta = \frac{x}{r} = \frac{15}{17}$

$\tan\theta = \frac{y}{x} = \frac{8}{15}$

Investigating Trigonometric Ratios for Angles Between 90° and 360°

Part 1

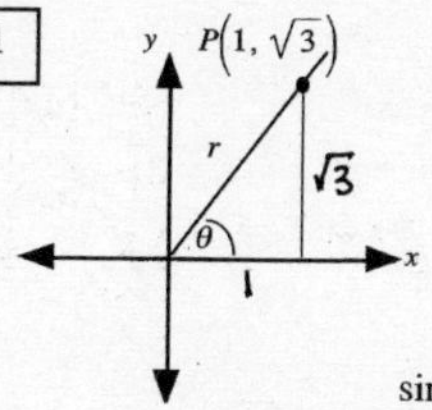

a) $x = 1$, $y = \sqrt{3}$ $\tan\theta = \frac{y}{x} = \frac{\sqrt{3}}{1}$ $\theta = 60°$

b) $r^2 = 1^2 + (\sqrt{3})^2 = 4$ $r = 2$

c) $x =$ 1, $y =$ $\sqrt{3}$, and $r =$ 2

$\sin 60° = \frac{y}{r} = \frac{\sqrt{3}}{2}$ $\cos 60° = \frac{x}{r} = \frac{1}{2}$ $\tan 60° = \frac{y}{x} = \frac{\sqrt{3}}{1} = \sqrt{3}$

Part 2

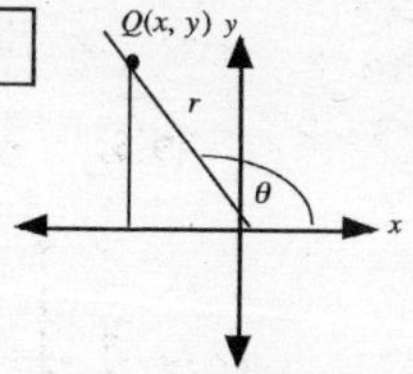

a) The point $Q(x, y)$ has coordinates $Q(-1, \sqrt{3})$.

b) The reference angle is 60° and the rotation angle is 120°.

c) $\sin 120° = \frac{y}{r} = \frac{\sqrt{3}}{2}$ $\cos 120° = \frac{x}{r} = \frac{-1}{2}$

$\tan 120° = \frac{y}{x} = \frac{\sqrt{3}}{-1} = -\sqrt{3}$

Part 3

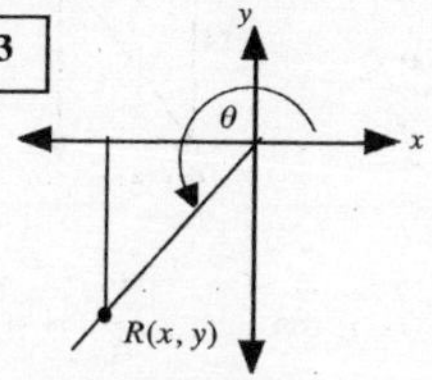

a) The point $R(x, y)$ has coordinates $R(-1, -\sqrt{3})$.

b) The reference angle is 60° and the rotation angle is 240°.

c) $\sin 240° = \frac{y}{r} = -\frac{\sqrt{3}}{2}$ $\cos 240° = \frac{x}{r} = -\frac{1}{2}$

$\tan 240° = \frac{y}{x} = \frac{-\sqrt{3}}{-1} = \sqrt{3}$

Part 4

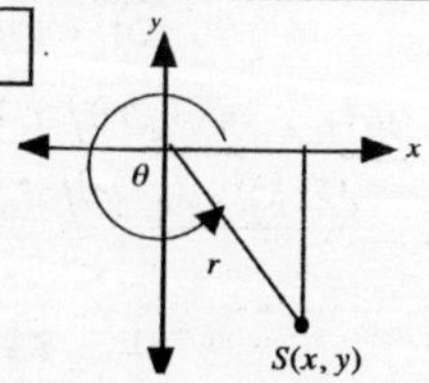

a) The point $S(x, y)$ has coordinates $S(1, -\sqrt{3})$.

b) The reference angle is 60° and the rotation angle is 300°.

c) $\sin 300° = \frac{y}{r} = -\frac{\sqrt{3}}{2}$ $\cos 300° = \frac{x}{r} = \frac{1}{2}$

$\tan 300° = \frac{y}{x} = \frac{-\sqrt{3}}{1} = -\sqrt{3}$

Determining the Sign of a Trigonometric Ratio

a)
b)

Quadrant 2

$\sin\theta = \frac{y}{r}$	+	+	+
$\cos\theta = \frac{x}{r}$	−	+	−
$\tan\theta = \frac{y}{x}$	+	−	−

Quadrant 1

$\sin\theta = \frac{y}{r}$	+	+	+
$\cos\theta = \frac{x}{r}$	+	+	+
$\tan\theta = \frac{y}{x}$	+	+	+

Quadrant 3

$\sin\theta = \frac{y}{r}$	−	+	−
$\cos\theta = \frac{x}{r}$	−	+	−
$\tan\theta = \frac{y}{x}$	−	−	+

Quadrant 4

$\sin\theta = \frac{y}{r}$	−	+	−
$\cos\theta = \frac{x}{r}$	+	+	+
$\tan\theta = \frac{y}{x}$	−	+	−

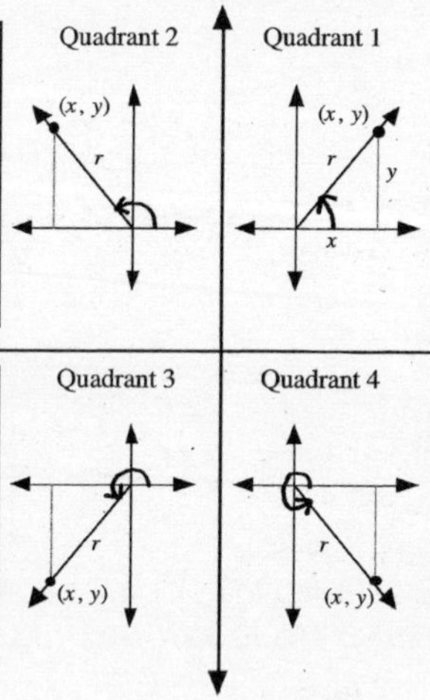

c)

i) 1 and 2.
ii) 1 and 4.
iii) 1 and 3.
iv) 3 and 4.
v) 2 and 3.
vi) 2 and 4.

Class Ex. #4

a) negative b) positive c) positive
d) negative e) positive f) negative

Class Ex. #5

a) sin 140° ref. ∠ = 40° sin 40°
b) tan 323° ref. ∠ = 37° − tan 37°
c) cos 165° ref. ∠ = 15° − cos 15°
d) sin 287° ref. ∠ = 73° − sin 73°
e) cos 308° ref. ∠ = 52° cos 52°
f) tan 199° ref. ∠ = 19° tan 19°

Assignment

1. a) $d^2 = 15^2 + 8^2$
$d^2 = 289$
$d = \sqrt{289} = 17$

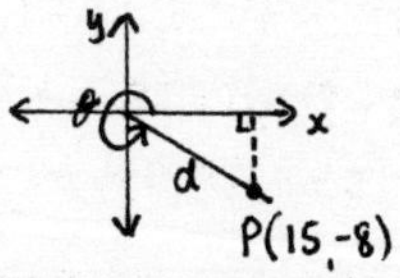

b) $d^2 = 24^2 + 7^2$
$d^2 = 625$
$d = \sqrt{625} = 25$

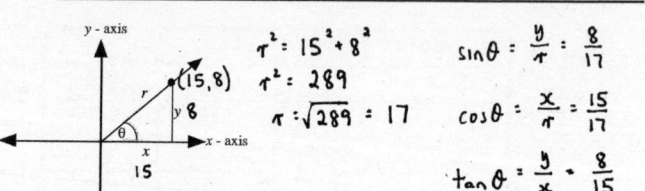

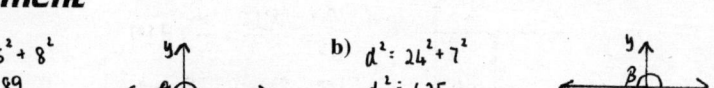

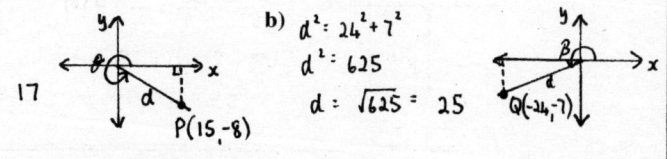

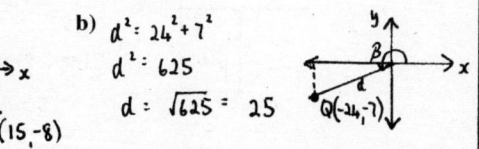

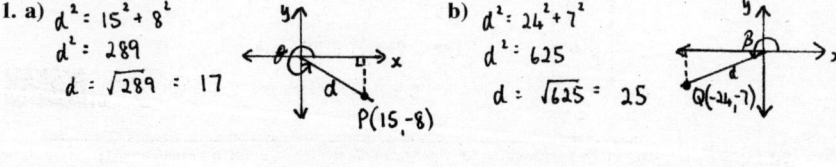

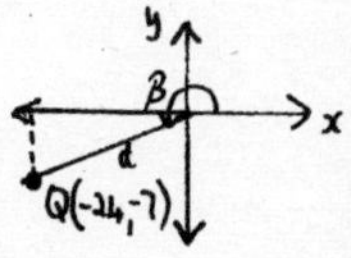

2. a)
$$d = \sqrt{(-6-0)^2 + (-8-0)^2}$$
$$d = \sqrt{(-6)^2 + (-8)^2} = \sqrt{100}$$
$$d = \underline{10}$$

b)
$$d = \sqrt{(2-0)^2 + (7-0)^2}$$
$$d = \sqrt{2^2 + 7^2}$$
$$d = \underline{\sqrt{53}}$$

c)
$$d = \sqrt{(-4-0)^2 + (4-0)^2}$$
$$d = \sqrt{(-4)^2 + (4)^2} = \sqrt{32}$$
$$d = \sqrt{16}\sqrt{2} = \underline{4\sqrt{2}}$$

3. $\sin\theta = \dfrac{y}{r}$ $\cos\theta = \dfrac{x}{r}$ $\tan\theta = \dfrac{y}{x}$

4. (9, 12)
$$r^2 = 9^2 + 12^2$$
$$r^2 = 225$$
$$\underline{r = 15}$$
$$\sin\theta = \frac{y}{r} = \frac{12}{15} = \frac{4}{5}$$
$$\cos\theta = \frac{x}{r} = \frac{9}{15} = \frac{3}{5}$$
$$\tan\theta = \frac{y}{x} = \frac{12}{9} = \frac{4}{3}$$

5. (5, 4)
$$r^2 = 5^2 + 4^2$$
$$r^2 = 41$$
$$r = \sqrt{41}$$
$$\sin\theta = \frac{y}{r} = \frac{4}{\sqrt{41}} = \frac{4\sqrt{41}}{41}$$
$$\cos\theta = \frac{x}{r} = \frac{5}{\sqrt{41}} = \frac{5\sqrt{41}}{41}$$
$$\tan\theta = \frac{y}{x} = \frac{4}{5}$$

6. (6, 12)
$$r^2 = 6^2 + 12^2$$
$$r^2 = 180$$
$$r = \sqrt{180}$$
$$r = \sqrt{36}\sqrt{5}$$
$$r = 6\sqrt{5}$$
$$\sin\theta = \frac{y}{r} = \frac{12}{6\sqrt{5}} = \frac{2}{\sqrt{5}} = \frac{2\sqrt{5}}{5}$$
$$\cos\theta = \frac{x}{r} = \frac{6}{6\sqrt{5}} = \frac{1}{\sqrt{5}} = \frac{\sqrt{5}}{5}$$
$$\tan\theta = \frac{y}{x} = \frac{12}{6} = 2$$

7. a) 1 or 2
b) 1 or 3
c) 2 or 3
d) 4
e) 4

8. a) quadrant 4 positive
b) quadrant 2 positive
c) quadrant 3 positive
d) quadrant 4 negative
e) quadrant 2 negative
f) quadrant 3 negative

9. a) $\sin 205° = -\sin 25°$
b) $\tan 193° = \tan 13°$
c) $\cos 97° = -\cos 83°$
d) $\sin 156° = \sin 24°$
e) $\cos 321° = \cos 39°$
f) $\tan 340° = -\tan 20°$

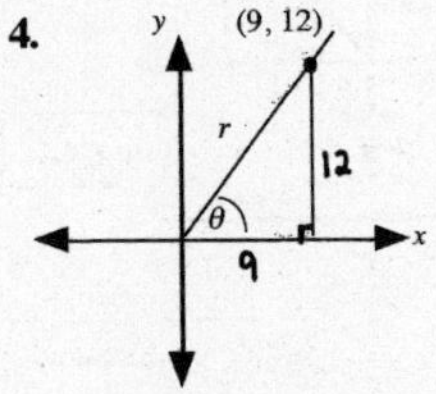

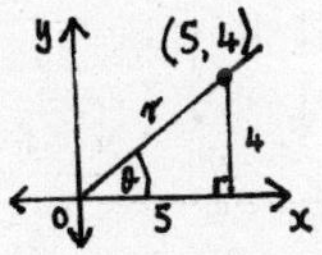

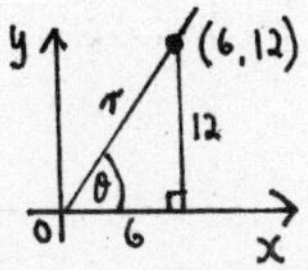

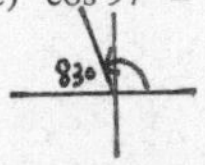

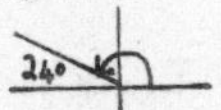

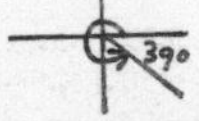

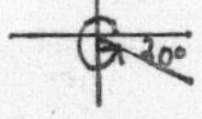

Multiple Choice

10. C. $\dfrac{3}{\sqrt{13}}$
$$r^2 = 4^2 + 6^2 = 52$$
$$r = \sqrt{52} = \sqrt{4}\sqrt{13} = 2\sqrt{13}$$
$$\cos A = \frac{x}{r} = \frac{6}{2\sqrt{13}} = \frac{3}{\sqrt{13}}$$

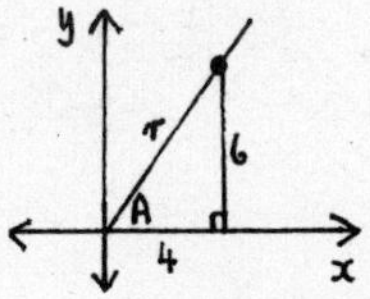

11. A $\tan 255°$ B. $\sin 272°$ C. $\cos 175°$ D. $-\tan 75°$
positive   negative   negative   negative

12. C. $-\cos 243°$
$$= -(-\cos 63°)$$
$$= \cos 63°$$

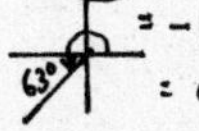

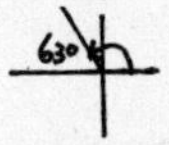

$$= -\cos 63°$$

Numerical Response

13.

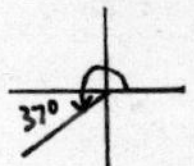

$\cos 217° = -\cos 37°$
cosine ratio is also negative in quad. 2
$\angle A = 180° - 37° = 143°$

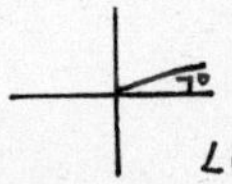

sine ratio is also positive in quadrant 2
$\angle C = 180° - 7° = 173°$

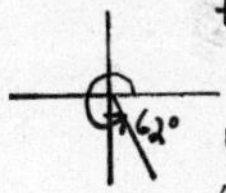

$\tan 298° = -\tan 62°$
tangent ratio is also negative in quad 2
$\angle B = 180° - 62° = 118°$

$$A + B + C = 143 + 118 + 173$$
$$= 434$$

| 4 | 3 | 4 |

Group Investigation

a)

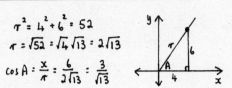

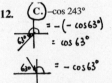

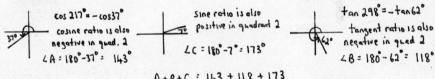

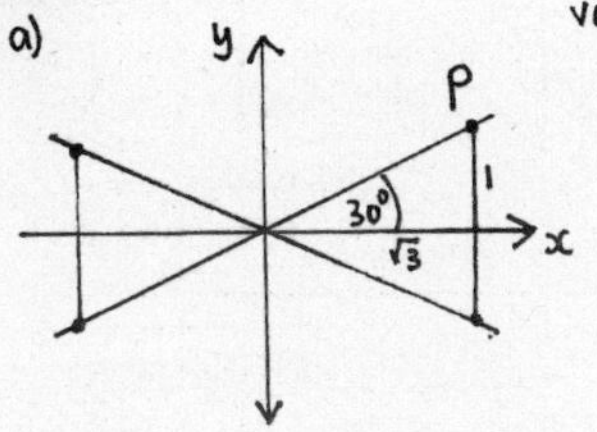

various strategies possible, resulting in
$$\sin 150° = \frac{1}{2} \quad \cos 150° = -\frac{\sqrt{3}}{2} \quad \tan 150° = -\frac{\sqrt{3}}{3}$$
$$\sin 210° = -\frac{1}{2} \quad \cos 210° = -\frac{\sqrt{3}}{2} \quad \tan 210° = \frac{\sqrt{3}}{3}$$
$$\sin 330° = -\frac{1}{2} \quad \cos 330° = \frac{\sqrt{3}}{2} \quad \tan 330° = -\frac{\sqrt{3}}{3}$$

b) various strategies possible.

In quadrant 3, $\cos A = -\frac{4}{5}$, $\tan A = \frac{3}{4}$
In quadrant 4, $\cos A = \frac{4}{5}$, $\tan A = -\frac{3}{4}$

Trigonometry - Lesson #3: Applications of Reference Angles and the CAST Rule

Class Ex. #1

a)

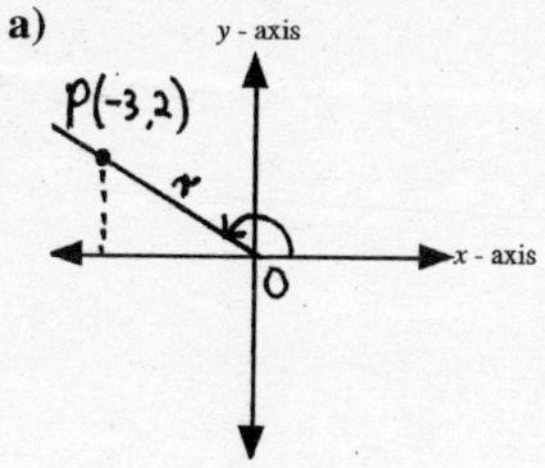

b) $OP^2 = (-3)^2 + (2)^2 = 13$

$OP = \sqrt{13}$

c) $\sin\theta = \frac{y}{r} = \frac{2}{\sqrt{13}}$ or $\frac{2\sqrt{13}}{13}$

$\cos\theta = \frac{x}{r} = \frac{-3}{\sqrt{13}}$ or $\frac{-3\sqrt{13}}{13}$

$\tan\theta = \frac{y}{x} = \frac{2}{-3} = -\frac{2}{3}$

Class Ex. #2

$x = -4$

$y = -2$

$r^2 = x^2 + y^2 = (-4)^2 + (-2)^2 = 20$

$r = \sqrt{20} = 2\sqrt{5}$

$\sin\theta = \frac{y}{r} = \frac{-2}{2\sqrt{5}} = -\frac{1}{\sqrt{5}}$ or $-\frac{\sqrt{5}}{5}$

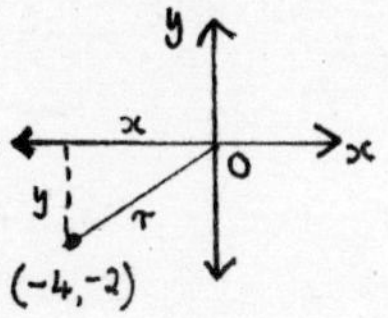

Class Ex. #3

a)

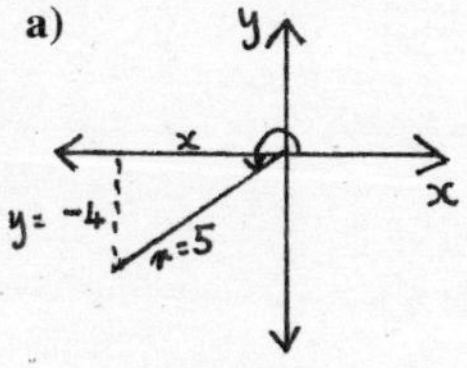

b) $x^2 + (-4)^2 = 5^2$

$x^2 + 16 = 25$

$x^2 = 9 \qquad x = -3$

c) $\cos A = \frac{x}{r} = \frac{-3}{5} = -\frac{3}{5}$

$\tan A = \frac{y}{x} = \frac{-4}{-3} = \frac{4}{3}$

Class Ex. #4

$\tan\theta = \frac{y}{x} = -\frac{2}{3}$

let $x = 3$ and $y = -2$

$r^2 = x^2 + y^2 \qquad r = \sqrt{13}$

$= 3^2 + (-2)^2$

$= 13$

$\sin\theta = \frac{y}{r} = \frac{-2}{\sqrt{13}}$

or $\frac{-2\sqrt{13}}{13}$

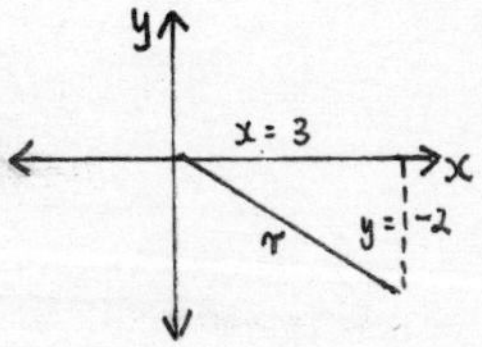

Class Ex. #5

quadrant 1/2

ref. angle = 30°

$\theta = 30°$ or $180° - 30°$

$\theta = 30°, 150°$

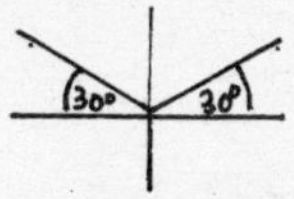

Class Ex. #6

quadrant 3/4

ref. angle = 54°

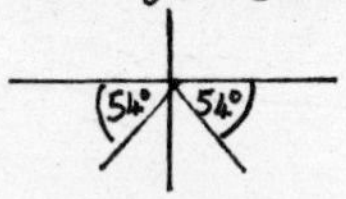

$x = 180° + 54°$ or $360° - 54°$

$x = 234°, 306°$

quadrant 2/3

ref. angle = 36°

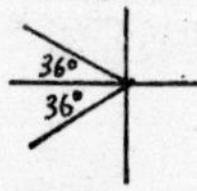

$x = 180° - 36°$ or $180° + 36°$

$x = 144°, 216°$

quadrant 2/4

ref. angle = 68°

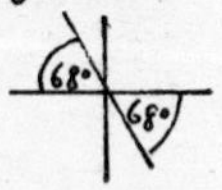

$x = 180° - 68°$ or $360° - 68°$

$x = 112°, 192°$

Class Ex. #7

a) quadrant 1/2

ref. angle = 90°

$\theta = 90°$ or $180° - 90°$

$\theta = 90°$

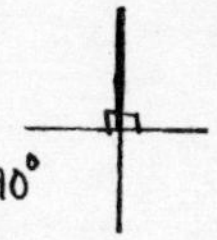

b) ref. angle = 90°

$\theta = 90°$ or $180° - 90°$

or $180° + 90°$ or $360° - 90°$

$\theta = 90°, 270°$

Use all 4 quadrants.

Class Ex. #8

$3\tan\theta = 3$

$\tan\theta = 1$

quadrant 1 only

ref. angle = 45°

$\theta = 45°$

Assignment

1. $r^2 = x^2 + y^2$
$= (8)^2 + (-6)^2$
$= 100$
$r = 10$

$\sin\theta = \frac{y}{r} = \frac{-6}{10} = -\frac{3}{5}$

$\cos\theta = \frac{x}{r} = \frac{8}{10} = \frac{4}{5}$

$\tan\theta = \frac{y}{x} = \frac{-6}{8} = -\frac{3}{4}$

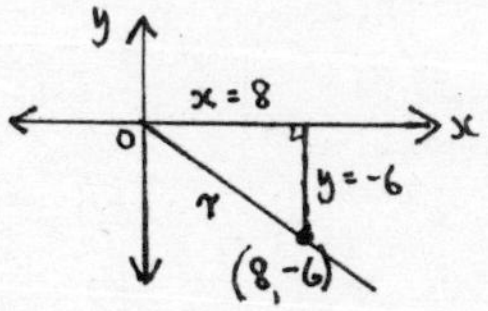

2. $r^2 = x^2 + y^2$
$= (-1)^2 + (-3)^2$
$= 10$
$r = \sqrt{10}$

$\sin\theta = \frac{y}{r} = \frac{-3}{\sqrt{10}}$ or $\frac{-3\sqrt{10}}{10}$

$\cos\theta = \frac{x}{r} = \frac{-1}{\sqrt{10}}$ or $-\frac{\sqrt{10}}{10}$

$\tan\theta = \frac{y}{x} = \frac{-3}{-1} = 3$

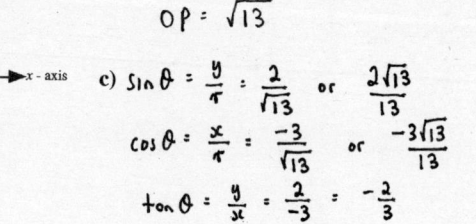

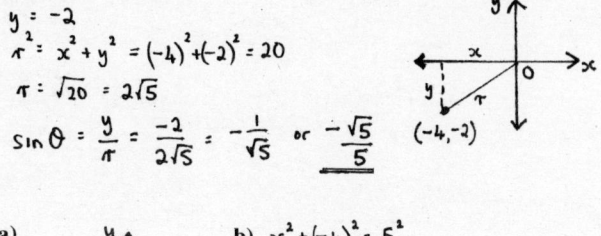

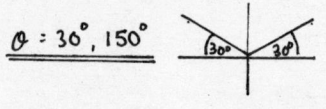

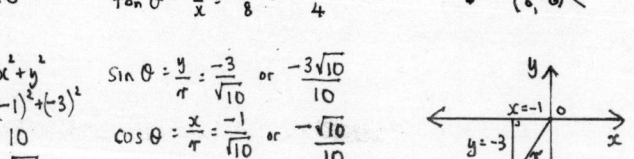

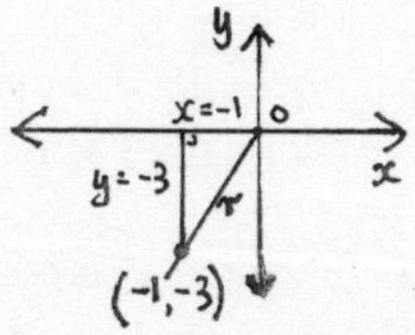

3. $r^2 = x^2 + y^2$
$= (-16)^2 + (63)^2$
$= 4225$
$r = 65$

$\cos A = \frac{x}{r} = \frac{-16}{65}$

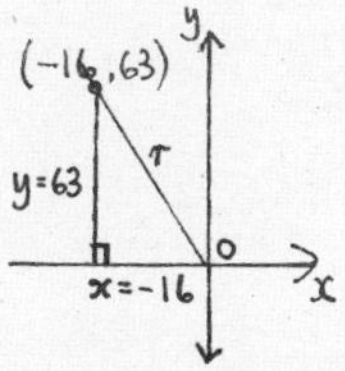

4. quadrant 4
$\cos\theta = \frac{x}{r} = \frac{12}{13}$

$x = 12 \quad r = 13$
$x^2 + y^2 = r^2 \qquad y^2 = 25$
$(12)^2 + y^2 = (13)^2, \qquad y = -5$ (in quad. 4)

$\sin\theta = \frac{y}{r} = \frac{-5}{13} = -\frac{5}{13}$

$\tan\theta = \frac{y}{x} = \frac{-5}{12} = -\frac{5}{12}$

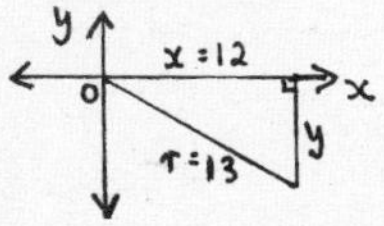

5. quadrant 3
$\sin\theta = \frac{y}{r} = \frac{-4}{7}$
$y = -4 \quad r = 7$

$x^2 + y^2 = r^2$
$x^2 + (-4)^2 = 7^2$
$x^2 + 16 = 49$
$x^2 = 33$
$x = -\sqrt{33}$ (in quad. 3)

$\tan\theta = \frac{y}{x} = \frac{-4}{-\sqrt{33}}$
$= \frac{4}{\sqrt{33}}$ or $\frac{4\sqrt{33}}{33}$

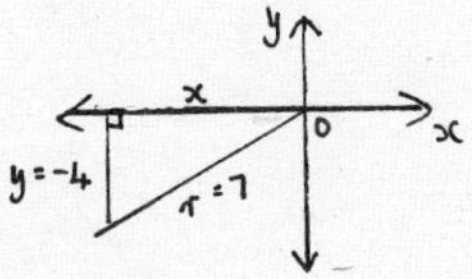

6. $\tan A = \frac{y}{x} = \frac{15}{-8}$
$x = -8, \ y = 15$
$r^2 = x^2 + y^2$
$r^2 = (-8)^2 + (15)^2$
$r^2 = 289 \qquad r = 17$

$\sin A = \frac{y}{r} = \frac{15}{17}$

$\cos A = \frac{x}{r} = \frac{-8}{17} = -\frac{8}{17}$

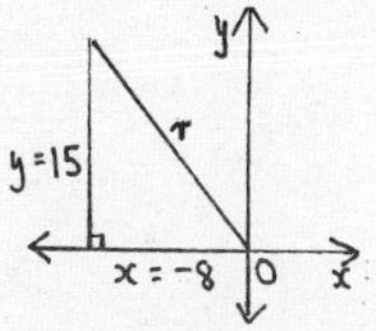

7. quadrant 3
$\tan B = \frac{y}{x} = 0.8 = \frac{4}{5}$
$x = -5, \ y = -4$
$r^2 = x^2 + y^2$
$r^2 = (-5)^2 + (-4)^2$
$r^2 = 41 \qquad r = \sqrt{41}$

$\sin B = \frac{y}{r} = \frac{-4}{\sqrt{41}}$
$= -\frac{4}{\sqrt{41}}$ or $-\frac{4\sqrt{41}}{41}$

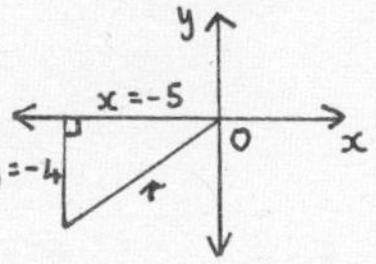

8. quadrant 4
$\sin X = \frac{y}{r} = \frac{-1}{4}$
$y = -1, \ r = 4$

$x^2 + y^2 = r^2$
$x^2 + (-1)^2 = (4)^2$
$x^2 + 1 = 16$
$x^2 = 15, \ x = \sqrt{15}$ (in quad. 4)

$\cos X = \frac{x}{r} = \frac{\sqrt{15}}{4}$

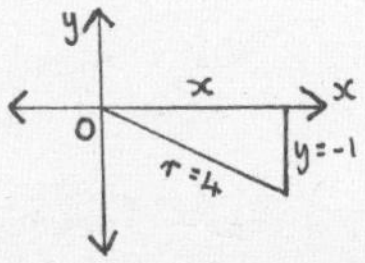

9. a) $\tan\theta = \frac{y}{x} = \frac{\sqrt{3}}{-5}$
$x = -5, \ y = \sqrt{3}$
$r^2 = x^2 + y^2$
$r^2 = (-5)^2 + (\sqrt{3})^2$
$r^2 = 25 + 3$
$r^2 = 28 \qquad r = \sqrt{28} = \sqrt{4}\sqrt{7} = 2\sqrt{7}$

$\sin\theta = \frac{y}{r} = \frac{\sqrt{3}}{2\sqrt{7}} \cdot \frac{\sqrt{7}}{\sqrt{7}} = \frac{\sqrt{21}}{14}$

$\cos\theta = \frac{x}{r} = \frac{-5}{2\sqrt{7}} \cdot \frac{\sqrt{7}}{\sqrt{7}} = -\frac{5\sqrt{7}}{14}$

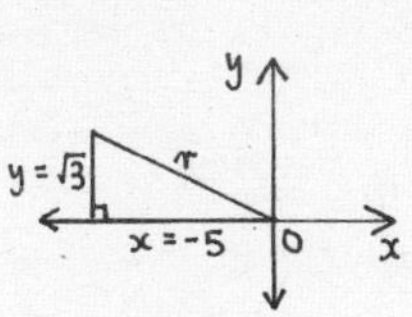

b) $\tan\theta = \frac{y}{x} = \frac{-\sqrt{3}}{5}$
$x = 5, \ y = -\sqrt{3}$
$r^2 = x^2 + y^2$
$r^2 = (5)^2 + (-\sqrt{3})^2$
$r^2 = 25 + 3 = 28 \qquad r = 2\sqrt{7}$

$\sin\theta = \frac{y}{r} = \frac{-\sqrt{3}}{2\sqrt{7}} \cdot \frac{\sqrt{7}}{\sqrt{7}} = -\frac{\sqrt{21}}{14}$

$\cos\theta = \frac{x}{r} = \frac{5}{2\sqrt{7}} \cdot \frac{\sqrt{7}}{\sqrt{7}} = \frac{5\sqrt{7}}{14}$

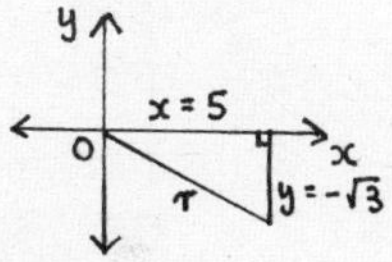

10. a) quadrant 1/4
ref. angle $= 60°$

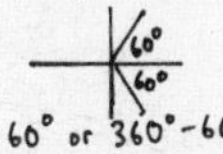

$\theta = 60°$ or $360° - 60°$
$\theta = 60°, 300°$

b) quadrant 3/4
ref. angle $= 60°$

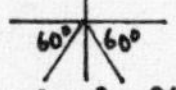

$\theta = 180° + 60°$ or $360° - 60°$
$\theta = 240°, 300°$

c) quadrant 2/4
ref. angle $= 45°$

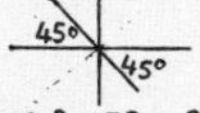

$\theta = 180° - 45°$ or $360° - 45°$
$\theta = 135°, 315°$

11. a) quadrant 1/2
ref. angle $= 40°$

$\theta = 40°$ or $180° - 40°$
$\theta = 40°, 140°$

b) quadrant 2/3
ref. angle $= 35°$

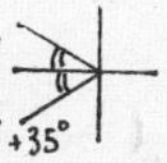

$\theta = 180° - 35°$ or $180° + 35°$
$\theta = 145°, 215°$

c) quadrant 1/3
ref. angle $= 25°$

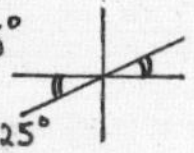

$\theta = 25°$ or $180° + 25°$
$\theta = 25°, 205°$

d) $\sin\theta = -1/6$
quadrant 3/4
ref. angle $= 10°$

$\theta = 180° + 10°$ or $360° - 10°$
$\theta = 190°, 350°$

e) $\cos\theta = 3/4$
quadrant 1/4
ref. angle $= 41°$

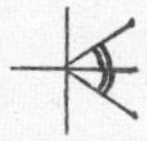

$\theta = 41°$ or $360° - 41°$
$\theta = 41°, 319°$

f) $\tan\theta = -5$
quadrant 2/4
ref. angle $= 79°$

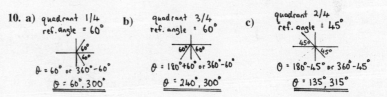

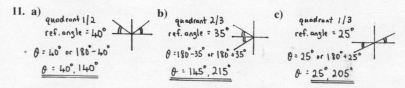

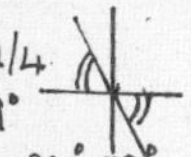

$\theta = 180° - 79°$ or $360° - 79°$
$\theta = 101°, 281°$

12. a) quadrants 1-4
ref. angle $= 0°$
$\angle A = 0°, 180° - 0°$
$180° + 0°, 360° - 0°$
$\angle A = 0°, 180°, 360°$

b) quadrant 1/4
ref. angle $= 0°$
$\angle A = 0°, 360° - 0°$
$\angle A = 0°, 360°$

c) quadrant 3/4
ref. angle $= 90°$
$\angle A = 180° + 90°, 360° - 90°$
$\angle A = 270°$

d) quadrants 1-4
ref. angle $= 0°$
$\angle A = 0°, 180° - 0°,$
$180° + 0°, 360° - 0°$
$\angle A = 0°, 180°, 360°$

13. a) $\tan\theta = \pm\sqrt{3}$
quadrants 1-4
ref. angle 60°
$\theta = 60°, 180°-60°, 180°+60°, 360°-60°$
$\theta = 60°, 120°, 240°, 300°$

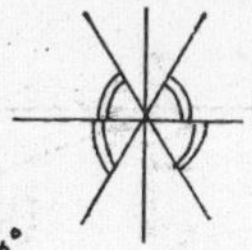

b) $\cos\theta = \pm\frac{\sqrt{3}}{2}$
quadrants 1-4
ref. angle = 30°
$\theta = 30°, 180°-30°, 180°+30°, 360°-30°$
$\theta = 30°, 150°, 210°, 330°$

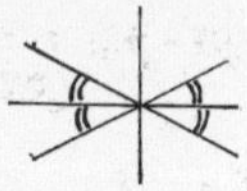

Multiple Choice

14. (B.) $-\frac{24}{25}$ and $\frac{24}{7}$

$\cos A = \frac{x}{r} = \frac{-7}{25}$

$x = -7, r = 25$
$x^2 + y^2 = r^2$
$(-7)^2 + y^2 = 25^2$
$y^2 = 576$
$y = -24$ (in quad. 3)

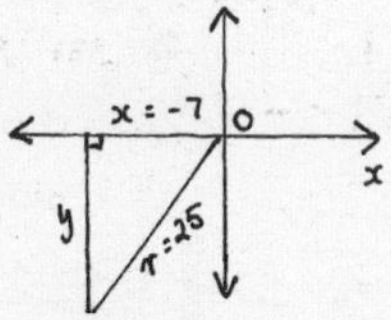

$\sin A = \frac{y}{r} = \frac{-24}{25}$

$\tan A = \frac{y}{x} = \frac{-24}{-7} = \frac{24}{7}$

15. (D.) $\frac{\sqrt{3}}{2}$

$\sin\theta = \frac{y}{r} = \frac{-1}{2}$

$y = -1, r = 2$
$x^2 + y^2 = r^2$
$x^2 + (-1)^2 = (2)^2$
$x^2 = 3$
$x = \sqrt{3}$ in quad. 4

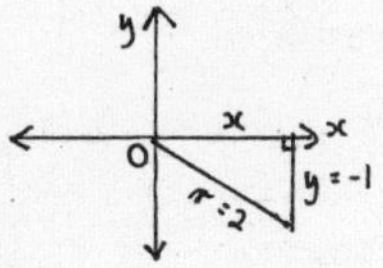

$\cos\theta = \frac{x}{r} = \frac{\sqrt{3}}{2}$

16. (B.) $\frac{\sqrt{3}-1}{2}$

$\tan P = \frac{y}{x} = \frac{-1}{-\sqrt{3}} = \frac{1}{\sqrt{3}}$

$x = -\sqrt{3} \quad y = -1$
$r^2 = x^2 + y^2 = (-\sqrt{3})^2 + (-1)^2$
$r^2 = 4, \quad r = 2$

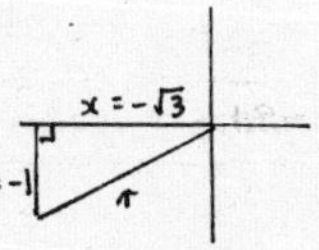

$\sin P = \frac{y}{r} = \frac{-1}{2}$

$\cos P = \frac{x}{r} = -\frac{\sqrt{3}}{2}$

$\sin P - \cos P = -\frac{1}{2} + \frac{\sqrt{3}}{2} = \frac{\sqrt{3}-1}{2}$

17. (A.) 84°, 276°

quadrant 1/4
ref. angle = 84°
$x = 84°$ or $360° - 84°$
$x = 84°, 276°$

Numerical Response

18. quadrant 2
ref. angle = 71°
$\theta = 180° - 71° = 109°$

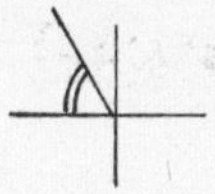

| 1 | 0 | 9 | |

Trigonometry - Lesson #4:
Special Triangles, Exact Values, and the Unit Circle

Investigation

a) i) $r^2 = 1^2 + 1^2$
$r^2 = 2 \quad r = \sqrt{2}$

ii) $\sin 45° = \frac{1}{\sqrt{2}} = \frac{\sqrt{2}}{2}$ $\quad \cos 45° = \frac{1}{\sqrt{2}} = \frac{\sqrt{2}}{2}$ $\quad \tan 45° = \frac{1}{1} = 1$

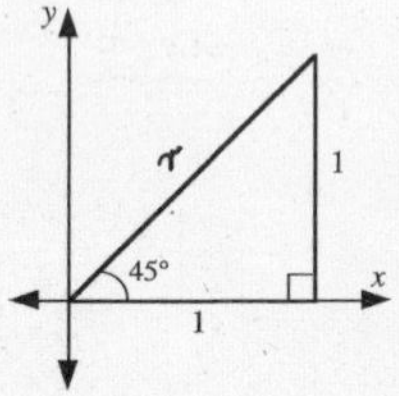

b) i) $h^2 = 2^2 - 1^2$
$= 4 - 1 = 3 \quad h = \sqrt{3}$

ii) $\sin 60° = \frac{\sqrt{3}}{2}$ $\quad \cos 60° = \frac{1}{2}$ $\quad \tan 60° = \frac{\sqrt{3}}{1} = \sqrt{3}$

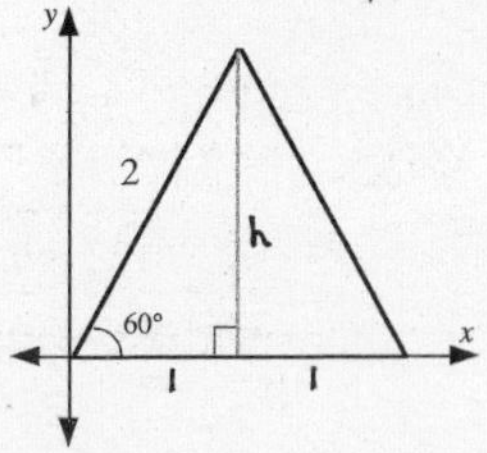

c) i) $\sin 30° = \frac{1}{2}$ $\quad \cos 30° = \frac{\sqrt{3}}{2}$ $\quad \tan 30° = \frac{1}{\sqrt{3}} = \frac{\sqrt{3}}{3}$

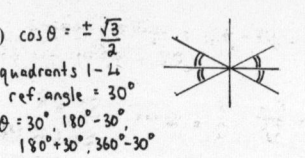

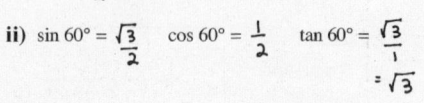

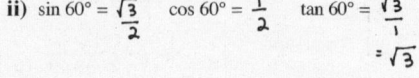

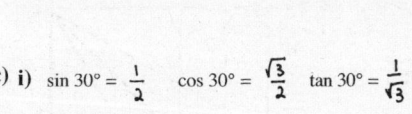

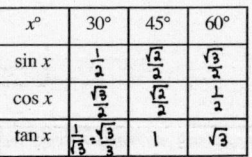

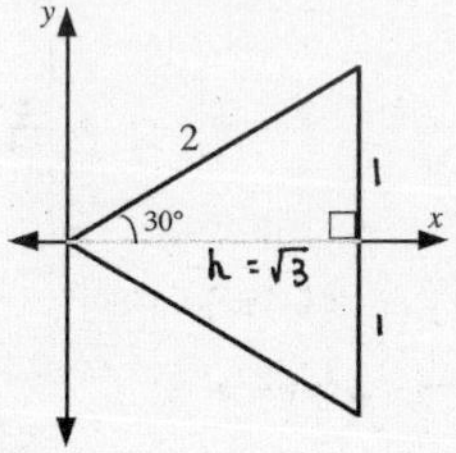

Special Triangles

$x°$	30°	45°	60°
$\sin x$	$\frac{1}{2}$	$\frac{\sqrt{2}}{2}$	$\frac{\sqrt{3}}{2}$
$\cos x$	$\frac{\sqrt{3}}{2}$	$\frac{\sqrt{2}}{2}$	$\frac{1}{2}$
$\tan x$	$\frac{1}{\sqrt{3}} = \frac{\sqrt{3}}{3}$	1	$\sqrt{3}$

Finding Exact Trigonometric Ratios for Angles of 0° and 90°

a)

sin 0°	$\frac{y}{r} = \frac{0}{1} = 0$
cos 0°	$\frac{x}{r} = \frac{1}{1} = 1$
tan 0°	$\frac{y}{x} = \frac{0}{1} = 0$

b)

sin 90°	$\frac{y}{r} = \frac{1}{1} = 1$
cos 90°	$\frac{x}{r} = \frac{0}{1} = 0$
tan 90°	$\frac{y}{x} = \frac{1}{0} =$ undefined

c) Division by zero is not defined

Using a Chart for Trigonometric Ratios of Special Triangles

x	0°	30°	45°	60°	90°
$\sin x$	0	$\frac{1}{2}$	$\frac{\sqrt{2}}{2}$	$\frac{\sqrt{3}}{2}$	1
$\cos x$	1	$\frac{\sqrt{3}}{2}$	$\frac{\sqrt{2}}{2}$	$\frac{1}{2}$	0
$\tan x$	0	$\frac{\sqrt{3}}{3}$ or $\frac{1}{\sqrt{3}}$	1	$\sqrt{3}$	undefined

Class Ex. #1

a) sin 210°

quad. 3

ref. angle = 30°

sine ratio is negative

$\sin 210° = -\sin 30° = -\frac{1}{2}$

b) cos 300°

quad. 4

ref. angle = 60°

cosine ratio is positive

$\cos 300° = \cos 60° = \frac{1}{2}$

c) tan 225°

quad. 3

ref. angle = 45°

tangent ratio is positive

$\tan 225° = \tan 45° = 1$

Class Ex. #2

a) quadrants 2/3

ref. angle = 30°

$\theta = 180° - 30°, 180° + 30°$

$\theta = 150°, 210°$

b) quadrants 1-4

ref. angle = 90°

$\theta = 90°, 180° - 90°, 180° + 90°, 360° - 90°$

$\theta = 90°, 270°$

Class Ex. #3

a) 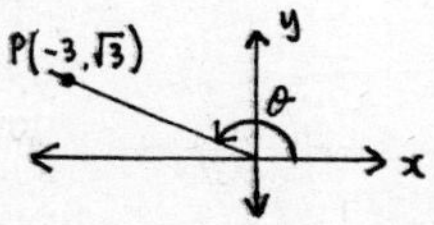

b) $x = -3$

$y = \sqrt{3}$

$\tan\theta = \frac{y}{x} = \frac{\sqrt{3}}{-3} = -\frac{\sqrt{3}}{3}$

c) ref. angle = 30°

rotation angle = $180° - 30° = 150°$

Creating The Unit Circle

a)

b)

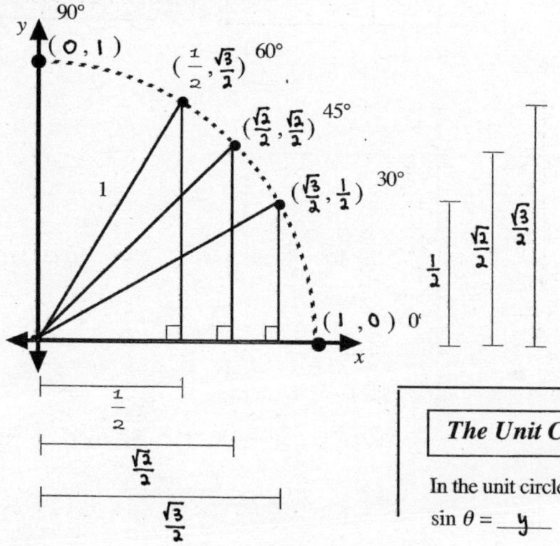

c) For a rotation angle, θ,

$x = \cos\theta$ and $y = \sin\theta$

$(x, y) = (\cos\theta, \sin\theta)$

The Unit Circle

In the unit circle, where $r = 1$, we have:

$\sin\theta =$ y and $\cos\theta =$ x

Class Ex. #4

$\sin 240° = -\frac{\sqrt{3}}{2}$

$\cos 240° = -\frac{1}{2}$

$\tan 240° = \frac{\sin 240°}{\cos 240°} = \frac{-\sqrt{3}/2}{-1/2} = -\frac{\sqrt{3}}{2} \times \frac{2}{-1} = \sqrt{3}$

Class Ex. #5

a) $-\frac{\sqrt{2}}{2}$

b) $= \frac{\sin 120°}{\cos 120°} = \frac{\sqrt{3}/2}{1/2} = \frac{\sqrt{3}}{2} \cdot \frac{2}{1} = \sqrt{3}$

c) 0

d) $= \frac{\sin 270°}{\cos 270°} = \frac{-1}{0}$ undefined

Class Ex. #6

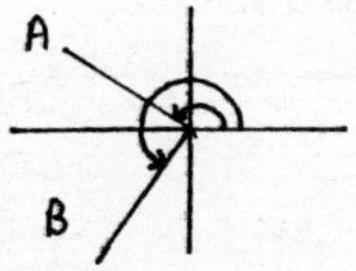

A at 135°

B at 240°

$240° - 135° = 105°$

Class Ex. #7

$(\cos 148°, \sin 148°) = (-0.8480, 0.5299)$

quadrant 2

$\cos\theta = -0.8829$

$\sin\theta = 0.4695$

ref. angle $= 28°$

rotation angle

$= 180° - 28°$

$= \underline{152°}$

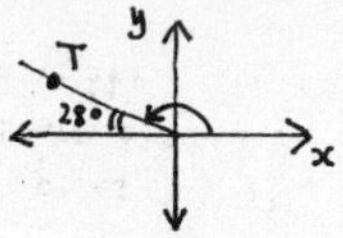

a) $\frac{1}{2} + \left(-\frac{1}{2}\right)$

$= \underline{0}$

b) $\left(-\frac{\sqrt{2}}{2}\right)^2 + \left(-\frac{\sqrt{2}}{2}\right)^2$

$= \frac{1}{2} + \frac{1}{2}$

$= \underline{1}$

c) $\dfrac{2\left(-\frac{\sqrt{3}}{3}\right)}{1-\left(\frac{\sqrt{3}}{3}\right)^2} = \dfrac{-\frac{2\sqrt{3}}{3}}{1-\frac{1}{3}}$

$= \dfrac{-\frac{2\sqrt{3}}{3}}{\frac{2}{3}} = -\frac{2\sqrt{3}}{3}\cdot\frac{3}{2} = \underline{-\sqrt{3}}$

Assignment

1.

x	0°	30°	45°	60°	90°
$\sin x$	0	$\frac{1}{2}$	$\frac{\sqrt{2}}{2}$	$\frac{\sqrt{3}}{2}$	1
$\cos x$	1	$\frac{\sqrt{3}}{2}$	$\frac{\sqrt{2}}{2}$	$\frac{1}{2}$	0
$\tan x$	0	$\frac{\sqrt{3}}{3}$	1	$\sqrt{3}$	undefined

2\. a) $= -\cos 60°$ $= -\frac{1}{2}$

b) $= -\tan 60°$ $= -\sqrt{3}$

c) $= \sin 45°$ $= \frac{\sqrt{2}}{2}$

d) $= -\sin 30°$ $= -\frac{1}{2}$

e) $= \cos 45°$ $= \frac{\sqrt{2}}{2}$

f) $= \tan 0°$ $= 0$

g) $= -\cos 0°$ $= -1$

h) $= \sin 0°$ $= 0$

i) $= -\tan 30°$ $= -\frac{\sqrt{3}}{3}$

j) $= -\cos 30°$ $= -\frac{\sqrt{3}}{2}$

k) $= \tan 90°$ undefined

l) $= \cos 90°$ $= 0$

m) $= -\sin 90°$ $= -1$

n) $= \tan 60°$ $= \sqrt{3}$

o) $= (-\cos 45°)^2$ $= \left(-\frac{\sqrt{2}}{2}\right)^2 = \frac{1}{2}$

3\. a) quadrants 1/2

ref. angle $= 45°$

$\theta = 45°, 180° - 45°$

$\underline{\theta = 45°, 135°}$

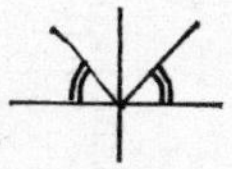

b) quadrants 2/3

ref. angle $= 60°$

$\theta = 180° - 60°, 180° + 60°$

$\underline{\theta = 120°, 240°}$

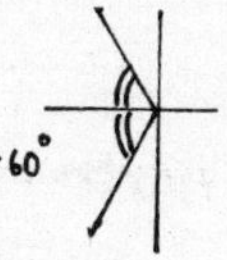

3\. c) quadrants 2/4

ref. angle $= 30°$

$\theta = 180° - 30°, 360° - 30°$

$\underline{\theta = 150°, 330°}$

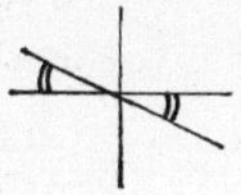

d) quadrants 1-4

ref. angle $= 90°$

$\theta = 90°, 180° - 90°, 180° + 90°, 360° - 90°$

$\underline{\theta = 90°, 270°}$

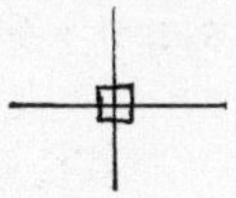

4\. a)

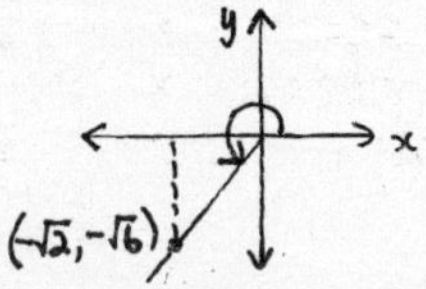

b) $x = -\sqrt{2}$

$y = -\sqrt{6}$

$\tan\theta = \frac{y}{x} = \frac{-\sqrt{6}}{-\sqrt{2}} = \sqrt{3}$

c) ref. angle $= \underline{60°}$

rotation angle $= 180° + 60° = 240°$

$\underline{\theta = 240°}$

5\. $x = 5$

$y = -5$

$\tan A = \frac{y}{x} = \frac{-5}{5} = -1$

reference angle $= 45°$

rotation angle $= 360° - 45° = 315°$

$\angle A = \underline{315°}$

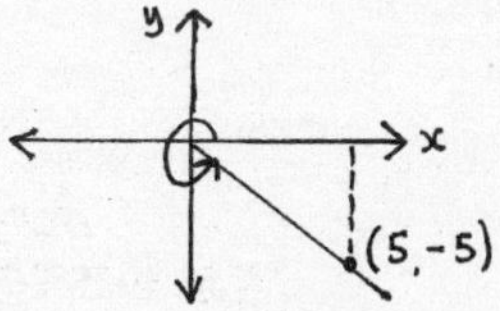

6.

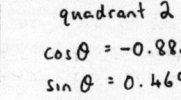

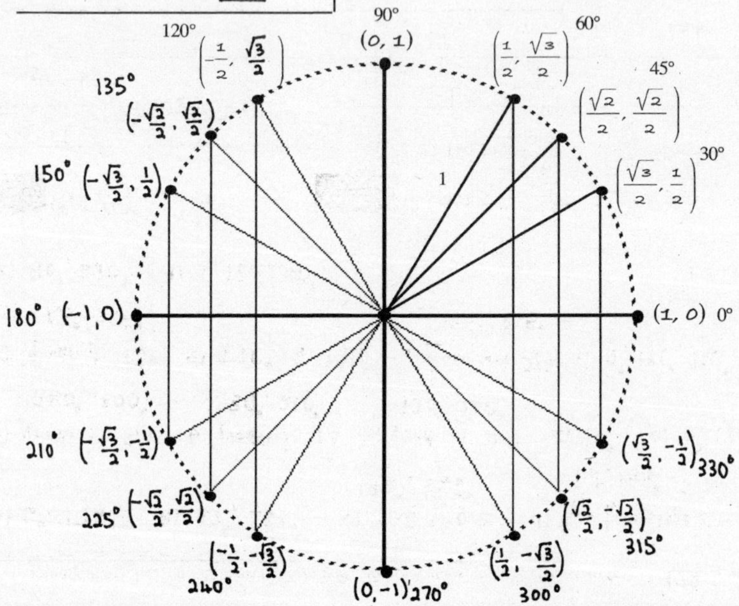

7. a) $\frac{\sqrt{3}}{2}$ b) 1 c) $\frac{\sqrt{2}}{2}$ d) $\frac{\sqrt{3}/2}{\sqrt{2}/2} = 1$ e) $-\frac{\sqrt{3}}{2}$ f) $\frac{\sqrt{3}/2}{-1/2} = -\sqrt{3}$ g) $-\frac{\sqrt{3}}{2}$

h) $\frac{1}{2}$ i) $\frac{-\frac{1}{2}}{\frac{\sqrt{3}}{2}} = \frac{-1}{\sqrt{3}} = \frac{-\sqrt{3}}{3}$ j) 0 k) $\frac{0}{-1} = 0$ l) $\frac{-1}{0}$ = undefined

8. a) $(0,-1)$ b) $\left(-\frac{1}{2}, \frac{\sqrt{3}}{2}\right)$ c) $\left(-\frac{\sqrt{3}}{2}, -\frac{1}{2}\right)$

9. a) $(\cos 103°, \sin 103°)$ $(-0.2250, 0.9744)$ b) $(\cos 298°, \sin 298°)$ $(0.4695, -0.8829)$ c) $(\cos 195°, \sin 195°)$ $(-0.9659, -0.2588)$

10. $\cos\theta = 0.9205$
ref. angle = 23°
$\theta = 360° - 23° = \underline{337°}$

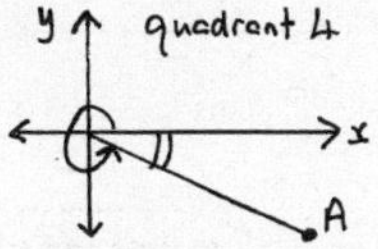

11. $\cos\theta = -0.9272$
ref. angle = 22°
$\theta = 180° + 22° = \underline{202°}$

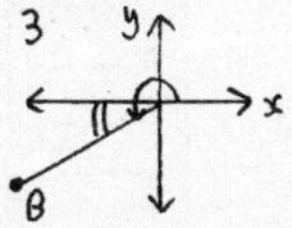

12.

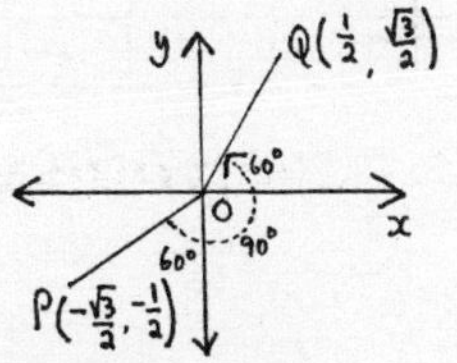

Q → 60°
P → 210°

counterclockwise rotation
$60° + 90° + 60°$
$= \underline{210°}$

13. quadrant 4 angle
reference angle = 30°
rotation angle = 330°

$\tan 330° = -\tan 30° = \underline{-\frac{\sqrt{3}}{3}}$

14. a) Let the radius of the protractor represent 1 unit.
The y-coordinate of any point on the circumference gives the sine ratio for a particular angle. The x-coordinate gives the cosine ratio and the tangent ratio is determined by dividing the y-coordinate by the x-coordinate.

b) i) 0.94 ii) −0.64 iii) $\frac{-0.86}{-0.5} = 1.72$ iv) −0.40

15. a) 6°, 174° b) 127°, 233° c) $\sin\theta = -0.2$ 192°, 348° d) $\frac{y}{x} = \frac{1}{4}$ = slope 14°, 194°

16. a) quadrant 3/4 240°, 300° b) quadrant 1/3 30°, 210° c) quadrant 2/3 120°, 240° d) 90° e) 0°, 180°, 360°

f) quadrant 1/3 45°, 225° g) 270° h) 180° i) quadrant 2/4 135°, 315° j) 0°, 180°, 360°

k) 90°, 270° l) 0°, 180°, 360°

Multiple Choice **17.** (B) 120°

$\tan x = -\sqrt{3}$
quadrant 2
ref. angle = 60°
$180° - 60° = 120°$

Numerical Response **18.** $\cos\theta = -\frac{\sqrt{3}}{2}$
quadrant 3
ref. angle = 30°
$180° + 30° = 210°$

2	1	0	

Trigonometry Lesson #5: The Sine Law

a) $\sin x° = \frac{8}{14}$
$x = 35°$

b) $\cos 40° = \frac{19}{x}$
$x = \frac{19}{\cos 40°} = 25$

$\sin 20° = \frac{x}{12.50}$
$x = 12.50 \sin 20°$
$x = 4.275$ cm
$BD = 4.275$ cm

$\cos 20° = \frac{h}{12.50}$
$h = 12.50 \cos 20°$
$h = 11.746$ cm
$AD = 11.746$ cm

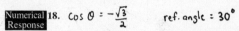

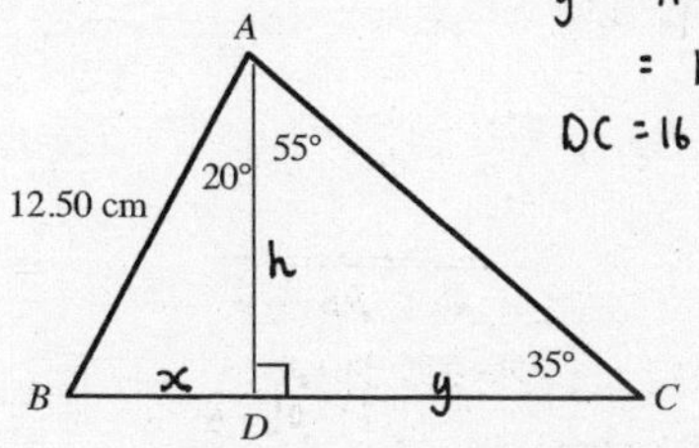

$\tan 55° = \frac{y}{h} = \frac{y}{11.746}$
$y = 11.746 \tan 55°$
$= 16.775$
$DC = 16.775$ cm

$BC = x + y = 4.275 + 16.775$
$= \underline{21.05 \text{ cm}}$

Proof of the Sine Law

In i) $\sin A = \frac{CD}{AC} = \frac{CD}{b}$ In ii) $\sin B = \frac{CD}{BC} = \frac{CD}{a}$

$CD = b \sin A$ $CD = a \sin B$

It follows that $b \sin A = a \sin B$

Dividing both sides by $\sin A \sin B$ gives the result $\frac{b}{\sin B} = \frac{a}{\sin A}$

Class Ex. #3

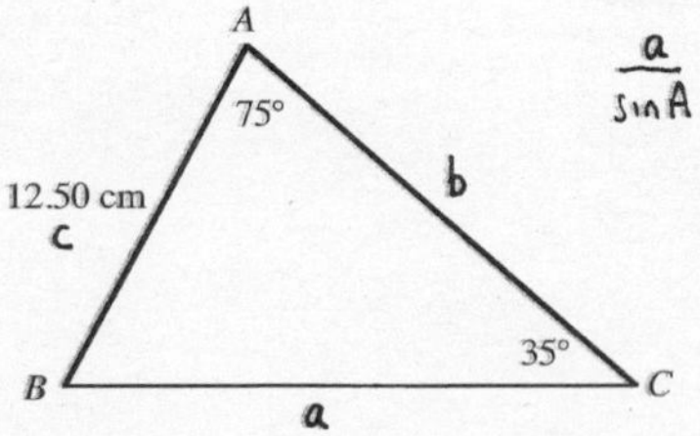

$\frac{a}{\sin A} = \frac{c}{\sin C}$ $\frac{a}{\sin 75°} = \frac{12.50}{\sin 35°}$

$a = \frac{12.50 \sin 75°}{\sin 35°} = 21.05$

$BC = 21.05$ cm (same answer)

Class Ex. #4

Use information given to determine ∠B.

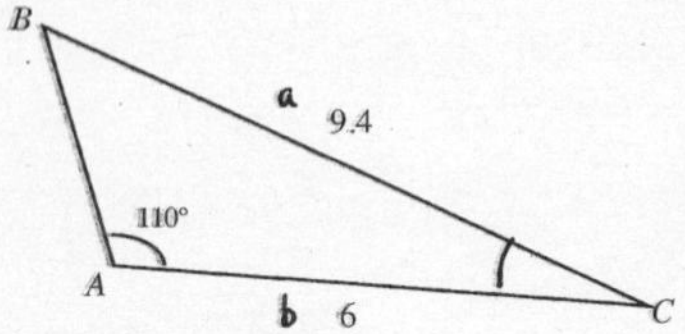

$\frac{\sin B}{b} = \frac{\sin A}{a}$ $\sin B = 0.5998..$

$\frac{\sin B}{6} = \frac{\sin 110°}{9.4}$ $\angle B = 37°$

$\sin B = \frac{6 \sin 110°}{9.4}$ $\angle ACB = 180° - 110° - 37° = 33°$

Class Ex. #5

$\angle PRQ = 180° - 75° - 46° = 59°$

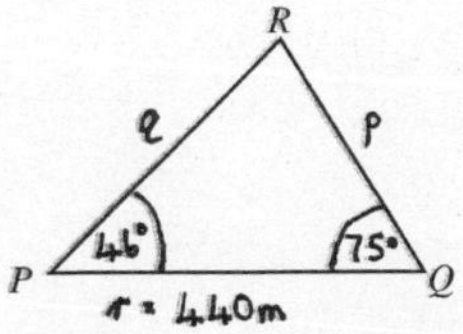

$\frac{q}{\sin 75°} = \frac{440}{\sin 59°}$ $\frac{p}{\sin 46°} = \frac{440}{\sin 59°}$

$q = \frac{440 \sin 75°}{\sin 59°}$ $p = \frac{440 \sin 46°}{\sin 59°}$

$q = 495.83$ $p = 369.25$

perimeter $= 495.83 + 369.25 + 440 = 1305$ m (nearest metre)

Class Ex. #6

$\sin 46° = \frac{h}{495.83}$ area $= \frac{1}{2} bh$

$h = 495.83 \sin 46°$ $= \frac{1}{2} \times 440 \times 356.67$

$= 356.67$ $= 78500\ m^2$

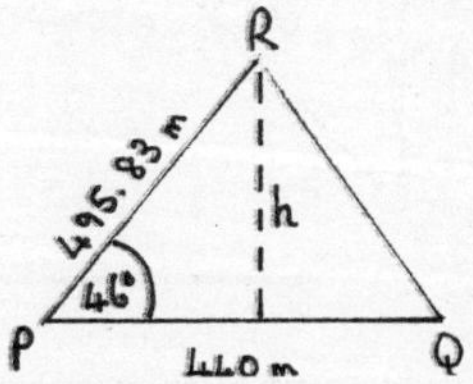

Assignment

1. a) $\cos 42° = \frac{b}{63.2}$, $b = 63.2 \cos 42°$, $b = 47.0$
   b) $\cos 36° = \frac{25.7}{r}$, $r = \frac{25.7}{\cos 36°}$, $r = 31.8$
   c) $\sin 40° = \frac{n}{5.0}$, $n = 5.0 \sin 40°$, $n = 3.2$
   d) $\tan 61° = \frac{157.7}{s}$, $s = \frac{157.7}{\tan 61°} = 87.4$

2. a) $\tan x° = \frac{9.7}{5.2}$, $x = 62°$
   b) $\sin x° = \frac{1.7}{3.1}$, $x = 33°$

3. a) $\frac{a}{\sin 73°} = \frac{8.5}{\sin 41°}$, $a = \frac{8.5 \sin 73°}{\sin 41°}$, $a = 12.4$ cm
   b) $\frac{b}{\sin 24°} = \frac{12.9}{\sin 108°}$, $b = \frac{12.9 \sin 24°}{\sin 108°}$, $b = 5.5$ m

4. a) $\frac{\sin A}{5.4} = \frac{\sin 70°}{6.3}$, $\sin A = \frac{5.4 \sin 70°}{6.3}$, $\sin A = 0.8054..$, $\angle A = 54°$
   b) $\frac{\sin Q}{19.8} = \frac{\sin 92°}{28.6}$, $\sin Q = \frac{19.8 \sin 92°}{28.6}$, $\sin Q = 0.6918..$, $\angle Q = 44°$
   c) $\frac{r}{\sin 80°} = \frac{4.7}{\sin 31°}$, $r = \frac{4.7 \sin 80°}{\sin 31°}$, $r = 9.0$ mm

   c) $\frac{\sin V}{169} = \frac{\sin 117°}{262}$, $\sin V = \frac{169 \sin 117°}{262}$, $\sin V = 0.5747..$, $\angle V = 35°$

5. $\frac{b}{\sin 57°} = \frac{8}{\sin 49°}$, $b = \frac{8 \sin 57°}{\sin 49°} = 8.9$

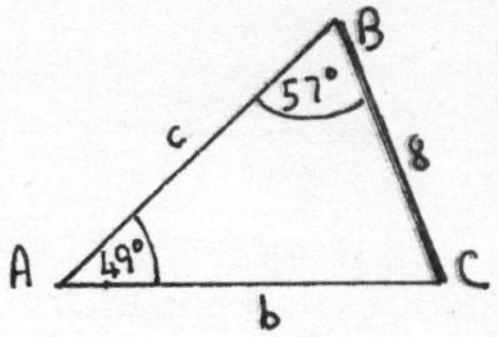

6. $\frac{\sin L}{88} = \frac{\sin 114°}{123}$ $\angle LMN = 180° - 114° - 41°$

   $\sin L = \frac{88 \sin 114°}{123}$ $= 25°$

   $\sin L = 0.6535...$

   $\angle L = 41°$

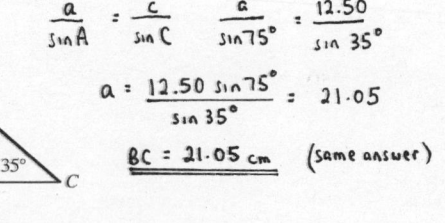

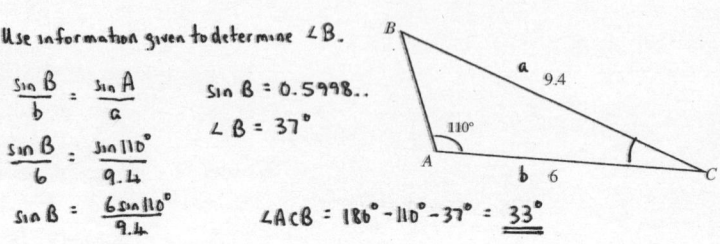

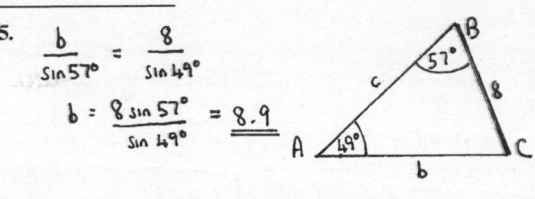

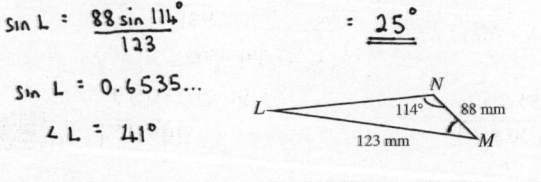

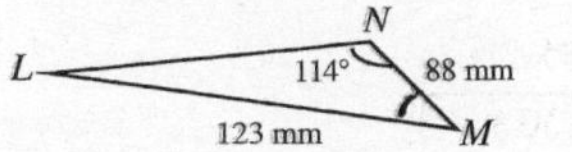

7. a) $\angle PRQ = \angle PRS = 180° - 90° - 41° = \underline{49°}$

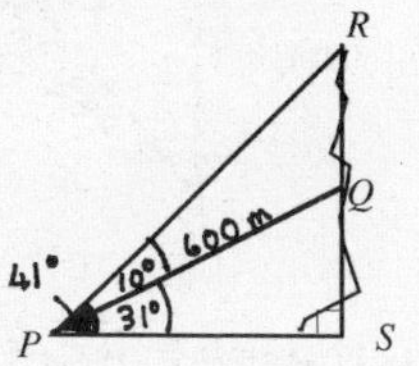

b)

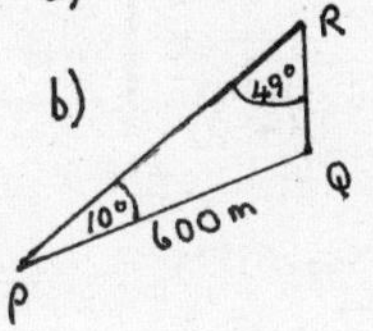

$\dfrac{QR}{\sin 10°} = \dfrac{600}{\sin 49°}$

$QR = \dfrac{600 \sin 10°}{\sin 49°} = \underline{138 \text{ m}}$

8.

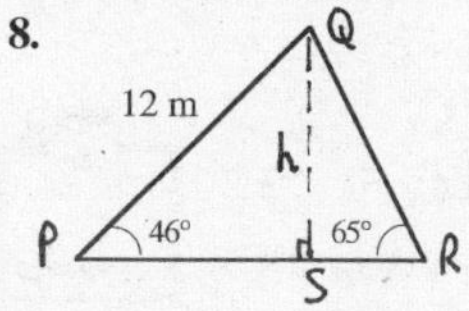

Student #1:

In ΔPQS

$\sin 46° = \dfrac{h}{12}$

$h = 12 \sin 46°$
$= 8.63..$

In ΔPQR

$\angle PQR = 180° - 46° - 65°$
$= 69°$

$\dfrac{PR}{\sin 69°} = \dfrac{12}{\sin 65°}$

$PR = \dfrac{12 \sin 69°}{\sin 65°} = 12.36..$

$A = \frac{1}{2}bh$
$= \frac{1}{2}(12.36)(8.63)$
$= \underline{53.3 \text{ m}^2}$

Student #2:

In ΔPQR

$\dfrac{QR}{\sin 46°} = \dfrac{12}{\sin 65°}$

$QR = \dfrac{12 \sin 46°}{\sin 65°}$
$= 9.52..$

let $a = 9.52$
$b = 12.36$
$c = 12$

$s = \dfrac{9.52 + 12.36 + 12}{2} = 16.94$

$A = \sqrt{16.94(16.94-9.52)(16.94-12.36)(16.94-12)}$
$= \underline{53.3 \text{ m}^2}$

Student #3:

$A = \frac{1}{2}(PQ)(PR)\sin P$
$= \frac{1}{2}(12)(12.36)\sin 46°$
$= \underline{53.3 \text{ m}^2}$

Multiple Choice **9.**

$\dfrac{PQ}{\sin 150°} = \dfrac{6}{\sin 20°}$

$PQ = \dfrac{6 \sin 150°}{\sin 20°} = 8.8$

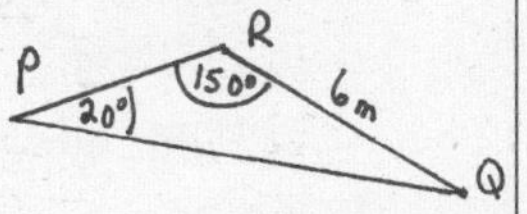

10. $a = 10$ $b = 15$
$\angle A = 30°$

$\dfrac{\sin B}{b} = \dfrac{\sin A}{a}$ $\dfrac{\sin B}{15} = \dfrac{\sin 30°}{10}$ $\sin B = \dfrac{15 \sin 30°}{10}$

$\sin B = 0.75$ $\angle B = 48.6°$ (acute)

$\angle C = 180° - 30° - 48.6° = 101.4°$

Numerical Response **11.**

In ΔADB

$\angle ABD = 180° - 35° = 145°$

$\angle ADB = 180° - 145° - 16° = 19°$

$\dfrac{BD}{\sin 16°} = \dfrac{950}{\sin 19°}$ $BD = \dfrac{950 \sin 16°}{\sin 19°}$
$= 804.3..$

In ΔBDC

$\sin 35° = \dfrac{DC}{804.3}$

$DC = 804.3 \sin 35° = 461.3..$

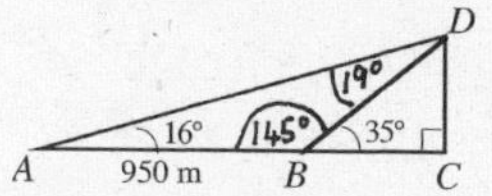

4	6	1	

Trigonometry Lesson #6:
The Cosine Law

Warm-Up $\dfrac{a}{\sin 36°} = \dfrac{6}{\sin B} = \dfrac{3}{\sin C}$

we do not have a link between side and angle.

to find CD

In ΔACD, $\sin 36° = \dfrac{CD}{6}$

$CD = 6 \sin 36° = 3.5267..$

to find AD

In ΔACD, $\cos 36° = \dfrac{AD}{6}$

$AD = 6 \cos 36° = 4.8541..$

$BD = AD - AB = 1.8541..$

In ΔBCD, $BC^2 = BD^2 + CD^2$
$= (1.8541..)^2 + (3.5267..)^2 = 15.8753$

$BC = \sqrt{15.8753} = \underline{4.0}$ (nearest tenth)

Proof of the Cosine Law so $x = b\cos A$ $a^2 = b^2 + c^2 - 2c(b\cos A)$

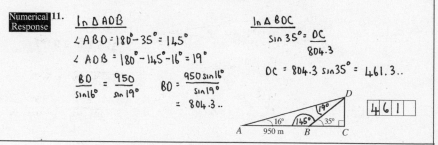

$a^2 = b^2 + c^2 - 2bc\cos A$

$a^2 = 6^2 + 3^2 - 2(6)(3)\cos 36°$

$a^2 = 15.8753..$

$a = 4.0$ (nearest tenth)

$\underline{BC = 4.0}$

Class Ex. #3

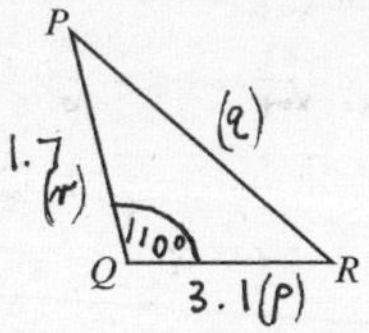

$q^2 = r^2 + p^2 - 2rp\cos 110°$

$PR^2 = 1.7^2 + 3.1^2 - 2(1.7)(3.1)\cos 110°$

$PR^2 = 16.104\ldots$ $\quad PR = \underline{\underline{4.0\text{ cm}}}$

Class Ex. #4

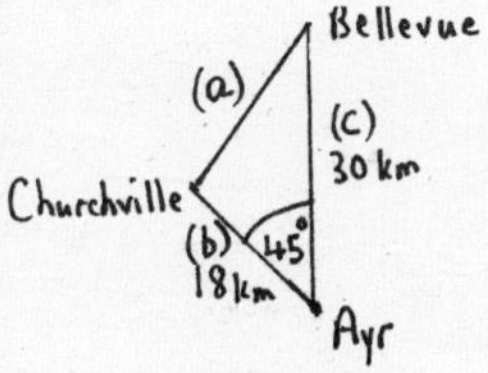

$a^2 = b^2 + c^2 - 2bc\cos A$

$= 18^2 + 30^2 - 2(18)(30)\cos 45°$

$= 460.32\ldots$

$a = 21.45\ldots$ $\quad$ Distance $= \underline{\underline{21\text{ km}}}$

Class Ex. #5

a) $\cos B = \dfrac{c^2 + a^2 - b^2}{2ca}$ $\quad$ b) $\cos C = \dfrac{b^2 + c^2 - a^2}{2bc}$

Class Ex. #6

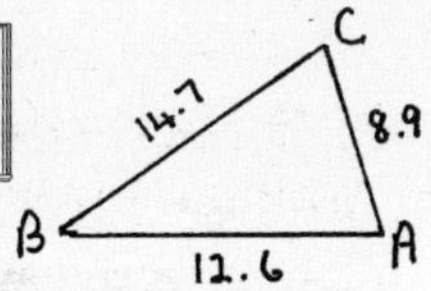

$\cos A = \dfrac{b^2 + c^2 - a^2}{2bc} = \dfrac{(8.9)^2 + (12.6)^2 - (14.7)^2}{2(8.9)(12.6)}$

$= 0.0975\ldots$ $\quad$ angle $A = \underline{\underline{84°}}$

Class Ex. #7

$\cos P = \dfrac{q^2 + r^2 - p^2}{2qr} = \dfrac{(7)^2 + (8)^2 - (13)^2}{2(7)(8)} = -0.5$

Angle is obtuse $\quad$ ref. angle $= 60°$ $\quad$ angle $= 180° - 60° = \underline{\underline{120°}}$

Assignment

1. a) $s^2 = t^2 + v^2 - 2tv\cos S$ $\quad$ b) $v^2 = s^2 + t^2 - 2st\cos V$

2. a) $x^2 = (20)^2 + (25)^2 - 2(20)(25)\cos 30°$
   $= 158.97\ldots$
   $x = \underline{\underline{12.6\text{ cm}}}$

   b) $x^2 = (16.1)^2 + (15.9)^2 - 2(16.1)(15.9)\cos 15°$
   $= 17.49\ldots$ $\quad x = \underline{\underline{4.2\text{ cm}}}$

   c) $x^2 = (18.7)^2 + (20.4)^2 - 2(18.7)(20.4)\cos 140°$
   $= 1350.3\ldots$ $\quad x = \underline{\underline{36.7\text{ cm}}}$

3. $a^2 = b^2 + c^2 - 2bc\cos A$
   $= (24)^2 + (37)^2 - 2(24)(37)\cos 49°$
   $= 779.8\ldots$
   $a = \underline{\underline{28}}$

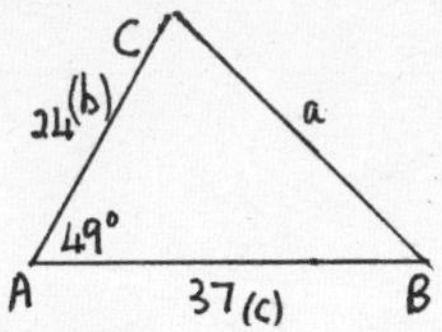

4. $L^2 = (11.4)^2 + (7.5)^2 - 2(11.4)(7.5)\cos 135°$
   $L^2 = 307.125$
   $L = 17.52\ldots$ length of guide wire $= \underline{\underline{17.5\text{ m}}}$

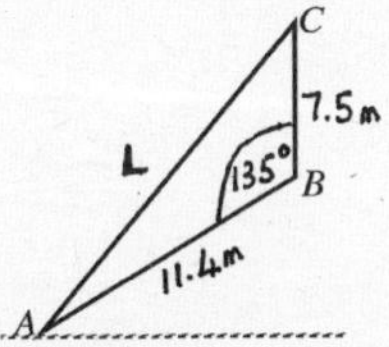

5. $b^2 = (4.5)^2 + (7.8)^2 - 2(4.5)(7.8)\cos 79°$
   $b^2 = 67.695\ldots$ $\quad b = \underline{8.2}$

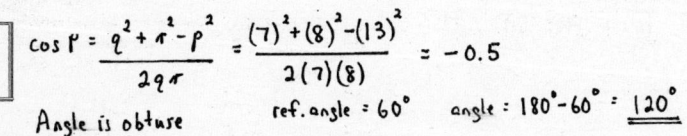

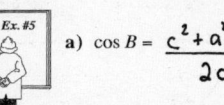

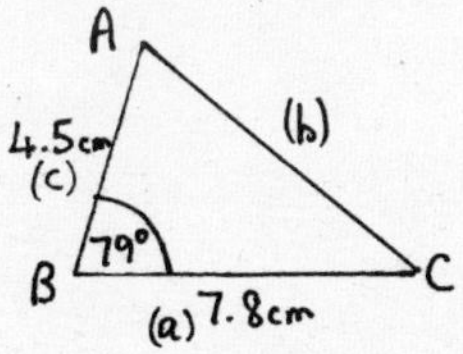

$\dfrac{\sin A}{7.8} = \dfrac{\sin 79°}{8.2\ldots}$ $\quad \sin A = \dfrac{7.8\sin 79°}{8.2\ldots}$

$= 0.930\ldots$

$\angle A = \underline{68.5°}$

$\angle C = 180° - 79° - 68.5°$

$= \underline{32.5°}$

$\angle ABC = 79°$	$AC = 8.2\text{ cm}$
$\angle BAC = 68.5°$	$BC = 7.8\text{ cm}$
$\angle ACB = 32.5°$	$AB = 4.5\text{ cm}$

6. a) $\dfrac{d^2 + f^2 - e^2}{2df}$ $\quad$ b) $\dfrac{d^2 + e^2 - f^2}{2de}$

7. a) $\cos A = \dfrac{(10)^2 + (10)^2 - (7)^2}{2(10)(10)} = 0.755\ldots$
   $\angle A = x° = \underline{\underline{41°}}$

   b) $\cos Z = \dfrac{(6.2)^2 + (4.3)^2 - (3.7)^2}{2(6.2)(4.3)} = 0.8109\ldots$
   $\angle Z = z° = \underline{\underline{36°}}$

   c) $\cos B = \dfrac{(15)^2 + (17)^2 - (23)^2}{2(15)(17)} = -0.0294\ldots$
   $\angle B = b° = \underline{\underline{92°}}$

   d) $\cos E = \dfrac{(95)^2 + (116)^2 - (197)^2}{2(95)(116)} = -0.7408\ldots$
   $\angle E = x° = \underline{\underline{138°}}$

8. $\cos A = \dfrac{(15.1)^2 + (19.3)^2 - (12.3)^2}{2(15.1)(19.3)} = 0.7707$

$\angle A = 40°$ Smallest angle is $40°$

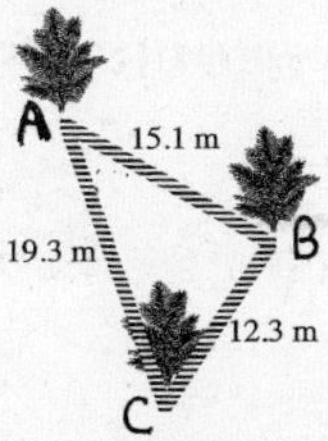

9. a)

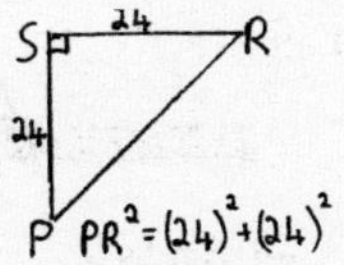

$PR^2 = (24)^2 + (24)^2$
$= 1152$

$PR = 33.9$ cm

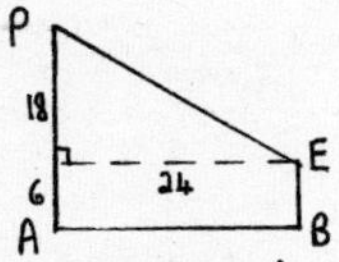

$PE^2 = (18)^2 + (24)^2$
$= 900$

$PE = 30.0$ cm

b)

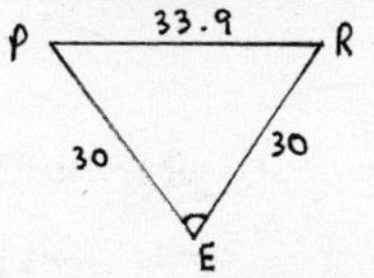

$\cos E = \dfrac{(30)^2 + (30)^2 - (33.9)^2}{2(30)(30)} = 0.36155$

angle $PER = 69°$

Multiple Choice 10. (D.) $208 + 96\sqrt{3}$

$x^2 = (12)^2 + (8)^2 - 2(12)(8)\cos 150°$
$= 144 + 64 - 192\left(-\frac{\sqrt{3}}{2}\right)$
$= 208 + 96\sqrt{3}$

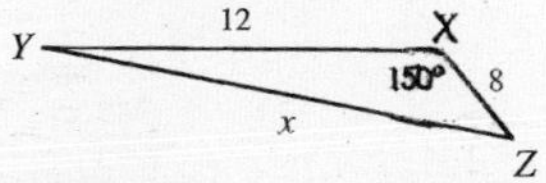

11. $\angle A = 180° - 2(30°) = 120°$

$BC^2 = 10^2 + 10^2 - 2(10)(10)\cos 120°$
$BC^2 = 300$
$BC = \sqrt{300} = \sqrt{100}\sqrt{3} = 10\sqrt{3}$

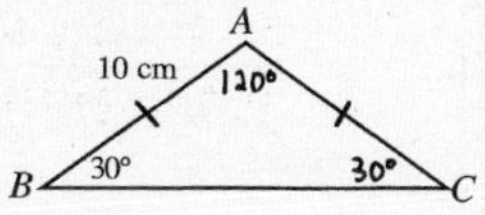

Numerical Response 12. $ST^2 = 9^2 + 11.5^2 - 2(9)(11.5)\cos 105°$
$= 266.8\ldots$
$ST = 16.33\ldots$

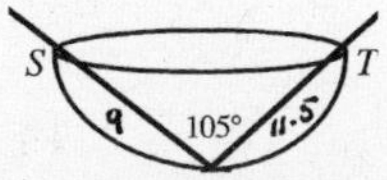

1	6	.	3

Group Investigation

$\sin A : \sin B : \sin C = 2:3:4$

Let $\sin A = 2x$ $\sin B = 3x$ and $\sin C = 4x$

$\dfrac{a}{\sin A} = \dfrac{b}{\sin B} = \dfrac{c}{\sin C}$

$\dfrac{a}{2x} = \dfrac{b}{3x} = \dfrac{c}{4x}$

$\dfrac{b}{3x} = \dfrac{a}{2x} \Rightarrow b = \dfrac{3ax}{2x}$ $b = \frac{3}{2}a$

$\dfrac{c}{4x} = \dfrac{a}{2x} \Rightarrow c = \dfrac{4ax}{2x}$ $c = 2a$

$\cos A : \cos B : \cos C = \frac{7}{8} : \frac{11}{16} : -\frac{1}{4} = 14 : 11 : -4$

$\cos A = \dfrac{b^2 + c^2 - a^2}{2bc} = \dfrac{(\frac{3}{2}a)^2 + (2a)^2 - a^2}{2(\frac{3}{2}a)(2a)}$
$= \dfrac{\frac{21}{4}a^2}{6a^2} = \dfrac{7}{8}$

$\cos B = \dfrac{c^2 + a^2 - b^2}{2ca} = \dfrac{(2a)^2 + a^2 - (\frac{3}{2}a)^2}{2(2a)(a)}$
$= \dfrac{\frac{11}{4}a^2}{4a^2} = \dfrac{11}{16}$

$\cos C = \dfrac{a^2 + b^2 - c^2}{2ab} = \dfrac{a^2 + (\frac{3}{2}a)^2 - (2a)^2}{2(a)(\frac{3}{2}a)}$
$= \dfrac{-\frac{3}{4}a^2}{3a^2} = -\dfrac{1}{4}$

Trigonometry Lesson #7:
Problem Solving and The Ambiguous Case of the Sine Law

Warm-Up a) yes b) Scott $50°$ Brittany $130°$

c) Scott

$\dfrac{\sin C}{c} = \dfrac{\sin B}{b}$

$\dfrac{\sin C}{6} = \dfrac{\sin 30°}{4}$

$\sin C = \dfrac{6\sin 30°}{4} = 0.75$

$\angle ACB = 49°$

Brittany

identical work $\rightarrow$ $\sin C = 0.75$

Since $\angle ACB$ is obtuse we use the quadrant 2 solution.

$\angle ACB = 180° - 49° = 131°$

Investigation #1

SSS

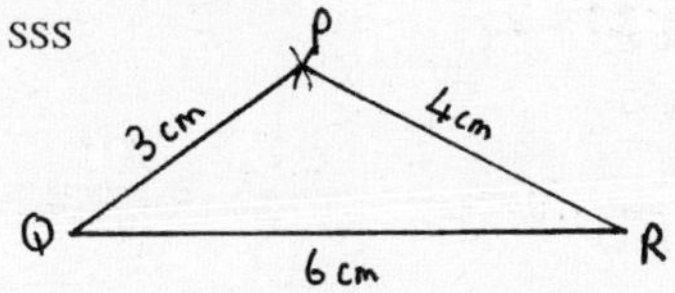

no

SSA

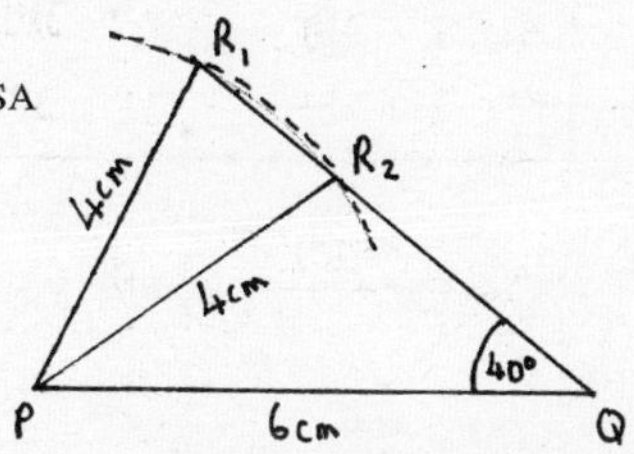

yes

SAS

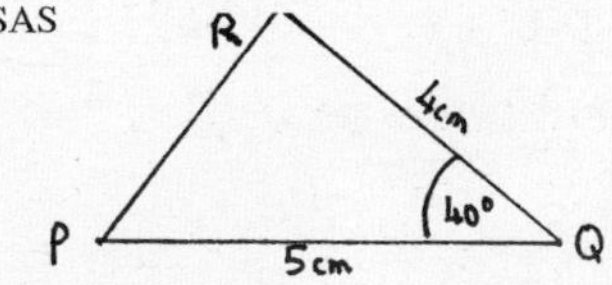

no

ASA

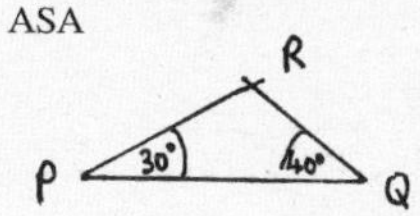

no

Investigation #2

Case 1

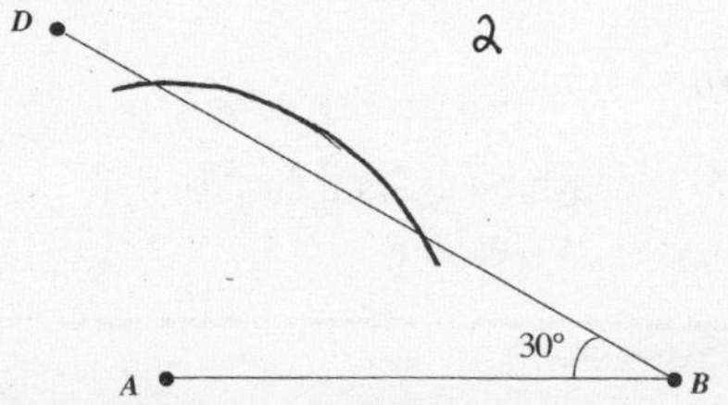

Case 2

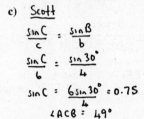

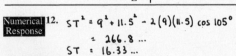

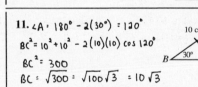

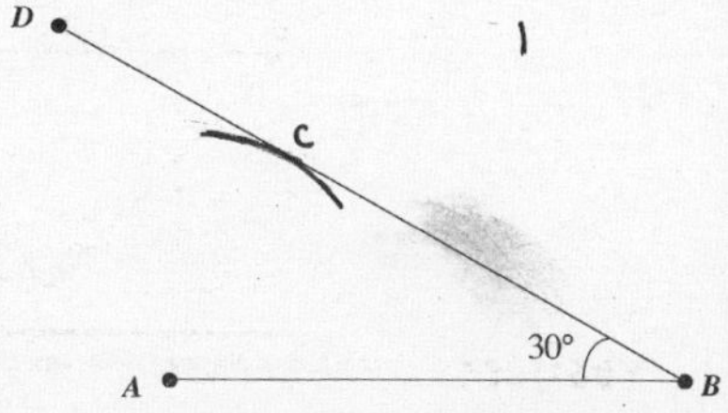

Case 3

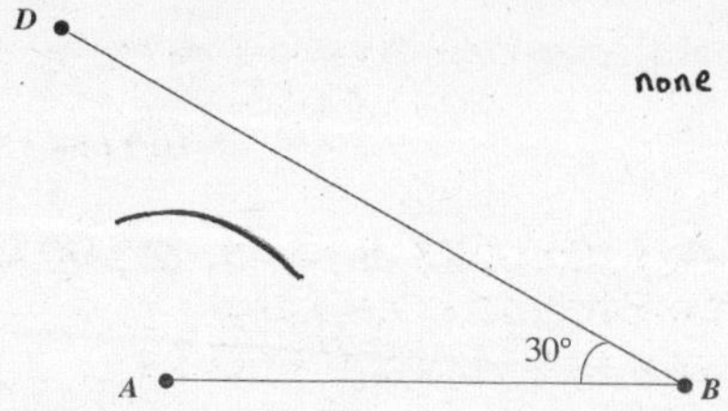

Case 1: $AC = 2.5$ cm

Step 1:

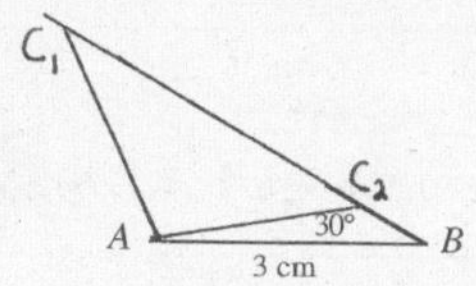

Step 2: $\frac{\sin C}{3} = \frac{\sin 30°}{2.5}$

$\sin C = \frac{3 \sin 30°}{2.5} = 0.6$

Step 3: $\angle C = 143°$

$\angle ACB = 143°$

Step 4: $180° - 30° - 37° = 113°$ or $180° - 30° - 143° = 7°$

Step 5: $\angle BAC = 7°$ or $113°$

Case 2: $AC = 4$ cm

Step 1:

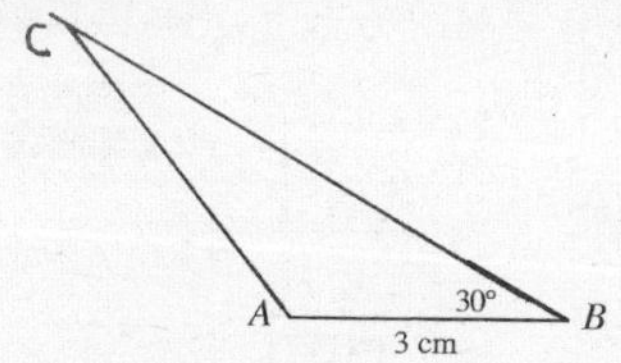

Step 2: $\frac{\sin C}{3} = \frac{\sin 30°}{4}$

$\sin C = \frac{3 \sin 30°}{4} = 0.375$

Step 3: Solve $\sin C = 0.375$

Reference angle = $22°$

$\angle C = 22°$ $\angle ACB = 22°$

Step 4: $180° - 30° - 22° = 128°$

Step 5: $\angle BAC = 128°$

Case 3: $AC = 1$ cm

Step 1:

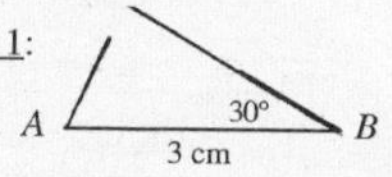

Step 2: $\frac{\sin C}{3} = \frac{\sin 30°}{1}$

$\sin C = 3 \sin 30° = 1.5$

Step 3: no solution

Step 4: no solution

Conditions for the Ambigous Case of the Sine Law

i) If the reference angle is greater than the given angle, there will be 2 solution(s).
ii) If the reference angle is less than the given angle, there will be 1 solution(s).
iii) If the reference angle does not exist, there will be 0 solution(s).

Class Ex. #1

a) side opposite given angle is greater than side opposite required angle
exactly one solution

b) side opposite given angle is less than side opposite required angle
not exactly one solution

Class Ex. #2

a) $\frac{\sin C}{c} = \frac{\sin A}{a}$ $\frac{\sin C}{9.5} = \frac{\sin 50°}{7.5}$

$\sin C = \frac{9.5 \sin 50°}{7.5} = 0.9703$

reference angle = $76°$

Since ref. angle > given angle there are 2 solutions

$\angle C = 76°$ or $180° - 76° = 104°$

$\angle C = 76°$ or $104°$

b) $\frac{\sin C}{7.5} = \frac{\sin 50°}{9.5}$

$\sin C = \frac{7.5 \sin 50°}{9.5} = 0.6047..$

reference angle = $37°$

Since ref. angle < given angle there is only 1 solution

$\angle C = 37°$

Assignment

1. The ambiguous case of the sine law occurs when the given information allows two different triangles to be constructed leading to two different solutions to the problem.

Examples are shown in the investigation on pages 200/201.

2. a) side opposite given angle is less than side opposite required angle
not exactly one solution

b) side opposite given angle is greater than side opposite required angle
exactly one solution

c) side opposite given angle is less than side opposite required angle
not exactly one solution

d) $\angle P = 48°$ $r = 4.9$ $q = 6.3$
cosine law
exactly one solution

3. a) $\frac{\sin C}{4.9} = \frac{\sin 31°}{4.5}$

$\sin C = \frac{4.9 \sin 31°}{4.5} = 0.5608$

reference angle = $34°$

Since ref. angle > given angle there are 2 solutions

$\angle C = 34°$ or $180° - 34°$

$\angle C = 34°$ or $146°$

b) $\frac{\sin C}{5.8} = \frac{\sin 61°}{7.5}$

$\sin C = \frac{5.8 \sin 61°}{7.5} = 0.6763..$

reference angle = $43°$

Since ref. angle < given angle there is only 1 solution

$\angle C = 43°$

4. $\angle M = 42°$ $m = 32$ $n = 42$. Calculate $\angle L$.

$\frac{\sin N}{n} = \frac{\sin M}{m}$

$\frac{\sin N}{42} = \frac{\sin 42°}{32}$

$\sin N = \frac{42 \sin 42°}{32} = 0.8782..$

reference angle $= 61°$

$\angle N = 61°$ or $180° - 61° = 119°$

$\angle L = 180° - 42° - 61°$ or $180° - 42° - 119°$

$\angle MLN = 77°$ or $19°$

5. a) $\frac{\sin D}{4.1} = \frac{\sin 35°}{2.1}$

$\sin D = \frac{4.1 \sin 35°}{2.1}$

$= 1.1198$

no solution

b) $\angle E = 53°$ $g = 7.2$ $e = 6.5$

Calculate $\angle F$.

$\frac{\sin G}{7.2} = \frac{\sin 53°}{6.5}$

$\sin G = \frac{7.2 \sin 53°}{6.5} = 0.8846..$

reference angle $= 62°$

$\angle G = 62°$ or $180° - 62° = 118°$

$\angle F = 180° - 53° - 62°$ or $180° - 53° - 118°$

$\angle GFE = 65°$ or $9°$

Multiple Choice 6. (D) 48.6° or 131.4°

$\angle P = 30°$ $p = 5$ $q = 7.5$

$\frac{\sin Q}{7.5} = \frac{\sin 30°}{5}$

$\sin Q = \frac{7.5 \sin 30°}{5} = 0.75$

reference angle $= 48.6°$

Since ref. angle > given angle there are 2 solutions

$\angle PQR = 48.6°$ or $180° - 48.6° = 131.4°$

Trigonometry Lesson #8: Further Applications Involving the Sine Law and the Cosine Law

Trigonometry and Circles

a) The perpendicular from the centre of a circle to a chord **bisects** the chord.

b) The measure of the central angle is equal to **twice** the measure of the inscribed angle subtended by the same arc.

Trigonometry and Circles

c) The inscribed angles subtended by the same arc are **equal**.

d) A tangent to a circle is **perpendicular** to the radius at the point of tangency.

a)

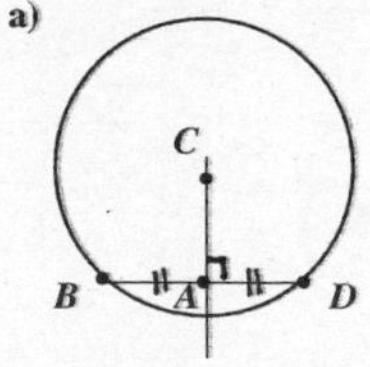

b), c)

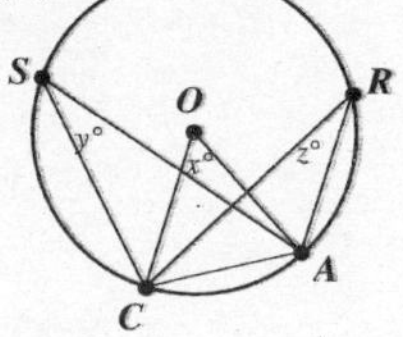

d)

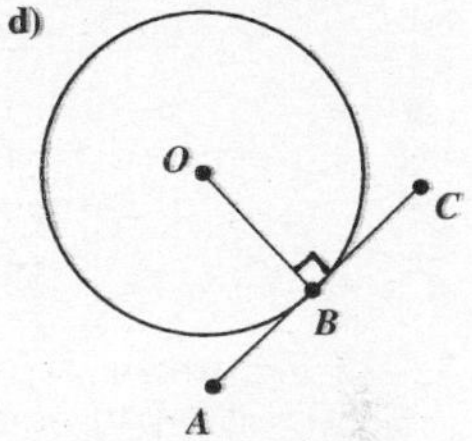

Class Ex. #1

a) angle $PQR = 90°$ (angle in a semicircle)

$PQ^2 = PR^2 - QR^2$

$= 6.5^2 - 2.5^2$

$= 36$

$PQ = \sqrt{36} = 6$ cm

b)

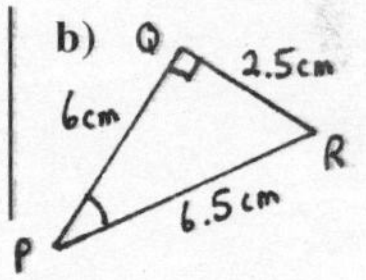

$\sin P = \frac{2.5}{6.5}$

$\angle QPR = 23°$

c) $\angle QPR = \angle QSR = 23°$

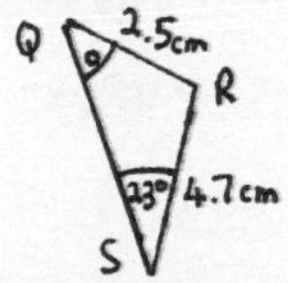

$\frac{\sin Q}{4.7} = \frac{\sin 23°}{2.5}$

$\sin Q = \frac{4.7 \sin 23°}{2.5} = 0.7345...$

$\angle SQR = 47°$

Class Ex. #2

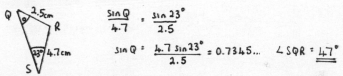

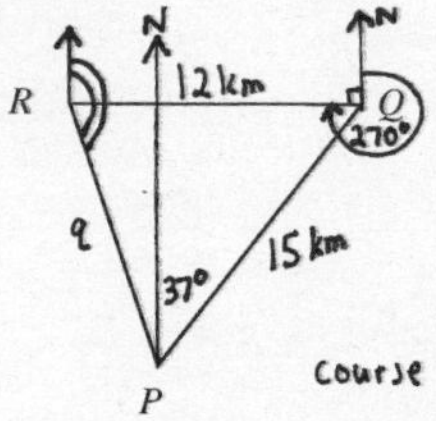

angle $RQP = 53°$.

In ΔPQR $q^2 = 12^2 + 15^2 - 2(12)(15)\cos 53°$

$q^2 = 152.34..$

$q = 12.34...$

$\frac{\sin R}{15} = \frac{\sin 53°}{12.34..}$

$\sin R = \frac{15 \sin 53°}{12.34..} = 0.9707..$

$\angle R = 76°$

course $= 90° + \angle QRP$

$= 90° + 76° = 166°$

Liner must sail 12.3 km on a course of 76°

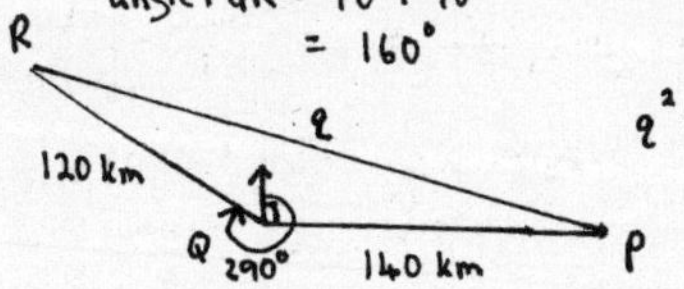

angle PQR = 70° + 90°
= 160°

A travels $700 \times \frac{12}{60} = 140$ km

B travels $600 \times \frac{12}{60} = 120$ km

$q^2 = 120^2 + 140^2 - 2(120)(140)\cos 160°$
$= 65573.67...$

$q = 256.0..$

Distance apart = **256 km**

a)

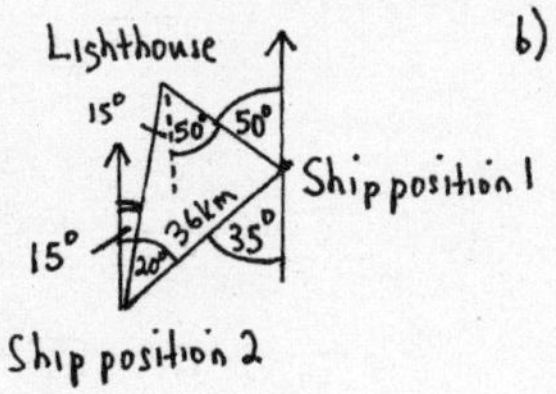

b)

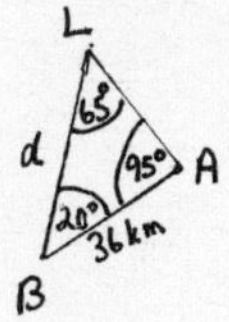

$\frac{d}{\sin 95°} = \frac{36}{\sin 65°}$

$d = \frac{36 \sin 95°}{\sin 65°}$

$d = 39.57$

Distance = **40 km**

Assignment

1. In ΔPCQ

$\cos C = \frac{10.5^2 + 10.5^2 - 13.6^2}{2(10.5)(10.5)}$
$= 0.1611..$

$\angle C = 80.72..$

$\angle PRQ = \frac{1}{2}\angle PCQ$
$= \frac{1}{2}(80.72..)$
$= 40.36..$
$= $ **40°**

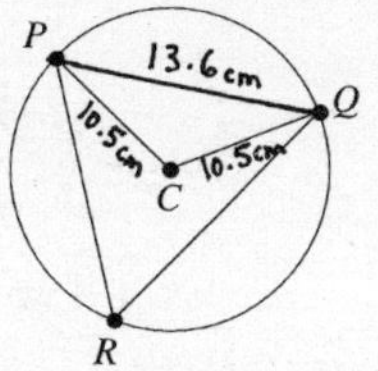

2. a) In ΔBED $BD^2 = 12^2 + 8^2 - 2(12)(8)\cos 120°$
$= 304$

$BD = \sqrt{304} = $ **17.44 cm**

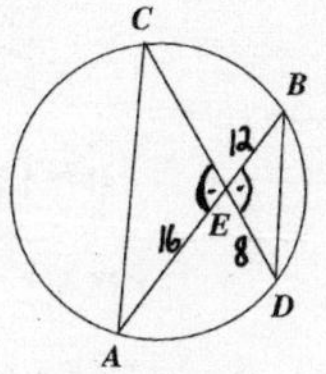

b) $\angle ACD = \angle ABD$

In ΔBED, $\frac{\sin B}{8} = \frac{\sin 120°}{17.44}$

$\sin B = \frac{8 \sin 120°}{17.44} = 0.3972..$

$\angle B = 23°$

$\angle ACD = $ **23°**

3. a) $\angle AOC = 2\angle ABC = 2(65°) = 130°$
(angle at centre = 2 angle at circumference)
$\angle DAO = \angle DCO = 90°$ (tangent ⊥ radius)
In AOCD, $\angle ADC = 360° - 130° - 90° - 90° = 50°$

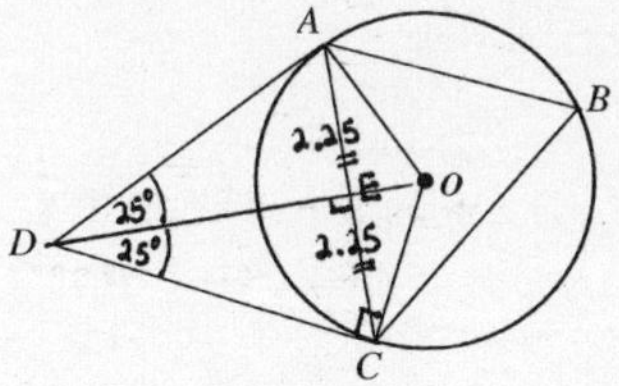

b)

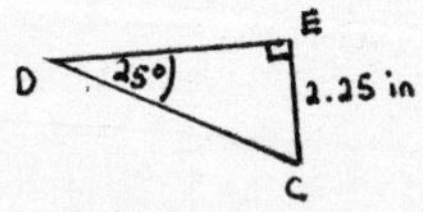

$\sin 25° = \frac{2.25}{CD}$

$CD = \frac{2.25}{\sin 25°} = 5.32... = $ **5.3 inches**

$EC = \frac{1}{2}AC = 2.25$ in

4. In ΔABE, $\cos 21° = \frac{50}{EB}$

$EB = \frac{50}{\cos 21°} = 53.5572...$

In ΔBCD, $\cos 39° = \frac{50}{BD}$

$BD = \frac{50}{\cos 39°} = 64.3379...$

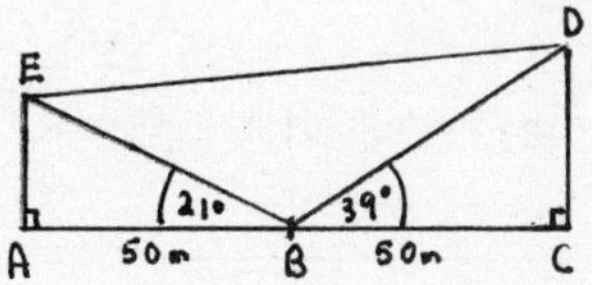

$\angle EBD = 180° - 21° - 39° = 120°$

In ΔEBD, $ED^2 = EB^2 + BD^2 - 2(EB)(BD)\cos EBD$
$= (53.5572...)^2 + (64.3379...)^2 - 2(53.5572...)(64.3379...)\cos 120°$
$= 10453.4968...$

$ED = \sqrt{10453.4968...} = 102.24...$

Distance = **102 m**

5. a) 270° iii) b) 160° i) c) 285° v) d) 90° ii) e) 200° iv)

6. a) $\angle PLQ = 360° - 314° = $ **46°**
$\angle PQL = 78°$ (alternate to given angle)
$\angle LPQ = 180° - 46° - 78° = $ **56°** (angle sum of $\Delta LPQ = 180°$)

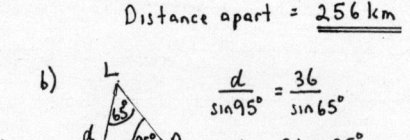

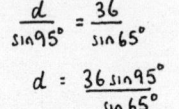

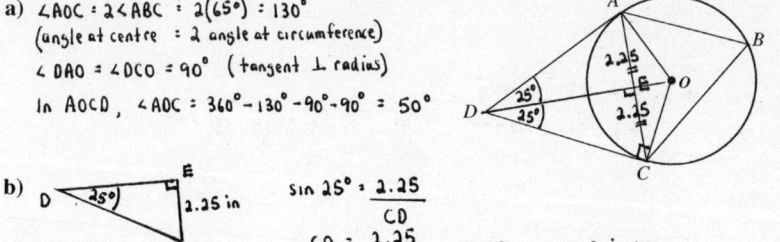

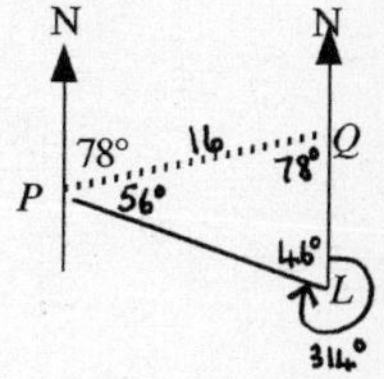

b) $PQ = 16$ km (16 km/h × 1 h)

In ΔPQL, $\frac{PL}{\sin 78°} = \frac{16}{\sin 46°}$

$PL = \frac{16 \sin 78°}{\sin 46°} = 21.75... = $ **22 km**

6. c)

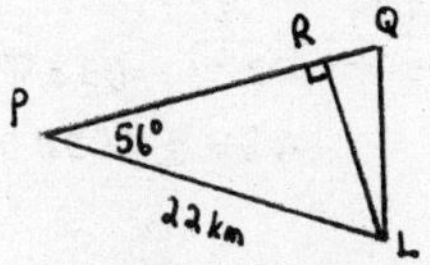

Shortest distance is perpendicular to PQ

In $\triangle PRL$, $\cos 56° = \dfrac{PR}{22}$

$PR = 22\cos 56° = 12.30$ km

time $= \dfrac{\text{distance}}{\text{speed}} = \dfrac{12.30}{16} = 0.76875$ h $= 46$ min

At <u>0846</u> the ship is nearest to the lighthouse

7. Distance ship sails $= 15(3) = 45$ km.

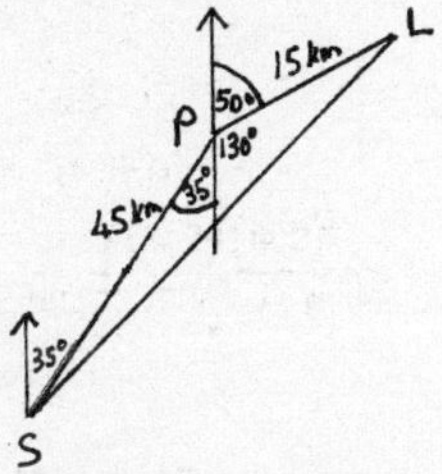

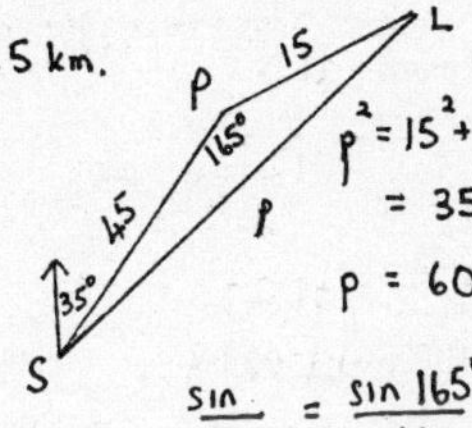

$p^2 = 15^2 + 45^2 - 2(15)(45)\cos 165°$

$= 3553.9..$

$p = 60$

$\dfrac{\sin S}{15} = \dfrac{\sin 165°}{60}$

$\sin S = \dfrac{15 \sin 165°}{60} = 0.0647..$

$\angle PSL = 3.7.. = 4°$

direction $: 35° + 4° = 39°$

<u>Lighthouse is 60 km from the ship in a direction N 39° E</u>.

Multiple Choice

8. (A.) *SOHCAHTOA*

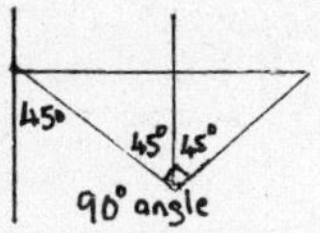

9. (B.) the Sine Law

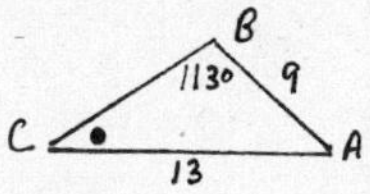

10. (D.) the problem cannot be solved without further information.

no distances given

Numerical Response

11. X travels $720 \times \frac{5}{60} = 60$ km

Y travels $600 \times \frac{5}{60} = 50$ km

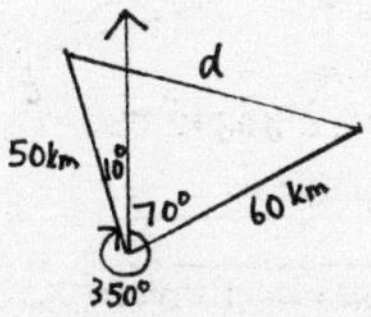

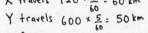

$d^2 = 50^2 + 60^2 - 2(50)(60)\cos 80°$

$= 5058.1..$

$d = \sqrt{5058.1...} = 71$ km

7	1		

12. $a^2 = b^2 + c^2 - 2bc\cos A$

$= 8^2 + 6^2 - 2(8)(6)\cos 60°$

$= 52$

$a = \sqrt{52}$

$BC = 7.2$ cm

7	.	2	

13. $\dfrac{\sin C}{c} = \dfrac{\sin B}{b}$

so $\dfrac{\sin C}{\sin B} = \dfrac{c}{b} = \dfrac{6}{8} = 0.75$

0	.	7	5

14.

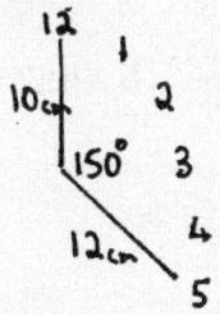

30° per hour

$5 \times 30° = 150°$

1	5	0	

15.

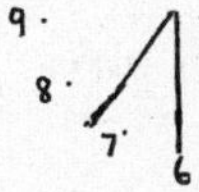

$30° + 15° = 45°$

4	5		

16.

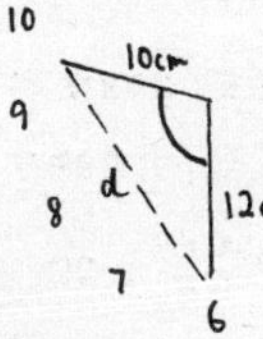

angle $= 105°$ $(3 \times 30° + 15°)$

$d^2 = 10^2 + 12^2 - 2(10)(12)\cos 105°$

$= 306.11...$

$d = 17.5$ cm

1	7	.	5

Group Work

a)

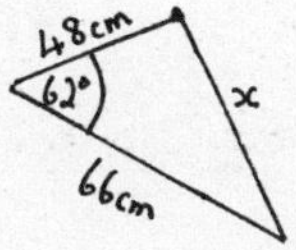

$x^2 = 48^2 + 66^2 - 2(48)(66)\cos 62°$

$= 3685.4...$

$x = 61$ cm

distance $=$ <u>61 cm</u>

b)

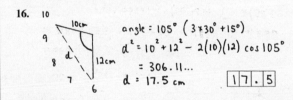

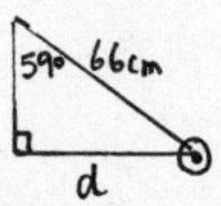

$\sin 59° = \dfrac{d}{66}$

$d = 66 \sin 59°$

$= 56.57$ cm

distance travelled by spot white $= 366$ cm $- 56.57$ cm

$=$ <u>310 cm</u> (nearest 10 cm)

Trigonometry Lesson #9: Practice Test

1. (B.) 212° and 328° ✓

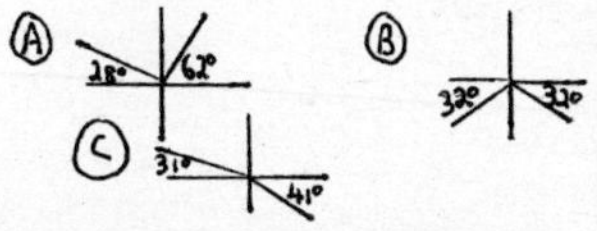

2. C. $(-x, y)$

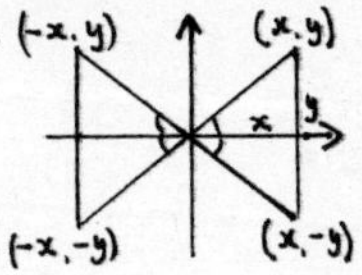

3. (A.) 4

S	A
T	C

4. (B.) −0.6

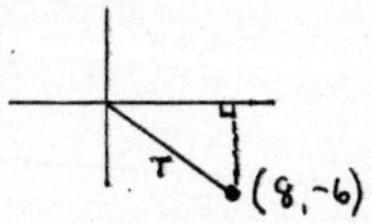

$x = 8 \quad r^2 = 8^2 + (-6)^2 = 100$

$y = -6 \quad r = 10$

$\sin\theta = \frac{y}{r} = \frac{-6}{10} = -0.6$

5. (C.) tan 156° = −tan 24°

ref. ∠ = 15 $\quad \cos 165 = -\cos 15°$

ref ∠ = 73° $\quad \sin 287° = -\sin 73°$

ref ∠ = 24° $\quad \tan 156° = -\tan 24°$

ref ∠ = 20° $\quad \sin 200° = -\sin 20°$

6. (A.) $-\frac{\sqrt{3}}{2}$

reference angle = 30°

$\cos 210° = -\cos 30° = -\frac{\sqrt{3}}{2}$

7. (D.) $-\frac{3}{4}$

$\cos A = \frac{4}{5} = \frac{x}{r}$

take $x = 4$ and $r = 5$

$x^2 + y^2 = r^2$

$4^2 + y^2 = 5^2$

$16 + y^2 = 25$

$y^2 = 9$

$y = -3$ in quadrant 4

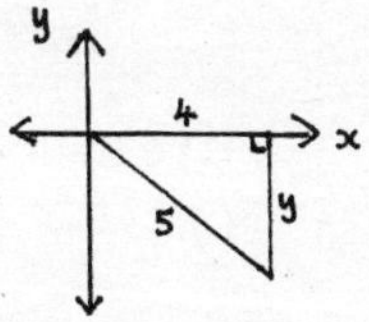

$\tan A = \frac{y}{x} = \frac{-3}{4}$

8. (D.) 315°

$\tan\theta = -1$

quadrant 2/4

largest value in quad. 4

ref. angle = 45°

$x = 360° - 45°$

$= 315°$

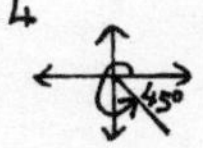

9. (C.) 165°

(150°) A

$315° - 150°$

$= 165°$

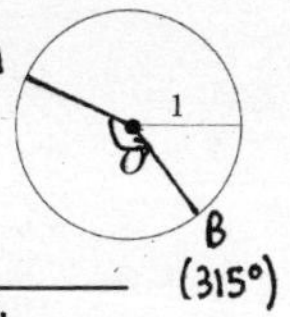

10. D. quadrant 3/4

ref. angle = 56°

∠A = 180° + 56°, 360° − 56°

∠A = 236°, 304°

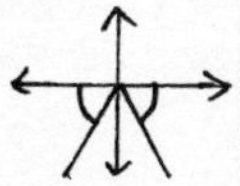

Numerical Response 1.

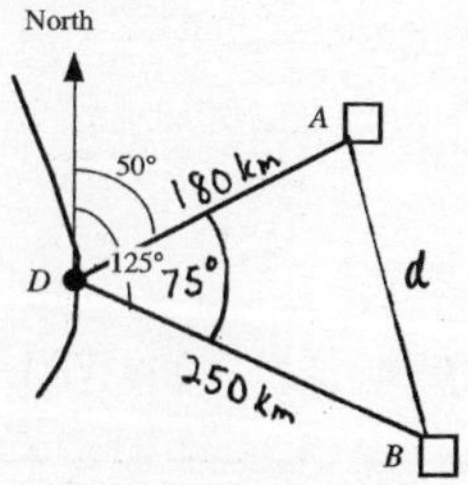

2	6	8	

$d^2 = a^2 + b^2 - 2ab\cos D$

$= (250)^2 + (180)^2 - 2(250)(180)\cos 75°$

$= 71606.28..$

$d = 267.59.. \quad = 268 \text{ km}$

11. (B.) 56

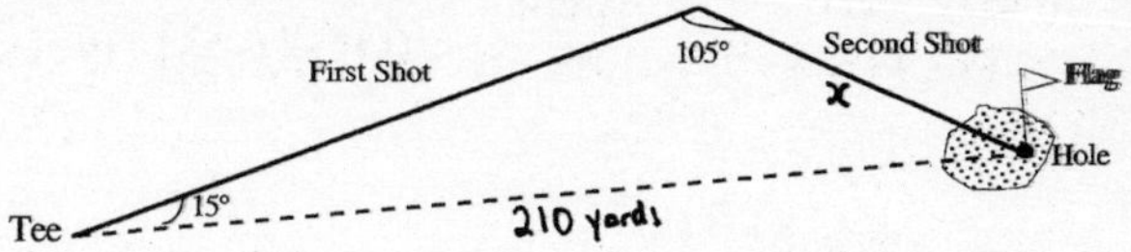

$\frac{x}{\sin 15°} = \frac{210}{\sin 105°}$

$x = \frac{210 \sin 15°}{\sin 105°} = 56.26..$

12. (D.) 5° or 119°

$\frac{\sin A}{4.2} = \frac{\sin 28°}{3.6}$

$\sin A = \frac{4.2 \sin 28°}{3.6} = 0.5477$

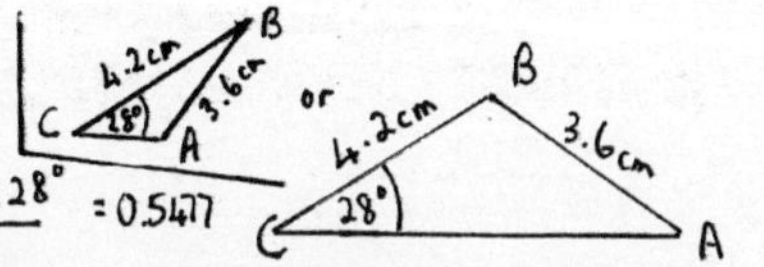

∠A = 33° or 147° $\quad$ ∠B = 180° − 28° − 33° or 180° − 28° − 147°

$= 119°$ or $5°$

13. (A.) $\frac{LM \sin 40°}{MN}$

$\frac{\sin N}{n} = \frac{\sin L}{\ell}$

$\frac{\sin LNM}{LM} = \frac{\sin 40°}{MN}$

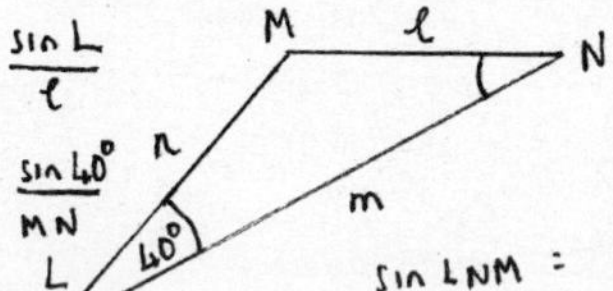

$\sin LNM = \frac{LM \sin 40°}{MN}$

Numerical Response 2.

In △PQS, ∠P = 180° − 71° − 50° = 59°

$\frac{QS}{\sin 59°} = \frac{7.3}{\sin 71°}$

$QS = \frac{7.3 \sin 59°}{\sin 71°} = 6.617..$

$= 6.6$ cm

6	.	6	

Numerical Response 3.

In △QSR, $\cos S = \frac{q^2 + r^2 - s^2}{2qr} = \frac{(4.8)^2 + (6.6)^2 - (5.2)^2}{2(4.8)(6.6)}$

$= 0.6243..$ $\quad$ ∠QSR = 51°

5	1		

14. (D.) the problem cannot be solved without further information.

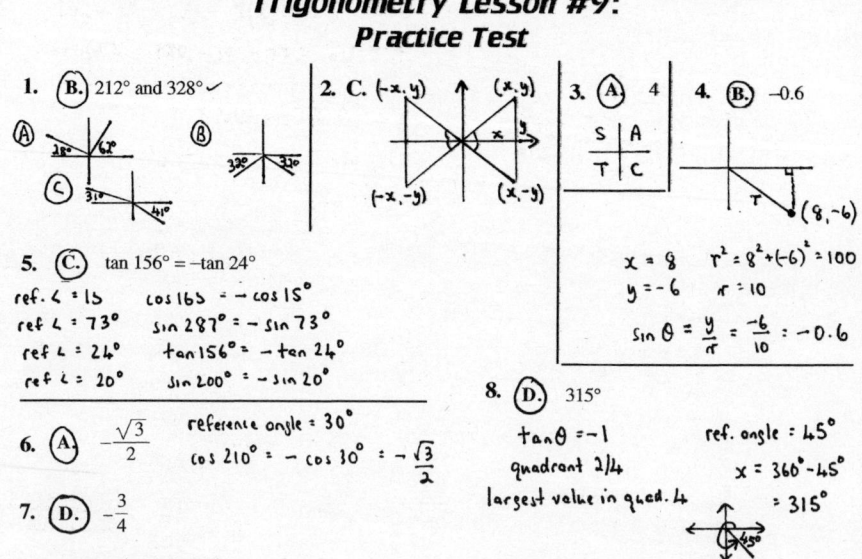

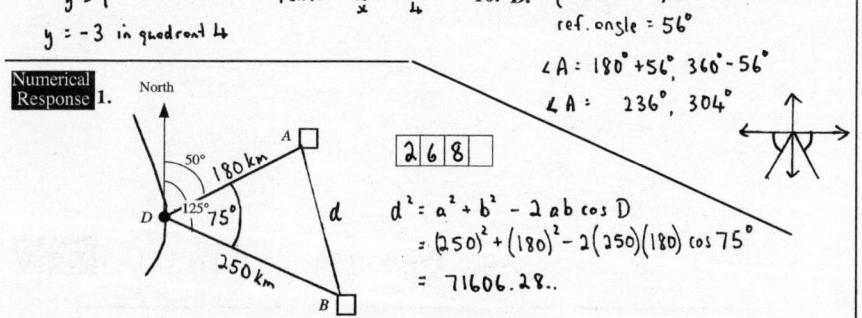

Numerical Response 4. In ΔBCD, $\angle C = 180^\circ - 61^\circ - 42^\circ = 77^\circ$

3	9		

$\frac{d}{\sin D} = \frac{c}{\sin C}$

$\frac{d}{\sin 61^\circ} = \frac{27.2}{\sin 77^\circ}$

$d = \frac{27.2 \sin 61^\circ}{\sin 77^\circ} = 24.415..$

In ΔABC $\tan 58^\circ = \frac{h}{24.415}$

$h = 24.415 \tan 58^\circ$

$= 39.07..$

15. (D.) 3.1 m

$x^2 = (1)^2 + (2)^2 - 2(1)(2)\cos 115^\circ$

$= 6.6905$

$x = \sqrt{6.6905} = 2.5866$

$2.5866 + 0.5 = 3.0866$

$= 3.1\text{ m}$

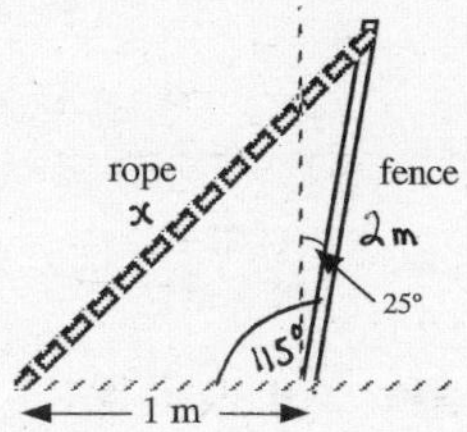

Numerical Response 5.

8	.	0

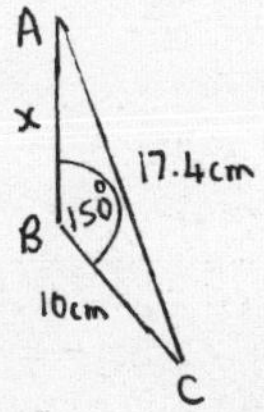

$\frac{\sin A}{10} = \frac{\sin 150^\circ}{17.4}$

$\sin A = \frac{10 \sin 150^\circ}{17.4} = 0.2873..$

$\angle A = 16.7^\circ$ $\angle C = 180^\circ - 150^\circ - 16.7^\circ = 13.3^\circ$

$\frac{x}{\sin 13.3^\circ} = \frac{17.4}{\sin 150^\circ}$ $x = \frac{17.4 \sin 13.3^\circ}{\sin 150^\circ} = 8.005..$

$= 8.0\text{ cm}$

Written Response #1 - 3 marks

$\frac{\sin R}{8} = \frac{\sin 35^\circ}{12}$ $\sin R = \frac{8 \sin 35^\circ}{12} = 0.3823..$

$\angle CRP = 22.5^\circ$

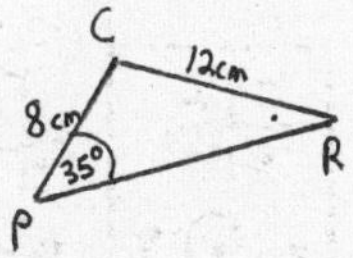

$\angle PCR = 180^\circ - 35^\circ - 22.5^\circ = 122.5^\circ$

$PR^2 = 8^2 + 12^2 - 2(8)(12)\cos 122.5^\circ$

$= 311.16..$

$PR = 17.6\text{ cm}$

Written Response #1 - 3 marks

$CP = CQ = 8\text{ cm}$ (radii)

ΔCPQ is isosceles

$\angle CQP = \angle CPQ = 35^\circ$

$\angle PCQ = 180^\circ - 35^\circ - 35^\circ = 110^\circ$

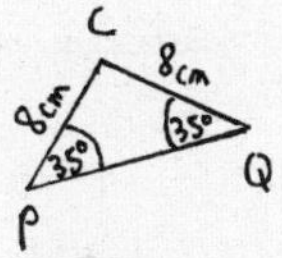

$\frac{PQ}{\sin 110^\circ} = \frac{8}{\sin 35^\circ}$ $PQ = \frac{8 \sin 110^\circ}{\sin 35^\circ} = 13.1\text{ cm}$

Written Response #2 - 2 marks

$\cos C = \frac{a^2 + b^2 - c^2}{2ab} = \frac{(4.3)^2 + (6.5)^2 - (8.0)^2}{2(4.3)(6.5)} = -0.0583..$

$\angle C = 93.34..^\circ$

area $= \frac{1}{2} ab \sin C = \frac{1}{2}(4.3)(6.5)\sin 93.34..^\circ$

$= 13.951...\text{ m}^2$

area of 100 triangles $= 100(13.951..) = 1395.1..\text{ m}^2$

litres of paint $= \frac{1395.1..}{10} = 139.51.. = 140$ litres

Factoring and Applications Lesson #1:
Review of Factoring

a) $= 5x^2(3x - 1)$ b) $= 4(2p^3 - p^2 - 1)$ c) $= 3(y+2)(y-3)$

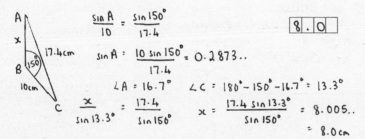

a) $= (x-9)(x+9)$ b) $= (5a-7)(5a+7)$ c) not possible d) $= 16(t^2 - 4)$ $= 16(t-2)(t+2)$

Class Ex. #3

a) $= (a+5)(a+6)$ b) $= (b-6)(b+5)$ c) not possible d) $= 3x(x^2-7x+12)$ $= 3x(x-3)(x-4)$

Class Ex. #4

a) $= x(x-5) + 2(x-5)$ $= (x-5)(x+2)$

b) $= 3y(2y+3) + 1(2y+3)$ $= (2y+3)(3y+1)$

Class Ex. #5

a) $= 9(4-x^2)$ $= 9(2-x)(2+x)$

b) $= -(x^2-3x-28) = -(x-7)(x+4)$ or $(7-x)(4+x)$

Assignment

1. a) $(x+2)(x+3)$ b) $(x+5)(x+1)$ c) not possible d) $(x+9)(x+1)$

2. a) $(x-1)(x+1)$ b) $(x+5)(x-3)$ c) $4(4x^2+1)$ d) $= 4(4x^2-1) = 4(2x-1)(2x+1)$
   e) $4x(4x-1)$ g) $= a^2(a+1) + 1(a+1)$ h) $= (p-14)(p+4)$ i) $= a^2(4a-1) - 1(4a-1)$
   f) $= (b-5)(b-2)$ $= (a+1)(a^2+1)$ $= (4a-1)(a^2-1)$ $= (4a-1)(a-1)(a+1)$

3. a) $(10-a)(10+a)$ b) $= -(x^2-10x-24)$ $= -(x-12)(x+2)$ or $(12-x)(2+x)$ c) $= (c+19)(c+2)$
   d) $x(9-4x)$ e) not possible f) $= 5(f^2-9f-10)$ $= 5(f-10)(f+1)$ g) $2(y^2+4y+2)$
   h) $= 3(6-5x) - x(6-5x)$ $= (6-5x)(3-x)$
   i) $= -4(x^2+x-12)$ $= -4(x+4)(x-3)$ or $4(4+x)(3-x)$

4. a) $= x^2(x-6) - 4(x-6)$ $= (x-6)(x^2-4)$ $= (x-6)(x-2)(x+2)$
   b) $= -(t^2+t-6)$ $= -(t+3)(t-2)$ or $(3+t)(2-t)$
   c) $= (2-5t)(2+5t)$
   d) $x^2+9x-20$ not possible
   e) $= x^2-81$ $= (x-9)(x+9)$
   f) $= x^2-5x+4$ $= (x-4)(x-1)$

5. $= (x-8)(x+4)$ A = 8 E = 4
   $= 2(25x^2-1) = 2(5x-1)(5x+1)$ D = 2 L = 5
   $x^2+13x-48 = (x-3)(x+16)$ P = 3 i = 16

(8)	(3)	(3)	(5)	(4)	(16)	(3)	(8)	(2)
A	P	P	L	E	i	P	A	D

Multiple Choice

6. (A.) $x-7$
   $x^2-12x+35 = (x-5)(x-7)$
   $x^2-2x-35 = (x+5)(x-7)$

7. (B.) $a+2$
   $= -a(a^2-a-6)$
   $= -a(a-3)(a+2)$

8. (D.) $x-1$
   $= -3(x^2+2x-3)$
   $= -3(x+3)(x-1)$

9. A. 7 $x^2-8x+7 = (x-1)(x-7)$
   B. 0 $x^2-8x = x(x-8)$
   C. −7 x^2-8x-7 not possible
   D. −9 $x^2-8x-9 = (x-9)(x+1)$

10. (C) $6(x^2-2x-3)$ $= 6(x-3)(x+1)$

11. (1) x^2+4 ✗ no factors (2) $x^2+22x+40$ ✓ $(x+2)(x+20)$ (3) $4x^3-4x^2-24x$ ✓ $4x(x^2-x-6)$ $= 4x(x-3)(x+2)$ (4) $x^2-2x+x+2$ ✗ x^2-x+2 no factors (D)

Numerical Response

12. $x^2+6x+5 = (x+1)(x+5)$
    $x^2+6x+8 = (x+2)(x+4)$
    $x^2+6x+9 = (x+3)(x+3)$
    $5+8+9 = 22$

2	2		

Factoring and Applications Lesson #2:
Factoring Trinomials of the Form $ax^2 + bx + c$

Warm-Up

a) $(2x+1)(3x+4) = 6x^2+11x+4$ so $6x^2+11x+4$ factors to $(2x+1)(3x+4)$

b) $(3x-2)(4x+3) = 12x^2+x-6$ so $12x^2+x-6$ factors to $(3x-2)(4x+3)$

Class Ex. #1

a) $2x^2+7x+6$

b) length $= 2x+3$
   width $= x+2$

c) $2x^2+7x+6 = (2x+3)(x+2)$

Class Ex. #2

$5x^2+7x+2$
$=(5x+2)(x+1)$

Factoring ax^2+bx+c using the Method of Decomposition

1. $8+3=11$ $\quad 8\times3=24=6\times4$
$8+3=b$ $\quad 8\times3=ac$

2. $9+(-8)=1$ $\quad 9\times(-8)=-72=12\times(-6)$
$9+(-8)=b$ $\quad 9\times(-8)=ac$

Class Ex. #3

a) $2x^2+4x+3x+6$
$=2x(x+2)+3(x+2)$
$=(x+2)(2x+3)$

×	+
12	7

(4, 3)

b) $=5x^2+5x+2x+2$
$=5x(x+1)+2(x+1)$
$=(x+1)(5x+2)$

×	+
10	7

(5, 2)

Class Ex. #4

a) $=6x^2-x+18x-3$
$=x(6x-1)+3(6x-1)$
$=(6x-1)(x+3)$

×	+
−18	17

(−1, 18)

b) $=3n^2-6n+4n-8$
$=3n(n-2)+4(n-2)$
$=(n-2)(3n+4)$

×	+
−24	−2

(−6, 4)

Class Ex. #5

a) $=15-10y+3y-2y^2$
$=5(3-2y)+y(3-2y)$
$=(3-2y)(5+y)$
or $-(2y-3)(y+5)$

×	+
−30	−7

(−10, 3)

c) $=12x^2-6x-2x+1$
$=6x(2x-1)-1(2x-1)$
$=(2x-1)(6x-1)$

×	+
12	−8

(−6, −2)

b) $=5(3k^2+k-2)$
$=5[3k^2-2k+3k-2]$
$=5[k(3k-2)+1(3k-2)]$
$=5(3k-2)(k+1)$

×	+
−6	1

(−2, 3)

Class Ex. #6

a)
$=2n^2-10nm+7nm-35m^2$
$=2n(n-5m)+7m(n-5m)$
$=(n-5m)(2n+7m)$

×	+
−70	−3

(−10, 7)

b)
$=2x^2-4xy-xy+2y^2$
$=2x(x-2y)-y(x-2y)$
$=(x-2y)(2x-y)$

×	+
4	−5

(−4, −1)

Perfect Square Trinomials $\quad (p+q)^2 = p^2+2pq+q^2 \quad (p-q)^2 = p^2-2pq+q^2$

- The first term in the trinomial is the square of the first term in the binomial.
- The last term in the trinomial is the square of the last term in the binomial.
- The middle term in the trinomial is twice the product of the first and last terms in the binomial.

Class Ex. #7

a) yes $(a+2)^2$ b) no
c) yes $(2x-9)^2$ d) no

Class Ex. #8

a) $(x+10)^2$ b) $(x-10)^2$
c) $(5x+6)^2$ d) $(3m+4)^2$

Class Ex. #9

a) $(7x-1)^2$ b) $(4+5x)^2$ c) $(\frac{1}{3}a-3b)^2$

Assignment

1. a) $3x^2+7x+2$

b)
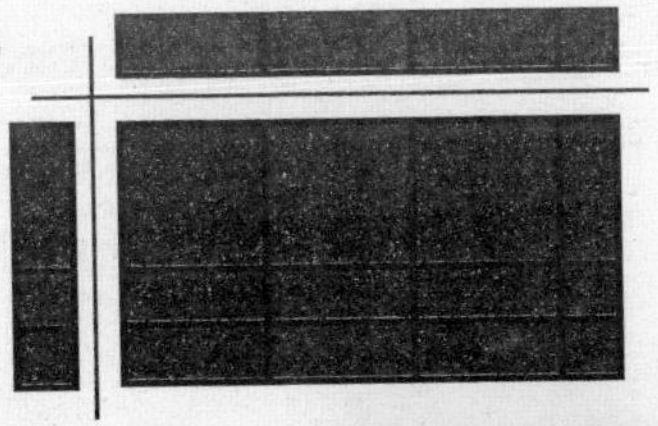

length : $3x+1$
width : $x+2$

c) $3x^2+7x+2$
$=(3x+1)(x+2)$

2. a) $(2x+3)(x+1)$

b)

$(2x+1)(x+3)$

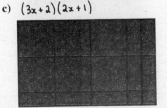

c) $(3x+2)(2x+1)$

d) $(4x+1)(x+3)$

3. a) $= 10x^2 + 2x + 15x + 3$
$= 2x(5x+1) + 3(5x+1)$
$= (5x+1)(2x+3)$
(× 30, + 17; (2, 15))

b) $= 9x^2 + 3x + 3x + 1$
$= 3x(3x+1) + 1(3x+1)$
$= (3x+1)(3x+1)$ or $(3x+1)^2$
(× 9, + 6; (3, 3))

c) $= 3x^2 + 5x + 9x + 15$
$= x(3x+5) + 3(3x+5)$
$= (3x+5)(x+3)$
(× 45, + 14; (5, 9))

d) $= 3a^2 - 24a + a - 8$
$= 3a(a-8) + 1(a-8)$
$= (a-8)(3a+1)$
(× −24, + −23; (−24, 1))

e) $= 3a^2 - 2a + 3a - 2$
$= a(3a-2) + 1(3a-2)$
$= (3a-2)(a+1)$
(× −6, + 1; (−2, 3))

f) $= 2p^2 - p - 18p + 9$
$= p(2p-1) - 9(2p-1)$
$= (2p-1)(p-9)$
(× 18, + −19; (−1, −18))

4. a) $= 3x^2 - 3x + x - 1$
$= 3x(x-1) + 1(x-1)$
$= (x-1)(3x+1)$
(× −3, + −2; (−3, 1))

b) $= 8y^2 + 6y - 4y - 3$
$= 2y(4y+3) - 1(4y+3)$
$= (4y+3)(2y-1)$
(× −24, + 2; (6, −4))

c) $= 9t^2 - 12t - 12t + 16$
$= 3t(3t-4) - 4(3t-4)$
$= (3t-4)(3t-4) = (3t-4)^2$
(× 144, + −24; (−12, −12))

d) $= 12m^2 - 15m + 4m - 5$
$= 3m(4m-5) + 1(4m-5)$
$= (4m-5)(3m+1)$
(× −60, + −11; (−15, 4))

e) $= 12p^2 - 3p + 16p - 4$
$= 3p(4p-1) + 4(4p-1)$
$= (4p-1)(3p+4)$
(× −48, + 13; (−3, 16))

f) $= 9x^2 - 10x + 9x - 10$
$= x(9x-10) + 1(9x-10)$
$= (9x-10)(x+1)$
(× −90, + −1; (−10, 9))

5. a) $12a^2 - 5a - 2$
$= 12a^2 - 8a + 3a - 2$
$= 4a(3a-2) + 1(3a-2) = (3a-2)(4a+1)$
(× −24, + −5; (−8, 3))

b) new length $= 4a+1+2(1) = 4a+3$
new width $= 3a-2+2(1) = 3a$
new area $= 3a(4a+3) = 12a^2+9a$
area of path $= 12a^2+9a-(12a^2-5a-2)$
$= 12a^2+9a-12a^2+5a+2 = 14a+2\ m^2$

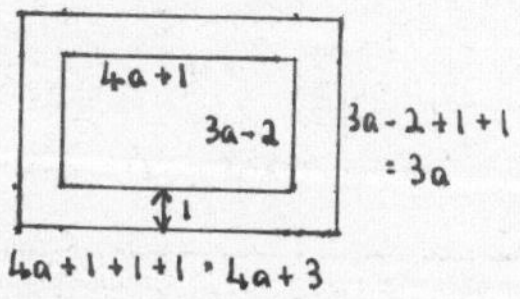

5. c) Volume = area of path × depth
$= (14a+2)(0.1)$
$= 1.4a + 0.2$

when $a = 6$
Volume $= 1.4(6) + 0.2$
$= 8.6\ m^3$

6. a) $= 12 + 2x + 6x + x^2$
$= 2(6+x) + x(6+x)$
$= (6+x)(2+x)$
(× 12, + 8; (2, 6))

b) $= 6 + 8x - 15x - 20x^2$
$= 2(3+4x) - 5x(3+4x)$
$= (3+4x)(2-5x)$
(× −120, + 7; (8, −15))

c) $= 3 - 5a + 6a - 10a^2$
$= 1(3-5a) + 2a(3-5a)$
$= (3-5a)(1+2a)$
(× −30, + 1; (−5, 6))

d) $= 5(2a^2+5a-3)$
$= 5(2a^2-a+6a-3)$
$= 5(a(2a-1)+3(2a-1))$
$= 5(2a-1)(a+3)$
(× −6, + 5; (−1, 6))

e) $= 6(2z^2+11z+5)$
$= 6(2z^2+z+10z+5)$
$= 6(z(2z+1)+5(2z+1))$
$= 6(2z+1)(z+5)$
(× 10, + 11; (1, 10))

f) $= x(4x^2-7x-2)$
$= x(4x^2+x-8x-2)$
$= x(x(4x+1)-2(4x+1))$
$= x(4x+1)(x-2)$
(× −8, + −7; (1, −8))

7. a) $= 8x^2 + 20xy + 2xy + 5y^2$
$= 4x(2x+5y) + y(2x+5y)$
$= (2x+5y)(4x+y)$
(× 40, + 22; (20, 2))

b) $= 6x^2 - 3xy + 14xy - 7y^2$
$= 3x(2x-y) + 7y(2x-y)$
$= (2x-y)(3x+7y)$
(× −42, + 11; (−3, 14))

c) $= 4a^2 - 12ab + 3ab - 9b^2$
$= 4a(a-3b) + 3b(a-3b)$
$= (a-3b)(4a+3b)$
(× −36, + −9; (−12, 3))

d) $= 2m^2 - 18mn - 1mn + 9n^2$
$= 2m(m-9n) - n(m-9n)$
$= (m-9n)(2m-n)$
(× 18, + −19; (−18, −1))

e) $= 9x^2 - 9xy + 10xy - 10y^2$
$= 9x(x-y) + 10y(x-y)$
$= (x-y)(9x+10y)$
(× −90, + 1; (−9, 10))

f) $= 8x^2 - 8xy + 15xy - 15y^2$
$= 8x(x-y) + 15y(x-y)$
$= (x-y)(8x+15y)$
(× −120, + 7; (−8, 15))

8. $4x^2+23x+15=(Dx+W)(x+R)$

$4x^2+20x+3x+15$ D = 4
$=4x(x+5)+3(x+5)$ W = 3
$=(4x+3)(x+5)$ R = 5

$12x^2-52xy-9y^2=(Ex-Ty)(Ox+y)$

$12x^2-54xy+2xy-9y^2$ E = 2
$=6x(2x-9y)+y(2x-9y)$ T = 9
$=(2x-9y)(6x+y)$ O = 6

$16x^2+40xy-56y^2=I(x-Gy)(Ex+Sy)$

$=8(2x^2+5xy-7y^2)$ I = 8
$=8(2x^2-2xy+7xy-7y^2)$ G = 1
$=8[2x(x-y)+7y(x-y)] = 8(x-y)(2x+7y)$ E = 2, S = 7

(9) (8) (1) (2) (5) (3) (6) (6) (4) (7)
T I G E R W O O D S

9. a) yes $(a+6)^2$ b) no c) yes $(2x-1)^2$ d) yes $(4y+4)^2$ e) no

f) yes $(5x-9)^2$ g) yes $(1-8x)^2$ h) no

10. a) $x^2+\underline{14x}+49$ $2(x)(7)$ b) $x^2-\underline{24x}+144$ $2(x)(12)$ c) $9x^2+\underline{36x}+36$ $2(3x)(6)$ d) $4m^2+24m+\underline{36}$ $2(2m)(?)=24m$? = 6

e) $\frac{1}{4}a^2+\underline{a}+1$ $2(\frac{1}{2}a)(1)$ f) $225x^2-\underline{120x}+16$ $2(15x)(4)$ g) $100x^2+\underline{20xy}+y^2$ $2(10x)(y)$ h) $\underline{25}-30y+9y^2$ $(2)(?)(3y)=30y$? = 5

11. a) $(4x-1)^2$ b) $(6+5x)^2$ c) $(2a-3b)^2$ d) $(2x-11)^2$ e) $5(x^2+2x+1) = 5(x+1)^2$

f) $(\frac{2}{3}x+\frac{1}{6})^2$

Multiple Choice **12.** $2(10x^2+3x-4)$
$2[10x^2-5x+8x-4]$
$=2[5x(2x-1)+4(2x-1)]$
$=2(2x-1)(5x+4)$

×	+
−40	3

(−5, 8)

13. (C.) $4x^2-12x+36$

$(x-7)^2$ $(12+x)^2$
✗ $(3x^2+5)^2$

needs to be $4x^2-24x+36$

Numerical Response **14.** $(\frac{1}{4}x+\frac{2}{3})^2$ $\frac{1}{4}\cdot\frac{2}{3}=\frac{1}{6}=0.166.. \doteq 0.17$ [0.17]

15. [0.11]

$3x^2-14x+8$
$=3x^2-12x-2x+8$
$=3x(x-4)-2(x-4) = (x-4)(3x-2)$

×	+
24	−14

(−12, −2)

$(x+a)(bx+c)$
$(x-4)(3x-2)$
a = −4, b = 3, c = −2
$b^c = 3^{-2}=\frac{1}{3^2}=\frac{1}{9}=0.11...$

16. $24x^2+41x-35$
$=24x^2-15x+56x-35$
$=3x(8x-5)+7(8x-5)$

×	+
−840	41

(−15, 56)

$=(8x-5)(3x+7)$ [8537]
$(ax-b)(cx+d)$
a = 8 b = 5 c = 3 d = 7

Factoring and Applications Lesson #3:
Factoring Trinomials of the Form $a(f(x))^2 + b(f(x)) + c$

Class Ex. #1

a) Let $A=a^2$
$A^2-5A-14$
$=(A-7)(A+2)$
$=(a^2-7)(a^2+2)$

b) Let $A=x^2$
A^2+4A-5
$=(A-1)(A+5)$
$=(x^2-1)(x^2+5)$
$=(x-1)(x+1)(x^2+5)$

c) Let $A=x^3$
$A^2-9A+14$
$=(A-2)(A-7)$
$=(x^3-2)(x^3-7)$

Factoring Trinomials of the form $a(f(x))^2 + b(f(x)) + c$ where $f(x)$ is a Monomial

Method 1
$=4A^2-12A+A-3$
$=4A(A-3)+1(A-3)$
$=(A-3)(4A+1)$
$=(y^2-3)(4y^2+1)$

Method 2
$=4y^2(y^2-3)+1(y^2-3)$
$=(y^2-3)(4y^2+1)$

Class Ex. #2

a) $=4x^4-8x^2+3x^2-6$
$=4x^2(x^2-2)+3(x^2-2)$
$=(x^2-2)(4x^2+3)$

b) $=2a^2b^2-22ab-9ab+99$
$=2ab(ab-11)-9(ab-11)$
$=(ab-11)(2ab-9)$

Class Ex. #3

$= 8x^4 - 2x^2 + 12x^2 - 3$

$= 2x^2(4x^2-1) + 3(4x^2-1)$

$= (4x^2-1)(2x^2+3) = (2x-1)(2x+1)(2x^2+3)$

Class Ex. #4

a) $= 6\sin^2 x - 3\sin x - 4\sin x + 2$

$= 3\sin x(2\sin x - 1) - 2(2\sin x - 1)$

$= (2\sin x - 1)(3\sin x - 2)$

b) $= 4\cos^2 x - 1\cos x + 12\cos x - 3$

$= \cos x(4\cos x - 1) + 3(4\cos x - 1)$

$= (4\cos x - 1)(\cos x + 3)$

Class Ex. #5

a) Let $A = x-3$

$7A^2 - 4A - 3$

$= 7A^2 - 7A + 3A - 3$

$= 7A(A-1) + 3(A-1)$

$= (A-1)(7A+3)$

$= ((x-3)-1)(7(x-3)+3)$

$= (x-4)(7x-21+3)$

$= (x-4)(7x-18)$

b) Let $A = a+4$

$9A^2 + A - 10$

$= 9A^2 - 9A + 10A - 10$

$= 9A(A-1) + 10(A-1)$

$= (A-1)(9A+10)$

$= (a+4-1)(9(a+4)+10)$

$= (a+3)(9a+36+10)$

$= (a+3)(9a+46)$

Assignment

1. a) Let $A = x^2$

$A^2 + 9A + 20$

$= (A+4)(A+5)$

$= (x^2+4)(x^2+5)$

b) Let $A = x^2$

$A^2 - 9A + 20$

$= (A-4)(A-5)$

$= (x^2-4)(x^2-5)$

$= (x-2)(x+2)(x^2-5)$

c) Let $A = a^2$

$A^2 - 17A + 16$

$= (A-16)(A-1)$

$= (a^2-16)(a^2-1)$

$= (a-4)(a+4)(a-1)(a+1)$

d) Let $A = t^3$

$A^2 - 4A - 21$

$= (A-7)(A+3)$

$= (t^3-7)(t^3+3)$

e) Let $A = x^2$

$3A^2 + 9A - 30$

$= 3(A^2+3A-10)$

$= 3(A+5)(A-2)$

$= 3(x^2+5)(x^2-2)$

f) $2x(x^4 - 8x^2 + 16)$

Let $A = x^2$

$2x(A^2 - 8A + 16)$

$2x(A-4)^2$

$= 2x(x^2-4)^2$

$= 2x(x-2)^2(x+2)^2$

2. a) $= 6x^4 + 5x^2 + 6x^2 + 5$

$= x^2(6x^2+5) + 1(6x^2+5)$

$= (6x^2+5)(x^2+1)$

b) $= 2a^4 - 4a^2 - a^2 + 2$

$= 2a^2(a^2-2) - 1(a^2-2)$

$= (a^2-2)(2a^2-1)$

2. c) $= 5p^6 - 10p^3 + 2p^3 - 4$

$= 5p^3(p^3-2) + 2(p^3-2)$

$= (p^3-2)(5p^3+2)$

d) $= 16x^4 - 4x^2 + 12x^2 - 3$

$= 4x^2(4x^2-1) + 3(4x^2-1)$

$= (4x^2-1)(4x^2+3)$

$= (2x-1)(2x+1)(4x^2+3)$

e) $4 - 12t^2 + 3t^2 - 9t^4$

$= 4(1-3t^2) + 3t^2(1-3t^2)$

$= (1-3t^2)(4+3t^2)$

f) $= 2x(2x^4 - 25x^2 + 63)$

$= 2x(2x^4 - 18x^2 - 7x^2 + 63)$

$= 2x[2x^2(x^2-9) - 7(x^2-9)]$

$= 2x(x^2-9)(2x^2-7)$

$= 2x(x-3)(x+3)(2x^2-7)$

g) $= 4x^2y^2 - 8xy + 7xy - 14$

$= 4xy(xy-2) + 7(xy-2)$

$= (xy-2)(4xy+7)$

h) $= 4\pi^2r^2 - 12\pi r + 3\pi r - 9$

$= 4\pi r(\pi r - 3) + 3(\pi r - 3)$

$= (\pi r - 3)(4\pi r + 3)$

3. a) $= 6\sin^2 x - 3\sin x + 4\sin x - 2$

$= 3\sin x(2\sin x - 1) + 2(2\sin x - 1)$

$= (2\sin x - 1)(3\sin x + 2)$

b) $= 4\cos^2 x - 4\cos x - 3\cos x + 3$

$= 4\cos x(\cos x - 1) - 3(\cos x - 1)$

$= (\cos x - 1)(4\cos x - 3)$

4. $= 16a^8 - 64a^4 - a^4 + 4$

$= 16a^4(a^4-4) - 1(a^4-4)$

$= (a^4-4)(16a^4-1)$

$= (a^2-2)(a^2+2)(4a^2-1)(4a^2+1)$

$= (a^2-2)(a^2+2)(2a-1)(2a+1)(4a^2+1)$

5. a) Let $A = 3x+1$

$4A^2 - 5A + 1$

$= 4A^2 - 4A - A + 1$

$= 4A(A-1) - 1(A-1)$

$= (A-1)(4A-1)$

$= ((3x+1)-1)(4(3x+1)-1)$

$= 3x(12x+4-1)$

$= 3x(12x+3)$

$= 3x(3)(4x+1)$

$= 9x(4x+1)$

b) Let $A = x-4$

$6A^2 - A - 2$

$= 6A^2 - 4A + 3A - 2$

$= 2A(3A-2) + 1(3A-2)$

$= (3A-2)(2A+1)$

$= (3(x-4)-2)(2(x-4)+1)$

$= (3x-12-2)(2x-8+1)$

$= (3x-14)(2x-7)$

c) Let $A = a-b$

$4A^2 - 40A + 100$

$= 4(A^2 - 10A + 25)$

$= 4(A-5)^2$

$= 4(a-b-5)^2$

5. d) Let $A = 2-3x$

$5A^2 - 28A + 15$
$= 5A^2 - 25A - 3A + 15$
$= 5A(A-5) - 3(A-5)$
$= (A-5)(5A-3)$
$= ((2-3x)-5)(5(2-3x)-3)$
$= (-3-3x)(10-15x-3)$
$= -3(1+x)(7-15x)$
or $3(x+1)(15x-7)$

6. Let $A = 3a-4$ and $B = a+2$

$2A^2 - AB - 6B^2$
$= 2A^2 - 4AB + 3AB - 6B^2$
$= 2A(A-2B) + 3B(A-2B)$
$= (A-2B)(2A+3B)$
$= ((3a-4)-2(a+2))(2(3a-4)+3(a+2))$
$= (3a-4-2a-4)(6a-8+3a+6)$
$= (a-8)(9a-2)$

Multiple Choice

7. (C.) $4x^2 - 12x + 36$

$(x-7)^2$
$(12+x)^2$
needs to be $4x^2 - 24x + 36$
$(9x^2+5)^2$

8. (D.) $(k+1)(k-1)(k+4)(k-4)$

$k^4 - 17k^2 + 16$
Let $A = k^2$
$A^2 - 17A + 16$
$= (A-1)(A-16)$
$= (k^2-1)(k^2-16)$
$= (k-1)(k+1)(k-4)(k+4)$

9. (A.) $x+1$

Let $A = x^2$
$A^2 - 16A + 15$
$= (A-1)(A-15)$
$= (x^2-1)(x^2-15)$
$= (x-1)(x+1)(x^2-15)$

Numerical Response

10. $\left(\frac{1}{2}(x-2)+3\right)^2$
$= \left(\frac{1}{2}x - 1 + 3\right)^2$
$= \left(\frac{1}{2}x + 2\right)^2$

$A = \frac{1}{2}$
$B = 2$
$A + B = 2.5$

2	.	5	

Factoring and Applications Lesson #4:
Factoring $a^2x^2 - b^2y^2$ and $a^2(f(x))^2 - b^2(f(x))^2$

- The expanded form of $(ax - by)(ax + by)$ is $a^2x^2 - b^2y^2$.
- The factored form of $a^2x^2 - b^2y^2$ is $(ax - by)(ax + by)$.

Class Ex. #1

a) $(3x-4y)(3x+4y)$

b) $= 3xy(x^2-9y^2)$
$= 3xy(x-3y)(x+3y)$

c) $= 4(36p^2q^2 - r^2)$
$= 4(6pq - r)(6pq + r)$

Class Ex. #2

a) $49x^2 - 16y^2$
$= (7x-4y)(7x+4y)$

length $= 7x+4y$ feet
width $= 7x-4y$ feet

b)
$7x + 4y = 2(7x-4y)$
$2(7x+4y) + 2(7x-4y) = 56$

$7x+4y = 14x - 8y$
$14x + 8y + 14x - 8y = 56$
$28x = 56$
$x = 2$

$7x - 12y = 0$
$7(2) - 12y = 0$
$14 = 12y$
$y = 7/6$

length $= 7x+4y = 7(2)+4(7/6) = 18\frac{2}{3}$ feet
width $= 7x-4y = 7(2)-4(7/6) = 9\frac{1}{3}$ feet

Class Ex. #3

a) $= (k^2)^2 - (1)^2$
$= (k^2-1)(k^2+1)$
$= (k-1)(k+1)(k^2+1)$

b) $= 5(16a^4 - x^4)$
$= 5((4a^2)^2 - (x^2)^2)$
$= 5(4a^2-x^2)(4a^2+x^2)$
$= 5(2a-x)(2a+x)(4a^2+x^2)$

c) $= 2p(p^4q^4 - 81t^4)$
$= 2p((p^2q^2)^2 - (9t^2)^2)$
$= 2p(p^2q^2 - 9t^2)(p^2q^2 + 9t^2)$

Class Ex. #4

a) $= (a-(b-c))(a+(b-c))$
$= (a-b+c)(a+b-c)$

b) $= ((2x-y)-(x+y))((2x-y)+(x+y))$
$= (2x-y-x-y)(2x-y+x+y)$
$= (x-2y)(3x)$
$= 3x(x-2y)$

Class Ex. #5

$= [6(x+5)]^2 - [7(x-8)]^2$
$= (6(x+5) - 7(x-8))(6(x+5) + 7(x-8))$
$= (6x+30-7x+56)(6x+30+7x-56)$
$= (86-x)(13x-26)$
$= (86-x)(13)(x-2)$
$= 13(86-x)(x-2)$

Assignment

1. a) $(4x-7y)(4x+7y)$ b) $(5a-11y)(5a+11y)$ c) $(pq-rs)(pq+rs)$

d) $= 4(4x^2-y^2)$ $= 4(2x-y)(2x+y)$ e) $= 9(a^2b^2-4c^2)$ $= 9(ab-2c)(ab+2c)$ f) $= 3(4a^2-25p^2q^2)$ $= 3(2a-5pq)(2a+5pq)$

g) $= xy(4y^2-169x^2)$ $= xy(2y-13x)(2y+13x)$ h) $= 15a^2b^2(4-a^2b^2)$ $= 15a^2b^2(2-ab)(2+ab)$ i) $= (2by-7tz)(2by+7tz)$

j) $= 25(x^2+4y^2)$ k) $= (15ac-4bd)(15ac+4bd)$ l) $= x(w^2y^2-x^2z^2)$ $= x(wy-xz)(wy+xz)$

m) $(1-\cos x)(1+\cos x)$ n) $(\sin x-\cos x)(\sin x+\cos x)$ o) $\left(\frac{x}{8}-\frac{y}{7}\right)\left(\frac{x}{8}+\frac{y}{7}\right)$

2. a) $81m^2-4n^2 = (9m-2n)(9m+2n)$ length $= 9m+2n$ metres width $= 9m-2n$ metres

b) $2(9m+2n)+2(9m-2n) = 72$
$18m+4n+18m-4n = 72$
$36m = 72$
$m = 2$

c) $9m+2n = \frac{125}{100}(9m-2n)$
$9(2)+2n = 1.25(9(2)-2n)$
$18+2n = 22.5-2.5n$
$4.5n = 4.5$ $n = 1$
length $= 9(2)+2(1) = 20$ m
width $= 9(2)-2(1) = 16$ m

3. a) $= (x^2-y^2)(x^2+y^2)$
$= (x-y)(x+y)(x^2+y^2)$

b) $= (a^2-16b^2)(a^2+16b^2)$
$= (a-4b)(a+4b)(a^2+16b^2)$

c) $= 2(z^4-81)$
$= 2(z^2-9)(z^2+9)$
$= 2(z-3)(z+3)(z^2+9)$

d) $= 3(16x^4-y^4)$
$= 3(4x^2-y^2)(4x^2+y^2)$
$= 3(2x-y)(2x+y)(4x^2+y^2)$

e) $= 9(a^4b^4-16c^4d^4)$
$= 9(a^2b^2-4c^2d^2)(a^2b^2+4c^2d^2)$
$= 9(ab-2cd)(ab+2cd)(a^2b^2+4c^2d^2)$

f) $= (z^4-16)(z^4+16)$
$= (z^2-4)(z^2+4)(z^4+16)$
$= (z-2)(z+2)(z^2+4)(z^4+16)$

4. a) $= (9a^2-4b^2)(9a^2+4b^2)$
$= (3a-2b)(3a+2b)(9a^2+4b^2)$

b) $= \left(4p^2-\frac{1}{9}q^2\right)\left(4p^2+\frac{1}{9}q^2\right)$
$= \left(2p-\frac{1}{3}q\right)\left(2p+\frac{1}{3}q\right)\left(4p^2+\frac{1}{9}q^2\right)$

c) $= (4a^2-11bc)(4a^2+11bc)$ d) $= (z^3-3)(z^3+3)$

e) $= (1-a^8)(1+a^8)$
$= (1-a^4)(1+a^4)(1+a^8)$
$= (1-a^2)(1+a^2)(1+a^4)(1+a^8)$
$= (1-a)(1+a)(1+a^2)(1+a^4)(1+a^8)$

f) $= (x^2-0.16y^2)(x^2+0.16y^2)$
$= (x-0.4y)(x+0.4y)(x^2+0.16y^2)$

5. a) $= ((a-b)-c)((a-b)+c)$
$= (a-b-c)(a-b+c)$

b) $= (a-(b+c))(a+(b+c))$
$= (a-b-c)(a+b+c)$

c) $= ((x+y)-x)((x+y)+x)$
$= y(2x+y)$

d) $= (x-(x-y))(x+(x-y))$
$= y(2x-y)$

e) $= (2(p+q)-5)(2(p+q)+5)$
$= (2p+2q-5)(2p+2q+5)$

f) $= (6(a+b)-(p+q))(6(a+b)+(p+q))$
$= (6a+6b-p-q)(6a+6b+p+q)$

g) $= ((x+5)-(x-5))((x+5)+(x-5))$
$= (x+5-x+5)(x+5+x-5)$
$= 10(2x) = 20x$

h) $= (3(a+b+c)-2(a-b+c))(3(a+b+c)+2(a-b+c))$
$= (3a+3b+3c-2a+2b-2c)(3a+3b+3c+2a-2b+2c)$
$= (a+5b+c)(5a+b+5c)$

i) $= 4(64(a-4)^2-25(a-6)^2)$
$= 4(8(a-4)-5(a-6))(8(a-4)+5(a-6))$
$= 4(8a-32-5a+30)(8a-32+5a-30)$
$= 4(3a-2)(13a-62)$

6. a) area of larger square
$= (3x+4)^2$
$= 9x^2+24x+16$

area of smaller square
$= (2x-3)^2$
$= 4x^2-12x+9$

$5x^2+36x+7$
$= 5x^2+x+35x+7$
$= x(5x+1)+7(5x+1)$
$= (5x+1)(x+7)$

shaded area $= 9x^2+24x+16-(4x^2-12x+9)$
$= 9x^2+24x+16-4x^2+12x-9 = 5x^2+36x+7 = (5x+1)(x+7)$

6\. b) shaded area $= (3x+4)^2-(2x-3)^2 = ((3x+4)-(2x-3))((3x+4)+(2x-3))$

$= (3x+4-2x+3)(3x+4+2x-3) = (x+7)(5x+1)$

c) b) is shorter

7\. a) $\pi(r+3)^2-\pi(r-1)^2$

b) $= \pi[(r+3)^2-(r-1)^2] = \pi[(r+3)-(r-1)]((r+3)+(r-1))$

$= \pi(r+3-r+1)(r+3+r-1) = \pi(4)(2r+2) = \pi(4)(2)(r+1)$

$= 8\pi(r+1)$

c) $8(\pi)(5+1) = 48\pi \text{ mm}^2$

Multiple Choice

8\. (B.) $y+3$

$(y^2-9)(y^2+9)$

$=(y-3)(y+3)(y^2+9)$

9\. (D.) $2x-y$

$=4x^2-2xy+10xy-5y^2$

$=2x(2x-y)+5y(2x-y)$

$=(2x-y)(2x+5y)$

$=6(4x^2-y^2)$

$=6(2x-y)(2x+y)$

Numerical Response

10\. $(a^2-(9a+18))(a^2+(9a+18))$

$=(a^2-9a-18)(a^2+9a+18)$

$=(a^2-9a-18)(a+3)(a+6)$

$p=3 \quad q=6 \quad pq=3(6)=18$

1	8		

11\. $9(9(x-3)^2-16(x-2)^2)$

$=9(3(x-3)-4(x-2))(3(x-3)+4(x-2))$

$=9(3x-9-4x+8)(3x-9+4x-8)$

$=9(-x-1)(7x-17)$ $\quad a=9 \quad b=1 \quad c=7 \quad d=17$

$=-9(x+1)(7x-17)$ $\quad a+b+c+d$

$=-a(x+b)(cx-d)$ $\quad =9+1+7+17=34$

3	4		

Factoring and Applications Lesson #5
Solving Quadratic Equations using Factoring

Investigating the Zero Product Law

The statement $x-3=0$ is true only if $x =$ 3.

The statement $x+1=0$ is true only if $x =$ −1.

The statement $(x-3)(x+1)=0$ is true if $x =$ 3 or if $x =$ −1.

The statement $x(x+1)=0$ is true if $x=0$ or $x=-1$.

The Zero Product Law

- Complete: If $a \times b = 0$, then $a =$ 0 or $b =$ 0

a) $x=0$

b) $x+2=0$ or $x-7=0$; $x=-2$ or $x=7$

c) $x=0$ or $x+2=0$ or $x-7=0$; $x=0$ or $x=-2$ or $x=7$

d) $2x+1=0$ or $3x-2=0$; $2x=-1$ or $3x=2$; $x=-\frac{1}{2}$ or $x=\frac{2}{3}$

e) Dividing both sides of an equation by a constant results in an equivalent equation with the same solution.

f) Dividing both sides of an equation by a variable is not valid unless we know the variable cannot equal zero. In this case x can equal zero.

Class Ex. #1

$(x-4)(x-5)=0$

$x-4=0$ or $x-5=0$

$x=$ 4 or $x=$ 5

The solutions are $x=$ 4 and $x=$ 5

or $x=$ 4, 5

Class Ex. #2

a) $(x-9)(x+9)=0$; $x=9$ or $x=-9$; $x=\pm 9$

b) $(2x-3)(2x+3)=0$; $2x=3$ or $2x=-3$; $x=\frac{3}{2}$ or $x=-\frac{3}{2}$; $x=\pm\frac{3}{2}$

c) $10x(x-9)=0$; $x=0$ or $x-9=0$; $x=0$ or $x=9$; $x=0, 9$

d) $10(x^2-9)=0$; $10(x-3)(x+3)=0$; $x=3$ or $x=-3$; $x=\pm 3$

Class Ex. #3

a) $3x^2-15x+2x-10=0$

$3x(x-5)+2(x-5)=0$

$(x-5)(3x+2)=0$

$x=5$ or $x=-\frac{2}{3}$

$x=5, -\frac{2}{3}$

b) $5x^2+30x+25=0$

$5(x^2+6x+5)=0$

$5(x+5)(x+1)=0$

$x=-5$ or $x=-1$

$x=-5, -1$

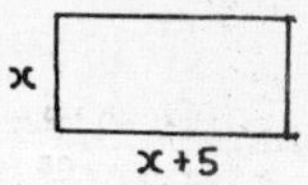

$\text{area} = 300$

$x(x+5) = 300$

$x^2 + 5x - 300 = 0$

$(x+20)(x-15) = 0$

$x = -20$ or $x = 15$

reject $x = -20$ since x must be greater than zero.

$x = 15$

width = 15 cm

length = 20 cm

perimeter $= 2(20) + 2(15)$

$= \underline{\underline{70\text{ cm}}}$

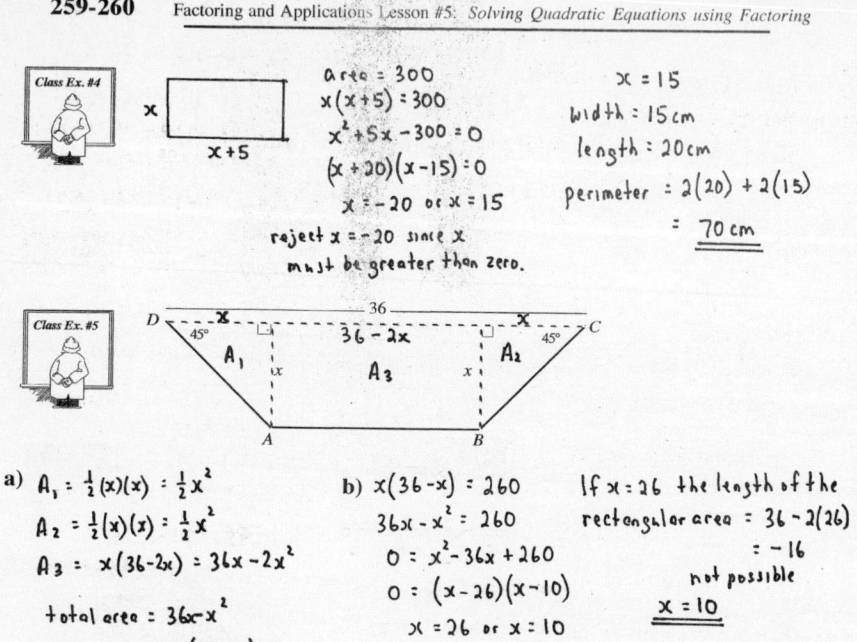

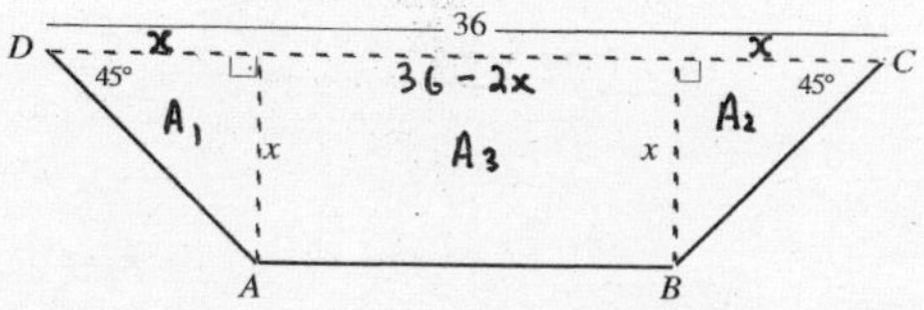

a) $A_1 = \frac{1}{2}(x)(x) = \frac{1}{2}x^2$

$A_2 = \frac{1}{2}(x)(x) = \frac{1}{2}x^2$

$A_3 = x(36-2x) = 36x - 2x^2$

total area $= 36x - x^2$

$= \underline{\underline{x(36-x)}}$

b) $x(36-x) = 260$

$36x - x^2 = 260$

$0 = x^2 - 36x + 260$

$0 = (x-26)(x-10)$

$x = 26$ or $x = 10$

If $x = 26$ the length of the rectangular area $= 36 - 2(26)$

$= -16$

not possible

$\underline{\underline{x = 10}}$

Assignment

1. a) $x = 2$ or $x = -7$

$x = 2, -7$

b) $x = \frac{2}{3}$ or $x = -\frac{5}{2}$

$x = \frac{2}{3}, -\frac{5}{2}$

c) $x = 0$ or $x = 10$

$x = 0, 10$

d) $x(x+2) = 0$

$x = 0$ or $x = -2$

$x = 0, -2$

e) $(x-11)(x+11) = 0$

$x = 11$ or $x = -11$

$x = \pm 11$

f) $(3x-10)(3x+10) = 0$

$x = \frac{10}{3}$ or $x = -\frac{10}{3}$

$x = \pm\frac{10}{3}$

g) $36x^2 - 25 = 0$

$(6x-5)(6x+5) = 0$

$x = \frac{5}{6}$ or $x = -\frac{5}{6}$

$x = \pm\frac{5}{6}$

h) $x(9-4x) = 0$

$x = 0$ or $x = \frac{9}{4}$

$x = 0, \frac{9}{4}$

i) $4(7-x)(7+x) = 0$

$x = 7$ or $x = -7$

$x = \pm 7$

2. a) $(x-1)(x-2) = 0$

$x = 1$ or $x = 2$

$x = 1, 2$

b) $(x+10)(x+3) = 0$

$x = -10$ or $x = -3$

$x = -10, -3$

c) $(x+5)(x-3) = 0$

$x = -5$ or $x = 3$

$x = -5, 3$

d) $3x^2 - 9x - x + 3 = 0$

$3x(x-3) - 1(x-3) = 0$

$(x-3)(3x-1) = 0$

$x = 3$ or $x = \frac{1}{3}$

$x = 3, \frac{1}{3}$

e) $2x^2 + 10x - 7x - 35 = 0$

$2x(x+5) - 7(x+5) = 0$

$(x+5)(2x-7) = 0$

$x = -5$ or $x = \frac{7}{2}$

$x = -5, \frac{7}{2}$

f) $15 + 3x - 5x - x^2 = 0$

$3(5+x) - x(5+x) = 0$

$(5+x)(3-x) = 0$

$x = -5$ or $x = 3$

$x = -5, 3$

3. a) $2x^2 + 5x - 7 = 0$

$2x^2 - 2x + 7x - 7 = 0$

$2x(x-1) + 7(x-1) = 0$

$(x-1)(2x+7) = 0$

$x = 1$ or $x = -\frac{7}{2}$

$x = -\frac{7}{2}, 1$

b) $6x^2 - 7x - 3 = 0$

$6x^2 - 9x + 2x - 3 = 0$

$3x(2x-3) + 1(2x-3) = 0$

$(2x-3)(3x+1) = 0$

$x = \frac{3}{2}$ or $x = -\frac{1}{3}$

$x = -\frac{1}{3}, \frac{3}{2}$

c) $x^2 + 4x - 32 = 0$

$(x+8)(x-4) = 0$

$x = -8$ or $x = 4$

$x = -8, 4$

d) $2x^2 + 3x - 6x - 9 - 5 = 0$

$2x^2 - 3x - 14 = 0$

$2x^2 - 7x + 4x - 14 = 0$

$x(2x-7) + 2(2x-7) = 0$

$(2x-7)(x+2) = 0$

$x = \frac{7}{2}$ or $x = -2$

$x = -2, \frac{7}{2}$

e) $4x^2 - 12x + 9 = 1$

$4x^2 - 12x + 8 = 0$

$4(x^2 - 3x + 2) = 0$

$4(x-1)(x-2) = 0$

$x = 1$ or $x = 2$

$x = 1, 2$

f) $x^2 - 1 = 5x + 5$

$x^2 - 5x - 6 = 0$

$(x+1)(x-6) = 0$

$x = -1$ or $x = 6$

$x = -1, 6$

4. a) $6a^2 - 19a - 7 = 0$

$6a^2 - 21a + 2a - 7 = 0$

$3a(2a-7) + 1(2a-7) = 0$

$(2a-7)(3a+1) = 0$

$a = \frac{7}{2}$ or $a = -\frac{1}{3}$

$a = -\frac{1}{3}, \frac{7}{2}$

b) $0 = 4k^2 + 8k - 21$

$0 = 4k^2 - 6k + 14k - 21$

$0 = 2k(2k-3) + 7(2k-3)$

$0 = (2k-3)(2k+7)$

$k = \frac{3}{2}$ or $k = -\frac{7}{2}$

$k = -\frac{7}{2}, \frac{3}{2}$

5. a) area $= 10x + x(7+x)$

$= 10x + 7x + x^2 = \underline{x^2 + 17x \text{ cm}^2}$

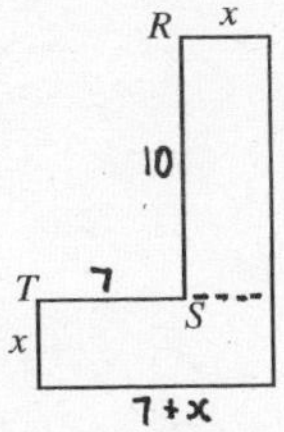

b) $x^2 + 17x = 60$

$x^2 + 17x - 60 = 0$

$(x+20)(x-3) = 0$

$x = -20$ or $x = 3$

reject $x = -20$ since $x > 0$.

$\underline{x = 3}$

6. $S_n = \frac{n}{2}\left(2a + (n-1)d\right)$ $a = 2$, $d = 3$

$222 = \frac{n}{2}\left(2(2) + (n-1)(3)\right)$

$444 = n(4 + 3n - 3)$

$444 = n(1 + 3n)$ $444 = n + 3n^2$

$3n^2 + n - 444 = 0$

$3n^2 - 36n + 37n - 444 = 0$

$3n(n-12) + 37(n-12) = 0$

$(n-12)(3n+37) = 0$

$n = 12$ or $n = -\frac{37}{3}$ reject $n = -\frac{37}{3}$

$\underline{12 \text{ terms}}$

7. a) $172.5 = \frac{1}{2}(x)(x+8)$

$345 = x(x+8)$

$345 = x^2 + 8x$

$0 = x^2 + 8x - 345$

$\underline{x^2 + 8x - 345 = 0}$

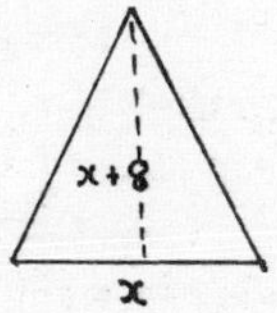

b) $x^2 + 8x - 345 = 0$

$(x+23)(x-15) = 0$

$x = -23$ or $x = 15$

reject $x = -23$ since $x > 0$

$x = 15$

height $= 15 + 8 = \underline{23 \text{ mm}}$

Multiple Choice 8. (C.) $x = -1$ and $x = 2$

$x^2 - x = 2$

$x^2 - x - 2 = 0$

$(x+1)(x-2) = 0$

$x = -1$ or $x = 2$

$x = -1, 2$

Numerical Response 9. | 0 | . | 8 | 3 |

$24x^2 + 2x - 15 = 0$

$24x^2 - 18x + 20x - 15 = 0$

$6x(4x-3) + 5(4x-3) = 0$

$(4x-3)(6x+5) = 0$

$x = \frac{3}{4}$ or $x = -\frac{5}{6}$

$b = \frac{5}{6} = 0.83$

10. | 3 | 1 | | |

$496 = \frac{1}{2}k(k+1)$

$992 = k(k+1)$

$992 = k^2 + k$

$0 = k^2 + k - 992$

$0 = (k+32)(k-31)$

$k = -32$ or $k = 31$

reject $k = -32$ since $k > 0$

$k = 31$

Factoring and Applications Lesson #6:
Solving Radical Equations Using Factoring - Part One

Restrictions on Values for the Variable in a Radical Expression

a) i)

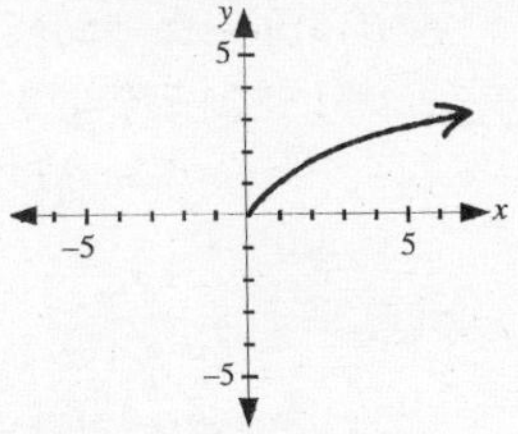

ii) $\{x \mid x \geq 0, x \in R\}$

iii) $\{x \mid x \geq 0, x \in R\}$

b) i)

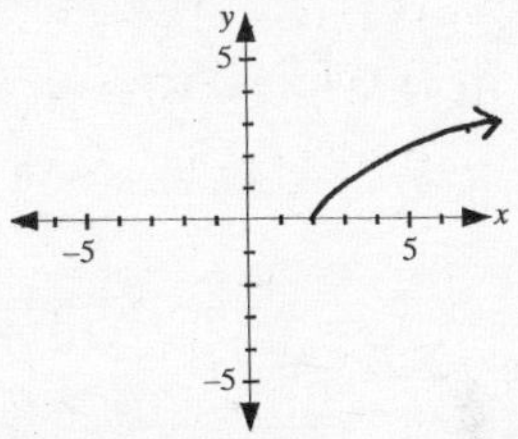

ii) $\{x \mid x \geq 2, x \in R\}$ iii) $x \geq 2, x \in R$

iv) solve for the radicand greater than or equal to zero $x - 2 \geq 0$, $x \geq 2$

c) i)

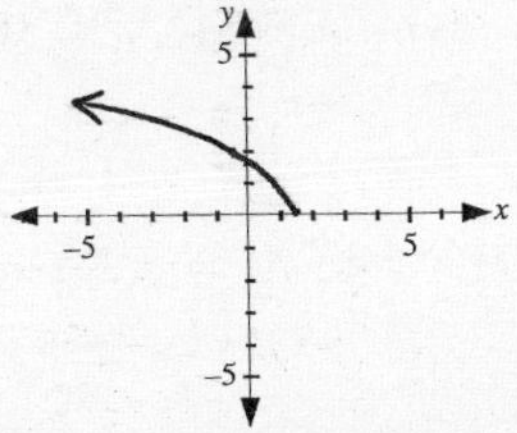

ii) $x \leq \frac{3}{2}, x \in R$

iii) $3 - 2x \geq 0$

$-2x \geq -3$

$\frac{-2x}{-2} \leq \frac{-3}{-2}$

$x \leq \frac{3}{2}, x \in R$

Class Ex. #1

a) $4x + 1 \geq 0$ $4x \geq -1$

$\underline{x \geq -\frac{1}{4}, x \in R}$

b) $2 - 5x \geq 0$ $-5x \geq -2$

$\frac{-5x}{-5} \leq \frac{-2}{-5}$ $\underline{x \leq \frac{2}{5}, x \in R}$

c) $x - 2 \geq 0$ and $x - 4 \geq 0$

$x \geq 2$ and $x \geq 4$

$\underline{x \geq 4, x \in R}$

d) $x + 2 \geq 0$ and $3 - x \geq 0$

$x \geq -2$ and $-x \geq -3$

$x \geq -2$ and $x \leq 3$

$-2 \leq x \leq 3, x \in R$

e) $2x - 7 \geq 0$ and $24 - 5x \geq 0$

$2x \geq 7$ and $-5x \geq -24$

$x \geq 7/2$ and $x \leq 24/5$

$\underline{\frac{7}{2} \leq x \leq \frac{24}{5}, x \in R}$

Class Ex. #2

a) $x + 1 \geq 0$ $x \geq -1, x \in R$

b) graph $y_1 = \sqrt{x+1}$ find the x-coordinate of the point of intersection

graph $y_2 = 4$ using the INTERSECT feature.

c)

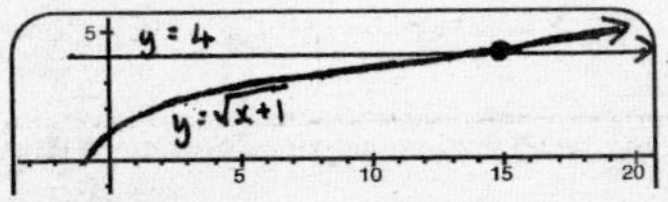

d) $x = 15$

e) $LS = \sqrt{15+1} = \sqrt{16} = 4 = RS$

$LS = RS$ so verified

Investigation 1

Step 1: Square both sides: $\left(\sqrt{x+1}\right)^2 = (4)^2$

Step 2: Solve the equation: $x+1 = 16$

$x = 15$

Step 3: Verify the solution: $LS = \sqrt{15+1} = \sqrt{16} = 4 = RS$

Investigation 2

a) Step 1: Isolate the radical term : $\sqrt{x-1} = x-3$

Step 2: Square both sides : $\left(\sqrt{x-1}\right)^2 = (x-3)^2$

Step 3: Solve the equation : $x-1 = x^2-6x+9$

$0 = x^2-7x+10$

$0 = (x-2)(x-5)$

$x = 2, 5$

Step 4: Verify the solution :

$x=2$: $LS = 3+\sqrt{2-1} = 3+1 = 4$, $RS = 2$, $LS \neq RS$

$x=5$: $LS = 3+\sqrt{5-1} = 3+2 = 5$, $RS = 5$, $LS = RS$

$x=5$ is verified

$x=2$ is not.

b) $x = 5$

Class Ex. #3

a) $x+3 = 3x-5$

$8 = 2x$ $x = 4$

verify: $LS = \sqrt{4+3} = \sqrt{7}$ $RS = \sqrt{3(4)-5} = \sqrt{7}$

$LS = RS$ $x = 4$ is the solution.

b) $x-3 = 3x-5$

$2 = 2x$ $x = 1$

verify: $LS = \sqrt{1-3} = \sqrt{-2}$ $RS = \sqrt{3(1)-5} = \sqrt{-2}$

neither LS nor RS is a real number.

No solution

1 is a restricted value of the variable

Class Ex. #4

$\sqrt{x-3} = 5-\sqrt{x}$

$x-3 = (5-\sqrt{x})^2$

$x-3 = 25-10\sqrt{x}+x$

$10\sqrt{x} = 28$

$\sqrt{x} = \frac{28}{10} = \frac{14}{5}$

$x = \frac{196}{25}$

verify:

$LS = \sqrt{196/25} + \sqrt{196/25 - 3}$

$= \frac{14}{5} + \frac{11}{5} = 5 = RS$

$LS = RS$

$x = \frac{196}{25}$ is the solution

Assignment

1. a) $3x-9 \geq 0$

$3x \geq 9$

$x \geq 3, x \in R$

b) $2+x \geq 0$

$x \geq -2, x \in R$

c) $1-x \geq 0$ and $4-x \geq 0$

$-x \geq -1$ and $-x \geq -4$

$x \leq 1$ and $x \leq 4$

$x \leq 1, x \in R$

d) $2x+9 \geq 0$ and $1-2x \geq 0$

$2x \geq -9$ and $-2x \geq -1$

$x \geq -\frac{9}{2}$ and $x \leq \frac{1}{2}$

$-\frac{9}{2} \leq x \leq \frac{1}{2}, x \in R$

e) $7x-2 \geq 0$ and $7-6x \geq 0$

$7x \geq 2$ and $-6x \geq -7$

$x \geq \frac{2}{7}$ and $x \leq \frac{7}{6}$

$\frac{2}{7} \leq x \leq \frac{7}{6}, x \in R$

2. a) $x \geq 0$ and $33-3x \geq 0$

$x \geq 0$ and $-3x \geq -33$

$x \geq 0$ and $x \leq 11$

$0 \leq x \leq 11, x \in R$

b) $x:[-1, 13, 1]$ $y:[-1, 7, 1]$

c) $x = 8.25$

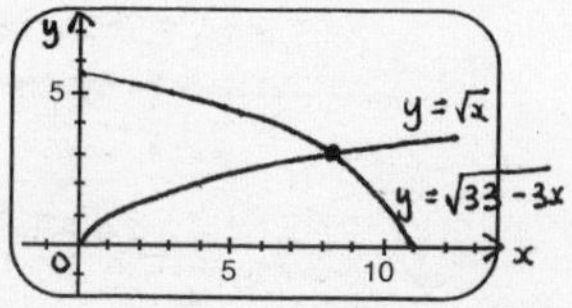

d) $LS = \sqrt{8.25}$ $RS = \sqrt{33-3(8.25)} = \sqrt{8.25}$

$LS = RS$ The solution is verified

3. graph $y_1 = \sqrt{6x+4}$

graph $y_2 = 3x-1$

Find the x-coordinate(s) of the point(s) of intersection using the INTERSECT feature.

4. a) $3x-7 \geq 0$ $3x \geq 7$

$x \geq \frac{7}{3}, x \in R$

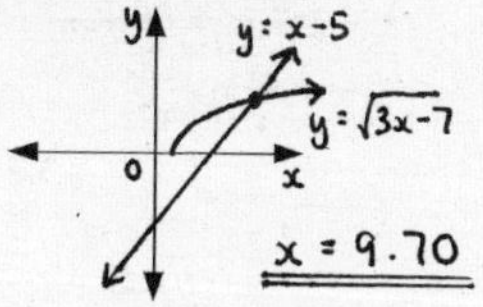

$x = 9.70$

b) $x+5 \geq 0$ and $x \geq 0$. $x \geq -5$ and $x \geq 0$

$x \geq 0, x \in R$

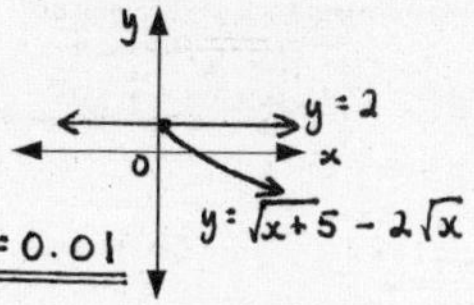

$x = 0.01$

c) $2(1-5x) \geq 0$ $1-5x \geq 0$

$-5x \geq -1$

$x \leq \frac{1}{5}, x \in R$

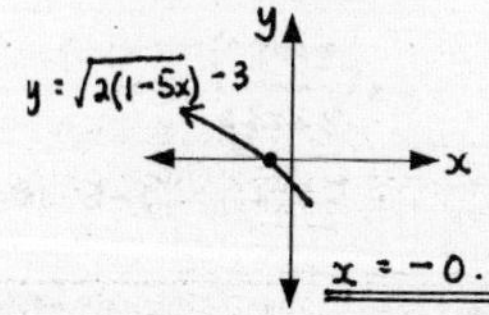

$x = -0.7$ or $-\frac{7}{10}$

d) $3-p \geq 0$ and $2p+5 \geq 0$

$-p \geq -3$ and $2p \geq -5$

$p \leq 3$ and $p \geq -\frac{5}{2}$

$-\frac{5}{2} \leq p \leq 3, p \in R$

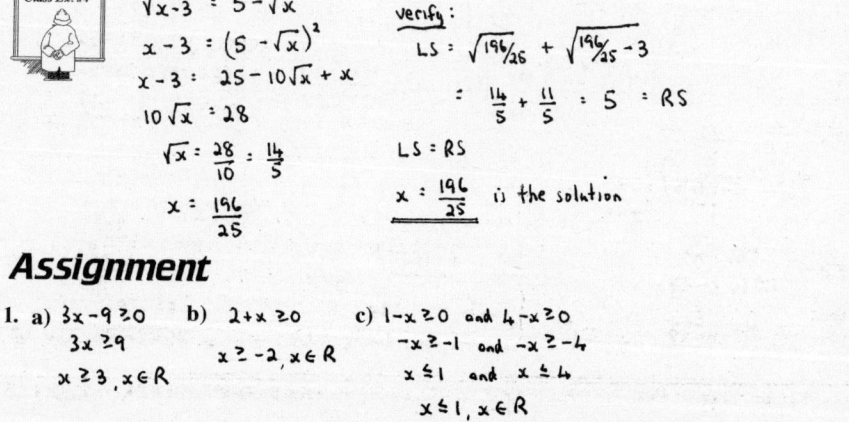

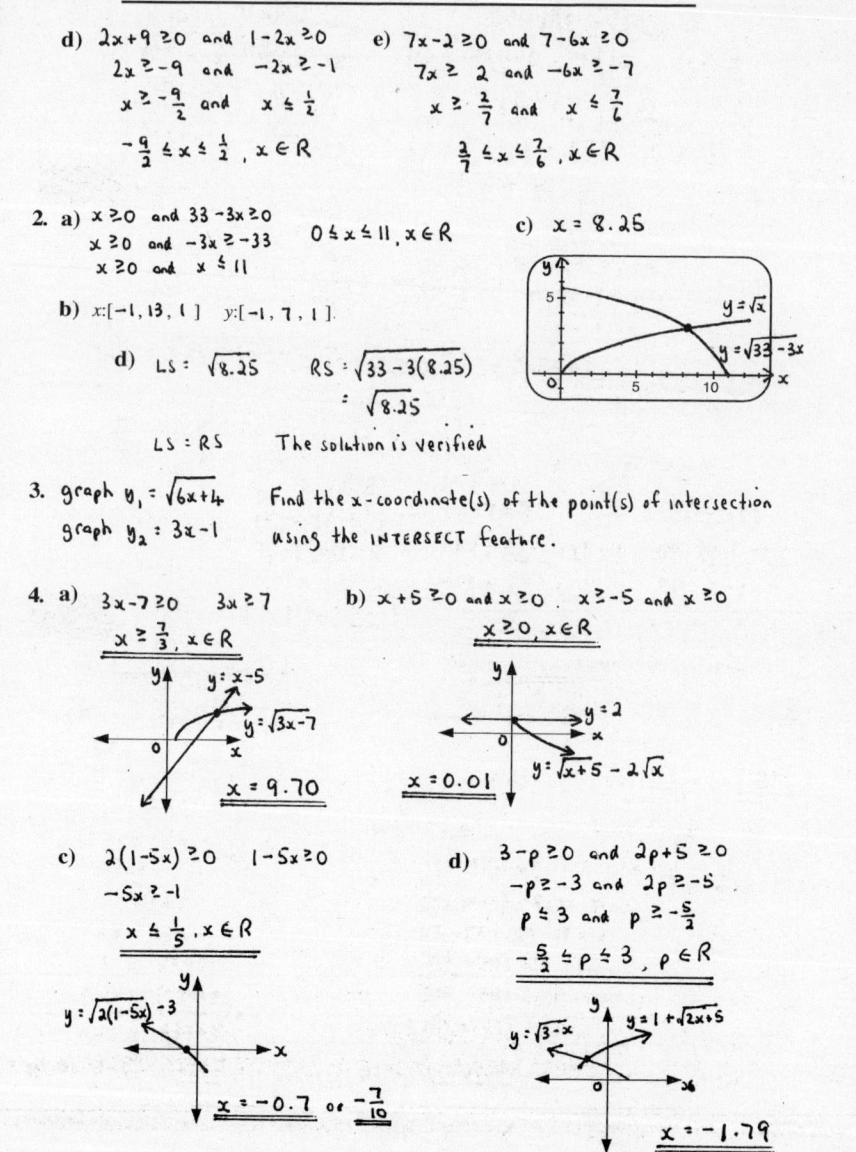

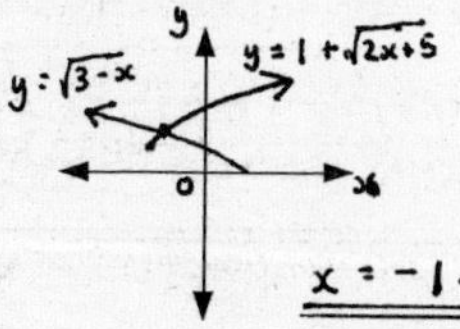

$x = -1.79$

5. a) $x - 7 = 64$

$x = 71$

verify:

$LS = \sqrt{71-7}$

$= \sqrt{64}$

$= 8 = RS$ $\quad \underline{\underline{x = 71}}$

b) $2y + 3 = 16$

$2y = 13 \quad y = \frac{13}{2}$

verify:

$LS = \sqrt{2\left(\frac{13}{2}\right)+3} = \sqrt{16}$

$= 4 = RS$ $\quad \underline{\underline{y = \frac{13}{2}}}$

c) $\frac{3x-2}{5} = 36$

$3x - 2 = 180$

$3x = 182 \quad x = \frac{182}{3}$

verify:

$LS = \sqrt{\frac{3\left(\frac{182}{3}\right)-2}{5}} = \sqrt{36}$

$= 6 = RS$ $\quad \underline{\underline{x = \frac{182}{3}}}$

6. a) $\sqrt{19a+6} = 2a+3$

$19a + 6 = (2a+3)^2$

$19a + 6 = 4a^2 + 12a + 9$

$0 = 4a^2 - 7a + 3$

$0 = 4a^2 - 4a - 3a + 3$

$0 = 4a(a-1) - 3(a-1)$

$0 = (a-1)(4a-3)$

$a = 1, \frac{3}{4}$

verify $a = 1$

$LS = \sqrt{19+6} - 2$

$= 5 - 2$

$= 3 = RS$

verify $a = \frac{3}{4}$

$LS = \sqrt{19\left(\frac{3}{4}\right)+6} - 2\left(\frac{3}{4}\right)$

$= \frac{9}{2} - \frac{3}{2} = 3$

$= RS$

$\underline{\underline{a = \frac{3}{4}, 1}}$

d) $\sqrt{x-2} = x - 4$

$x - 2 = (x-4)^2$

$x - 2 = x^2 - 8x + 16$

$0 = x^2 - 9x + 18$

$0 = (x-3)(x-6) \quad x = 3, 6$

verify: $x = 3$

$LS = 4 + \sqrt{3-2}$

$= 4 + 1 = 5$

$RS = 3$

$LS \neq RS$

$x = 6$

$LS = 4 + \sqrt{6-2}$

$= 4 + 2 = 6$

$RS = 6$

$LS = RS$

$\underline{\underline{x = 6}}$

b) $x^2 = \left(2\sqrt{2x-4}\right)^2$

$x^2 = 4(2x-4)$

$x^2 = 8x - 16$

$x^2 - 8x + 16 = 0$

$(x-4)^2 = 0$

$x = 4$

verify $x = 4$

$LS = 4$

$RS = 2\sqrt{2(4)-4}$

$= 2\sqrt{4} = 4$

$LS = RS$

$\underline{\underline{x = 4}}$

7. a) $T = 2\pi\sqrt{\frac{0.5}{9.81}} = 1.42$ $\quad$ period $= 1.42$ seconds

b) $1 = 2\pi\sqrt{\frac{L}{9.81}}$

$\frac{1}{2\pi} = \sqrt{\frac{L}{9.81}}$

$\left(\frac{1}{2\pi}\right)^2 = \frac{L}{9.81}$

$L = 9.81\left(\frac{1}{2\pi}\right)^2 = 0.24849$ m

length $= \underline{\underline{25 \text{ cm}}}$

verify ✓

8. a) $3 - 4 = \sqrt{3x+4}$

$-1 = \sqrt{3x+4}$

$(-1)^2 = \left(\sqrt{3x+4}\right)^2$

$1 = 3x + 4$

$-3 = 3x$

$x = -1$

verify $x = -1$

$LS = 3 - \sqrt{3(-1)+4}$

$= 3 - \sqrt{1}$

$= 3 - 1 = 2$

$RS = 4$

$LS \neq RS$

$\underline{\underline{\text{no solution}}}$

b) $\sqrt{21x^2+50x} = 4$

$\left(\sqrt{21x^2+50x}\right)^2 = 4^2$

$21x^2 + 50x = 16$

$21x^2 + 50x - 16 = 0$

$21x^2 - 6x + 56x - 16 = 0$

$3x(7x-2) + 8(7x-2) = 0$

$(7x-2)(3x+8) = 0 \quad x = \frac{2}{7}, -\frac{8}{3}$

verify $x = \frac{2}{7}$

$LS = 2\sqrt{21\left(\frac{2}{7}\right)^2 + 50\left(\frac{2}{7}\right)}$

$= 8 = RS$

verify $x = \frac{8}{3}$

$LS = 2\sqrt{21\left(-\frac{8}{3}\right)^2 + 50\left(-\frac{8}{3}\right)}$

$= 8 = RS$

$\underline{\underline{x = -\frac{8}{3}, \frac{2}{7}}}$

Multiple Choice

9. (B) 2

$(x-3)^2 = \left(\sqrt{x-1}\right)^2$

$x^2 - 6x + 9 = x - 1$

$x^2 - 7x + 10 = 0$

$(x-2)(x-5) = 0$

$x = 2, 5$

verify $x = 2$

$LS = 2 - 3 = -1$

$RS = \sqrt{2-1} = \sqrt{1} = 1$

$LS \neq RS$

verify $x = 5$

$LS = 5 - 3 = 2$

$RS = \sqrt{5-1} = \sqrt{4} = 2$

$LS = RS$

10. (B) $x = 5$ only

$x + 3 = x^2 - 17$

$0 = x^2 - x - 20$

$0 = (x+4)(x-5)$

$x = -4, 5$

verify $x = -4$

$LS = \sqrt{-4+3} = \sqrt{-1}$ $\quad$ not real

$RS = \sqrt{(-4)^2-17} = \sqrt{-1}$

verify $x = 5$

$LS = \sqrt{5+3} = \sqrt{8}$

$RS = \sqrt{(5)^2-17} = \sqrt{8}$ $\quad LS = RS$

Numerical Response

11. | 1 | 7 | . | 0 |

$\left(6\sqrt{x-2}\right)^2 = \left(4\sqrt{x+8}\right)^2$

$36(x-2) = 16(x+8)$

$36x - 72 = 16x + 128$

$20x = 200$

$x = 10$

verify $x = 10$

$LS = 6\sqrt{10-2} = 6\sqrt{8} = 6\sqrt{4}\sqrt{2}$

$= 6(2)\sqrt{2} = 12\sqrt{2}$

$RS = 4\sqrt{10+8} = 4\sqrt{18} = 4\sqrt{9}\sqrt{2}$

$= 4(3)\sqrt{2} = 12\sqrt{2}$

$12\sqrt{2} = 16.97\ldots = 17.0$

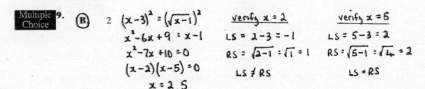

Factoring and Applications Lesson #7:
Solving Radical Equations Using Factoring - Part Two

Class Ex. #1

Solving More Complex Radical Equations

$\sqrt{3a+4} - \sqrt{a+1} = 3$

$\sqrt{3a+4} = 3 + \sqrt{a+1}$

$(\sqrt{3a+4})^2 = (3 + \sqrt{a+1})^2$

$3a + 4 = 9 + a + 1$ (circled: error)

$2a = 6$

$a = 3$

a) Explain where Billy made his error.

He did not expand $(3+\sqrt{a+1})^2$ correctly.

$(a+b)^2 = a^2 + 2ab + b^2$ not $a^2 + b^2$.

b) Show the correct work.

$\sqrt{3a+4} - \sqrt{a+1} = 3$

$\sqrt{3a+4} = 3 + \sqrt{a+1}$

$(\sqrt{3a+4})^2 = (3+\sqrt{a+1})^2$

$3a + 4 = 9 + 6\sqrt{a+1} + a + 1$

$2a - 6 = 6\sqrt{a+1}$

$(2a-6)^2 = (6\sqrt{a+1})^2$

$4a^2 - 24a + 36 = 36(a+1)$

$4a^2 - 24a + 36 = 36a + 36$

$4a^2 - 60a = 0$

$4a(a-15) = 0$

$a = 0$ or $a = 15$

reject $a = 0$ (extraneous root)

$\underline{\underline{a = 15}}$

verify $a = 0$

LS: $\sqrt{3(0)+4} - \sqrt{0+1}$

$= \sqrt{4} - \sqrt{1} = 2 - 1 = 1$

RS: 3

LS $\neq$ RS

verify $a = 15$

LS: $\sqrt{3(15)+4} - \sqrt{15+1}$

$= \sqrt{49} - \sqrt{16} = 7 - 4 = 3$

RS: 3

LS = RS

Class Ex. #2

a) Write a radical equation to represent this information.

$\sqrt{2x+5} - \sqrt{x-2} = 3$

b) Solve the equation to determine the number.

$\sqrt{2x+5} = 3 + \sqrt{x-2}$

$(\sqrt{2x+5})^2 = (3+\sqrt{x-2})^2$

$2x + 5 = 9 + 6\sqrt{x-2} + x - 2$

$x - 2 = 6\sqrt{x-2}$

$(x-2)^2 = (6\sqrt{x-2})^2$

$x^2 - 4x + 4 = 36(x-2)$

$x^2 - 4x + 4 = 36x - 72$

$x^2 - 40x + 76 = 0$

$(x-2)(x-38) = 0$

$x = 2, 38$

verify $x = 2$

LS: $\sqrt{2(2)+5} - \sqrt{2-2}$

$= \sqrt{9} - 0 = 3$

RS: 3

LS = RS

verify $x = 38$

LS: $\sqrt{2(38)+5} - \sqrt{38-2}$

$= \sqrt{81} - \sqrt{36}$

$= 9 - 6 = 3$

RS: 3

LS = RS

The number is 2 or 38

Complete Assignment Questions #1 - #7

Assignment

1. For each of the following radical equations:

i) $x \geq 0$ and $2x + 1 \geq 0$ $\quad x \geq 0$ and $x \geq -\frac{1}{2}$ $\quad \underline{x \geq 0, x \in R}$

ii) $(\sqrt{x} + 5)^2 = (\sqrt{2x+1})^2$

$x + 10\sqrt{x} + 25 = 2x + 1$

$10\sqrt{x} = x - 24$

$(10\sqrt{x})^2 = (x-24)^2$

$100x = x^2 - 48x + 576$

$0 = x^2 - 148x + 576$

$0 = (x-4)(x-144)$

$x = 4, 144$

verify $x = 4$

LS: $\sqrt{4} + 5 = 2 + 5 = 7$ LS $\neq$ RS

RS: $\sqrt{2(4)+1} = \sqrt{9} = 3$

verify $x = 144$

LS: $\sqrt{144} + 5 = 12 + 5 = 17$ LS = RS

RS: $\sqrt{2(144)+1} = \sqrt{289} = 17$

$\underline{\underline{x = 144}}$

b) $\sqrt{x} + \sqrt{x-4} = 4$

i) $x \geq 0$ and $x - 4 \geq 0$ $\quad$ $x \geq 0$ and $x \geq 4$ $\quad$ $\underline{\underline{x \geq 4, x \in R}}$

ii) $\sqrt{x-4} = 4 - \sqrt{x}$

$(\sqrt{x-4})^2 = (4-\sqrt{x})^2$

$x - 4 = 16 - 8\sqrt{x} + x$

$8\sqrt{x} = 20$

$(8\sqrt{x})^2 = (20)^2$

$64x = 400$

$x = \frac{400}{64} = \frac{25}{4}$

verify $x = \frac{25}{4}$

$LS = \sqrt{25/4} + \sqrt{\frac{25}{4} - 4}$

$= \frac{5}{2} + \frac{3}{2} = 4$ $\quad$ $LS = RS$

$RS = 4$

$\underline{\underline{x = \frac{25}{4}}}$

2. Algebraically determine the solution to the following radical equations.

a) $\sqrt{2t+1} - 5 = -\sqrt{t}$ $\quad$ domain $\{t \mid t \geq 0, t \in R\}$

$\sqrt{2t+1} = 5 - \sqrt{t}$

$(\sqrt{2t+1})^2 = (5-\sqrt{t})^2$

$2t + 1 = 25 - 10\sqrt{t} + t$

$10\sqrt{t} = 24 - t$

$(10\sqrt{t})^2 = (24-t)^2$

$100t = 576 - 48t + t^2$

$0 = t^2 - 148t + 576$

$0 = (t-4)(t-144)$

$t = 4, 144$

verify $t = 4$

$LS = \sqrt{2(4)+1} - 5 = \sqrt{9} - 5 = 3 - 5 = -2$

$RS = -\sqrt{4} = -2$ $\quad$ $LS = RS$

verify $t = 144$

$LS = \sqrt{2(144)+1} - 5 = \sqrt{289} - 5 = 17 - 5 = 12$

$RS = -\sqrt{144} = -12$ $\quad$ $LS \neq RS$

$\underline{\underline{t = 4}}$

b) $\sqrt{2a} = \sqrt{5a+9} - 3$ $\quad$ domain $\{a \mid a \geq 0, a \in R\}$

$\sqrt{2a} + 3 = \sqrt{5a+9}$

$(\sqrt{2a}+3)^2 = (\sqrt{5a+9})^2$

$2a + 6\sqrt{2a} + 9 = 5a + 9$

$6\sqrt{2a} = 3a$

$(6\sqrt{2a})^2 = (3a)^2$

$36(2a) = 9a^2$

$72a = 9a^2$

$0 = 9a^2 - 72a$

$0 = 9a(a-8)$

$a = 0, 8$

verify $a = 0$

$LS = \sqrt{2(0)} = 0$

$RS = \sqrt{5(0)+9} - 3 = 3 - 3 = 0$

$LS = RS$

verify $a = 8$

$LS = \sqrt{2(8)} = \sqrt{16} = 4$

$RS = \sqrt{5(8)+9} - 3 = \sqrt{49} - 3 = 7 - 3 = 4$

$LS = RS$

$\underline{\underline{a = 0, 8}}$

3. Consider the two rectangles shown.

a) Determine the exact length of diagonal *BD*.

$BD^2 = (\sqrt{2x+1})^2 + (\sqrt{3x})^2$

$= 2x + 1 + 3x$

$= 5x + 1$

$\underline{\underline{BD = \sqrt{5x+1}}}$

b) Determine the exact length of diagonal *FH*.

$FH^2 = (\sqrt{2x})^2 + (\sqrt{x})^2$

$= 2x + x$

$= 3x$

$\underline{\underline{FH = \sqrt{3x}}}$

c) If *BD* is 1 unit longer than *FH*, determine the length and width of each rectangle.

$BD = FH + 1$ $\quad$ $x \neq 0$ since $FH \neq 0$

$\sqrt{5x+1} = \sqrt{3x} + 1$

$(\sqrt{5x+1})^2 = (\sqrt{3x}+1)^2$

$5x + 1 = 3x + 2\sqrt{3x} + 1$

$2x = 2\sqrt{3x}$

$x = \sqrt{3x}$

$x^2 = 3x$

$x^2 - 3x = 0$

$x(x-3) = 0$

$x = 0, 3$

verify $x = 3$

$LS = \sqrt{5(3)+1} = \sqrt{16} = 4$

$RS = \sqrt{3(3)} + 1 = \sqrt{9} + 1 = 3 + 1 = 4$

$LS = RS$

$x = 3$

Rectangle ABCD $\quad$ $DC = \sqrt{2(3)+1} = \sqrt{7}$

$BC = \sqrt{3(3)} = \sqrt{9} = 3$

Rectangle EFGH $\quad$ $GH = \sqrt{2(3)} = \sqrt{6}$

$FG = \sqrt{3}$

4. a) Write a radical equation to represent this information.

$\sqrt{2n-6} - \sqrt{n+1} = 2$

b) Solve the equation to determine the number and state the extraneous root.

$\sqrt{2n-6} = 2 + \sqrt{n+1}$

$(\sqrt{2n-6})^2 = (2+\sqrt{n+1})^2$

$2n-6 = 4 + 4\sqrt{n+1} + n + 1$

$n - 11 = 4\sqrt{n+1}$

$(n-11)^2 = (4\sqrt{n+1})^2$

$n^2 - 22n + 121 = 16(n+1)$

$n^2 - 22n + 121 = 16n + 16$

$n^2 - 38n + 105 = 0$

$(n-3)(n-35) = 0 \quad n = 3, 35$

verify $n = 3$

$LS = \sqrt{2(3)-6} - \sqrt{3+1} = \sqrt{0} - \sqrt{4} = -2$

$RS = 2 \qquad LS \neq RS$

verify $n = 35$

$LS = \sqrt{2(35)-6} - \sqrt{35+1} = \sqrt{64} - \sqrt{36} = 8 - 6 = 2$

$RS = 2 \qquad LS = RS$

The number is 35 and the extraneous root is 3

5. a) Write a radical equation to represent this information.

$\sqrt{5n+9} - \sqrt{2n} = 3$

b) Solve the equation to determine all possible values of the number.

$\sqrt{5n+9} = 3 + \sqrt{2n}$

$(\sqrt{5n+9})^2 = (3+\sqrt{2n})^2$

$5n + 9 = 9 + 6\sqrt{2n} + 2n$

$3n = 6\sqrt{2n}$

$n = 2\sqrt{2n}$

$(n)^2 = (2\sqrt{2n})^2$

$n^2 = 4(2n)$

$n^2 = 8n$

$n^2 - 8n = 0$

$n(n-8) = 0$

$n = 0, 8$

verify $n = 0$

$LS = \sqrt{5(0)+9} - \sqrt{2(0)} = \sqrt{9} - \sqrt{0} = 3$

$RS = 3 \qquad LS = RS$

verify $n = 8$

$LS = \sqrt{5(8)+9} - \sqrt{2(8)} = \sqrt{49} - \sqrt{16} = 7 - 4 = 3$

$RS = 3 \qquad LS = RS$

The number is 0 or 8

6. Algebracially solve and verify the following radical equations.

a) $\sqrt{x+11} - \sqrt{x-9} = 2$

$\sqrt{x+11} = 2 + \sqrt{x-9}$

$(\sqrt{x+11})^2 = (2+\sqrt{x-9})^2$

$x + 11 = 4 + 4\sqrt{x-9} + x - 9$

$16 = 4\sqrt{x-9}$

$4 = \sqrt{x-9}$

$(4)^2 = (\sqrt{x-9})^2$

$16 = x - 9$

$x = 25$

verify $x = 25$

$LS = \sqrt{25+11} - \sqrt{25-9}$

$= \sqrt{36} - \sqrt{16}$

$= 6 - 4 = 2$

$RS = 2$

b) $\sqrt{x+3} + 2 = \sqrt{x+11}$ $\qquad x \geq -3, x \in R$

$(\sqrt{x+3} + 2)^2 = (\sqrt{x+11})^2$

$x + 3 + 4\sqrt{x+3} + 4 = x + 11$

$4\sqrt{x+3} = 4$

$\sqrt{x+3} = 1$

$(\sqrt{x+3})^2 = (1)^2$

$x + 3 = 1$

$x = -2$

verify $x = -2$

$LS = \sqrt{-2+3} + 2 = \sqrt{1} + 2 = 3$

$RS = \sqrt{-2+11} = \sqrt{9} = 3$

$LS = RS$

$x = -2$

c) $\sqrt{4p+5} = 2 + \sqrt{2p-1}$

$(\sqrt{4p+5})^2 = (2+\sqrt{2p-1})^2$

$4p + 5 = 4 + 4\sqrt{2p-1} + 2p - 1$

$2p + 2 = 4\sqrt{2p-1}$

$\frac{2(p+1)}{2} = \frac{4\sqrt{2p-1}}{2}$

$p + 1 = 2\sqrt{2p-1}$

$(p+1)^2 = (2\sqrt{2p-1})^2$

$p^2 + 2p + 1 = 4(2p-1)$

$p^2 + 2p + 1 = 8p - 4$

$p^2 - 6p + 5 = 0$

$(p-1)(p-5) = 0$

$p = 1, 5$

$p \geq \frac{1}{2}, p \in R$

verify $p = 1$

$LS = \sqrt{4(1)+5} = \sqrt{9} = 3$

$RS = 2 + \sqrt{2(1)-1} = 2 + 1 = 3$

$LS = RS$

verify $p = 5$

$LS = \sqrt{4(5)+5} = \sqrt{25} = 5$

$RS = 2 + \sqrt{2(5)-1} = 2 + \sqrt{9} = 2 + 3 = 5$

$LS = RS$

$p = 1, 5$

d) $\sqrt{3-a} - 3 = -\sqrt{2a+3}$ $\qquad a \leq 3$ and $a \geq -\frac{3}{2}$

$-\frac{3}{2} \leq a \leq 3, a \in R$

$(\sqrt{3-a} - 3)^2 = (-\sqrt{2a+3})^2$

$3 - a - 6\sqrt{3-a} + 9 = 2a + 3$

$-6\sqrt{3-a} = 3a - 9$

$(-6\sqrt{3-a})^2 = (3a-9)^2$

$36(3-a) = 9a^2 - 54a + 81$

$108 - 36a = 9a^2 - 54a + 81$

$0 = 9a^2 - 18a - 27$

$0 = 9(a^2 - 2a - 3)$

$0 = 9(a+1)(a-3)$

$a = -1, 3$

verify $a = -1$

$LS = \sqrt{3-(-1)} - 3 = \sqrt{4} - 3 = 2 - 3 = -1$

$RS = -\sqrt{2(-1)+3} = -\sqrt{1} = -1$

$LS = RS$

verify $a = 3$

$LS = \sqrt{3-3} - 3 = -3$

$RS = -\sqrt{2(3)+3} = -\sqrt{9} = -3$

$LS = RS$

$a = -1, 3$

17. $x \geq 0, x \in R$

(Record your answer in the numerical response box from left to right)

1	2	.	4

$2\sqrt{x} - 3 = \sqrt{x+4}$

$(2\sqrt{x} - 3)^2 = (\sqrt{x+4})^2$

$4x - 12\sqrt{x} + 9 = x + 4$

$3x + 5 = 12\sqrt{x}$

$(3x+5)^2 = (12\sqrt{x})^2$

$9x^2 + 30x + 25 = 144x$

$9x^2 - 114x + 25 = 0$

Use quadratic formula

$x = \dfrac{-b \pm \sqrt{b^2 - 4ac}}{2a}$

$x = \dfrac{114 \pm \sqrt{(-114)^2 - 4(9)(25)}}{2(9)}$

$x = 0.223..$ or $x = 12.443...$

verify $x = 0.223..$: LS ≠ RS

verify $x = 12.443..$: LS = RS

Group Work Algebraically determine the roots of the equation $\sqrt{x+3} + \sqrt{x+8} = \sqrt{5x+20}$.

$(\sqrt{x+3} + \sqrt{x+8})^2 = (\sqrt{5x+20})^2$

$x + 3 + 2\sqrt{x+3}\sqrt{x+8} + x + 8 = 5x + 20$

$2\sqrt{x+3}\sqrt{x+8} = 3x + 9$

$(2\sqrt{x+3}\sqrt{x+8})^2 = (3x+9)^2$

$4(x+3)(x+8) = 9x^2 + 54x + 81$

$4(x^2 + 11x + 24) = 9x^2 + 54x + 81$

$4x^2 + 44x + 96 = 9x^2 + 54x + 81$

$0 = 5x^2 + 10x - 15$

$0 = 5(x^2 + 2x - 3)$

$0 = 5(x+3)(x-1)$

$x = -3, 1$

verify $x = -3$

LS $= \sqrt{-3+3} + \sqrt{-3+8} = \sqrt{0} + \sqrt{5} = \sqrt{5}$

RS $= \sqrt{5(-3)+20} = \sqrt{5}$

LS = RS

verify $x = 1$

LS $= \sqrt{1+3} + \sqrt{1+8} = \sqrt{4} + \sqrt{9} = 2 + 3 = 5$

RS $= \sqrt{5(1)+20} = \sqrt{25} = 5$

LS = RS

$x = -3, 1$

Factoring and Applications Lesson #8:

Practice Test

1. One factor of $4x^2 - 25y^2$ is

   (D.) $2x - 5y$

2. One factor of $6x^2 - 5x - 4$ is

   (B.) $3x - 4$

3. When factored, the trinomials $x^2 - 8xy + 15y^2$ and $x^2 - 2xy - 15y^2$ have one binomial factor in common. This factor is

   $= (x-3y)(x-5y)$ $\quad = (x-5y)(x+3y)$

   (A.) $x - 5y$ B. $x + 3y$
   C. $x - 3y$ D. $x + 5y$

Numerical Response 1. (Record your answer in the numerical response box from left to right)

5	2	3	4

$15x^2 - 6x + 20x - 8$

$= 3x(5x-2) + 4(5x-2)$

$= (5x-2)(3x+4)$

a = 5 b = 2 c = 3 d = 4

Numerical Response 2. (Record your answer in the numerical response box from left to right)

2	8		

$(2a+7b)^2 = 4a^2 + 28ab + 49b^2$

$k = 28$

4. Which of the following is a factor of $4x^2 - 144y^2$? (C.) $x + 6y$

   $4(x^2 - 36y^2)$
   $= 4(x-6y)(x+6y)$

5. Which of the following is not a factor of $a^4 - 13a^2 + 36$?

   $(a^2-4)(a^2-9)$
   $= (a-2)(a+2)(a-3)(a+3)$

   (A.) $a + 9$

6. The equation $25x^2 - 9 = 0$ is satisfied by

   (D.) $x = \pm\frac{3}{5}$ $\quad (5x-3)(5x+3) = 0$
   $x = \pm\frac{3}{5}$

7. Consider the following expressions:

   A. # 2 only B. # 3 only C. # 1 and # 2 only (D.) # 2 and # 3 only

   #1. $(2x - 9y)^2$

   #2. $10x^2 - 2xy + 45xy - 9y^2$
   $= 2x(5x-y) + 9y(5x-y)$
   $= (5x-y)(2x+9y)$

   #3. $2x^2y^2(4x^2 - 81y^2)$
   $= 2x^2y^2(2x-9y)(2x+9y)$

8. The solution to the equation $6x^2 - 18x = 0$ is

   (C.) $x = 0, 3$ $\quad 6x(x-3) = 0$
   $x = 0, 3$

9. The roots of the equation $1 + 4x - 21x^2 = 0$ are

(B.) $-\frac{1}{7}, \frac{1}{3}$

$1 - 3x + 7x - 21x^2 = 0$

$1(1-3x) + 7x(1-3x) = 0$

$(1-3x)(1+7x) = 0$

$x = \frac{1}{3}, -\frac{1}{7}$

10. The factored form of $p^2 - (q - r)^2$ is

(C.) $(p - q + r)(p + q - r)$

$a^2 - b^2 = (a-b)(a+b)$

$p^2 - (q-r)^2 = (p - (q-r))(p + (q-r))$

$= (p - q + r)(p + q - r)$

Numerical Response 3. The length of the hypotenuse is ______.

(Record your answer in the numerical response box from left to right)

1	7		

$(2x+1)^2 = x^2 + (x+7)^2$

$4x^2 + 4x + 1 = x^2 + x^2 + 14x + 49$

$2x^2 - 10x - 48 = 0$

$2(x^2 - 5x - 24) = 0$

$2(x-8)(x+3) = 0$

$x = 8$ or $x = -3$ (reject $x = -3$ since $x > 0$)

hypotenuse: $2x + 1 = 2(8) + 1 = 17$

11. Which one of the following is a factor of $4(3x + 1)^2 - 9(x + 2)^2$?

(C.) $9x + 8$

$= 4A^2 - 9B^2$ $A = 3x+1$, $B = x+2$

$= (2A - 3B)(2A + 3B)$

$= [2(3x+1) - 3(x+2)][2(3x+1) + 3(x+2)]$

$= (6x + 2 - 3x - 6)(6x + 2 + 3x + 6)$

$= (3x - 4)(9x + 8)$

12. A. Answer A if her work is correct.

(D.) Answer D if her first mathematical error is in Line 3.

$(2x - 4y)^2 = [2(x - 2y)]^2 = 4(x - 2y)^2$

Numerical Response 4. The expression $8(2a + 3)^2 + 14(2a + 3) + 3$ can be written in factored form as $(4a + K)(8a + L)$. The value of the product KL is ______.

(Record your answer in the numerical response box from left to right)

1	1	7	

Let $P = 2a + 3$

$8P^2 + 14P + 3$

$= 8P^2 + 12P + 2P + 3$

$= 4P(2P+3) + 1(2P+3)$

$= (2P+3)(4P+1)$

$= (2(2a+3)+3)(4(2a+3)+1)$

$= (4a+6+3)(8a+12+1)$

$= (4a+9)(8a+13)$

$K = 9$ $L = 13$

$KL = (9)(13) = 117$

13. The extraneous root in the radical equation $x - 3 = \sqrt{30 - 2x}$ is (C.) -3

$(x-3)^2 = (\sqrt{30-2x})^2$

$x^2 - 6x + 9 = 30 - 2x$

$x^2 - 4x - 21 = 0$

$(x+3)(x-7) = 0$

$x = -3, 7$

verify $x = -3$: LS $= -3 - 3 = -6$; RS $= \sqrt{30 - 2(-3)} = \sqrt{36} = 6$; LS $\neq$ RS

verify $x = 7$: LS $= 7 - 3 = 4$; RS $= \sqrt{30 - 2(7)} = \sqrt{16} = 4$; LS = RS

14. (A.) $\frac{1}{4}$

$12t^2 - 3t + 20t - 5 = 0$

$3t(4t-1) + 5(4t-1) = 0$

$(4t-1)(3t+5) = 0$

$t = \frac{1}{4}$ or $t = -\frac{5}{3}$

$a = \frac{1}{4}$

15. (A.) $x \geq 0$

$2 + x \geq 0$ and $x \geq 0$

$x \geq -2$ and $x \geq 0$

$x \geq 0$

Numerical Response 5.

2	4		

$(\sqrt{2+x})^2 = (10 - \sqrt{x})^2$

$2 + x = 100 - 20\sqrt{x} + x$

$20\sqrt{x} = 98$

$\sqrt{x} = \frac{98}{20} = 4.9$

$x = (4.9)^2$

$= 24.01$

Written Response - 5 marks

1. • Determine the restrictions on the value of the variable a.

$a - 1 \geq 0$ and $3a - 5 \geq 0$

$a \geq 1$ and $a \geq \frac{5}{3}$

$a \geq \frac{5}{3}$

• Explain why, in the process of solving this radical equation algebraically, an extraneous root may appear.

The solution process involves squaring both sides of the equation and solving. However, if the squares of two quantities are equal, it does not necessarily mean that the two quantities are equal. An extraneous root may appear.

• Algebraically, determine the root(s) of the radical equation.

$\sqrt{3a-5} = 2 - \sqrt{a-1}$

$(\sqrt{3a-5})^2 = (2 - \sqrt{a-1})^2$

$3a - 5 = 4 - 4\sqrt{a-1} + a - 1$

$4\sqrt{a-1} = -2a + 8$

$2\sqrt{a-1} = -a + 4$

$(2\sqrt{a-1})^2 = (-a+4)^2$

$4(a-1) = a^2 - 8a + 16$

$4a - 4 = a^2 - 8a + 16$

$0 = a^2 - 12a + 20$

$0 = (a-2)(a-10)$

$a = 2, 10$

verify $a = 2$: LS $= \sqrt{3(2)-5} = \sqrt{1} = 1$; RS $= 2 - \sqrt{2-1} = 2 - 1 = 1$; LS = RS

verify $a = 10$: LS $= \sqrt{3(10)-5} = \sqrt{25} = 5$; RS $= 2 - \sqrt{10-1} = 2 - 3 = -1$; LS $\neq$ RS

$a = 2$

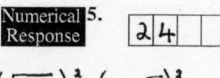

Written Response - 5 marks

1. • Determine the restrictions on the value of the variable *a*.

$a - 1 \geq 0$ and $3a - 5 \geq 0$

$a \geq 1$ and $a \geq \frac{5}{3}$

$a \geq \frac{5}{3}$

• Explain why, in the process of solving this radical equation algebraically, an extraneous root may appear.

The solution process involves squaring both sides of the equation and solving. However, if the squares of two quantities are equal, it does not necessarily mean that the two quantities are equal. An extraneous root may appear.

• Algebraically, determine the root(s) of the radical equation.

$\sqrt{3a-5} = 2 - \sqrt{a-1}$

$(\sqrt{3a-5})^2 = (2 - \sqrt{a-1})^2$

$3a - 5 = 4 - 4\sqrt{a-1} + a - 1$

$4\sqrt{a-1} = -2a + 8$

$2\sqrt{a-1} = -a + 4$

$(2\sqrt{a-1})^2 = (-a+4)^2$

$4(a-1) = a^2 - 8a + 16$

$4a - 4 = a^2 - 8a + 16$

$0 = a^2 - 12a + 20$

$0 = (a-2)(a-10)$

$a = 2, 10$

verify $a = 2$

$LS = \sqrt{3(2)-5} = \sqrt{1} = 1$

$RS = 2 - \sqrt{2-1} = 2 - 1 = 1$

$LS = RS$

verify $a = 10$

$LS = \sqrt{3(10)-5} = \sqrt{25} = 5$

$RS = 2 - \sqrt{10-1} = 2 - 3 = -1$

$LS \neq RS$

$a = 2$

Quadratic Functions and Equations Lesson #1: Connecting Zeros, Roots, and x-intercepts

Function and Function Notation

Class Ex. #1 Find the zero of the function *f* where $f(x) = 7x - 21$.

$7x - 21 = 0$

$7(x - 3) = 0$

$x = 3$

the zero of the function f is 3

Investigation #1

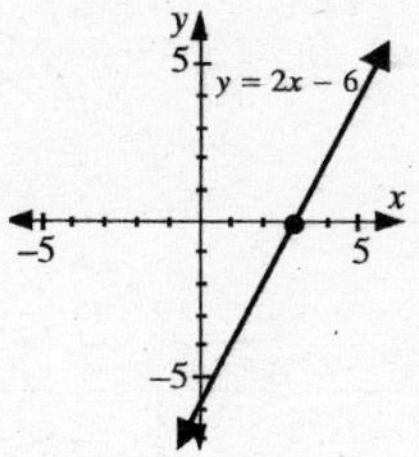

a) The graph of $y = 2x - 6$ is shown. Determine the *x*-intercept of the graph algebraically and graphically.

$2x - 6 = 0$

$2x = 6$ $x = 3$ $x_{int} = 3$

b) Determine the root of the equation $2x - 6 = 0$

$2x - 6 = 0$

$2x = 6$ root is $x = 3$

$x = 3$

c) State the connection between the *x*-intercepts of the graph of $y = 2x - 6$ and the roots of the equation $2x - 6 = 0$. Same value

d) Consider the function $f(x) = 2x - 6$. What is the zero of the function?

$2x - 6 = 0$

$2x = 6$

$x = 3$

the zero of the function is 3

e) What is the connection between the *x*-intercepts of the graph of $y = 2x - 6$, the roots of the equation $2x - 6 = 0$, and the zero of the function $f(x) = 2x - 6$? all the same value

Investigation #2

a) Complete his work to solve for *x*.

$x^2 - x - 6 = 0$

$(x - 3)(x + 2) = 0$

$x = 3, -2$

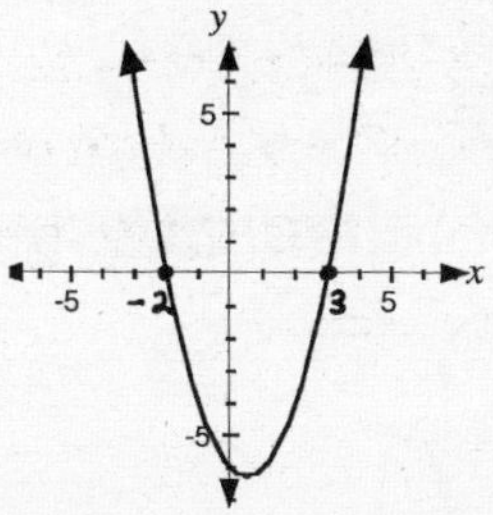

b) $x_{int} = -2, 3$

c) i) same values

ii) the values of x which make the factors zero are the same as the roots of the equation.

d) $x^2 - x - 6 = 0$

$(x - 3)(x + 2) = 0$

$x = 3, -2$

the zeros are 3 and −2.

e) all the same values

Class Ex. #2

a) Fill in the blanks in the following statement regarding the function with equation $y = f(x)$.

"The zeros of the function, the x-intercepts of the graph of the function, and the roots of the corresponding equation $y = 0$, are the same numbers."

b) The graph of $f(x) = x^2 - x - 6$ is shown. Fill in the blanks.

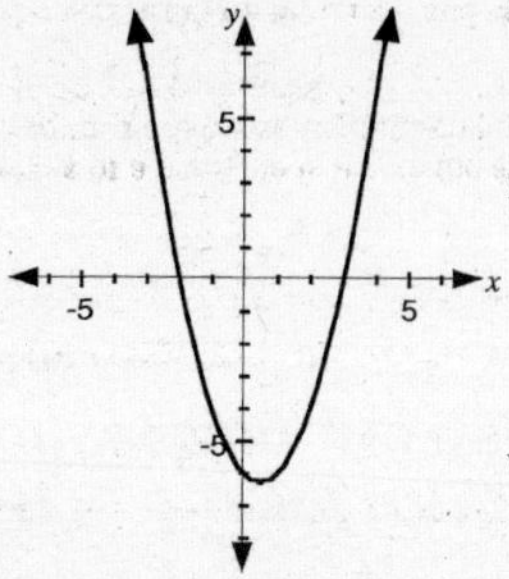

The *graph* of	The *function*	The *equation*
$f(x)=x^2-x-6$	$f(x)=x^2-x-6$ $=(x+2)(x-3)$	$x^2-x-6=0$
has *x-intercepts*	has *zeros*	has *roots*
$x =$ -2 and $x =$ 3	-2 and 3	$x =$ -2 and $x =$ 3
with *y-intercept* $y =$ -6		

Class Ex. #3

a) graph $y_1 = 2x^2 - 7x + 3$
determine the x-intercepts of the graph using the zero feature
the x-intercepts are the roots of the equation

b) 0.5 , 3

d) 0.5 and 3

c) x-intercepts are 0.5 and 3
factors include $x - 0.5$ and $x - 3$
$2x^2 - 7x + 3 = 2(x-0.5)(x-3)$
$= (2x-1)(x-3)$

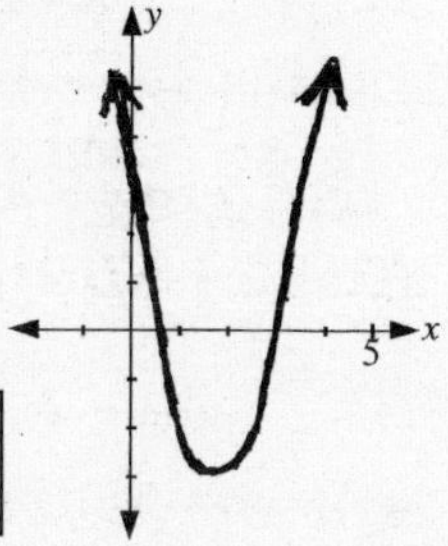

Class Ex. #4

a) $x^2 + 8x = 33$
$x^2 + 8x - 33 = 0$
$(x+11)(x-3) = 0$
$x = -11, 3$
the roots are -11 and 3.

b) $6(4x+5)(x-3) = 0$
$x = -\frac{5}{4}, 3$
the roots are $-\frac{5}{4}$ and 3.

c) $2x^2 - 8 = 0$
$2(x^2-4) = 0$
$2(x+2)(x-2) = 0$
$x = -2, 2$
the roots are -2 and 2.

Class Ex. #5

a) $f(x) = 5x^2 + 15x - 20$
$5x^2 + 15x - 20 = 0$
$5(x^2 + 3x - 4) = 0$
$5(x+4)(x-1) = 0$
$x = -4, 1$
the zeros are -4 and 1
when $x = 0$, $f(x) = -20$
y-intercept = -20

b) $f(x) = 3x^2 - 11x + 10$
$3x^2 - 6x - 5x + 10 = 0$
$3x(x-2) - 5(x-2) = 0$
$(x-2)(3x-5) = 0$
$x = 2, 5/3$
the zeros are 2 and $\frac{5}{3}$
when $x = 0$, $f(x) = 10$
y-intercept = 10

c) $g(x) = 2x(2x+1)$
$2x(2x+1) = 0$
$x = 0, -\frac{1}{2}$
the zeros are 0 and $-\frac{1}{2}$
when $x = 0$, $g(x) = 0$
y-intercept = 0

Class Ex. #6

a) $f(x) = 3x^2 + 4x - 7$

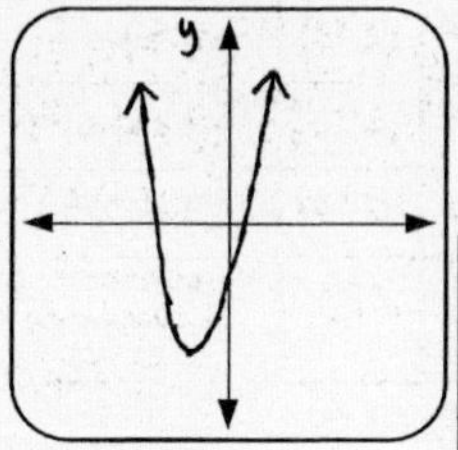

zeros : $-\frac{7}{3}, 1$
$f(x) = 3(x+\frac{7}{3})(x-1)$
$= (3x+7)(x-1)$

b) $g(x) = 4x^3 - 7x^2 - 4x + 7$

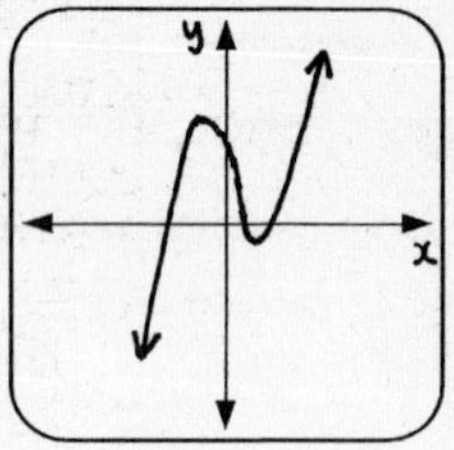

zeros : $-1, 1, \frac{7}{4}$
$g(x) = 4(x+1)(x-1)(x-\frac{7}{4})$
$= (x+1)(x-1)(4x-7)$

Assignment

1. a) State the x and y-intercepts of the graph.
x_{int} : -6 and 4 y_{int} : -24

b) State the zeros of the function f.
zeros : -6 and 4

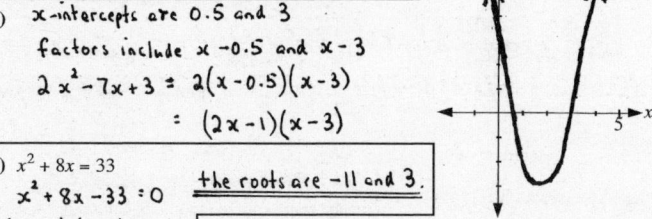

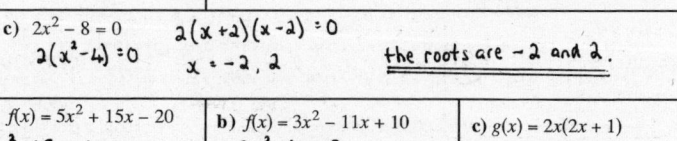

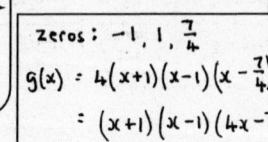

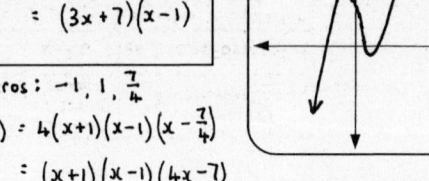

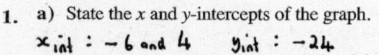

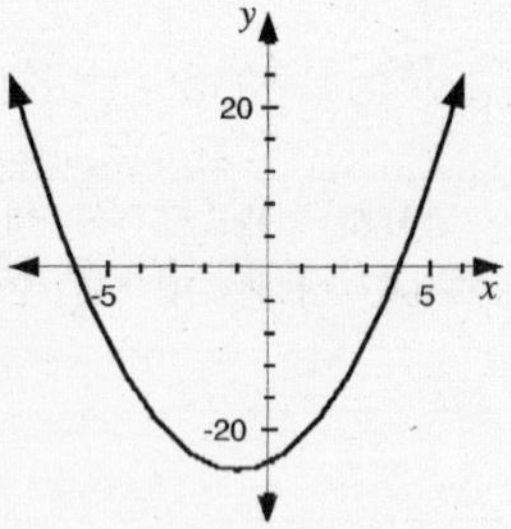

2. Find the roots of the following equations.

a) $2x(x+3) = 0$
$x = 0, -3$

b) $2x^2 - 10x + 12 = 0$
$2(x^2 - 5x + 6) = 0$ $2(x-2)(x-3) = 0$
$x = 2, 3$

c) $x^3 + 8x^2 = 20x$
$x^3 + 8x^2 - 20x = 0$
$x(x^2 + 8x - 20) = 0$
$x(x+10)(x-2) = 0$
$x = 0, -10, 2$

d) $4x^2 + 4x - 3 = 0$
$4x^2 - 2x + 6x - 3 = 0$
$2x(2x-1) + 3(2x-1) = 0$
$(2x-1)(2x+3) = 0$
$x = \frac{1}{2}, -\frac{3}{2}$

3. Find the zeros of the following functions.

a) $f(x) = \frac{x}{3} + 5$
$\frac{x}{3} + 5 = 0$
$\frac{x}{3} = -5$
$x = -15$

b) $g(x) = 25x^2 - 64$
$25x^2 - 64 = 0$
$(5x+8)(5x-8) = 0$
$x = -\frac{8}{5}, \frac{8}{5}$

4. a) $f(x) = 5x^2 - 35x$
i) $5x^2 - 35x = 0$
$5x(x-7) = 0$
$x = 0, 7$
ii) $y_{int} = 0$

b) $f(x) = 3x(x^2 - 49)$
i) $3x(x^2 - 49) = 0$
$3x(x+7)(x-7) = 0$
$x = 0, -7, 7$
ii) $y_{int} = 0$

c) $P(x) = 3(2x-5)(x+1)$
$3(2x-5)(x+1) = 0$
$x = \frac{5}{2}, -1$

d) $P(x) = x(x-3)(2x+1)$
$x(x-3)(2x+1) = 0$
$x = 0, 3, -\frac{1}{2}$

c) $f(x) = 2x^2 - x - 15$
i) $2x^2 - x - 15 = 0$
$2x^2 - 6x + 5x - 15 = 0$
$2x(x-3) + 5(x-3) = 0$
$(x-3)(2x+5) = 0$
$x = 3, -\frac{5}{2}$
ii) $y_{int} = -15$

d) $P(x) = 8x^2 + 14x - 15$
i) $8x^2 + 14x - 15 = 0$
$8x^2 - 6x + 20x - 15 = 0$
$2x(4x-3) + 5(4x-3) = 0$
$(4x-3)(2x+5) = 0$
$x = \frac{3}{4}, -\frac{5}{2}$
ii) $y_{int} = -15$

5. a) $f(x) = 18x^2 - 5x - 7$
$-\frac{1}{2}, \frac{7}{9}$

b) $g(x) = 3x^3 - 11x^2 + 6x$
$0, \frac{2}{3}, 3$

6. **a)** zero: 3
y_{int}: 6
factor $x-3$
$f(x) = -2(x-3)$

b) zeros: $-2, 4$
y_{int}: -16
factors $x+2$, $x-4$
$f(x) = 2(x+2)(x-4)$

c) zeros: $-2, 3, 4$
y_{int}: 24
factors: $x+2$, $x-3$, $x-4$
$f(x) = (x+2)(x-3)(x-4)$

7. **a)** $y = 2x^2 - 3x - 9$
zeros: $-\frac{3}{2}, 3$
factors: $x+\frac{3}{2}$, $x-3$
$y = (2x+3)(x-3)$

b) $y = 5x^3 - 7x^2 - 21x - 9$
zeros: $-\frac{3}{5}, -1, 3$
factors: $x+\frac{3}{5}$, $x+1$, $x-3$
$y = (5x+3)(x+1)(x-3)$

Multiple Choice **8.** (A.) $3, -\frac{7}{4}$

9. (D.) $-2, 1$
$3x^2 + 3x = 6$
$3x^2 + 3x - 6 = 0$
$3(x^2 + x - 2) = 0$
$3(x+2)(x-1) = 0$

10. (A.) 0
$2x^3 - 7x^2 + 3x = 0$
$x(2x^2 - 7x + 3) = 0$
$x(2x^2 - x - 6x + 3) = 0$
$x(x(2x-1) - 3(2x-1)) = 0$
$x(2x-1)(x-3) = 0$
$x = 0, \frac{1}{2}, 3$

Numerical Response **11.** 1 2
$x = 0$
$y = (0+4)(3-0)(0+1)$
$y = (4)(3)(1) = 12$

Quadratic Functions and Equations Lesson #2:
Analyzing Quadratic Functions - Part One

Analyzing the Graph of the Function with Equation $y = x^2$

- Graph the function with equation $y = x^2$ by completing the table of values. Join the points with a smooth curve. The graph of this function is called a parabola.

x	−3	−2	−1	0	1	2	3
y	9	4	1	0	1	4	9

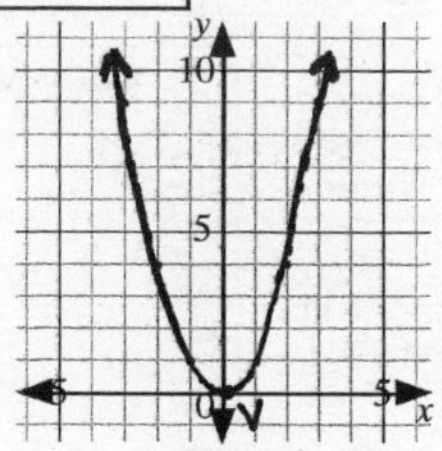

- The axis of symmetry is the "mirror" line which splits the parabola in half. State the equation of the axis of symmetry for this parabola.
$x = 0$

- The vertex of a parabola is where the axis of symmetry intersects the parabola. The vertex can represent a minimum point or maximum point depending on whether the parabola opens up or down.

Label the vertex (V) on the graph and state its coordinates. $V(0, 0)$

- The maximum or minimum **value** of a quadratic function occurs at the vertex and is represented by the *y*-coordinate of the vertex. Complete the following:

The __minimum__ value of the function with equation $y = x^2$ is __0__ .

- State the domain and range of the function with equation $y = x^2, x \in R$.

Domain: __$x \in R$__ Range: __$\{y \mid y \geq 0, y \in R\}$__

Investigation #1

a) • $y = f(x) + 3$ • $y = f(x) - 3$
$y = x^2 + 3$ $y = x^2 - 3$

b)

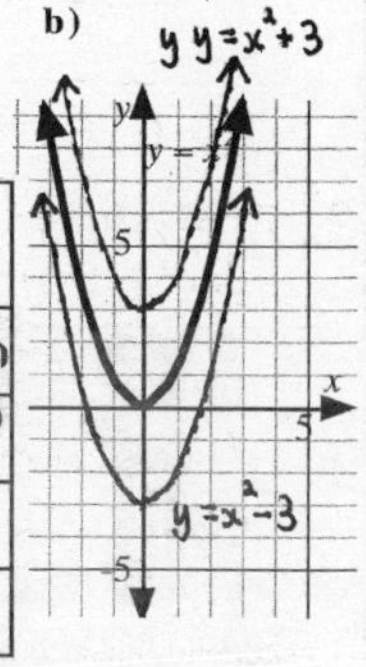

c)

Function	Equation Representing Function	Vertex	Max/Min Value	Equation of Axis of Symmetry	Description of Transformation
$y = f(x)$	$y = x^2$	(0, 0)	min, 0	$x = 0$	no transformation
$y = f(x) + 3$	$y = x^2 + 3$	(0, 3)	min, 3	$x = 0$	vertical translation 3 units up
$y = f(x) - 3$	$y = x^2 - 3$	(0, −3)	min, −3	$x = 0$	vertical translation 3 units down
$y = f(x) + q$	$y = x^2 + q$	(0, q)	min, q	$x = 0$	vertical translation q units up

d) The graph undergoes a vertical translation q units up.

e) Compared to the graph of $y = x^2$, the graph of $y = x^2 + q$ results in a __vertical__ translation (or shift) of *q* units.

If $q > 0$, the parabola moves __up__. If $q < 0$, the parabola moves __down__.

Investigation #2

a) • $y = f(x + 3)$ • $y = f(x - 3)$
$y = (x+3)^2$ $y = (x-3)^2$

b)

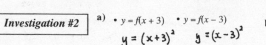

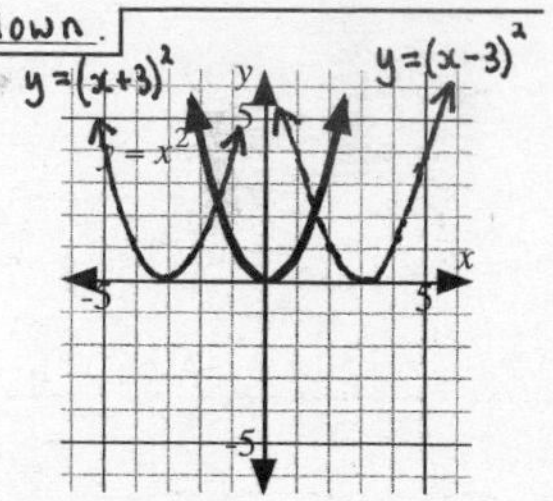

c)

Function	Equation Representing Function	Vertex	Max/Min Value	Equation of Axis of Symmetry	Description of Transformation
$y = f(x)$	$y = x^2$	(0, 0)	min, 0	$x = 0$	no transformation
$y = f(x + 3)$	$y = (x+3)^2$	(−3, 0)	min, 0	$x = -3$	horizontal translation 3 units left
$y = f(x - 3)$	$y = (x-3)^2$	(3, 0)	min, 0	$x = 3$	horizontal translation 3 units right
$y = f(x - p)$	$y = (x-p)^2$	(p, 0)	min, 0	$x = p$	horizontal translation p units right

d) The graph undergoes a horizontal translation p units right

e) Compared to the graph of $y = x^2$, the graph of $y = (x - p)^2$ results in a **horizontal** translation (shift) of p units.

If $p > 0$, the parabola moves **right**. If $p < 0$, the parabola moves **left**.

Investigation #3

a) $y = (x+2)^2 - 4$

b) horizontal translation 2 units left, vertical translation 4 units down

c)

Function	Equation Representing Function	Vertex	Max/Min Value	Equation of Axis of Symmetry	Description of Transformation
$y = f(x)$	$y = x^2$	(0, 0)	min, 0	$x = 0$	no transformation
$y = f(x+2) - 4$	$y = (x+2)^2 - 4$	(−2, −4)	min, −4	$x = -2$	translation 2 units left and 4 units down
$y = f(x-p) + q$	$y = (x-p)^2 + q$	(p, q)	min, q	$x = p$	translation p units right and q units up.

Class Ex. #1

a) horizontal translation 10 units left

b) vertical translation 4 units up

c) $y = (x-5)^2 - 8$ translation 5 units right and 8 units down

Class Ex. #2

a) $y = (x-5)^2$

b) $y = (x+4)^2 - 6$

Class Ex. #3

(3, 9) $\xrightarrow{2\ up}$ (3, 11) $\xrightarrow{7\ right}$ (10, 11)

Assignment

1. a) horizontal translation 5 units left

b) vertical translation 7 units down

c) $y = x^2 + 8$ vertical translation 8 units up

d) $y = (x-2)^2 + 5$ translation 2 units right and 5 units up

e) $y = (x+1)^2 - 17$ translation 1 unit left and 17 units down

f) translation a units right and b units down

2. a)

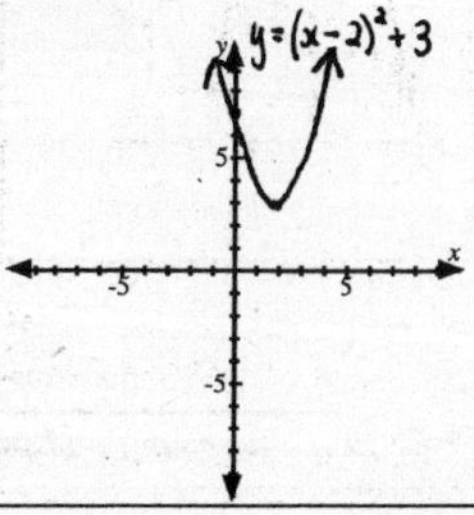

b) (2, 3) c) minimum value of 3

d) domain $x \in R$ range $\{y \mid y \geq 3, y \in R\}$

3. a) $y = (x-7)^2$

b) $y = x^2 - 2$

c) $y = (x+3)^2 + 8$

d) $y = (x-d)^2 - c$

4. a) (−4, 4)

b) (9, 7)

5.

Function	$y = x^2 + 5$	$y = (x+3)^2 - 4$	$y + 9 = (x-6)^2 + 1$ $y = (x-6)^2 - 8$	$y - w = (x+r)^2$ $y = (x+r)^2 + w$
Coordinates of Vertex	(0, 5)	(−3, −4)	(6, −8)	(−r, w)
Max/Min Value	min, 5	min, −4	min, −8	min, w
Eqn. of Axis of Symmetry	$x = 0$	$x = -3$	$x = 6$	$x = -r$
Domain	$x \in R$	$x \in R$	$x \in R$	$x \in R$
Range	$\{y \mid y \geq 5, y \in R\}$	$\{y \mid y \geq -4, y \in R\}$	$\{y \mid y \geq -8, y \in R\}$	$\{y \mid y \geq w, y \in R\}$

6. horizontal translation 2 units right, vertical translation 6 units down

Multiple Choice 7. (C.) $x \in R$ and $y \geq -2$

Numerical Response 8. x_{int} 2, 6; y_{int} 6; $2 + 6 + 6 = 14$ — 1 4

Multiple Choice 9. (B.) b units right and a units down — $y = (x-b)^2 - a$

10. (D.) (0, 8) — (2, 4) → (0, 8) translation 2 units left and 4 units up

Quadratic Functions and Equations Lesson #3: Analyzing Quadratic Functions - Part Two

Analyzing the Graph of $y = a(x - p)^2, a > 0$

a) • $y = 2f(x)$: $y = 2(x-2)^2$ • $y = \frac{1}{2}f(x)$: $y = \frac{1}{2}(x-2)^2$

b)

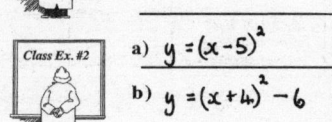

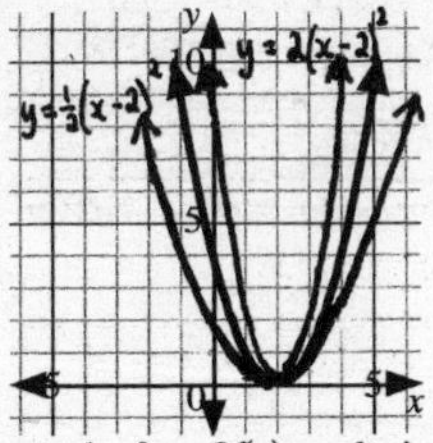

c) • Compared to the graph of $y = f(x)$, the number 2 in the graph of $y = 2f(x)$ results in a vertical (expansion) / compression by a factor of **2**.

• The y intercept of the graph of $y = 2f(x)$ is **double** the y-intercept of the graph of $y = f(x)$.

d) Complete the following by circling the correct choice and filling in the blank.

• Compared to the graph of $y = f(x)$, the number $\frac{1}{2}$ in the graph of $y = \frac{1}{2}f(x)$ results in a vertical expansion / (compression) by a factor of **$\frac{1}{2}$**.

• The y intercept of the graph of $y = \frac{1}{2}f(x)$ is **half** the y-intercept of the graph of $y = f(x)$.

e) Describe the effect of the **parameter** a on the graph of $y = a(x - p)^2$ where $a > 0$.

vertical stretch by a factor of a about the x-axis

f) Compared to the graph of $y = x^2$, the graph of $y = ax^2$ results in a vertical stretch of factor __a__ about the x-axis.
If $a > 1$, the parabola undergoes a vertical expansion.
If $0 < a < 1$, the parabola undergoes a vertical compression.

Analyzing the Graph of $y = ax^2, a < 0$

a) • $y = -f(x)$ • $y = -2f(x)$

$y = -x^2$ $y = -2x^2$

b)

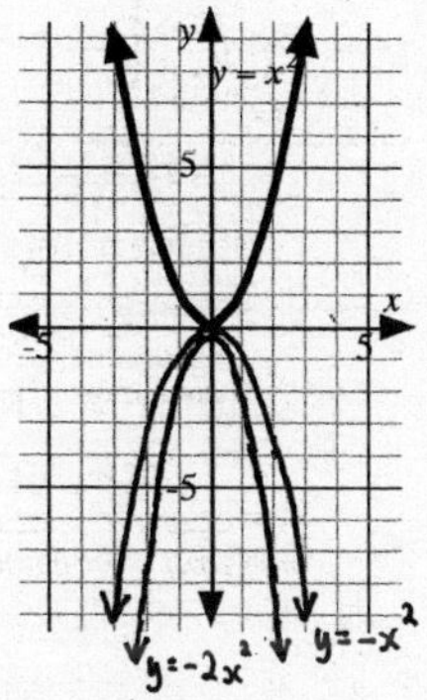

d) How does the graph of $y = -x^2$ compare to the graph of $y = x^2$?

reflection in x-axis

e) Compared to the graph of $y = x^2$, the graph of $y = ax^2, a < 0$ results in a __reflection__ in the __x-axis__ and a __vertical__ stretch by a factor of __$-a$__ about the x-axis .

c)

Function	Equation Representing Function	Vertex	Max/Min Value	Equation of Axis of Symmetry	Description of Transformation
$y = f(x)$	$y = x^2$	(0, 0)	min, 0	$x = 0$	no transformation
$y = -f(x)$	$y = -x^2$	(0, 0)	max, 0	$x = 0$	reflection in x-axis
$y = -2f(x)$	$y = -2x^2$	(0, 0)	max, 0	$x = 0$	reflection in x-axis and vertical stretch by a factor of 2
$y = af(x)$, where $a < 0$	$y = ax^2$ $(a<0)$	(0, 0)	max, 0	$x = 0$	reflection in x-axis and vertical stretch by a factor of $-a$

Transformations Associated with the Parameters of $y = a(x - p)^2 + q$

Class Ex. #1

a) State the transformations applied to the graph of $y = x^2$ which would result in the graph of $y = 2(x + 4)^2 - 3$. vertical stretch by a factor of 2 about the x-axis translation 4 units left and 3 units down

b)

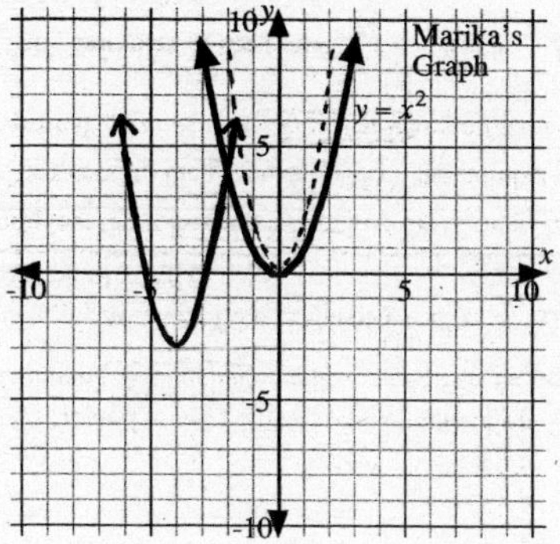

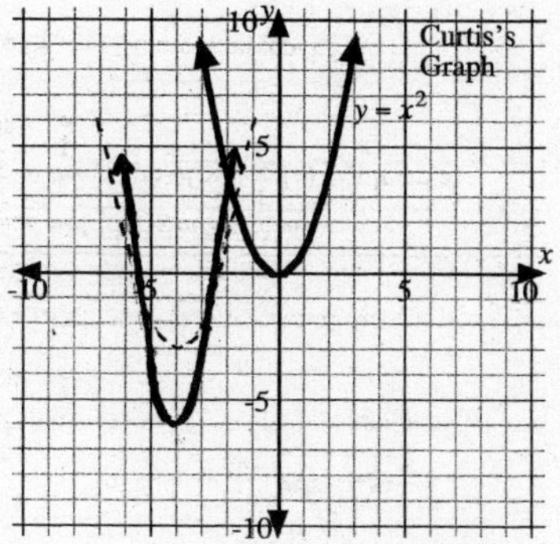

Marika is correct

Class Ex. #2

a) vertical stretch by a factor of $\frac{1}{4}$ about the x-axis reflection in the x-axis

b) $y = 3(x+6)^2$
vertical stretch by a factor of 3 about the x-axis translation 6 units left

Class Ex. #3

a) $y = x^2 \rightarrow y = -x^2 \rightarrow y = -\frac{1}{3}x^2 \rightarrow y = -\frac{1}{3}(x-7)^2$

b) (7, 0)

c) $y = -\frac{1}{3}(x-7)^2$ $t = -12$ $t = -\frac{1}{3}(1-7)^2 = -\frac{1}{3}(36) = -12$

Class Ex. #4

Function	Vertex	Max/Min Value	Equation of Axis of Symmetry	Domain	Range
$y = -(x + 3)^2 - 4$	(−3, −4)	max, −4	$x = -3$	$x \in R$	$\{y \mid y \le -4, y \in R\}$
$y = 3(x - 9)^2$	(9, 0)	min, 0	$x = 9$	$x \in R$	$\{y \mid y \ge 0, y \in R\}$

Assignment

1. **a)** $y = -3x^2$
vertical stretch by a factor of 3 about the x-axis, a reflection in the x-axis

b) $y = x^2 - 15$
vertical translation 15 units down

c) $y = -\frac{2}{3}(x + 4)^2 - 1$
vertical stretch by a factor of $\frac{2}{3}$ about the x-axis, a reflection in the x-axis, a translation 4 units left and 1 unit down

d) $2y = (x - 8)^2 + 12$ $y = \frac{1}{2}(x-8)^2 + 6$
vertical stretch by a factor of $\frac{1}{2}$ about the x-axis, a translation 8 units right and 6 units up

2. a) $y = x^2 \rightarrow y = -x^2 \rightarrow y = -4x^2$ | b) $y = x^2 \rightarrow y = \frac{3}{5}x^2 \rightarrow y = \frac{3}{5}x^2 - 5$

c) $y = x^2 \rightarrow y = 8x^2 \rightarrow y = -8x^2 \rightarrow y = -8(x+9)^2 + 3$

d) $y = x^2 \rightarrow y = cx^2 \rightarrow y = -cx^2 \rightarrow y = -c(x-e)^2 - f$

3.

Function	Vertex	Max/Min Value	Equation of Axis of Symmetry	Domain	Range
$y = 3x^2$	$(0,0)$	min, 0	$x = 0$	$x \in R$	$\{y \mid y \geq 0, y \in R\}$
$y = 2x^2 + 1$	$(0,1)$	min, 1	$x = 0$	$x \in R$	$\{y \mid y \geq 1, y \in R\}$
$y = -(x+7)^2$	$(-7,0)$	max, 0	$x = -7$	$x \in R$	$\{y \mid y \leq 0, y \in R\}$
$y - 10 = (x+5)^2$	$(-5,10)$	min, 10	$x = -5$	$x \in R$	$\{y \mid y \geq 10, y \in R\}$
$y + 3 = -3(x-1)^2 + 2$	$(1,-1)$	max, −1	$x = 1$	$x \in R$	$\{y \mid y \leq -1, y \in R\}$

4. a) $y = x^2 \rightarrow y = -x^2 \rightarrow y = -3x^2 \rightarrow y = -3(x-5)^2 - 2$

b) $y = -3(x-5)^2 - 2$. $x = 4$ $\rightarrow y = -3(4-5)^2 - 2$ $y = -5$

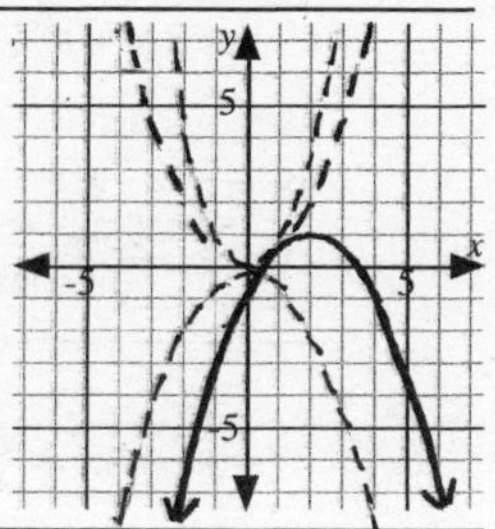

5. a) vertical stretch by a factor of $\frac{1}{2}$ about the x-axis
reflection in the x-axis
translation 2 units right and 1 unit up

b)

6. a) $(-3,9) \rightarrow (-3,-9) \rightarrow (-3,-5)$

b) $(-3,9) \rightarrow (-3,3)$ c) $y = -4x^2 + 5$

7. a) $y = 3(x-4)^2 - 1$ | b) $y = \frac{1}{2}(x+3)^2 + 2$ | d) $y = -\frac{1}{3}(x+6)^2 - 3$

Multiple Choice 8. (A.) $\left(-2, \frac{1}{2}\right)$

vertical strech by a factor of $\frac{1}{2}$ about the x-axis
reflection in the x-axis
translation 3 units left and 1 unit up
$(1,1) \rightarrow (1,\frac{1}{2}) \rightarrow (1,-\frac{1}{2}) \rightarrow (-2,\frac{1}{2})$

Numerical Response 9. | 1 | 4 | 3 | 2 |

vertex(5,−3) min, −3	vertex(−4,2)
vertex(3,4)	vertex(5,−3) max, −3

10.
- a vertical stretch of factor 2 about the x-axis $y = 2x^2$
- a reflection in the x-axis $y = -2x^2$
- a vertical translation of 12 units up $y = -2x^2 + 12$

$y = -2(2)^2 + 12 = 4$ | 4 | . | 0 |

Quadratic Functions and Equations Lesson #4: Equations and Intercepts from the Vertex and a Point

Class Ex. #1

Determining the Equation from the Vertex and a Point

a) $y = a(x+2)^2 + 8$ vertex$(-2,8)$ $p = -2, q = 8$

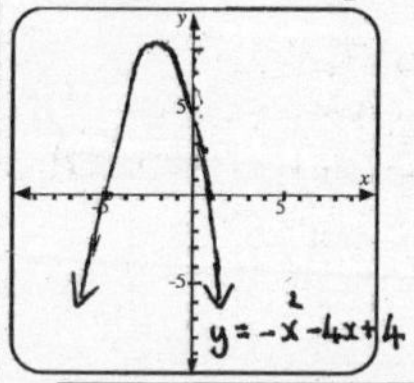

$7 = a(-1+2)^2 + 8$
$7 = a(1)^2 + 8$
$7 = a + 8$
$a = -1$
$y = -(x+2)^2 + 8$

b) $y = -(x+2)^2 + 8$
$y = -(x^2+4x+4) + 8$
$y = -x^2 - 4x - 4 + 8$
$y = -x^2 - 4x + 4$

c) x_{int} : $-4.83, 0.83$

Class Ex. #2

Finding Intercepts from the Standard Form

x_{int} $y = 0$
$0 = 3(x-1)^2 - 9$
$9 = 3(x-1)^2$
$3 = (x-1)^2$
$x - 1 = \pm\sqrt{3}$
$x = 1 \pm \sqrt{3}$

y_{int} $x = 0$
$y = 3(0-1)^2 - 9$
$y = 3(1) - 9$
$y = -6$

x_{int} : $1 \pm \sqrt{3}$
y_{int} : -6

Class Ex. #3

a) $y = a(x-p)^2 + q$ vertex$(-1,2)$
$y = a(x+1)^2 + 2$ $p = -1, q = 2$
$(-3,1) \rightarrow 1 = a(-3+1)^2 + 2$
$1 = a(-2)^2 + 2$
$1 = 4a + 2$
$-1 = 4a$ $a = -\frac{1}{4}$
$y = -\frac{1}{4}(x+1)^2 + 2$

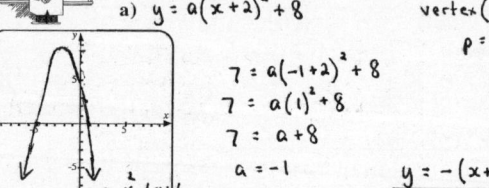

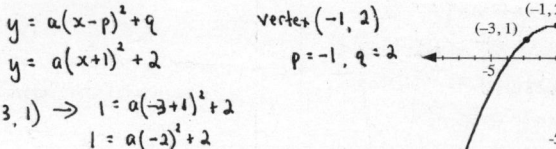

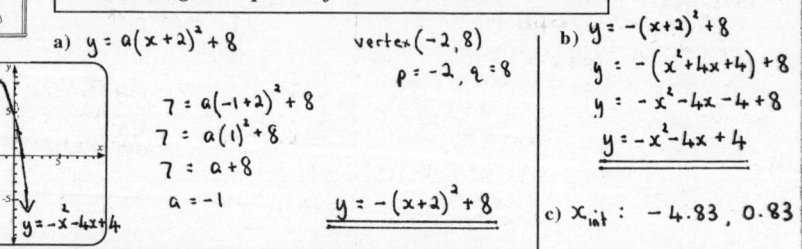

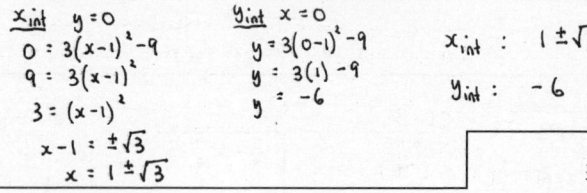

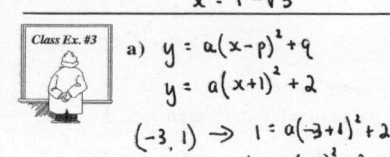

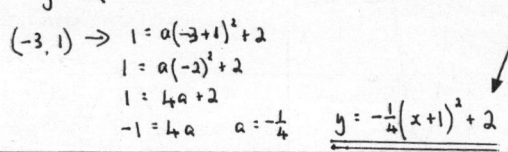

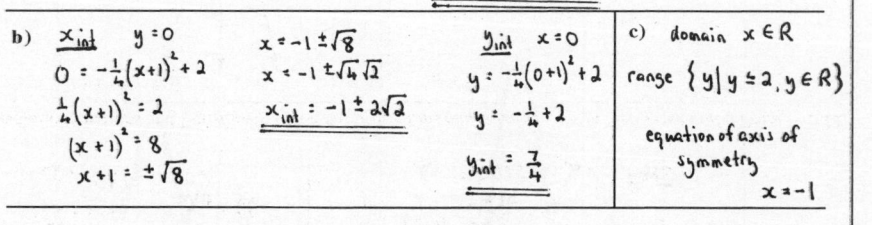

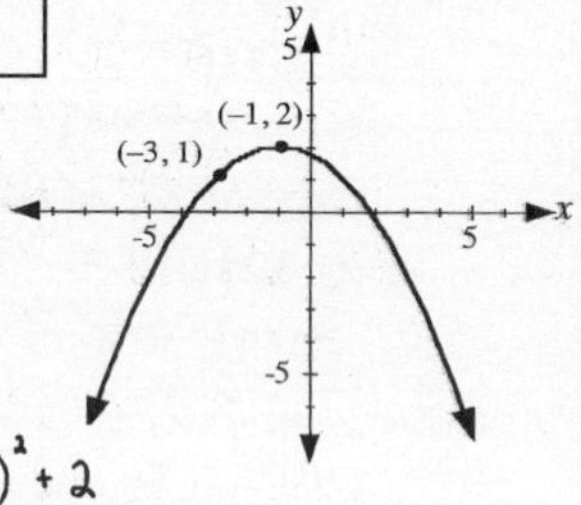

b) x_{int} $y = 0$
$0 = -\frac{1}{4}(x+1)^2 + 2$
$\frac{1}{4}(x+1)^2 = 2$
$(x+1)^2 = 8$
$x + 1 = \pm\sqrt{8}$
$x = -1 \pm \sqrt{8}$
$x = -1 \pm \sqrt{4}\sqrt{2}$
$x_{int} = -1 \pm 2\sqrt{2}$

y_{int} $x = 0$
$y = -\frac{1}{4}(0+1)^2 + 2$
$y = -\frac{1}{4} + 2$
$y_{int} = \frac{7}{4}$

c) domain $x \in R$
range $\{y \mid y \leq 2, y \in R\}$
equation of axis of symmetry $x = -1$

Assignment

1. a) $y = a(x-p)^2 + q$ vertex $(3,-4)$ $p = 3 \quad q = -4$

$y = a(x-3)^2 - 4$

$(4,1) \rightarrow 1 = a(4-3)^2 - 4$

$1 = a(1)^2 - 4$

$1 = a - 4$

$5 = a \quad a = 5$

$y = 5(x-3)^2 - 4$

b) $y = 5(x-3)^2 - 4$

$y = 5(x^2 - 6x + 9) - 4$

$y = 5x^2 - 30x + 45 - 4$

$y = 5x^2 - 30x + 41$

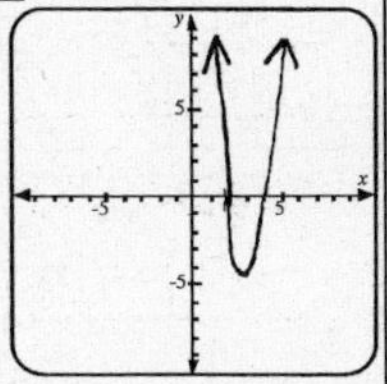

c) x_{int} 2.11, 3.89

y_{int} : 41

2. a) vertex (7, –6), point (9, –4)

$y = a(x-p)^2 + q$ vertex$(7,-6)$ $p = 7, q = -6$

$y = a(x-7)^2 - 6$

$(9,-4) \rightarrow -4 = a(9-7)^2 - 6$

$-4 = a(4) - 6$

$2 = 4a \quad a = \frac{1}{2}$

$y = \frac{1}{2}(x-7)^2 - 6$

b) vertex (–2, 5), point (–4, 21)

$y = a(x-p)^2 + q$ vertex$(-2,5)$ $p = -2, q = 5$

$y = a(x+2)^2 + 5$

$(-4,21) \rightarrow 21 = a(-4+2)^2 + 5$

$21 = 4a + 5$

$16 = 4a \quad a = 4$

$y = 4(x+2)^2 + 5$

c) vertex (–1, 0), point (–5, –12)

$y = a(x-p)^2 + q$ vertex$(-1,0)$ $p = -1, q = 0$

$y = a(x+1)^2$

$(-5,-12) \rightarrow -12 = a(-5+1)^2$

$-12 = 16a \quad a = -\frac{3}{4}$

$y = -\frac{3}{4}(x+1)^2$

d) vertex (3, –8), *y*-intercept is 10

$y = a(x-p)^2 + q$ vertex$(3,-8)$ $p = 3, q = -8$

$y = a(x-3)^2 - 8$

$(0,10) \rightarrow 10 = a(0-3)^2 - 8$

$10 = 9a - 8$

$18 = 9a \quad a = 2$

$y = 2(x-3)^2 - 8$

3. a) $y = a(x-p)^2 + q$

$y = a(x - \frac{5}{3})^2 + 1$

$(\frac{2}{3}, 0) \rightarrow 0 = a(\frac{2}{3} - \frac{5}{3})^2 + 1$

$0 = a(-1)^2 + 1$

$0 = a + 1$

$a = -1$

$y = -(x - \frac{5}{3})^2 + 1$

vertex $(\frac{5}{3}, 1)$

$p = \frac{5}{3}, q = 1$

b) $y = -(x - \frac{5}{3})^2 + 1$

$y = -(x^2 - \frac{10}{3}x + \frac{25}{9}) + 1$

$y = -x^2 + \frac{10}{3}x - \frac{25}{9} + 1$

$y = -x^2 + \frac{10}{3}x - \frac{16}{9}$

c) $\frac{8}{3}$ symmetry: $\frac{2}{3} \rightarrow \frac{5}{3} \rightarrow \frac{8}{3}$

d) domain: $x \in R$ range: $\{y \mid y \leq 1, y \in R\}$

e) $x = \frac{5}{3}$

4. a) x_{int} $y = 0$

$0 = (x-4)^2 - 16$

$16 = (x-4)^2$

$\pm 4 = x - 4$

$4 \pm 4 = x$

x_{int} : 0, 8

y_{int} $x = 0$

$y = (0-4)^2 - 16$

$y_{int} = 0$

b) x_{int} $y = 0$

$0 = -3(x+2)^2 + 3$

$3(x+2)^2 = 3$

$(x+2)^2 = 1$

$x + 2 = \pm 1$

x_{int} : –3, –1

y_{int} $x = 0$

$y = -3(0+2)^2 + 3$

$y = -3(4) + 3$

y_{int} : –9

c) x_{int} $y = 0$

$0 = 2(x-6)^2 - 6$

$6 = 2(x-6)^2$

$3 = (x-6)^2$

$\pm\sqrt{3} = x - 6$

x_{int} : $6 \pm \sqrt{3}$

y_{int} $x = 0$

$y = 2(0-6)^2 - 6$

$y = 2(36) - 6$

y_{int} : 66

d) x_{int} $y = 0$

$0 = -\frac{1}{4}(x+1)^2 + 5$

$\frac{1}{4}(x+1)^2 = 5$

$(x+1)^2 = 20$

$x + 1 = \pm\sqrt{20}$

$x + 1 = \pm 2\sqrt{5}$ x_{int} : $-1 \pm 2\sqrt{5}$

y_{int} $x = 0$

$y = -\frac{1}{4}(0+1)^2 + 5$

y_{int} : $\frac{19}{4}$

5. a)

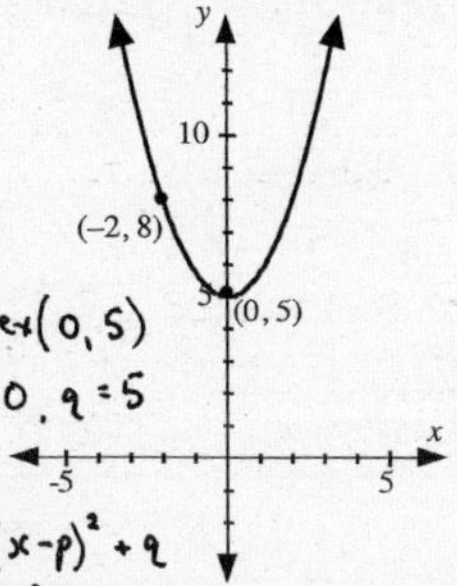

vertex$(0,5)$

$p = 0, q = 5$

$y = a(x-p)^2 + q$

$y = ax^2 + 5$

$(-2,8) \rightarrow 8 = a(-2)^2 + 5$

$8 = 4a + 5$

$3 = 4a \quad a = \frac{3}{4}$

$y = \frac{3}{4}x^2 + 5$

b)

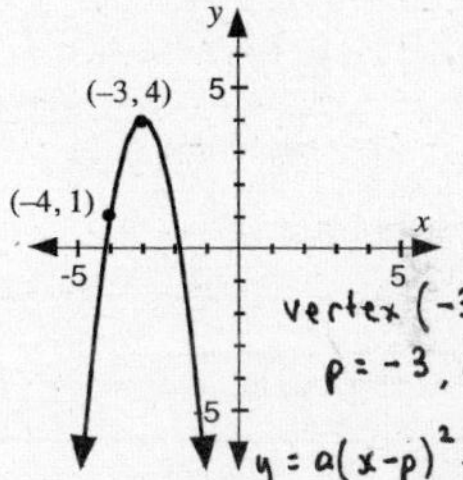

vertex $(-3, 4)$

$p = -3, q = 4$

$y = a(x-p)^2 + q$

$y = a(x+3)^2 + 4$

$(-4,1) \rightarrow 1 = a(-4+3)^2 + 4$

$1 = a + 4$

$a = -3$

$y = -3(x+3)^2 + 4$

6. Vertex$(0,q)$. The vertex of the parabola is on the y-axis so the x-intercepts are an equal distance on either side of $x = 0$.
If one x-intercept is 9, the other must be –9.

7. $y = a(x-2)^2 + q$

$(-2,5) \rightarrow 5 = a(-2-2)^2 + q$

$5 = a(-4)^2 + q$

$5 = 16a + q$

$(4,-1) \rightarrow -1 = a(4-2)^2 + q$

$-1 = a(2)^2 + q$

$-1 = 4a + q$

$16a + q = 5$

$4a + q = -1$

subtract $12a = 6$

$a = \frac{1}{2}$

$16(\frac{1}{2}) + q = 5$

$8 + q = 5$

$q = -3$

vertex$(2,-3)$

8. $y = a(x+5)^2 + q$

$(-6,2) \rightarrow 2 = a(-6+5)^2 + q$

$2 = a + q$

$(-3,20) \rightarrow 20 = a(-3+5)^2 + q$

$20 = 4a + q$

$4a + q = 20$

$a + q = 2$

subtract $3a = 18$

$a = 6$

$6 + q = 2$

$q = -4$

$y = 6(x+5)^2 - 4$

vertex $(-5,-4)$

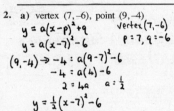

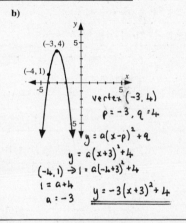

V(–5, –4)

minimum value of –4

9. a) $y = a(x-p)^2 + q$ vertex$(-5, q)$ $p = -5$

$y = a(x+5)^2 + q$

$(-9, 9) \rightarrow 9 = a(-9+5)^2 + q$

$9 = 16a + q$

$(1, 24) \rightarrow 24 = a(1+5)^2 + q$

$24 = 36a + q$

$36a + q = 24$

$16a + q = 9$

subtract $20a = 15$

$a = \frac{3}{4}$

$36(\frac{3}{4}) + q = 24$

$27 + q = 24$

$q = -3$

$y = \frac{3}{4}(x+5)^2 - 3$

b) x_{int}. $y = 0$

$0 = \frac{3}{4}(x+5)^2 - 3$

$3 = \frac{3}{4}(x+5)^2$

$12 = 3(x+5)^2$

$4 = (x+5)^2$

$\pm 2 = x + 5$

$x_{int}: -7, -3$

y_{int}. $x = 0$

$y = \frac{3}{4}(0+5)^2 - 3$

$y_{int}: \frac{63}{4}$

c) domain $x \in R$

range $\{y \mid y \geq -3, y \in R\}$

Multiple Choice 10. (C.) -2

$p = 2$, $q = 8$

$y = a(x-2)^2 + 8$

$0 = a(0-2)^2 + 8 \rightarrow -8 = 4a \rightarrow a = -2$

Numerical Response 11.

$-2 = -2(-5-3)^2 + q$

$-2 = -2(64) + q$

$-2 = -128 + q$

$q = 126$

1	2	6	

12.

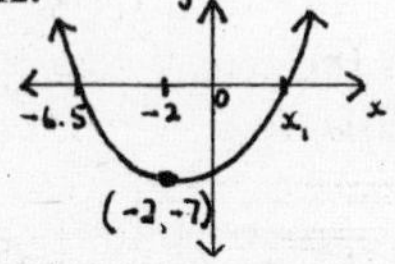

vertex $(-2, -7)$

by symmetry

$-6.5 \rightarrow -2 \rightarrow x_1$

$+4.5 \quad +4.5$

$x_1 = -2 + 4.5 = 2.5$

2	.	5	

Quadratic Functions and Equations Lesson #5: Converting from General Form to Standard Form by Completing the Square

Completing the Square

a) $(x+4)^2 = (x+4)(x+4) = x^2 + 8x + 16$ $\quad (x+7)^2 = (x+7)(x+7) = x^2 + 14x + 49$

$(x-5)^2 = (x-5)(x-5) = x^2 - 10x + 25$ $\quad (x-1)^2 = (x-1)(x-1) = x^2 - 2x + 1$

$(x+a)^2 = x^2 + 2ax + a^2$ $\quad (x-a)^2 = x^2 - 2ax + a^2$

b) $x^2 + 6x + 9 = (x+3)^2$ $\quad x^2 + 12x + 36 = (x+6)^2$

$x^2 - 4x + 4 = (x-2)^2$ $\quad x^2 - 16x + 64 = (x-8)^2$

c) $x^2 + 2x + 1 = (x+1)^2$ $\quad x^2 + 18x + 81 = (x+9)^2$

$x^2 - 3x + \frac{9}{4} = (x - \frac{3}{2})^2$ $\quad x^2 - \frac{1}{4}x + \frac{1}{64} = (x - \frac{1}{8})^2$

Writing $f(x) = x^2 + bx + c$ in Standard Form by Completing the Square

Class Ex. #1

$y = x^2 + 10x + 16$

$y = x^2 + 10x \quad + 16$

$y = x^2 + 10x + 25 - 25 + 16$

$y = (x+5)^2 - 9$

$\frac{1}{2}(10) = 5$

$5^2 = 25$

graphs are identical

Class Ex. #2

$f(x) = x^2 - 9x \quad - 20$

$f(x) = x^2 - 9x + \frac{81}{4} - \frac{81}{4} - 20$

$f(x) = (x - \frac{9}{2})^2 - \frac{161}{4}$

$\frac{1}{2}(-9) = -\frac{9}{2}$

$(-\frac{9}{2})^2 = \frac{81}{4}$

vertex $(\frac{9}{2}, -\frac{161}{4})$

minimum value of f $= -\frac{161}{4}$

Class Ex. #3

$f(x) = 3x^2 - 18x + 20$

$= 3(x^2 - 6x) + 20$

$= 3(x^2 - 6x + 9 - 9) + 20$

$= 3(x-3)^2 - 27 + 20$

$f(x) = 3(x-3)^2 - 7$

minimum value of -7

Class Ex. #4

$y = -2x^2 + 10x + 7$

$y = -2(x^2 - 5x) + 7$

$y = -2(x^2 - 5x + \frac{25}{4} - \frac{25}{4}) + 7$

$y = -2(x - \frac{5}{2})^2 + \frac{25}{2} + 7$

$y = -2(x - \frac{5}{2})^2 + \frac{39}{2}$

parabola opens down

vertex $(\frac{5}{2}, \frac{39}{2})$

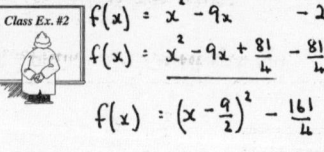

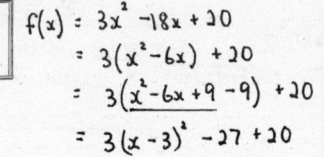

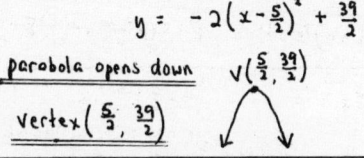

Class Ex. #5

$f(x) = 3x^2 - 12x - 8$

$= 3(x^2 - 4x) - 8$

$= 3(x^2 - 4x + 4 - 4) - 8$

$= 3(x-2)^2 - 12 - 8$

$f(x) = 3(x-2)^2 - 20$

zeros: $0 = 3(x-2)^2 - 20$

$20 = 3(x-2)^2$

$\frac{20}{3} = (x-2)^2$

$\pm\sqrt{\frac{20}{3}} = x - 2$

$x = 2 \pm \sqrt{\frac{20}{3}}$

$x = -0.58, 4.58$

Assignment

1. a) $x^2 + 8x$ $\quad (4)^2 = 16$ | b) $x^2 - 24x$ $\quad (-12)^2 = 144$ | c) $x^2 + 40x$ $\quad (20)^2 = 400$ | d) $x^2 - x$ $\quad (-\frac{1}{2})^2 = \frac{1}{4}$ | e) $x^2 + \frac{1}{2}x$ $\quad (\frac{1}{4})^2 = \frac{1}{16}$ | f) $x^2 - \frac{2}{3}x$ $\quad (-\frac{1}{3})^2 = \frac{1}{9}$

2. a) $x^2+6x+\underline{9}=(x+\underline{3})^2$ | b) $x^2-20x+\underline{100}=(x-\underline{10})^2$ | c) $x^2+5x+\underline{\frac{25}{4}}=(x+\underline{\frac{5}{2}})^2$

d) $x^2-9x+\underline{\frac{81}{4}}=(x-\underline{\frac{9}{2}})^2$ | e) $x^2+0.6x+\underline{0.09}=(x+\underline{0.3})^2$ | f) $x^2-\frac{3}{4}x+\underline{\frac{9}{64}}=(x-\underline{\frac{3}{8}})^2$

3. a) $y=x^2+10x+3$

$y=x^2+10x+25-25+3$

$y=(x+5)^2-22$

b) $y=x^2-4x-21$

$y=x^2-4x+4-4-21$

$y=(x-2)^2-25$

c) $y=x^2+14x-2$

$y=x^2+14x+49-49-2$

$y=(x+7)^2-51$

d) $f(x)=x^2+9x+22$

$f(x)=x^2+9x+\frac{81}{4}-\frac{81}{4}+22$

$f(x)=\left(x+\frac{9}{2}\right)^2+\frac{7}{4}$

e) $g(x)=x^2-x+1$

$g(x)=x^2-x+\frac{1}{4}-\frac{1}{4}+1$

$g(x)=\left(x-\frac{1}{2}\right)^2+\frac{3}{4}$

f) $h(x)=x^2+bx+c$

$h(x)=x^2+bx+\frac{b^2}{4}-\frac{b^2}{4}+c$

$h(x)=\left(x+\frac{b}{2}\right)^2+c-\frac{b^2}{4}$

4. $f(x)=x^2-14x-40$

$=x^2-14x+49-49-40$

$f(x)=(x-7)^2-89$

Vertex $(7,-89)$

axis of symmetry : $x=7$

5. a) $f(x)=2x^2+12x+5$

$f(x)=2(x^2+6x)+5$

$f(x)=2(x^2+6x+9-9)+5$

$f(x)=2(x+3)^2-18+5$

$f(x)=2(x+3)^2-13$

b) $y=3x^2-18x-19$

$y=3(x^2-6x)-19$

$y=3(x^2-6x+9-9)-19$

$y=3(x-3)^2-27-19$

$y=3(x-3)^2-46$

c) $P(x)=2x^2+14x-11$

$P(x)=2(x^2+7x)-11$

$P(x)=2\left(x^2+7x+\frac{49}{4}-\frac{49}{4}\right)-11$

$P(x)=2\left(x+\frac{7}{2}\right)^2-\frac{49}{2}-11$

$P(x)=2\left(x+\frac{7}{2}\right)^2-\frac{71}{2}$

d) $y=-x^2+10x+20$

$y=-(x^2-10x)+20$

$y=-(x^2-10x+25-25)+20$

$y=-(x-5)^2+25+20$

$y=-(x-5)^2+45$

e) $y=-4x^2-8x+7$

$y=-4(x^2+2x)+7$

$y=-4(x^2+2x+1-1)+7$

$y=-4(x+1)^2+4+7$

$y=-4(x+1)^2+11$

f) $f(x)=-x^2+bx+c$

$f(x)=-(x^2-bx)+c$

$f(x)=-\left(x^2-bx+\frac{b^2}{4}-\frac{b^2}{4}\right)+c$

$f(x)=-\left(x-\frac{b}{2}\right)^2+\frac{b^2}{4}+c$

$f(x)=-\left(x-\frac{b}{2}\right)^2+\frac{b^2}{4}+c$

g) $g(x)=11x-x^2$

$g(x)=-x^2+11x$

$g(x)=-(x^2-11x)$

$g(x)=-\left(x^2-11x+\frac{121}{4}-\frac{121}{4}\right)$

$g(x)=-\left(x-\frac{11}{2}\right)^2+\frac{121}{4}$

h) $y=5x^2-20x+m$

$y=5(x^2-4x)+m$

$y=5(x^2-4x+4-4)+m$

$y=5(x-2)^2-20+m$

$y=5(x-2)^2+m-20$

i) $y=-3x^2+12x-11$

$y=-3(x^2-4x)-11$

$y=-3(x^2-4x+4-4)-11$

$y=-3(x-2)^2+12-11$

$y=-3(x-2)^2+1$

6. $f(x)=ax^2+bx+c$

$f(x)=a\left(x^2+\frac{b}{a}x\right)+c$

$f(x)=a\left(x^2+\frac{b}{a}x+\frac{b^2}{4a^2}-\frac{b^2}{4a^2}\right)+c$

$f(x)=a\left(x+\frac{b}{2a}\right)^2-\frac{b^2}{4a}+c$

$f(x)=a\left(x+\frac{b}{2a}\right)^2+c-\frac{b^2}{4a}$

or $f(x)=a\left(x+\frac{b}{2a}\right)^2+\frac{4ac-b^2}{4a}$

Multiple Choice

7. (C.) 6.875 $\quad q=\frac{55}{8}=6.875$

$y=2\left(x^2+\frac{5}{2}x\right)+10$

$y=2\left(x^2+\frac{5}{2}x+\frac{25}{16}-\frac{25}{16}\right)+10$

$y=2\left(x+\frac{5}{4}\right)^2-\frac{25}{8}+10 \qquad y=2\left(x+\frac{5}{4}\right)^2+\frac{55}{8}$

8. (B.) $\frac{b}{8}$

$f(x)=-4x^2+bx$

$f(x)=-4\left(x^2-\frac{b}{4}x\right)$

$f(x)=-4\left(x^2-\frac{b}{4}x+\frac{b^2}{64}-\frac{b^2}{64}\right)$

$f(x)=-4\left(x-\frac{b}{8}\right)^2+\frac{b^2}{16}$

vertex $\left(\frac{b}{8},\frac{b^2}{16}\right)$

9. (C) should be $(-3)(-1)=+3$

10. (C.) $4\pm2\sqrt{5}$

x-int. $f(x)=0$

$f(x)=x^2-8x-4$

$f(x)=x^2-8x+16-16-4$

$f(x)=(x-4)^2-20$

$0=(x-4)^2-20$

$20=(x-4)^2$

$\pm\sqrt{20}=x-4$

$=4\pm2\sqrt{5}$

Numerical Response

11. | 1 | 7 | . | 0 |

$g(x)=-5x^2+10x+12$

$=-5(x^2-2x)+12$

$=-5(x^2-2x+1-1)+12$

$=-5(x-1)^2+5+12$

$=-5(x-1)^2+17$

max. value $=17$

Quadratic Functions and Equations Lesson #6:
Roots of Quadratic Equations - The Quadratic Formula

Review

a) $x^2+7x-18=0$

$(x+9)(x-2)=0$

$x=-9,2$

roots are $-9,2$

b) $6x^2-x-12=0$

x	+
−72	−1
(−9, 8)	

$6x^2-9x+8x-12=0$

$3x(2x-3)+4(2x-3)=0$

$(2x-3)(3x+4)=0$

$x=\frac{3}{2},-\frac{4}{3}$

roots are $-\frac{4}{3},\frac{3}{2}$

c) Inspection will not work because the coefficient of x^2 is not equal to 1

Decomposition will not work because we cannot find two integers with a product of 10 and a sum of -8.

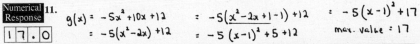

Class Ex. #1

Developing the Quadratic Formula

a) $2x^2 - 8x + 5 = 0$

$2(x^2 - 4x) + 5 = 0$

$2(x^2 - 4x + 4 - 4) + 5 = 0$

$2(x-2)^2 - 8 + 5 = 0$

$2(x-2)^2 - 3 = 0$

$2(x-2)^2 = 3$

$(x-2)^2 = \frac{3}{2}$

$x - 2 = \pm\sqrt{\frac{3}{2}}$

$x = 2 \pm \sqrt{\frac{3}{2}}$

b) $ax^2 + bx + c = 0$

$a(x^2 + \frac{b}{a}x) + c = 0$

$a(x^2 + \frac{b}{a}x + \frac{b^2}{4a^2} - \frac{b^2}{4a^2}) + c = 0$

$a(x + \frac{b}{2a})^2 - \frac{b^2}{4a} + c = 0$

$a(x + \frac{b}{2a})^2 = \frac{b^2}{4a} - c$

$a(x + \frac{b}{2a})^2 = \frac{b^2 - 4ac}{4a}$

$(x + \frac{b}{2a})^2 = \frac{b^2 - 4ac}{4a^2}$

$x + \frac{b}{2a} = \pm\sqrt{\frac{b^2-4ac}{4a^2}}$

$x + \frac{b}{2a} = \frac{\pm\sqrt{b^2-4ac}}{2a}$

$x = -\frac{b}{2a} \pm \frac{\sqrt{b^2-4ac}}{2a}$

$x = \frac{-b \pm \sqrt{b^2-4ac}}{2a}$

Class Ex. #2

The Quadratic Formula

a) $x^2 + 2x - 1 = 0$

$a = 1,\ b = 2,\ c = -1$

$x = \frac{-2 \pm \sqrt{(2)^2 - 4(1)(-1)}}{2(1)}$

$x = \frac{-2 \pm \sqrt{8}}{2}$

$x = \frac{-2 \pm 2\sqrt{2}}{2}$

$x = -1 \pm \sqrt{2}$

$x = -2.4,\ 0.4$

b) $4x^2 - 12x + 3 = 0$

$a = 4,\ b = -12,\ c = 3$

$x = \frac{12 \pm \sqrt{(-12)^2 - 4(4)(3)}}{2(4)}$

$x = \frac{12 \pm \sqrt{96}}{8}$

$x = \frac{12 \pm 4\sqrt{6}}{8}$

$x = \frac{3 \pm \sqrt{6}}{2}$

$x = 0.3,\ 2.7$

c) $4x^2 = 3(4x + 5)$

$4x^2 = 12x + 15$

$4x^2 - 12x - 15 = 0$

$a = 4,\ b = -12,\ c = -15$

$x = \frac{12 \pm \sqrt{(-12)^2 - 4(4)(-15)}}{2(4)}$

$x = \frac{12 \pm \sqrt{384}}{8} = \frac{12 \pm 8\sqrt{6}}{8}$

$x = \frac{3 \pm 2\sqrt{6}}{2}$

$x = -0.9,\ 3.9$

Class Ex. #3

$-3x^2 + 4x + 1 = 0$

$a = -3,\ b = 4,\ c = 1$

$x = \frac{-4 \pm \sqrt{(4)^2 - 4(-3)(1)}}{2(-3)} = \frac{-4 \pm 2\sqrt{7}}{-6} = \frac{2 \pm \sqrt{7}}{3}$

$= -0.22,\ 1.55$

Assignment

1. a) inspection

$x^2 - 3x - 10 = 0$

$(x+2)(x-5) = 0$

$x = -2,\ 5$

b) the quadratic formula

$x = \frac{-b \pm \sqrt{b^2-4ac}}{2a}$

$x = \frac{3 \pm \sqrt{(-3)^2 - 4(1)(-10)}}{2(1)}$

$x = \frac{3 \pm \sqrt{49}}{2},\ \frac{3 \pm 7}{2} = -2,\ 5$

2. a) decomposition

$4x^2 - 12x + x - 3 = 0$

$4x(x-3) + 1(x-3) = 0$

$(x-3)(4x+1) = 0$

$x = -\frac{1}{4},\ 3$

b) the quadratic formula

$a = 4,\ b = -11,\ c = -3$

$x = \frac{11 \pm \sqrt{(-11)^2 - 4(4)(-3)}}{2(4)}$

$x = \frac{11 \pm \sqrt{169}}{8}$ $x = -\frac{1}{4},\ 3$

3. a) graphing

graph $y = 6x^2 + 5x + 1$

use zero feature on calculator

$x = -\frac{1}{2},\ -\frac{1}{3}$

b) the quadratic formula

$a = 6,\ b = 5,\ c = 1$

$x = \frac{-5 \pm \sqrt{(5)^2 - 4(6)(1)}}{2(6)}$

$x = \frac{-5 \pm \sqrt{1}}{12} = \frac{-5 \pm 1}{12}$

$x = -\frac{1}{2},\ -\frac{1}{3}$

4. a) $2x^2 + x - 4 = 0$

$a = 2,\ b = 1,\ c = -4$

$x = \frac{-1 \pm \sqrt{(1)^2 - 4(2)(-4)}}{2(2)}$

$x = \frac{-1 \pm \sqrt{33}}{4}$

$x = -1.7,\ 1.2$

b) $2x^2 - 3x - 4 = 0$

$a = 2,\ b = -3,\ c = -4$

$x = \frac{3 \pm \sqrt{(-3)^2 - 4(2)(-4)}}{2(2)}$

$x = \frac{3 \pm \sqrt{41}}{4}$

$x = -0.9,\ 2.4$

c) $10t^2 = 7t + 1$

$10t^2 - 7t - 1 = 0$

$a = 10,\ b = -7,\ c = -1$

$t = \frac{7 \pm \sqrt{(-7)^2 - 4(10)(-1)}}{2(10)}$

$t = \frac{7 \pm \sqrt{89}}{20}$

$t = -0.1,\ 0.8$

5. a) $x^2 - 10x - 15 = 0$

$a = 1\ \ b = -10\ \ c = -15$

$x = \frac{10 \pm \sqrt{(-10)^2 - 4(1)(-15)}}{2(1)}$

$x = \frac{10 \pm \sqrt{160}}{2}$

$x = \frac{10 \pm 4\sqrt{10}}{2}$

$x = 5 \pm 2\sqrt{10}$

b) $x^2 + 6x + 17 = 0$

$a = 1,\ b = 6,\ c = 17$

$x = \frac{-6 \pm \sqrt{(6)^2 - 4(1)(17)}}{2}$

$x = \frac{-6 \pm \sqrt{-32}}{2}$

no solution

c) $3x^2 - 12x + 11 = 0$

$a = 3,\ b = -12,\ c = 11$

$x = \frac{12 \pm \sqrt{(-12)^2 - 4(3)(11)}}{2(3)}$

$x = \frac{12 \pm \sqrt{12}}{6}$

$x = \frac{12 \pm 2\sqrt{3}}{6}$

$x = \frac{6 \pm \sqrt{3}}{3}$

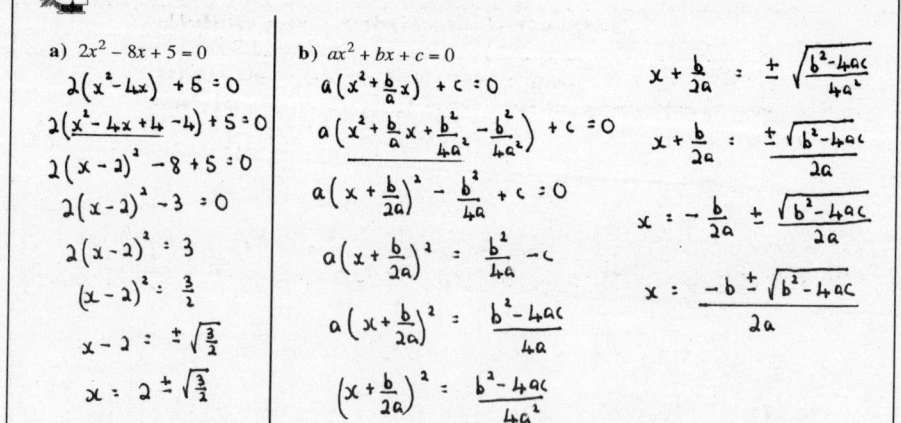

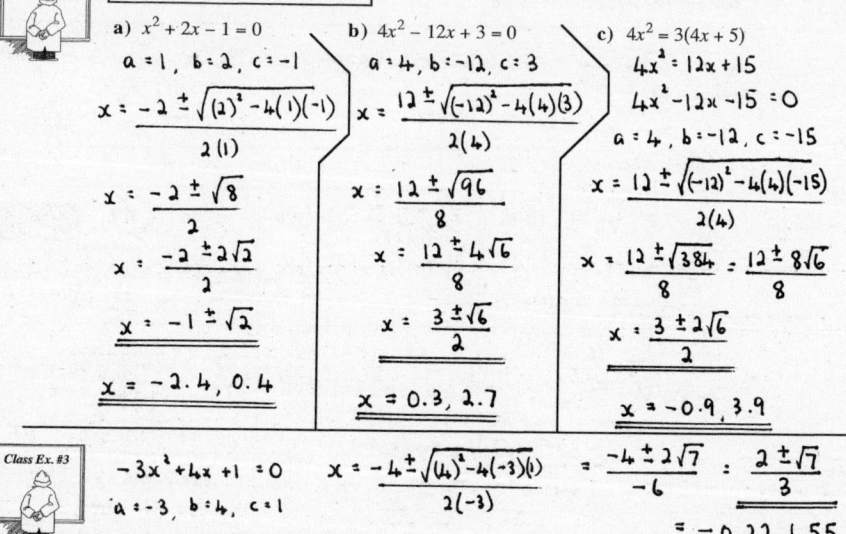

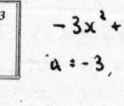

6. a) $f(x) = x^2 + 20x + 15$

$x^2 + 20x - 15 = 0$

$a = 1,\ b = 20,\ c = 15$

$x = \dfrac{-20 \pm \sqrt{(20)^2 - 4(1)(15)}}{2(1)}$

$x = \dfrac{-20 \pm \sqrt{340}}{2} = \dfrac{-20 \pm 2\sqrt{85}}{2}$

$x = -10 \pm \sqrt{85} = -19.22, -0.78$

b) $f(x) = 5x^2 + 12x - 5$

$5x^2 + 12x - 5 = 0$

$a = 5,\ b = 12,\ c = -5$

$x = \dfrac{-12 \pm \sqrt{(12)^2 - 4(5)(-5)}}{2(5)}$

$x = \dfrac{-12 \pm \sqrt{244}}{10} = \dfrac{-12 \pm 2\sqrt{61}}{10}$

$x = \dfrac{-6 \pm \sqrt{61}}{5} = -2.76, 0.36$

Multiple Choice

7. (B.) $x = \dfrac{-e \pm \sqrt{e^2 - 4df}}{2d}$

8. (C.) $\dfrac{-1 \pm \sqrt{7}}{6}$

$a = 6 \quad b = 2 \quad c = -1$

$6x^2 + 2x - 1 = 0$

$x = \dfrac{-2 \pm \sqrt{(2)^2 - 4(6)(-1)}}{2(6)}$

$= \dfrac{-2 \pm \sqrt{28}}{12} = \dfrac{-2 \pm 2\sqrt{7}}{12}$

$= \dfrac{-1 \pm \sqrt{7}}{6}$

Numerical Response

9. $2x^2 + 15x + p = 0$

$a = 2 \quad b = 15 \quad c = p$

$x = \dfrac{-15 \pm \sqrt{(15)^2 - 4(2)(p)}}{2(2)}$

$= \dfrac{-15 \pm \sqrt{225 - 8p}}{4}$

solve $-\frac{1}{2} = \dfrac{-15 \pm \sqrt{225 - 8p}}{4}$

$-2 = -15 \pm \sqrt{225 - 8p}$

$13 = \pm\sqrt{225 - 8p}$ $\qquad 8p = 56$

$169 = 225 - 8p$ $\qquad p = 7$

Quadratic Functions and Equations Lesson #7:

Roots of Quadratic Equations - The Discriminant

Class Ex. #1

- by factoring using inspection or decomposition
  appropriate when the equation is in general form and can be factored into the product of two binomials
- by quadratic formula
  always appropriate when the equation is in general form especially when the equation is difficult or impossible to factor.
- by completing the square
  appropriate when the equation is in standard form
- by graphing
  always appropriate but will not give exact answers if the roots are irrational.

Class Ex. #2

$a^2\left(\frac{2}{a^2}\right) + a^2\left(\frac{3}{a}\right) = a^2(-1)$

$2 + 3a = -a^2$

$a^2 + 3a + 2 = 0$

$(a + 2)(a + 1) = 0$

$a = -2, -1$

Investigating the Nature of the Roots of a Quadratic Equation

Equation #1

$x^2 - 6x + 5 = 0$

$x = \dfrac{-b \pm \sqrt{b^2 - 4ac}}{2a}$

$x = \dfrac{6 \pm \sqrt{(-6)^2 - 4(1)(5)}}{2}$

$= \dfrac{6 \pm \sqrt{16}}{2}$

$= \dfrac{6 + 4}{2}$ and $\dfrac{6 - 4}{2}$

∴ the roots are

$x = 5$ and $x = 1$

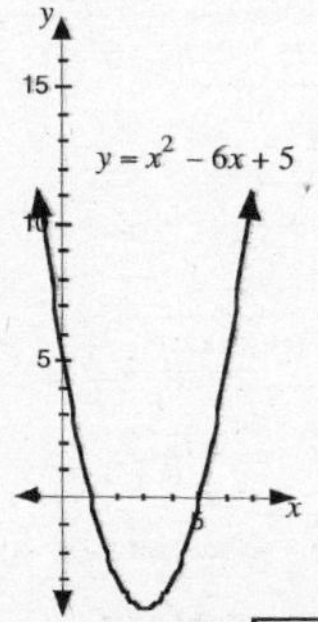

Equation #2

$x^2 - 6x + 9 = 0$

$x = \dfrac{-b \pm \sqrt{b^2 - 4ac}}{2a}$

$x = \dfrac{6 \pm \sqrt{(-6)^2 - 4(1)(9)}}{2}$

$= \dfrac{6 \pm \sqrt{0}}{2}$

$= \dfrac{6 + 0}{2}$ and $\dfrac{6 - 0}{2}$

∴ the roots are

$x = 3$ and $x = 3$

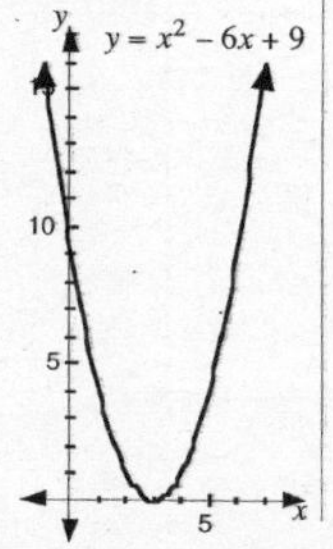

Equation #3

$x^2 - 6x + 13 = 0$

$x = \dfrac{-b \pm \sqrt{b^2 - 4ac}}{2a}$

$x = \dfrac{6 \pm \sqrt{(-6)^2 - 4(1)(13)}}{2}$

$= \dfrac{6 \pm \sqrt{-16}}{2}$

∴ the roots are not real

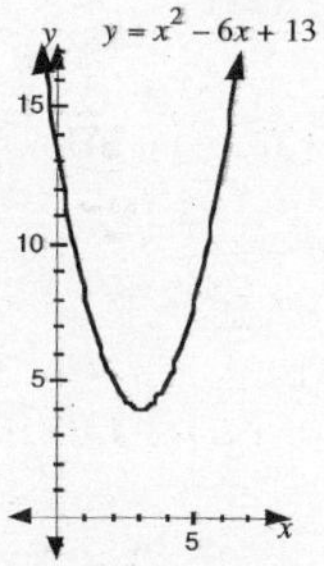

Class Ex. #3

a)

Equation	Roots	Nature of Roots	$b^2 - 4ac$
$x^2 - 6x + 5 = 0$	1, 5	real, unequal	16 (positive)
$x^2 - 6x + 9 = 0$	3, 3	real, equal	0
$x^2 - 6x + 13 = 0$		non-real	−16 (negative)

b) • If the discriminant $b^2 - 4ac = 0$, then the roots are real and equal.

• If the discriminant $b^2 - 4ac > 0$, then the roots are real and unequal.

• If the discriminant $b^2 - 4ac < 0$, then the roots are non-real.

Class Ex. #4

a) $6x^2 - x - 1 = 0$

$a = 6, b = -1, c = -1$

$b^2 - 4ac = (-1)^2 - 4(6)(-1) = 25$

roots are real and unequal

b) $x^2 + 16 = 8x$

$x^2 - 8x + 16 = 0$

$a = 1, b = -8, c = 16$

$b^2 - 4ac = (-8)^2 - 4(1)(16) = 0$

roots are real and equal

c) $5x^2 + 2x + 1 = 0.$

$a = 5, b = 2, c = 1$

$b^2 - 4ac = (2)^2 - 4(5)(1) = -16$

roots are non-real

Class Ex. #5

a) $a = 1, b = -8, c = m$

$b^2 - 4ac = (-8)^2 - 4(1)(m) = 64 - 4m$

$b^2 - 4ac > 0$, $64 - 4m > 0$

$-4m > -64$

$m < 16$

b) $b^2 - 4ac = 0$

$64 - 4m = 0$

$64 = 4m$

$m = 16$

c) $b^2 - 4ac < 0$

$64 - 4m < 0$

$-4m < -64$

$m > 16$

Class Ex. #6

a) $b^2 - 4ac \geq 0$

b) i) $b^2 - 4ac$ is a perfect square ii) $b^2 - 4ac$ is not a perfect square

c) $a = m - 2$, $b = -(3m - 2)$, $c = 2m$

$b^2 - 4ac = (-(3m-2))^2 - 4(m-2)(2m)$

$= 9m^2 - 12m + 4 - 8m(m-2)$

$= 9m^2 - 12m + 4 - 8m^2 + 16m$

$= m^2 + 4m + 4 = (m+2)^2$

Since $b^2 - 4ac$ is a perfect square, the roots of the equation are real and rational.

Assignment

1. a) $x + \frac{1}{x} = 3,\ x \neq 0$

$x(x) + x\left(\frac{1}{x}\right) = x(3)$

$x^2 + 1 = 3x$

$x^2 - 3x + 1 = 0$ ($a = 1, b = -3, c = 1$)

$x = \frac{3 \pm \sqrt{(-3)^2 - 4(1)(1)}}{2(1)}$

$x = \frac{3 \pm \sqrt{5}}{2} = 0.4, 2.6$

b) $(2x - 1)(3x + 2) = (x + 3)(2x + 1)$

$6x^2 + x - 2 = 2x^2 + 7x + 3$

$4x^2 - 6x - 5 = 0$ ($a = 4, b = -6, c = -5$)

$x = \frac{6 \pm \sqrt{(-6)^2 - 4(4)(-5)}}{2(4)}$

$x = \frac{6 \pm \sqrt{116}}{8} = -0.6, 2.1$

2. a) $\frac{4}{x^2} + \frac{2}{x} = 3$

$x^2\left(\frac{4}{x^2}\right) + x^2\left(\frac{2}{x}\right) = x^2(3)$

$4 + 2x = 3x^2$

$0 = 3x^2 - 2x - 4$ ($a = 3, b = -2, c = -4$)

$x = \frac{2 \pm \sqrt{(-2)^2 - 4(3)(-4)}}{2(3)}$

$x = \frac{2 \pm \sqrt{52}}{6} = \frac{2 \pm 2\sqrt{13}}{6}$

$x = \frac{1 \pm \sqrt{13}}{3}$

b) $3x(x - 4) = 8$

$3x^2 - 12x = 8$

$3x^2 - 12x - 8 = 0$ ($a = 3, b = -12, c = -8$)

$x = \frac{12 \pm \sqrt{(-12)^2 - 4(3)(-8)}}{2(3)}$

$x = \frac{12 \pm \sqrt{240}}{6}$

$x = \frac{12 \pm 4\sqrt{15}}{6}$

$x = \frac{6 \pm 2\sqrt{15}}{3}$

c) $3(x - 1)(x + 2) - (x^2 + 3) = 0$

$3(x^2 + x - 2) - x^2 - 3 = 0$

$3x^2 + 3x - 6 - x^2 - 3 = 0$

$2x^2 + 3x - 9 = 0$

$2x^2 - 3x + 6x - 9 = 0$

$x(2x - 3) + 3(2x - 3) = 0$

$(2x - 3)(x + 3) = 0$

$x = -3, \frac{3}{2}$

3. a) $1.4x^2 - 2.8x = 1.8$ $\times 10$

$14x^2 - 28x = 18$

$14x^2 - 28x - 18 = 0$

$7x^2 - 14x - 9 = 0$ ($a = 7, b = -14, c = -9$)

$x = \frac{14 \pm \sqrt{(-14)^2 - 4(7)(-9)}}{2(7)}$

$x = \frac{14 \pm \sqrt{448}}{14} = -0.5, 2.5$

b) $\frac{x^2}{2} - x - \frac{5}{4} = 0$ $\times 4$

$2x^2 - 4x - 5 = 0$ ($a = 2, b = -4, c = -5$)

$x = \frac{4 \pm \sqrt{(-4)^2 - 4(2)(-5)}}{2(2)}$

$x = \frac{4 \pm \sqrt{56}}{4} = -0.9, 2.9$

4. a) $x^2 + x + 9 = 0$

$a = 1, b = 1, c = 9$

$b^2 - 4ac = (1)^2 - 4(1)(9) = -35$

b) $3x^2 - 18x + 27 = 0$

$a = 3, b = -18, c = 27$

$b^2 - 4ac = (-18)^2 - 4(3)(27) = 0$

5. a) $2x^2 + 4x + 8 = 0$

$a = 2, b = 4, c = 8$

$b^2 - 4ac = (4)^2 - 4(2)(8) = -48$

roots are non-real

b) $9x^2 - 24x + 16 = 0$

$a = 9, b = -24, c = 16$

$b^2 - 4ac = (-24)^2 - 4(9)(16) = 0$

roots are real and equal

c) $-2x^2 - x + 3 = 0$

$a = -2, b = -1, c = 3$

$b^2 - 4ac = (-1)^2 - 4(-2)(3) = 25$

roots are real and unequal

d) $-2(x + 3)^2 + 40 = 0$

$-2(x^2 + 6x + 9) + 40 = 0$

$-2x^2 - 12x - 18 + 40 = 0$

$-2x^2 - 12x + 22 = 0$

$a = -2, b = -12, c = 22$

$b^2 - 4ac = (-12)^2 - 4(-2)(22) = 320$

roots are real and unequal

e) $x^2 + 10 + 3x = 0$

$x^2 + 3x + 10 = 0$

$a = 1, b = 3, c = 10$

$b^2 - 4ac = (3)^2 - 4(1)(10) = -31$

roots are non-real

f) $4x^2 + 4x + 1 = 0$

$a = 4, b = 4, c = 1$

$b^2 - 4ac = (4)^2 - 4(4)(1) = 0$

roots are real and equal

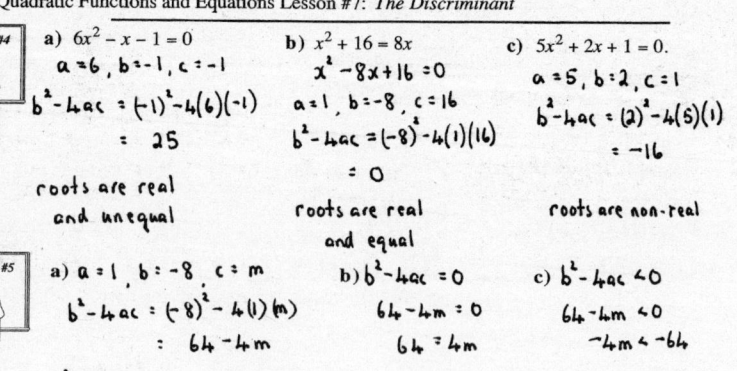

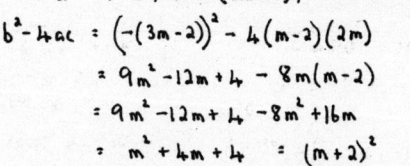

6. **i)** real and distinct roots

$a = 5,\ b = -10,\ c = d$

$b^2 - 4ac = (-10)^2 - 4(5)(d)$

$= 100 - 20d$

$100 - 20d > 0$

$-20d > -100 \qquad d < 5$

ii) real and equal roots

$100 - 20d = 0$

$100 = 20d$

$d = 5$

iii) non-real roots

$100 - 20d < 0$

$-20d < -100$

$d > 5$

b) $100 - 20d$ is a perfect square

$100 - 20(-15) = 400 = 20^2$

$100 - 20(-40) = 900 = 30^2$

$100 - 20(-75) = 1600 = 40^2$

7. a) $nx^2 - 2x + 1 = 0$

$a = n,\ b = -2,\ c = 1$

$b^2 - 4ac = (-2)^2 - 4(n)(1)$

$= 4 - 4n$

for real roots, $b^2 - 4ac \geq 0$

$4 - 4n \geq 0$

$-4n \geq -4$

$\underline{n \leq 1},\ n \in R$

b) $2x^2 + 20x + n = 0$

$a = 2,\ b = 20,\ c = n$

$b^2 - 4ac = (20)^2 - 4(2)(n)$

$= 400 - 8n$

$b^2 - 4ac \geq 0$

$400 - 8n \geq 0$

$-8n \geq -400$

$\underline{n \leq 50},\ n \in R$

8. $a = a,\ b = 2a - 3,\ c = a$

$b^2 - 4ac = (2a-3)^2 - 4(a)(a)$

$= 4a^2 - 12a + 9 - 4a^2$

$= -12a + 9$

for non-real roots, $b^2 - 4ac < 0$

$-12a + 9 < 0$

$-12a < -9$

$\underline{a > \frac{3}{4}},\ a \in R$

9. $x(x-3) = k^2 - 2$

$x^2 - 3x + 2 - k^2 = 0$

$a = 1,\ b = -3,\ c = 2 - k^2$

$b^2 - 4ac = (-3)^2 - 4(1)(2 - k^2)$

$= 9 - 8 + 4k^2$

$= 1 + 4k^2$

$1 + 4k^2 > 0$ for all values of k

Since the discriminant $b^2 - 4ac > 0$ for all values of k, the roots of the equation are always real.

Multiple Choice

10. (D.) IV

I. $b^2 - 4ac = (-1)^2 - 4(1)(-11) = 45$ unequal zeros

II. $b^2 - 4ac = (-1)^2 - 4(2)(3) = -23$ no real zeros

III. cubic function

IV. $f(x) = (2x-3)^2$ zeros : $\frac{3}{2}, \frac{3}{2}$

11. (C.) III

Numerical Response

12. | 1 | 4 | 5 | |

$a = 3,\ b = -7,\ c = -8$

$b^2 - 4ac = (-7)^2 - 4(3)(-8)$

$= 145$

Quadratic Functions and Equations Lesson #8:
Applications of Quadratic Functions - A Graphical Approach

Class Ex. #1

a) $h(t)$

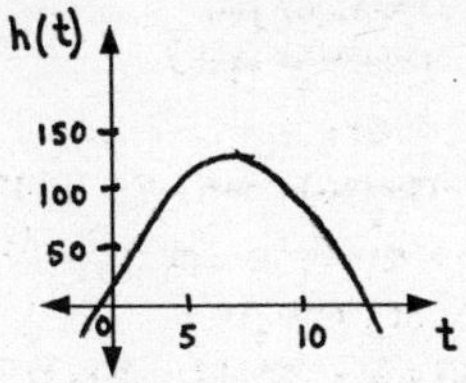

b) $h(3) = 111$ height $= 111$ metres

c) 147 metres

d) 6 seconds

e) $h(0) = 3$ 3 metres

f) $h(t) = 0$ 12.1 seconds

Class Ex. #2

a) cost $= \$(1400 + 25x)$

number $= 7200 - 100x$

b) revenue $= (1400 + 25x)(7200 - 100x)$

$= 10\,080\,000 + 40000x - 2500x^2$

c) graph $y = 10\,080\,000 + 40000x - 2500x^2$

determine x-coordinate of maximum point to the nearest whole number

$x = 8$

price $= 1400 + 25(8)$

$= \underline{\$1600}$

d) number $= 7200 - 100(8) = \underline{6400}$

e) original revenue $= \$1400 \times 7200 = \$10\,080\,000$

new revenue $= \$1600 \times 6400 = \$10\,240\,000$

Increase in revenue $= \$160\,000$

Assignment

1. a) $d(t)$

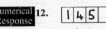

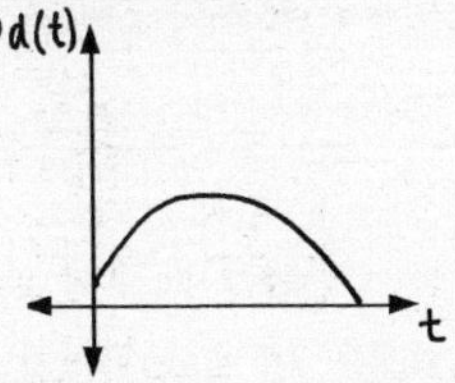

b) $t = 0,\ d = 1$ height $= \underline{1 \text{ metre}}$

c) $t = 1,\ d = -5(1)^2 + 15(1) + 1 = 11$ height $= \underline{11 \text{ metres}}$

d) $\underline{12.25 \text{ metres}}$.

It is the y-coordinate of the vertex.

e) $\underline{1.50 \text{ seconds}}$.

It is the x-coordinate of the vertex.

f) $d(t) = 0$. $\underline{3.07}$ seconds to hit the ground.

g) $\underline{\{t \mid 0 \leq t \leq 3.07,\ t \in R\}}$

2. a) $d(w)$

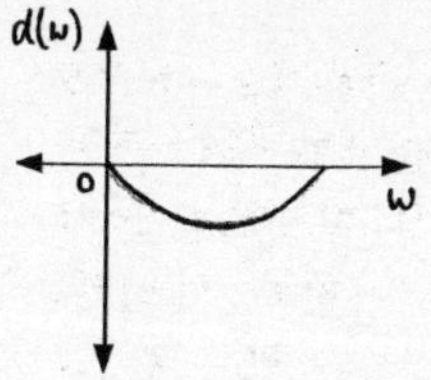

b) $w = 3$ depth = 1.5 metres

c) minimum value of $d(w)$. maximum depth = 1.79 metres

d) 5.0 metres

e) $d(w) = 0$ width = 10.0 metres

3. a) i) Let x = the number of \$50 decreases

cost = \$(1400 − 50x)

#tickets = 7200 + 400x

revenue = \$(1400 − 50x)(7200 + 400x)

graph $y = (1400-50x)(7200+400x)$

find max. → $x = 5$

price = 1400 − 50(5) = \$1150

ii) 7200 + 400(5) = 9200

iii) \$1150 × 9200 = \$10 580 000

b) It would be better to reduce the price to \$1150 than to increase to \$1600.

4. a)

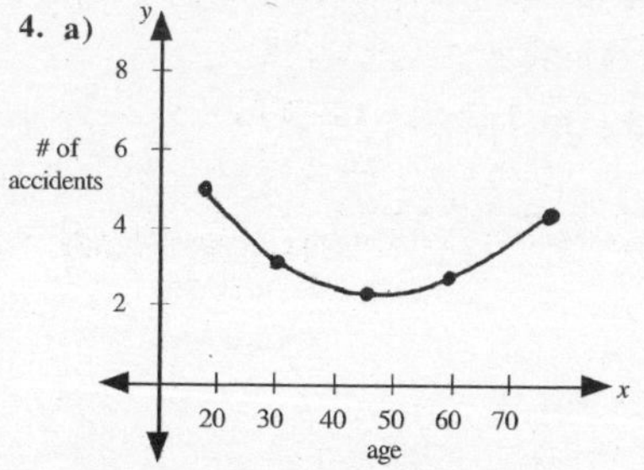

b) minimum point

(47.529... , 2.169...) 48

c) 2.2

d) $x = 17$ $y = 5.3387$

$x = 78$ $y = 5.3265$

both about equally likely

17 year old slightly more likely

5. Let x = number of weeks after July 15

price = \$(0.60 − 0.05x) per kg. yield = (2000 + 400x) kg.

revenue = \$ (0.60 − 0.05x)(2000 + 400x)

graph $y = (0.60 - 0.05x)(2000 + 400x)$ and find maximum point.

$x = 3.5$, $y = 1445$

He should harvest his crop $3\frac{1}{2}$ weeks after July 15.

Numerical Response

6. 2 0 6 9

$x = 69.748$ $y = 8.99 \times 10^9$

peak in the year 2069

7. 9 . 0

$8.99 \times 10^9 = 8.99$ billion

Quadratic Functions and Equations Lesson #9:

Applications of Quadratic Functions - An Algebraic Approach

Review

a) The coordinates of the vertex are (p, q).

b) When $a < 0$, the maximum value is q. When $a > 0$, the minimum value is q.

c) The equation of the axis of symmetry is $x = p$.

Maximum/Minimum Applications

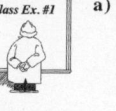

Class Ex. #1

a)
$h(t) = -4(t^2 - 12t \quad) + 3$
$= -4(t^2 - 12t + 36 - 36) + 3$
$= -4(t-6)^2 + 144 + 3$
$h(t) = -4(t-6)^2 + 147$

b) $h(3) = -4(3-6)^2 + 147$ = 111 metres

c) 147 metres

d) 6 seconds

e) $h(0)$ = 3 metres

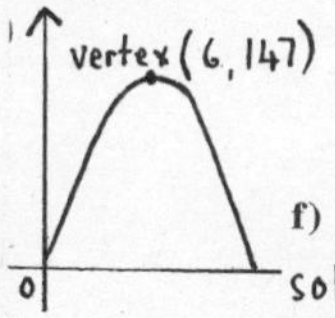

f) solve $-4t^2 + 48t + 3 = 0$

$t = \dfrac{-b \pm \sqrt{b^2-4ac}}{2a}$

$a = -4$, $b = 48$, $c = 3$

$t = \dfrac{-48 \pm \sqrt{(48)^2 - 4(-4)(3)}}{2(-4)} = \dfrac{-48 \pm \sqrt{2352}}{-8}$

$t = -0.1$ (reject), 12.1

12.1 seconds

g) same answers

Class Ex. #2

a)

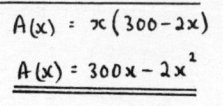

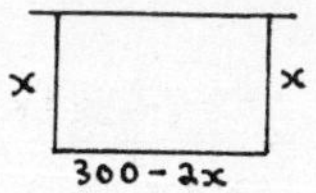

length of third side = 300 − 2x metres.

$A(x) = x(300 - 2x)$

$A(x) = 300x - 2x^2$

b)
$A(x) = -2x^2 + 300x$
$= -2(x^2 - 150x)$
$= -2(x^2 - 150x + 5625 - 5625)$
$= -2(x-75)^2 + 11250$

max. area = 11 250 m²

c) $x = 75$ $300 - 2x = 300 - 2(75)$ rectangle is 150m by 75m

a) larger number $= x+8$ product $P(x) = x(x+8) = x^2+8x$

b) $P(x) = x^2+8x+16-16$

$P(x) = (x+4)^2-16$

c) minimum product $= -16$ when $x=-4$

numbers are -4 and 4

Extension: The Vertex Formula

a) vertex $(-5, 8)$

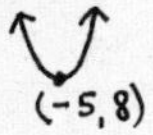

minimum value $= 8$

b) $a=-2,\ b=12,\ c=-13$

$\frac{-b}{2a} = \frac{-12}{2(-2)} = 3$

$\frac{4ac-b^2}{4a} = \frac{4(-2)(-13)-(12)^2}{4(-2)} = 5$

vertex $(3,5)$ maximum value $= 5$

1. a) $h(t) = -5(t^2-5t\quad)+0.05$

$= -5(t^2-5t+6.25-6.25)+0.05$

$= -5(t-2.5)^2+31.25+0.05$

$h(t) = -5(t-2.5)^2+31.3$

b) $h(2) = -5(2-2.5)^2+31.3 = 30.05$ height $= 30.05$ m

c) 31.3 m d) 2.5 seconds e) $h(0) = 0.05$ 0.05 m = 5 cm 5 cm high

f) $h(t)=0$ $-5t^2+25t+0.05=0$

$a=-5$ $t = \frac{-b \pm \sqrt{b^2-4ac}}{2a}$

$b=25$

$c=0.05$ $t = \frac{-25 \pm \sqrt{(25)^2-4(-5)(0.05)}}{2(-5)}$

$t = \frac{-25 \pm \sqrt{626}}{-10}$

$t = -0.00199\ldots$ or $5.00199\ldots$

reject negative root

time $= 5.0$ seconds

2. $x + \frac{1}{x} = \frac{29}{10}$ (mult. by 10x)

$10x^2+10 = 29x$

$10x^2-29x+10=0$

$10x^2-25x-4x+10=0$

$5x(2x-5)-2(2x-5)=0$

$(2x-5)(5x-2)=0$

$x = \frac{5}{2}$ or $\frac{2}{5}$

The original number is $\frac{5}{2}$ or $\frac{2}{5}$

3. 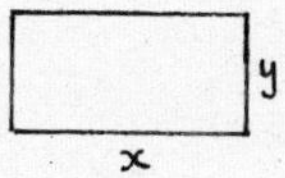

$2x+2y=84$

$x+y=42$

$y=42-x$

length $= x$ metres

width: $42-x$ metres

area: $x(42-x)$ m^2

$x(42-x) = 320$

$42x-x^2 = 320$

$0 = x^2-42x+320$

$(x-10)(x-32)=0$

$x = 10, 32$

If $x=10$, $y=32$

If $x=32$, $y=10$

length and width are 32 m and 10 m

4. a) 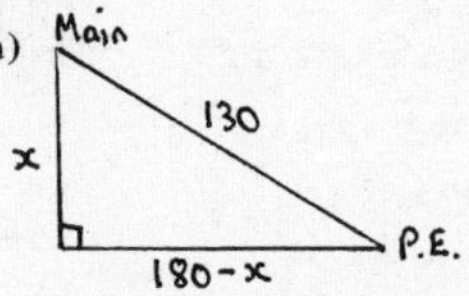

b) $180-x$ metres

c) $x^2+(180-x)^2 = 130^2$

$x^2+32400-360x+x^2 = 16900$

$2x^2-360x+15500=0$

$x^2-180x+7750=0$

$x = \frac{-b \pm \sqrt{b^2-4ac}}{2a}$

$a=1$ $b=-180$ $c=7750$

$x = \frac{180 \pm \sqrt{(-180)^2-4(1)(7750)}}{2(1)}$

$x = \frac{180 \pm \sqrt{1400}}{2}$

$x = 71.3$ or 108.7

$180-x = 108.7$ or 71.3

The two legs are 71.3 m and 108.7 m

5. $h(t) = 22t-5t^2$

$15 = 22t-5t^2$

$5t^2-22t+15=0$

$a=5$ $t = \frac{-b \pm \sqrt{b^2-4ac}}{2a}$

$b=-22$

$c=15$ $t = \frac{22 \pm \sqrt{(-22)^2-4(5)(15)}}{2(5)}$

$t = \frac{22 \pm \sqrt{184}}{10}$

$t = 0.8, 3.6$

The stone is 15 m up after 0.8 seconds and 3.6 seconds.

There are two answers as the stone goes up and then comes down.

Multiple Choice 6. (B.) 10

Numerical Response 7. 2.0

Let the numbers be x and $x+20$.

$f(x) = x^2 + (x+20)^2$ is to be a minimum.

$= x^2 + x^2 + 40x + 400$

$= 2x^2 + 40x + 400$

$= 2(x^2 + 20x \quad) + 400$

$= 2(x^2 + 20x + 100 - 100) + 400$

$= 2(x+10)^2 - 200 + 400$

$= 2(x+10)^2 + 200$

min. value when $x = -10$

$x + 20 = -10 + 20$
$= 10$

the larger number is 10

Quadratic Functions and Equations Lesson #9: *Applications of Quadratic Functions - Algebraic* **361**

8. 23

Let the integers be x and $4x+3$

$x(4x+3) = 76$

$4x^2 + 3x - 76 = 0$

$4x^2 + 19x - 16x - 76 = 0$

$x(4x+19) - 4(4x+19) = 0$

$(4x+19)(x-4) = 0$

$x = -\frac{19}{4}$ or 4

reject $-\frac{19}{4}$ (not an integer)

$x = 4$

$4x + 3 = 4(4) + 3 = 19$

the integers are 4 and 19

Sum = 23

9. 3

Let the whole number be x.

$5x + \frac{3}{x} = 16$ (mult. by x)

$5x^2 + 3 = 16x$

$5x^2 - 16x + 3 = 0$

$5x^2 - x - 15x + 3 = 0$

$x(5x-1) - 3(5x-1) = 0$

$(5x-1)(x-3) = 0$

$x = \frac{1}{5}$ or 3

reject $x = \frac{1}{5}$ (not a whole number)

$x = 3$

10. a) $f(x) = 5x^2 + 3x - 2$

$a = 5 \quad b = 3 \quad c = -2$

$\frac{-b}{2a} = \frac{-3}{2(5)} = -\frac{3}{10}$

$\frac{4ac-b^2}{4a} = \frac{4(5)(-2)-(3)^2}{4(5)} = -\frac{49}{20}$

vertex $\left(-\frac{3}{10}, -\frac{49}{20}\right)$

min. value $= \frac{-49}{20}$

b) $f(x) = -3x^2 - 7x - 1$

$a = -3 \quad b = -7 \quad c = -1$

$\frac{-b}{2a} = \frac{7}{2(-3)} = -\frac{7}{6}$

$\frac{4ac-b^2}{4a} = \frac{4(-3)(-1)-(-7)^2}{4(-3)} = \frac{37}{12}$

vertex $\left(-\frac{7}{6}, \frac{37}{12}\right)$

max. value $= \frac{37}{12}$

c) $f(x) = x^2 + 9x + 4$

$a = 1 \quad b = 9 \quad c = 4$

$\frac{-b}{2a} = \frac{-9}{2(1)} = -\frac{9}{2}$

$\frac{4ac-b^2}{4a} = \frac{4(1)(4)-(9)^2}{4(1)} = \frac{-65}{4}$

vertex $\left(-\frac{9}{2}, \frac{-65}{4}\right)$

min. value $= \frac{-65}{4}$

Quadratic Functions and Equations Lesson #10: Practice Test

1. (B.) The x-intercepts of the graph of the function with equation $y = x^2 + 5x + 6$ are the factors of the expression $x^2 + 5x + 6$.

2. (A.) $5, -\frac{2}{3}$

3. (D.) There is a minimum point at $(a, -b)$.

4. (B.) $y \le 8$

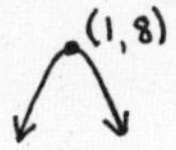

5. (B.) (2,7)

$g(x) = x^2 - 4x + 11$

$= x^2 - 4x + 4 - 4 + 11$

$= (x-2)^2 + 7$

vertex $(2,7)$

364 Quadratic Functions and Equations Lesson #10: *Practice Test*

6. (C.) $y = (x+4)^2$

7. (C.) a vertical stretch by a factor of 4 about the x-axis

Numerical Response 1. 20

Numerical Response 2. 65

$x^2 - 12x + 41$

$= x^2 - 12x + 36 - 36 + 41$

$= (x-6)^2 + 5$

$a = 6 \quad b = 5$

8. (C.) $(3, -18)$

vertical stretch by a factor of $\frac{2}{3}$ about the x-axis

reflection in the x-axis

translation 3 units left and 6 units up

$(6,36) \rightarrow (6,24) \rightarrow (6,-24) \rightarrow (3,-18)$

9. (C.) $x = 3m$

$\frac{m+5m}{2} = 3m$

10. (B.) 4

$y = a(x-p)^2 + q$ vertex $(3,7)$

$y = a(x-3)^2 + 7$

$(2,11) \rightarrow 11 = a(2-3)^2 + 7$

$11 = a + 7$

$a = 4$

11. (B.) negative

The equation $ax^2 + bx + c = 0$ has no real roots so

$b^2 - 4ac < 0$

Numerical Response 3. 15.1

$2a^2 - 25a - 80 = 0$

$x = \frac{-b \pm \sqrt{b^2-4ac}}{2a} = \frac{25 \pm \sqrt{(-25)^2 - 4(2)(-80)}}{2(2)} = \frac{25 \pm \sqrt{1265}}{4}$

$a = 2, b = -25, c = -80$

$= -2.64\ldots, 15.14\ldots$

12. (A.) 6

$a = 4 \quad b = 4 \quad c = -5$

$x = \frac{-b \pm \sqrt{b^2-4ac}}{2a} = \frac{-4 \pm \sqrt{(4)^2 - 4(4)(-5)}}{2(4)} = \frac{-4 \pm \sqrt{96}}{8}$

$= \frac{-4 \pm \sqrt{16}\sqrt{6}}{8} = \frac{-4 \pm 4\sqrt{6}}{8} = \frac{-1 \pm \sqrt{6}}{2}$

$A = 6$

Numerical Response 4. 15

13. (A.) $-\frac{1}{8}$

$2x^2-7x+6$

$=2\left(x^2-\frac{7}{2}x\quad\right)+6$

$=2\left(x^2-\frac{7}{2}x+\frac{49}{16}-\frac{49}{16}\right)+6$

$=2\left(x-\frac{7}{4}\right)^2-\frac{49}{8}+6$

$=2\left(x-\frac{7}{4}\right)^2-\frac{1}{8}$ $\qquad q=-\frac{1}{8}$

14. (D.) $\frac{7\pm\sqrt{89}}{4}$

$a=2\quad b=-7\quad c=-5$

$x=\dfrac{-b\pm\sqrt{b^2-4ac}}{2a}$

$=\dfrac{7\pm\sqrt{89}}{4}$

15. (C.) 40

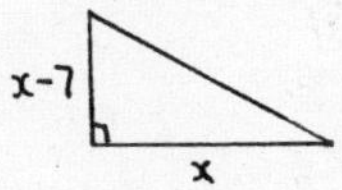

$x^2+(x-7)^2=289$

$x^2+x^2-14x+49=289$

$2x^2-14x-240=0$

$x^2-7x-120=0$

$(x-15)(x+8)=0$

$x=15$ or $x=-8$ (reject since $x>0$)

$x=15$

$x-7=8$

hypotenuse $=\sqrt{289}=17$

perimeter: $15+8+17=40$

Numerical Response 5. 2.0

area of rectangle $=(6+2x)(8+2x)=120$

$48+28x+4x^2=120$

$4x^2+28x-72=0$

$4(x^2+7x-18)=0$

$4(x+9)(x-2)=0$

$x=-9$ or $x=2$

(reject since $x>0$)

Written Response - 5 marks

1.

- If x represents the speed in km/h and y represents the cost per km in cents, plot the data on a Cartesian plane and join the points with a smooth curve.

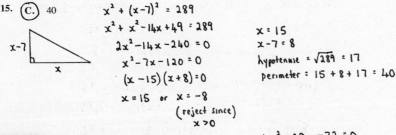

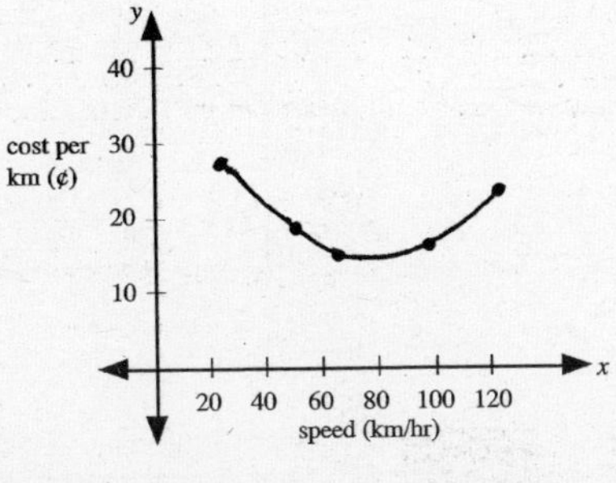

- Looking at the graph, Barry thought that the data could be modelled by a quadratic function with equation $y = ax^2 + bx + c$.
He used the technique of quadratic regression to determine the equation $y = 0.005x^2 - 0.801x + 46.928$ as the best model for the data.

Using the model above, determine the cost per km, to the nearest tenth of a cent, at a speed of 70 km/h.

$x=70\quad y=15.358$ $\qquad$ 15.4 cents per km

- Determine the speed in km/h if the cost is 20 cents per km.

$y_2=20$ intersect at $x=48$ and $x=112.2$ $\qquad$ speed is 48 km/h or 112.2 km/h

- Which speed, to the nearest km/h, results in the lowest cost per kilometre? What is this cost to the nearest tenth of a cent?

minimum point (80.1..., 14.847...) $\qquad$ speed = 80 km/h, cost = 14.8 cents per km

- Does it make sense to extend the parabola to the left or right of the data points?

No, because it is unlikely that the truck will travel at speeds less than 30 km/h or speeds greater than 120 km/h for an extended period of time.

Rational Expressions and Equations Lesson #1:
Simplifying Rational Expressions - Part One

Investigating Equivalent Forms of a Rational Expression

a)

Value of x	Value of $\frac{2x+2}{x^2+3x+2}$	Value of $\frac{2}{x+2}$
0	$\frac{2(0)+2}{(0)^2+3(0)+2}=\frac{2}{2}=1$	$\frac{2}{0+2}=1$
1	$\frac{2(1)+2}{(1)^2+3(1)+2}=\frac{4}{6}=\frac{2}{3}$	$\frac{2}{1+2}=\frac{2}{3}$
2	$\frac{2(2)+2}{(2)^2+3(2)+2}=\frac{6}{12}=\frac{1}{2}$	$\frac{2}{2+2}=\frac{2}{4}=\frac{1}{2}$
3	$\frac{2(3)+2}{(3)^2+3(3)+2}=\frac{8}{20}=\frac{2}{5}$	$\frac{2}{3+2}=\frac{2}{5}$
4	$\frac{2(4)+2}{(4)^2+3(4)+2}=\frac{10}{30}=\frac{1}{3}$	$\frac{2}{4+2}=\frac{2}{6}=\frac{1}{3}$

b) equal

c) $\frac{2(x+1)}{(x+2)(x+1)}=\frac{2}{x+2}$

Investigating Nonpermissible Values

a)

Value of x	Value of $\frac{2x+2}{x^2+3x+2}$	Value of $\frac{2}{x+2}$
0	$\frac{2}{2} = 1$	$\frac{2}{2} = 1$
−1	$\frac{0}{0}$ indeterminate	$\frac{2}{1} = 2$
−2	$\frac{-2}{0}$ undefined	$\frac{2}{0}$ undefined
−3	$\frac{-4}{2} = -2$	$\frac{2}{-1} = -2$

b) $x = -1, -2$

c) $x = -2$

d) Division by zero is not defined.

a) $\frac{12x^2}{2x}$ $= 6x,\ x \neq 0$

b) $\frac{(a+1)(a-6)}{(a+7)(a+1)}$ $= \frac{a-6}{a+7},\ a \neq -7, -1$

c) $\frac{y+4}{y^2-y-20}$ $= \frac{y+4}{(y+4)(y-5)} = \frac{1}{y-5},\ y \neq -4, 5$

d) $\frac{x^2+11x+28}{x^2-49}$ $= \frac{(x+4)(x+7)}{(x-7)(x+7)} = \frac{x+4}{x-7},\ x \neq \pm 7$

Assignment

1\. a) $\frac{6}{8x-7}$ $x \neq \frac{7}{8}$

b) $\frac{y}{10y+20}$ $10(y+2) \neq 0$, $y \neq -2$

c) $\frac{5a}{5-a}$ $a \neq 5$

d) $\frac{a^2+7a+12}{(a+4)(a+5)}$ $a \neq -4, -5$

e) $\frac{12y^2-2}{y}$ $y \neq 0$

f) $\frac{1+16x^2}{1-16x^2}$ $1-16x^2 \neq 0$, $(1-4x)(1+4x) \neq 0$, $x \neq \pm\frac{1}{4}$

g) $\frac{40p^3-4}{8q^3}$ $q \neq 0$

h) $\frac{3}{x^2+13x+12}$ $x^2+13x+12 \neq 0$, $(x+12)(x+1) \neq 0$, $x \neq -12, -1$

i) $\frac{d}{d^2-8d+16}$ $d^2-8d+16 \neq 0$, $(d-4)^2 \neq 0$, $d \neq 4$

2\. a) $\frac{4ab}{16a}$ $= \frac{b}{4},\ a \neq 0$

b) $\frac{25x^3y^4}{5y^9}$ $= \frac{5x^3}{y^5},\ y \neq 0$

c) $\frac{(a+3)(a-8)}{(a+1)(a-8)}$ $= \frac{a+3}{a+1},\ a \neq -1, 8$

d) $\frac{(x+7)(x-2)}{x(x-2)(x+14)}$ $= \frac{x+7}{x(x+14)},\ x \neq -14, 0, 2$

3\. a) $\frac{y+9}{y^2-81}$ $= \frac{y+9}{(y-9)(y+9)} = \frac{1}{y-9},\ y \neq \pm 9$

b) $\frac{25y^2-36}{5y+6}$ $= \frac{(5y-6)(5y+6)}{5y+6} = 5y-6,\ y \neq -\frac{6}{5}$

c) $\frac{64-9p^2}{(8-3p)(3+8p)}$ $= \frac{(8-3p)(8+3p)}{(8-3p)(3+8p)} = \frac{8+3p}{3+8p},\ p \neq -\frac{3}{8}, \frac{8}{3}$

d) $\frac{x^2-100}{(x+10)^2}$ $= \frac{(x-10)(x+10)}{(x+10)(x+10)} = \frac{x-10}{x+10},\ x \neq -10$

4\. a) $A = \ell w$, $\ell = \frac{A}{w}$

length $= \frac{a^2-12a+32}{a-8} = \frac{(a-4)(a-8)}{a-8} = a-4$ metres

b) area $= (90)^2 - 12(90) + 32 = 7052\ m^2$

5\. a) $\frac{(t+3)^2}{(t+1)(t+3)}$ $= \frac{(t+3)(t+3)}{(t+1)(t+3)} = \frac{t+3}{t+1},\ t = -3, -1$

b) $\frac{x^2-1}{x^2+2x+1}$ $= \frac{(x-1)(x+1)}{(x+1)(x+1)} = \frac{x-1}{x+1},\ x = -1$

c) $\frac{e^2+2e-35}{e^2+14e+49}$ $= \frac{(e-5)(e+7)}{(e+7)(e+7)} = \frac{e-5}{e+7},\ e = -7$

d) $\frac{m^2-2m-15}{m^2+12m+27}$ $= \frac{(m+3)(m-5)}{(m+9)(m+3)} = \frac{m-5}{m+9},\ m \neq -9, -3$

e) $\frac{y^2+4y}{y^2-16}$ $= \frac{y(y+4)}{(y-4)(y+4)} = \frac{y}{y-4},\ y \neq \pm 4$

f) $\frac{x^2+9x-22}{x^2+12x+11}$ $= \frac{(x+11)(x-2)}{(x+11)(x+1)} = \frac{x-2}{x+1},\ x \neq -11, -1$

g) $\frac{a^2+11a+10}{a^2+8a-20}$ $= \frac{(a+1)(a+10)}{(a-2)(a+10)} = \frac{a+1}{a-2},\ a \neq -10, 2$

h) $\frac{p^2+5p+6}{p^2-4}$ $= \frac{(p+2)(p+3)}{(p-2)(p+2)} = \frac{p+3}{p-2},\ p \neq \pm 2$

Multiple Choice 6. (D.) $\frac{x-y}{x+y}$ $\frac{(x-y)(x-y)}{(x-y)(x+y)} = \frac{x-y}{x+y}$

7\. (C.) 0, −7 $a \neq 0, -7$

Numerical Response 8. | 8 | | | |

$x^2-13x+40 \neq 0$, $(x-5)(x-8) \neq 0$, $x \neq 5, 8$

$64-x^2 \neq 0$, $(8-x)(8+x) \neq 0$, $x \neq \pm 8$

Rational Expressions and Equations Lesson #2:
Simplifying Rational Expressions Part Two

a) $\dfrac{4t^3-9t}{2t^2-3t}$

$$= \frac{t(4t^2-9)}{t(2t-3)} = \frac{t(2t-3)(2t+3)}{t(2t-3)} = 2t+3,\ t \neq 0, \tfrac{3}{2}$$

b) $\dfrac{2x^2+5x-3}{2x^2+x-1}$

$$= \frac{2x^2-x+6x-3}{2x^2-x+2x-1} = \frac{x(2x-1)+3(2x-1)}{x(2x-1)+1(2x-1)} = \frac{(2x-1)(x+3)}{(2x-1)(x+1)} = \frac{x+3}{x+1},\ x \neq -1, \tfrac{1}{2}$$

c) $\dfrac{a^2+2a-8}{a^4-20a^2+64}$

$$= \frac{(a-2)(a+4)}{(a^2-4)(a^2-16)} = \frac{(a-2)(a+4)}{(a-2)(a+2)(a-4)(a+4)} = \frac{1}{(a+2)(a-4)},\ a \neq \pm 2, \pm 4$$

a) $\dfrac{c-4}{4-c}$

$$= \frac{c-4}{-(c-4)} = -1,\ c \neq 4$$

b) $\dfrac{2p^3-4p^2}{16-8p}$

$$= \frac{2p^2(p-2)}{8(2-p)} = -\frac{p^2}{4},\ p \neq 2$$

c) $\dfrac{1-4x^2}{6x^2-5x-4}$

$$= \frac{(1-2x)(1+2x)}{6x^2-8x+3x-4} = \frac{(1-2x)(1+2x)}{2x(3x-4)+1(3x-4)} = \frac{(1-2x)(1+2x)}{(3x-4)(2x+1)} = \frac{1-2x}{3x-4},\ x \neq -\tfrac{1}{2}, \tfrac{4}{3}$$

a) width $= \dfrac{12a^2+25a-7}{3a+7} = \dfrac{(3a+7)(4a-1)}{3a+7} = 4a-1$ m

$12a^2+25a-7$
$= 12a^2+28a-3a-7$
$= 4a(3a+7)-1(3a+7)$
$= (3a+7)(4a-1)$

b) $2(3a+7)+2(4a-1) = 54$
$6a+14+8a-2 = 54$
$14a = 42$
$a = 3$

c) area $= 12a^2+25a-7$
$= 12(3)^2+25(3)-7$
$= 176\ \text{m}^2$

cost $= 176 \times \$2.40$
$= \$422.40$

a) $\dfrac{x+y}{x-y}$

$x \neq y$
no further simplification

b) $\dfrac{x+5y}{x^2-25y^2}$

$$= \frac{x+5y}{(x-5y)(x+5y)} = \frac{1}{x-5y},\ x \neq 5y$$

c) $\dfrac{6(x+y)^2}{3x^4-3y^4}$

$$= \frac{6(x+y)(x+y)}{3(x^4-y^4)} = \frac{6(x+y)(x+y)}{3(x^2-y^2)(x^2+y^2)} = \frac{6(x+y)(x+y)}{3(x-y)(x+y)(x^2+y^2)} = \frac{2(x+y)}{(x-y)(x^2+y^2)}\quad x \neq \pm y$$

Complete Assignment Questions #1 - #10

1.

a) $\dfrac{5a^3-15a^2}{30a}$

$$= \frac{5a^2(a-3)}{30a} = \frac{a(a-3)}{6},\ a \neq 0$$

b) $\dfrac{7x}{7x-21}$

$$= \frac{7x}{7(x-3)} = \frac{x}{x-3},\ x \neq 3$$

c) $\dfrac{6a-3}{8a-4}$

$$= \frac{3(2a-1)}{4(2a-1)} = \frac{3}{4},\ a \neq \tfrac{1}{2}$$

d) $-\dfrac{4a-12}{a-3}$

$$= -\frac{4(a-3)}{a-3} = -4,\ a \neq 3$$

e) $-\dfrac{a^2}{a^2+a}$

$$= -\frac{a^2}{a(a+1)} = -\frac{a}{a+1},\ a \neq -1, 0$$

f) $\dfrac{3t^2-75}{(t+3)(t-5)}$

$$= \frac{3(t^2-25)}{(t+3)(t-5)} = \frac{3(t-5)(t+5)}{(t+3)(t-5)} = \frac{3(t+5)}{t+3},\ t \neq -3, 5$$

g) $\dfrac{2-r}{r-2}$

$$= -\frac{(r-2)}{r-2} = -1,\ r \neq 2$$

h) $-\dfrac{9a^2-1}{1-3a}$

$$= -\frac{(3a-1)(3a+1)}{1-3a} = 3a+1,\ a \neq \tfrac{1}{3}$$

i) $\dfrac{2b^2-18b}{b(b-9)^2}$

$$= \frac{2b(b-9)}{b(b-9)(b-9)} = \frac{2}{b-9},\ b \neq 0, 9$$

2.

a)

$$= \frac{(t+2)(t+2)}{2(t^2+5t+6)} = \frac{(t+2)(t+2)}{2(t+2)(t+3)} = \frac{t+2}{2(t+3)},\ t \neq -3, -2$$

b)

$$= \frac{2x^2+6x-x-3}{2(2x-1)} = \frac{2x(x+3)-1(x+3)}{2(2x-1)} = \frac{(x+3)(2x-1)}{2(2x-1)} = \frac{x+3}{2},\ x \neq \tfrac{1}{2}$$

c)

$$= \frac{2y^2-4y+y-2}{2y^2-4y+3y-6} = \frac{2y(y-2)+1(y-2)}{2y(y-2)+3(y-2)} = \frac{(y-2)(2y+1)}{(y-2)(2y+3)} = \frac{2y+1}{2y+3},\ y \neq -\tfrac{3}{2}, 2$$

3. a) $\frac{3t^2-5t-12}{2t^2-6t}$

$= \frac{3t^2-9t+4t-12}{2t(t-3)}$

$= \frac{3t(t-3)+4(t-3)}{2t(t-3)}$

$= \frac{(t-3)(3t+4)}{2t(t-3)}$

$= \frac{3t+4}{2t}, t \neq 0, 3$

b) $\frac{32-2a^2}{2a^2+4a-16}$

$= \frac{2(16-a^2)}{2(a^2+2a-8)}$

$= \frac{2(4-a)(4+a)}{2(a+4)(a-2)}$

$= \frac{4-a}{a-2}, a \neq -4, 2$

c) $\frac{4-4x^2}{8x^3+8x^2-16x}$

$= \frac{4(1-x^2)}{8x(x^2+x-2)}$

$= \frac{4(1-x)(1+x)}{8x(x+2)(x-1)}$

$= \frac{-1-x}{2x(x+2)}, x \neq -2, 0, 1$

4. a) $\frac{2-x-x^2}{x^4-5x^2+4}$

$= \frac{2-2x+x-x^2}{(x^2-4)(x^2-1)}$

$= \frac{2(1-x)+x(1-x)}{(x-2)(x+2)(x-1)(x+1)}$

$= \frac{(1-x)(2+x)}{(x-2)(x+2)(x-1)(x+1)}$

$= -\frac{1}{(x-2)(x+1)}, x \neq \pm 1, \pm 2$

b) $\frac{16x^4-y^4}{8x^3+4x^2y+2xy^2+y^3}$

$= \frac{(4x^2-y^2)(4x^2+y^2)}{4x^2(2x+y)+y^2(2x+y)}$

$= \frac{(2x-y)(2x+y)(4x^2+y^2)}{(2x+y)(4x^2+y^2)}$

$= 2x-y, \; x \neq -\frac{1}{2}y$

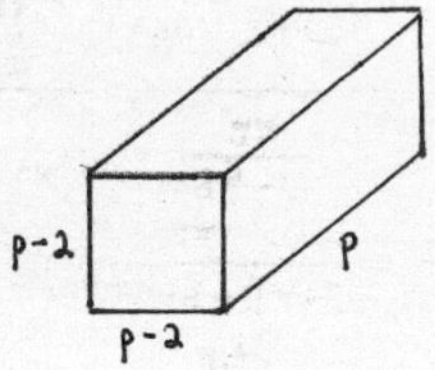

5. a) surface area $= 2(p-2)^2 + 4p(p-2)$

$= 2(p-2)[(p-2)+2p]$

$= 2(p-2)(3p-2) \text{ cm}^2$

b) $4(p-2)+4(p-2) = 8(p-2)$ cm

c) $\frac{2(p-2)(3p-2)}{4 \cdot 8(p-2)} = \frac{10}{1}$

$\frac{3p-2}{4} = 10$

$3p-2 = 40$

$3p = 42$

$p = 14$

volume $= p(p-2)^2$

$= 14(14-2)^2$

$= 14(144)$

$= 2016 \text{ cm}^3$

6. a) $= \frac{x+y}{4(x+y)}$

$= \frac{1}{4}, x \neq -y$

b) $= \frac{(2x-y)(2x+y)}{y-2x}$

$= -2x-y, \; x \neq \frac{1}{2}y$

c) $= \frac{3(x+4y)}{(x-4y)(x+4y)} = \frac{3}{x-4y}, x \neq \pm 4y$

7. a) length $= \frac{24x^3-54x^2-15x}{6x^2-15x}$

$= \frac{3x(8x^2-18x-5)}{3x(2x-5)}$

$= \frac{3x(2x-5)(4x+1)}{3x(2x-5)} = 4x+1$

$8x^2-18x-5$

$= 8x^2-20x+2x-5$

$= 4x(2x-5)+1(2x-5)$

$= (2x-5)(4x+1)$

b) $= 2(4x+1) + 2(6x^2-15x)$

$= 8x+2+12x^2-30x$

$= 12x^2-22x+2$

$= 12(2\sqrt{2})^2 - 22(2\sqrt{2}) + 2$

$= 12(8) - 44\sqrt{2} + 2$

$= 96 - 44\sqrt{2} + 2$

$= 98 - 44\sqrt{2}$ cm

8. a) $x \neq 2, 3$

$x \neq 2, x-2 \neq 0$

$x \neq 3, x-3 \neq 0$

$\frac{1}{(x-2)(x-3)}$

$= \frac{1}{x^2-5x+6}$

b) $x \neq -2, 0$

$x \neq -2, x+2 \neq 0$

$x \neq 0$

$\frac{1}{x(x+2)}$

$= \frac{1}{x^2+2x}$

c) $x \neq -\frac{3}{4}, \frac{1}{3}$

$x \neq -\frac{3}{4}, 4x+3 \neq 0$

$x \neq \frac{1}{3}, 3x-1 \neq 0$

$\frac{1}{(4x+3)(3x-1)}$

$= \frac{1}{12x^2+5x-3}$

d) $x \neq \pm 2, 0$

$x \neq -2, x+2 \neq 0$

$x \neq 2, x-2 \neq 0$

$x \neq 0$

$\frac{1}{x(x+2)(x-2)}$

$= \frac{1}{x(x^2-4)}$

$= \frac{1}{x^3-4x}$

Multiple Choice 9. (A) $\frac{x-11}{3x-4}$

$= \frac{(x-11)(x+11)}{(x+11)(3x-4)}$

$= \frac{x-11}{3x-4}$

$3x^2+29x-44$

$= 3x^2+33x-4x-44$

$= 3x(x+11)-4(x+11)$

$= (x+11)(3x-4)$

Numerical Response 10. | 1 | 5 | | |

$2a^2-11a-21$

$= 2a^2-14a+3a-21$

$= 2a(a-7)+3(a-7)$

$= (a-7)(2a+3)$

If $\frac{8a^2+22a+k}{(a-7)(2a+3)} = \frac{4a+5}{a-7}$

then $8a^2+22a+k = (2a+3)(4a+5)$

$= 8a^2+22a+15$

$k = 15$

Rational Expressions and Equations Lesson #3: Addition and Subtraction of Rational Expressions Part One

Class Ex. #1

a) $\frac{2}{3}+\frac{2}{5} = \frac{10+6}{15} = \frac{16}{15}$

b) $\frac{5}{6}-\frac{1}{4} = \frac{10-3}{12} = \frac{7}{12}$

c) $\frac{7}{8}-\frac{2}{3}+\frac{5}{12} = \frac{21-16+10}{24} = \frac{15}{24} = \frac{5}{8}$

Class Ex. #2

a) $= \frac{15x+4x-14x}{20} = \frac{5x}{20} = \frac{x}{4}$ or $\frac{1}{4}x$

b) $\frac{2(3a-1)+1(4a+5)}{6} = \frac{6a-2+4a+5}{6} = \frac{10a+3}{6}$

c) $\frac{3(8y-3)-8(2y+1)}{24} = \frac{24y-9-16y-8}{24} = \frac{8y-17}{24}$

Class Ex. #3

a) $= \frac{4(7x+3)+8(3x)-1(x-3)}{8} = \frac{28x+12+24x-x+3}{8} = \frac{51x+15}{8}$

b) $= \frac{9(4)-1(y-4)-3(5-3y)}{9} = \frac{36-y+4-15+9y}{9} = \frac{8y+25}{9}$

Class Ex. #4

a) $\frac{2}{x}+\frac{7}{x}-\frac{1}{x} = \frac{2+7-1}{x} = \frac{8}{x},\ x\neq 0$

b) $\frac{5a+3}{2a}+\frac{a-6}{2a} = \frac{5a+3+a-6}{2a} = \frac{6a-3}{2a},\ a\neq 0$

c) $\frac{3y}{3y-1}-\frac{1}{3y-1} = \frac{3y-1}{3y-1} = 1,\ y\neq \frac{1}{3}$

d) $\frac{4x+10}{x+3}-\frac{2x+4}{x+3} = \frac{4x+10-(2x+4)}{x+3} = \frac{4x+10-2x-4}{x+3} = \frac{2x+6}{x+3} = \frac{2(x+3)}{x+3} = 2,\ x\neq -3$

Class Ex. #5

a) $\frac{5}{3p}+\frac{2}{7p} = \frac{7(5)+3(2)}{21p} = \frac{35+6}{21p} = \frac{41}{21p},\ p\neq 0$

b) $\frac{1}{3y}+\frac{6}{5} = \frac{5(1)+3(6y)}{15y} = \frac{5+18y}{15y},\ y\neq 0$

c) $\frac{2x-5}{6x}-\frac{3x-2}{3x} = \frac{1(2x-5)-2(3x-2)}{6x} = \frac{2x-5-6x+4}{6x} = \frac{-4x-1}{6x},\ x\neq 0$

d) $\frac{a+7}{2a^2}-\frac{3}{5a} = \frac{5(a+7)-2a(3)}{10a^2} = \frac{5a+35-6a}{10a^2} = \frac{35-a}{10a^2},\ a\neq 0$

Class Ex. #6

a) $= \frac{(x-4)(x-9)+2x(3x)}{2x(x-4)} = \frac{x^2-13x+36+6x^2}{2x(x-4)} = \frac{7x^2-13x+36}{2x(x-4)},\ x\neq 0, 4$

b) $= \frac{4(y-3)-1(2y+5)}{(2y+5)(y-3)} = \frac{4y-12-2y-5}{(2y+5)(y-3)} = \frac{2y-17}{(2y+5)(y-3)},\ y\neq -\frac{5}{2}, 3$

c) $= \frac{(2x+1)(x+1)-(x-5)(x-4)}{(x-5)(x+1)} = \frac{2x^2+3x+1-(x^2-9x+20)}{(x-5)(x+1)} = \frac{2x^2+3x+1-x^2+9x-20}{(x-5)(x+1)} = \frac{x^2+12x-19}{(x-5)(x+1)},\ x\neq -1, 5$

Class Ex. #7

$= \frac{3(x+1)(x)-2(x+2)(x)+1(x+2)(x+1)}{(x+2)(x+1)(x)} = \frac{3x(x+1)-2x(x+2)+(x+2)(x+1)}{(x+2)(x+1)(x)} = \frac{3x^2+3x-2x^2-4x+x^2+3x+2}{x(x+1)(x+2)} = \frac{2x^2+2x+2}{x(x+1)(x+2)}$ or $\frac{2(x^2+x+1)}{x(x+1)(x+2)},\ x\neq -2, -1, 0$

Assignment

1. a) $\frac{5}{8}+\frac{3}{4} = \frac{5+2(3)}{8} = \frac{11}{8}$

b) $\frac{4}{7}-\frac{2}{5} = \frac{5(4)-7(2)}{35} = \frac{6}{35}$

c) $\frac{7}{9}-\frac{1}{3}+\frac{2}{1} = \frac{1(7)-3(1)+9(2)}{9} = \frac{22}{9}$

d) $\frac{3}{2}-\frac{4}{3}+\frac{5}{4} = \frac{6(3)-4(4)+3(5)}{12} = \frac{17}{12}$

2. a) $\frac{4x}{5}+\frac{3x}{10}-\frac{2x}{3} = \frac{6(4x)+3(3x)-10(2x)}{30} = \frac{24x+9x-20x}{30} = \frac{13x}{30}$

b) $\frac{c}{2}-\frac{c+2}{6} = \frac{3(c)-1(c+2)}{6} = \frac{3c-c-2}{6} = \frac{2c-2}{6} = \frac{2(c-1)}{6} = \frac{c-1}{3}$

c) $\frac{a+2}{3}+\frac{a-3}{5} = \frac{5(a+2)+3(a-3)}{15} = \frac{5a+10+3a-9}{15} = \frac{8a+1}{15}$

d) $\frac{t-2}{4} - \frac{t-3}{5}$

$= \frac{5(t-2)-4(t-3)}{20} = \frac{5t-10-4t+12}{20} = \frac{t+2}{20}$

e) $\frac{2y-3}{4} - \frac{y+4}{7}$

$= \frac{7(2y-3)-4(y+4)}{28} = \frac{14y-21-4y-16}{28} = \frac{10y-37}{28}$

f) $\frac{2x-3}{3} - \frac{5-2x}{9}$

$= \frac{3(2x-3)-1(5-2x)}{9} = \frac{6x-9-5+2x}{9} = \frac{8x-14}{9}$

3. Simplify.

a) $\frac{x}{4} + \frac{x+3}{6} + \frac{3x}{2}$

$= \frac{3(x)+2(x+3)+6(3x)}{12} = \frac{3x+2x+6+18x}{12} = \frac{23x+6}{12}$

b) $\frac{4-2p}{3} + \frac{7-3p}{4} - \frac{p}{5}$

$= \frac{20(4-2p)+15(7-3p)-12(p)}{60} = \frac{80-40p+105-45p-12p}{60} = \frac{185-97p}{60}$

c) $\frac{6x+3}{5} - \frac{2x+1}{2} - \frac{x-3}{10}$

$= \frac{2(6x+3)-5(2x+1)-1(x-3)}{10} = \frac{12x+6-10x-5-x+3}{10} = \frac{x+4}{10}$

d) $\frac{2}{1} - \frac{y-5}{5} + \frac{6y}{7}$

$= \frac{35(2)-7(y-5)+5(6y)}{35} = \frac{70-7y+35+30y}{35} = \frac{23y+105}{35}$

e) $\frac{3a+4}{12} + \frac{5-4a}{18} - 1$

$= \frac{3(3a+4)+2(5-4a)-36(1)}{36} = \frac{9a+12+10-8a-36}{36} = \frac{a-14}{36}$

f) $\frac{t}{7} - t - \frac{t-3}{3}$

$= \frac{3t-21t-7(t-3)}{21} = \frac{3t-21t-7t+21}{21} = \frac{21-25t}{21}$

4. a) $\frac{2}{y} + \frac{3}{y} + \frac{4}{y}$

$= \frac{9}{y}, \ y \neq 0$

b) $\frac{1}{2x} + \frac{3}{2x} - \frac{5}{2x}$

$\frac{-1}{2x}, \ x \neq 0$

c) $\frac{7y}{3y+8} - \frac{4y}{3y+8}$

$\frac{3y}{3y+8}, \ y \neq -\frac{8}{3}$

d) $\frac{a+2}{a^2} - \frac{2-a}{a^2}$

$\frac{a+2-(2-a)}{a^2} = \frac{a+2-2+a}{a^2} = \frac{2a}{a^2} = \frac{2}{a}, \ a \neq 0$

e) $\frac{4b+1}{b+3} - \frac{2b-5}{3+b}$

$\frac{4b+1-(2b-5)}{b+3} = \frac{4b+1-2b+5}{b+3} = \frac{2b+6}{b+3} = \frac{2(b+3)}{b+3} = 2, \ b \neq -3$

f) $\frac{15x}{4(3x+5)} + \frac{25}{4(3x+5)}$

$= \frac{15x+25}{4(3x+5)} = \frac{5(3x+5)}{4(3x+5)} = \frac{5}{4}, \ x \neq -\frac{5}{3}$

5. a) $\frac{1}{4x} + \frac{1}{2}$

$= \frac{1(1)+1(2x)}{4x} = \frac{1+2x}{4x}, \ x \neq 0$

b) $\frac{1}{3a} - \frac{1}{4a}$

$= \frac{4(1)-3(1)}{12a} = \frac{1}{12a}, \ a \neq 0$

c) $\frac{1}{3t} + \frac{1}{4t} + \frac{1}{5t}$

$= \frac{20(1)+15(1)+12(1)}{60t} = \frac{20+15+12}{60t} = \frac{47}{60t}, \ t \neq 0$

d) $\frac{1}{2t} - \frac{2}{3t} - \frac{3}{4t}$

$= \frac{6(1)-4(2)-3(3)}{12t} = \frac{6-8-9}{12t} = -\frac{11}{12t}, \ t \neq 0$

e) $\frac{6}{5x} + \frac{2}{3x}$

$= \frac{3(6)+5(2)}{15x} = \frac{18+10}{15x} = \frac{28}{15x}, \ x \neq 0$

f) $\frac{7}{5p} - \frac{5}{7p}$

$= \frac{7(7)-5(5)}{35p} = \frac{49-25}{35p} = \frac{24}{35p}, \ p \neq 0$

g) $\frac{2}{x} - \frac{3}{2x} + \frac{4}{3x} - \frac{5}{4x}$

$= \frac{12(2)-6(3)+4(4)-3(5)}{12x} = \frac{24-18+16-15}{12x} = \frac{7}{12x}, \ x \neq 0$

h) $\frac{3}{x} + \frac{1}{1}$

$= \frac{1(3)+x(1)}{x} = \frac{3+x}{x}, \ x \neq 0$

6. a) $\frac{9}{2x} + \frac{1}{x^2}$

$= \frac{x(9)+2(1)}{2x^2} = \frac{9x+2}{2x^2}, \ x \neq 0$

b) $\frac{3}{4a^2} - \frac{5}{3a}$

$= \frac{3(3)-4a(5)}{12a^2} = \frac{9-20a}{12a^2}, \ a \neq 0$

c) $\frac{8}{3b^2} + \frac{7}{b^3}$

$= \frac{b(8)+3(7)}{3b^3} = \frac{8b+21}{3b^3}, \ b \neq 0$

d) $\frac{4}{3c^2} - \frac{5}{2c^3} + \frac{6}{c^4}$

$= \frac{2c^2(4)-3c(5)+6(6)}{6c^4} = \frac{8c^2-15c+36}{6c^4}, \ c \neq 0$

7. a) $\frac{1}{a+1} + \frac{1}{a-1}$

$= \frac{1(a-1)+1(a+1)}{(a+1)(a-1)} = \frac{a-1+a+1}{(a+1)(a-1)} = \frac{2a}{(a+1)(a-1)}, \ a \neq \pm 1$

b) $\frac{2}{b+3} + \frac{3}{b+2}$

$= \frac{2(b+2)+3(b+3)}{(b+3)(b+2)} = \frac{2b+4+3b+9}{(b+3)(b+2)} = \frac{5b+13}{(b+3)(b+2)}, \ b \neq -3, -2$

c) $\frac{5}{x+2} - \frac{2}{x+5}$

$= \frac{5(x+5)-2(x+2)}{(x+2)(x+5)} = \frac{5x+25-2x-4}{(x+2)(x+5)} = \frac{3x+21}{(x+2)(x+5)}, \ x \neq -5, -2$

d) $\frac{4}{x-3} + \frac{6}{x-1}$

$= \frac{4(x-1)+6(x-3)}{(x-3)(x-1)} = \frac{4x-4+6x-18}{(x-3)(x-1)} = \frac{10x-22}{(x-3)(x-1)}, \ x \neq 1, 3$

e) $\frac{3}{y+2} - \frac{1}{y-7}$

$= \frac{3(y-7)-1(y+2)}{(y+2)(y-7)} = \frac{3y-21-y-2}{(y+2)(y-7)} = \frac{2y-23}{(y+2)(y-7)}, \ y \neq -2, 7$

f) $\frac{5t}{2t+1} - \frac{3t}{4t+1}$

$= \frac{5t(4t+1)-3t(2t+1)}{(2t+1)(4t+1)} = \frac{20t^2+5t-6t^2-3t}{(2t+1)(4t+1)} = \frac{14t^2+2t}{(2t+1)(4t+1)}, \ t \neq -\frac{1}{2}, -\frac{1}{4}$

8. a) $\frac{x-5}{3}+\frac{4x}{x-2}$

$=\frac{(x-5)(x-2)+4x(3)}{3(x-2)}$

$=\frac{x^2-7x+10+12x}{3(x-2)}$

$=\frac{x^2+5x+10}{3(x-2)},\ x\neq 2$

b) $\frac{p-1}{p+2}+\frac{p+2}{p+3}$

$=\frac{(p+3)(p-1)+(p+2)(p+2)}{(p+2)(p+3)}$

$=\frac{p^2+2p-3+p^2+4p+4}{(p+2)(p+3)}$

$=\frac{2p^2+6p+1}{(p+2)(p+3)},\ p\neq -3,-2$

c) $\frac{2x-1}{x+2}-\frac{x+2}{2x-1}$

$=\frac{(2x-1)(2x-1)-(x+2)(x+2)}{(x+2)(2x-1)}$

$=\frac{4x^2-4x+1-(x^2+4x+4)}{(x+2)(2x-1)}$

$=\frac{4x^2-4x+1-x^2-4x-4}{(x+2)(2x-1)}$

$=\frac{3x^2-8x-3}{(x+2)(2x-1)},\ x\neq -2,\frac{1}{2}$

d) $=\frac{2(3x-2)(4x-1)+3(2x-3)(4x-1)+4(2x-3)(3x-2)}{(2x-3)(3x-2)(4x-1)}$

$=\frac{2(12x^2-11x+2)+3(8x^2-14x+3)+4(6x^2-13x+6)}{(2x-3)(3x-2)(4x-1)}$

$=\frac{24x^2-22x+4+24x^2-42x+9+24x^2-52x+24}{(2x-3)(3x-2)(4x-1)}$

$=\frac{72x^2-116x+37}{(2x-3)(3x-2)(4x-1)},\ x\neq\frac{1}{4},\frac{2}{3},\frac{3}{2}$

e) $=\frac{2(t+2)(t+3)-(t+3)(t)(t+3)-(t+4)(t)(t+2)}{t(t+2)(t+3)}$

$=\frac{2(t^2+5t+6)-t(t^2+6t+9)-t(t^2+6t+8)}{t(t+2)(t+3)}$

$=\frac{2t^2+10t+12-t^3-6t^2-9t-t^3-6t^2-8t}{t(t+2)(t+3)}$

$=\frac{-2t^3-10t^2-7t+12}{t(t+2)(t+3)},\ t\neq -3,-2,0$

Multiple Choice

9. (C.) 1

$=\frac{a+2}{a+2}=1$

10. (D.) $\frac{4t}{t^2-1}$

$\frac{(t+1)(t+1)-(t-1)(t-1)}{(t-1)(t+1)}=\frac{t^2+2t+1-(t^2-2t+1)}{(t-1)(t+1)}=\frac{t^2+2t+1-t^2+2t-1}{(t-1)(t+1)}$

$=\frac{4t}{(t-1)(t+1)}=\frac{4t}{t^2-1}$

11. (B.) $\frac{4x+2}{x(x+1)}$

$2\left(\frac{1}{x}\right)+2\left(\frac{1}{x+1}\right)$

$\frac{2}{x}+\frac{2}{x+1}$

$\frac{2(x+1)+2x}{x(x+1)}=\frac{2x+2+2x}{x(x+1)}=\frac{4x+2}{x(x+1)}$

Numerical Response

12. 3

$\frac{2(x-k)+1(x+1)}{4x}=\frac{2x-2k+x+1}{4x}=\frac{3x+1-2k}{4x}$

$1-2k=-5$

$-2k=-6 \qquad k=3$

Rational Expressions and Equations Lesson #4:
Addition and Subtraction of Rational Expressions Part Two

a) $=\frac{3(2)-3(1)}{10x}$

$=\frac{6-3}{10x}$

$=\frac{3}{10x},\ x\neq 0$

b) $=\frac{4}{5(x+1)}+\frac{3}{2(x+1)}$

$=\frac{4(2)+3(5)}{10(x+1)}$

$=\frac{8+15}{10(x+1)}$

$=\frac{23}{10(x+1)},\ x\neq -1$

c) $=\frac{1}{x^2}-\frac{1}{x(x+2)}$

$=\frac{1(x+2)-1(x)}{x^2(x+2)}$

$=\frac{x+2-x}{x^2(x+2)}$

$=\frac{2}{x^2(x+2)},\ x\neq -2,0$

$=\frac{5(x+4)+2(x+1)}{(x+1)(x-2)(x+4)}=\frac{5x+20+2x+2}{(x+1)(x-2)(x+4)}$

$=\frac{7x+22}{(x+1)(x-2)(x+4)},\ x\neq -4,-1,2$

$=\frac{4}{(p-1)(p+1)}+\frac{2}{p+1}$

$=\frac{4+2(p-1)}{(p-1)(p+1)}$

$=\frac{4+2p-2}{(p-1)(p+1)}$

$=\frac{2p+2}{(p-1)(p+1)}$

$=\frac{2(p+1)}{(p-1)(p+1)}$

$=\frac{2}{p-1},\ p\neq\pm1$

a) $=\frac{2}{x+1}-\frac{x-1}{(x+1)(x-3)}$

$=\frac{2(x-3)-1(x-1)}{(x+1)(x-3)}$

$=\frac{2x-6-x+1}{(x+1)(x-3)}$

$=\frac{x-5}{(x+1)(x-3)},\ x\neq -1,3$

b) $=\frac{1}{(y-1)(y-2)}+\frac{3}{(y-1)(y+2)}$

$=\frac{1(y+2)+3(y-2)}{(y-1)(y-2)(y+2)}$

$=\frac{y+2+3y-6}{(y-1)(y-2)(y+2)}$

$=\frac{4y-4}{(y-1)(y-2)(y+2)}=\frac{4(y-1)}{(y-1)(y-2)(y+2)}$

$=\frac{4}{(y-2)(y+2)},\ y\neq\pm2,1$

Class Ex. #5

$$= \frac{(x-1)(x-2)}{(x-1)(x-4)} - \frac{(x+4)(x+6)}{(x+2)(x+6)} = \frac{x-2}{x-4} - \frac{x+4}{x+2} = \frac{(x-2)(x+2)-(x+4)(x-4)}{(x-4)(x+2)}$$

$$= \frac{(x^2-4)-(x^2-16)}{(x-4)(x+2)} = \frac{x^2-4-x^2+16}{(x-4)(x+2)} = \frac{12}{(x-4)(x+2)}, \; x \neq -6, -2, 1, 4$$

Class Ex. #6

$$\frac{2a+7}{(a+3)(a+4)} - \frac{2a}{a^2-9} = \frac{2a+7}{(a+3)(a+4)} - \frac{2a}{(a+3)(a-3)}$$

$$= \frac{(2a+7)(a-3)-2a(a+4)}{(a+3)(a+4)(a-3)} = \frac{2a^2+a-21-2a^2-8a}{(a+3)(a+4)(a-3)}$$

$$= \frac{-7a-21}{(a+3)(a+4)(a-3)} = \frac{-7(a+3)}{(a+3)(a+4)(a-3)} = \frac{-7}{(a+4)(a-3)} \quad a \neq -4, \pm 3$$

Assignment

1\. a) $\frac{1}{a} - \frac{1}{6a}$

$$= \frac{1(6)-1(1)}{6a} = \frac{5}{6a}, \; a \neq 0$$

b) $\frac{2}{5x-15} + \frac{3}{2x-6}$

$$= \frac{2}{5(x-3)} + \frac{3}{2(x-3)} = \frac{2(2)+5(3)}{10(x-3)} = \frac{19}{10(x-3)}, \; x \neq 3$$

c) $\frac{3}{4x+2} - \frac{1}{6x+3}$

$$= \frac{3}{2(2x+1)} - \frac{1}{3(2x+1)} = \frac{3(3)-1(2)}{6(2x+1)} = \frac{7}{6(2x+1)}, \; x \neq -\frac{1}{2}$$

d) $\frac{1}{x^2-3x} - \frac{1}{x}$

$$\frac{1}{x(x-3)} - \frac{1}{x} = \frac{1-1(x-3)}{x(x-3)} = \frac{1-x+3}{x(x-3)} = \frac{4-x}{x(x-3)} \quad x \neq 0, 3$$

e) $\frac{y}{8-6y} + \frac{2y}{20-15y}$

$$\frac{y}{2(4-3y)} + \frac{2y}{5(4-3y)} = \frac{y(5)+2y(2)}{10(4-3y)} = \frac{5y+4y}{10(4-3y)} = \frac{9y}{10(4-3y)}, \; y \neq \frac{4}{3}$$

f) $\frac{4}{b} - \frac{1}{b^3-b}$

$$= \frac{4}{b} - \frac{1}{b(b^2-1)} = \frac{4}{b} - \frac{1}{b(b-1)(b+1)} = \frac{4(b^2-1)-1(1)}{b(b-1)(b+1)} = \frac{4b^2-5}{b(b-1)(b+1)}, \; b = 0, \pm 1$$

2\. a)

$$= \frac{1(x-3)-1(x-1)}{(x-1)(x-2)(x-3)} = \frac{x-3-x+1}{(x-1)(x-2)(x-3)} = -\frac{2}{(x-1)(x-2)(x+3)}, \; x \neq 1, 2, 3$$

b)

$$= \frac{4(a-3)+3(a+4)}{a(a+4)(a-3)} = \frac{4a-12+3a+12}{a(a+4)(a-3)} = \frac{7a}{a(a+4)(a-3)} = \frac{7}{a(a+4)(a-3)}, \; a \neq -4, 0, 3$$

c)

$$= \frac{7(x-3)-8(x-2)}{(x-2)(x+5)(x-3)} = \frac{7x-21-8x+16}{(x-2)(x+5)(x-3)} = \frac{-x-5}{(x-2)(x+5)(x-3)} = \frac{-1(x+5)}{(x-2)(x+5)(x-3)} = -\frac{1}{(x-2)(x-3)}, \; x \neq -5, 2, 3$$

d)

$$= \frac{2(x+2)-1(x+1)}{x(x-1)(x+1)(x+2)} = \frac{2x+4-x-1}{x(x-1)(x+1)(x+2)} = \frac{x+3}{x(x-1)(x+1)(x+2)} \quad x \neq -2, \pm 1, 0$$

3\. a)

$$= \frac{1}{(x+1)(x+1)} - \frac{1}{x+1} = \frac{1(1)-1(x+1)}{(x+1)(x+1)} = \frac{1-x-1}{(x+1)(x+1)} = \frac{-x}{(x+1)(x+1)} = \frac{-x}{(x+1)^2}, \; x \neq -1$$

b)

$$\frac{1}{y+2} - \frac{1}{(y-2)(y+2)} = \frac{1(y-2)-1(1)}{(y-2)(y+2)} = \frac{y-2-1}{(y-2)(y+2)} = \frac{y-3}{(y-2)(y+2)}, \; y \neq \pm 2$$

c)

$$= \frac{2}{(t-1)(t+1)} + \frac{1}{t+1} = \frac{2(1)+(t-1)(1)}{(t-1)(t+1)} = \frac{2+t-1}{(t-1)(t+1)} = \frac{t+1}{(t-1)(t+1)} = \frac{1}{t-1}, \; t \neq \pm 1$$

4\. a)

$$= \frac{1}{(x+1)(x-2)} - \frac{1}{(x+1)(x+3)} = \frac{1(x+3)-1(x-2)}{(x+1)(x-2)(x+3)} = \frac{x+3-x+2}{(x+1)(x-2)(x+3)} = \frac{5}{(x+1)(x-2)(x+3)} \quad x \neq -3, -1, 2$$

b)

$$= \frac{3}{(t-2)(t-5)} - \frac{2}{(t-2)(t-4)} = \frac{3(t-4)-2(t-5)}{(t-2)(t-5)(t-4)} = \frac{3t-12-2t+10}{(t-2)(t-5)(t-4)} = \frac{t-2}{(t-2)(t-5)(t-4)} = \frac{1}{(t-5)(t-4)}, \; t = 2, 4, 5$$

c) $= \frac{2x}{(x+8)(x-11)} - \frac{2x-1}{(x+1)(x-11)}$

$= \frac{2x(x+1) - (2x-1)(x+8)}{(x+8)(x-11)(x+1)}$

$= \frac{2x^2+2x-(2x^2+15x-8)}{(x+8)(x-11)(x+1)}$

$= \frac{2x^2+2x-2x^2-15x+8}{(x+8)(x-11)(x+1)}$

$= \frac{8-13x}{(x+8)(x-11)(x+1)}, \; x \neq -8, -1, 11$

d) $= \frac{12y}{(y+2)(y-10)} - \frac{7y}{(y-3)(y-10)}$

$= \frac{12y(y-3)-7y(y+2)}{(y+2)(y-10)(y-3)}$

$= \frac{12y^2-36y-7y^2-14y}{(y+2)(y-10)(y-3)}$

$= \frac{5y^2-50y}{(y+2)(y-10)(y-3)} = \frac{5y\cancel{(y-10)}}{(y+2)\cancel{(y-10)}(y-3)}$

$= \frac{5y}{(y+2)(y-3)}, \; y \neq -2, 3, 10$

5. a) $= \frac{2x+3}{5(x-5)} + \frac{\cancel{x-4}}{(x-5)\cancel{(x-4)}}$

$= \frac{2x+3}{5(x-5)} + \frac{1}{x-5}$

$= \frac{2x+3+5(1)}{5(x-5)}$

$= \frac{2x+8}{5(x-5)}, \; x \neq 4, 5$

b) $2x^2-5x-3 = 2x^2-6x+x-3 = \frac{4x}{(2x+1)(x-3)} - \frac{1-2x}{(3-x)(3+x)}$

$= 2x(x-3)+1(x-3)$

$= (x-3)(2x+1)$

$= \frac{4x}{(2x+1)(x-3)} + \frac{1-2x}{(x-3)(x+3)}$

$= \frac{4x(x+3)+(1-2x)(2x+1)}{(2x+1)(x-3)(x+3)}$

$= \frac{4x^2+12x+2x+1-4x^2-2x}{(2x+1)(x-3)(x+3)}$

$= \frac{12x+1}{(2x+1)(x-3)(x+3)}, \; x \neq -\frac{1}{2}, \pm 3$

6. a) $= \frac{(x+3)\cancel{(x-4)}}{(x-4)\cancel{(x-4)}} - \frac{(x-2)\cancel{(x+7)}}{(x+3)\cancel{(x+7)}}$

$= \frac{x+3}{x-4} - \frac{x-2}{x+3}$

$= \frac{(x+3)(x+3)-(x-2)(x-4)}{(x-4)(x+3)}$

$= \frac{x^2+6x+9-(x^2-6x+8)}{(x-4)(x+3)}$

$= \frac{x^2+6x+9-x^2+6x-8}{(x-4)(x+3)}$

$= \frac{12x+1}{(x-4)(x+3)}, \; x \neq -7, -3, \pm 4$

b) $2x^2-x-3 = 2x^2-3x+2x-3$

$= x(2x-3)+1(2x-3) = (2x-3)(x+1)$

$2x^2+7x-15 = 2x^2-3x+10x-15$

$= x(2x-3)+5(2x-3) = (2x-3)(x+5)$

$\frac{\cancel{(2x-3)}(x+1)}{\cancel{(2x-3)}(x+5)} + \frac{\cancel{(x+7)}(x+9)}{\cancel{(x+7)}(x+5)}$

$= \frac{x+1}{x+5} + \frac{x+9}{x+5} = \frac{x+1+x+9}{x+5}$

$= \frac{2x+10}{x+5} = \frac{2\cancel{(x+5)}}{\cancel{x+5}}$

$= 2, \; x \neq -7, -5, \frac{3}{2}$

c) $= \frac{(x-3)\cancel{(x+3)}}{(x-4)\cancel{(x+3)}} - \frac{(x+2)\cancel{(x-7)}}{(x+3)\cancel{(x-7)}}$

$= \frac{x-3}{x-4} - \frac{x+2}{x+3}$

$= \frac{(x-3)(x+3)-(x+2)(x-4)}{(x-4)(x+3)}$

$= \frac{x^2-9-(x^2-2x-8)}{(x-4)(x+3)}$

$= \frac{x^2-9-x^2+2x+8}{(x-4)(x+3)}$

$= \frac{2x-1}{(x-4)(x+3)}, \; x \neq -3, 4, 7$

d) $4x^2-4x-3 = 4x^2-6x+2x-3$

$= 2x(2x-3)+1(2x-3) = (2x-3)(2x+1)$

$\frac{(2x-3)\cancel{(2x+1)}}{(2x-1)\cancel{(2x+1)}} - \frac{(x-12)\cancel{(x+8)}}{(x-4)\cancel{(x+8)}}$

$= \frac{2x-3}{2x-1} - \frac{x-12}{x-4}$

$= \frac{(2x-3)(x-4)-(x-12)(2x-1)}{(2x-1)(x-4)}$

$= \frac{2x^2-11x+12-(2x^2-25x+12)}{(2x-1)(x-4)}$

$= \frac{2x^2-11x+12-2x^2+25x-12}{(2x-1)(x-4)}$

$= \frac{14x}{(2x-1)(x-4)}, \; x \neq -8, \pm\frac{1}{2}, 4$

7. a) $4a^2+4a-3 = 4a^2-2a+6a-3$

$= 2a(2a-1)+3(2a-1) = (2a-1)(2a+3)$

$\frac{2}{2a+3} + \frac{8}{(2a-1)(2a+3)}$

$= \frac{2(2a-1)+8(1)}{(2a+3)(2a-1)}$

$= \frac{4a-2+8}{(2a+3)(2a-1)} = \frac{4a+6}{(2a+3)(2a-1)}$

$= \frac{2\cancel{(2a+3)}}{\cancel{(2a+3)}(2a-1)} = \frac{2}{2a-1}, \; a \neq -\frac{3}{2}, \frac{1}{2}$

b) $6b^2-5b-4 = 6b^2-8b+3b-4$

$= 2b(3b-4)+1(3b-4) = (3b-4)(2b+1)$

$\frac{2}{(3b-4)(2b+1)} - \frac{3}{(3b-4)(3b+4)}$

$= \frac{2(3b+4)-3(2b+1)}{(3b-4)(2b+1)(3b+4)}$

$= \frac{6b+8-6b-3}{(3b-4)(2b+1)(3b+4)}$

$= \frac{5}{(3b-4)(2b+1)(3b+4)}, \; b \neq -\frac{1}{2}, \pm\frac{4}{3}$

8. a) $\text{time} = \frac{\text{distance}}{\text{av. speed}} = \frac{135}{2x^2+3x} + \frac{135}{4x^2-9}$

$= \frac{135}{x(2x+3)} + \frac{135}{(2x-3)(2x+3)} = \frac{135(2x-3)+135(x)}{x(2x+3)(2x-3)}$

$= \frac{270x-405+135x}{x(2x+3)(2x-3)} = \frac{405x-405}{x(2x+3)(2x-3)}, \; x \neq 0, \pm\frac{3}{2}$

b) $\frac{405(6)-405}{6(2(6)+3)(2(6)-3)}$

$= \frac{5}{2}$

2.5 hours

Multiple Choice 9. (D.) $\frac{2x+15}{x^2-36}$ $\frac{3}{(x-6)(x+6)} + \frac{2}{x-6} = \frac{3+2x+12}{(x-6)(x+6)}$

$= \frac{3(1)+2(x+6)}{(x-6)(x+6)} = \frac{2x+15}{x^2-36}$

10. (A.) $\frac{8}{x-7}$ $\frac{3}{x-7} + \frac{5}{x-7} = \frac{8}{x-7}$

Numerical Response 11. | 2 | 2 | | |

$\frac{5}{(x-3)(x-4)} - \frac{3}{(x-4)(x+3)} = \frac{5(x+3)-3(x-3)}{(x-4)(x-3)(x+3)}$

$= \frac{5x+15-3x+9}{(x-4)(x-3)(x+3)} = \frac{2x+24}{(x-4)(x-3)(x+3)}$

$A = 2 \quad B = 24$

$B - A = 24 - 2 = 22$

Rational Expressions and Equations Lesson #5: Multiplication of Rational Expressions

Class Ex. #1 a) $= \frac{7}{50}$ b) $= \frac{3}{4}$

Class Ex. #2 a) $= 9x^2z$, $y \neq 0, z \neq 0$ b) $= \frac{5bc^2}{16ad}$, $a \neq 0, b \neq 0, c \neq 0, d \neq 0$

Class Ex. #3 a) $= \frac{2}{x(x-2)}$, $x \neq -3, -1, 0, 2$ b) $= \frac{4(x+4)}{7(2x-1)} \times \frac{(2x-1)}{(x+4)^2} = \frac{4}{7(x+4)}$, $x \neq -4, \frac{1}{2}$

Class Ex. #4 $= \frac{2m^2(m-2)}{3m(m-3)} \times \frac{(m-3)(m+2)}{(m-2)(m+2)}$

$= \frac{2m}{3}$, $m \neq \pm 2, 0, 3$

Class Ex. #5 $= \frac{(a+3)(a+5)}{3(2a+1)(a+3)} \times \frac{a(1-2a)(1+2a)}{(2a-1)(a+5)}$

$= \frac{-a}{3}$, $a \neq -5, -3, \pm\frac{1}{2}$

Assignment

1. a) $\frac{8a^2b^2e}{12abc^2} \times \frac{12a^2e}{6be}$ $= \frac{4a^3}{3c}$, $a \neq 0, b \neq 0, c \neq 0$

b) $\frac{9x^4y^3}{12x^8} \times \frac{48x^2y^3}{14y} \times \frac{6x}{27y^4}$ $= \frac{4x^2y}{7}$, $x \neq 0, y \neq 0$

2. a) $\frac{15a^2(a-1)}{8(2a+3)} \times \frac{10(2a+3)}{3a}$ $= \frac{25a(a-1)}{4}$, $a \neq -\frac{3}{2}, 0$

b) $\frac{7x(x+2)(x-3)}{21(x-7)(x+7)} \times \frac{(x+7)^2(x-7)}{2x(x-3)}$

$= \frac{(x+2)(x+7)}{6}$, $x \neq 0, 3, \pm 7$

c) $\frac{6y-30}{(y-1)} \times \frac{5y-5}{3y^2-15y}$ $= \frac{6(y-5)}{(y-1)} \times \frac{5(y-1)}{3y(y-5)}$

$= \frac{10}{y}$, $y \neq 0, 1, 5$

d) $\frac{10x+2}{5x-1} \times \frac{x-1}{35x+7}$ $= \frac{2(5x+1)}{5x-1} \times \frac{x-1}{7(5x+1)}$

$= \frac{2(x-1)}{7(5x-1)}$, $x \neq \pm\frac{1}{5}$

3. a) $\frac{x^2-9}{6x+24} \times \frac{10x+40}{x(x+3)}$ $= \frac{(x-3)(x+3)}{6(x+4)} \times \frac{10(x+4)}{x(x+3)}$

$= \frac{5(x-3)}{3x}$, $x \neq -4, -3, 0$

b) $\frac{4a^2-1}{4a^2-16} \times \frac{2-a}{2a-1}$ $= \frac{(2a-1)(2a+1)}{4(a-2)(a+2)} \times \frac{2-a}{2a-1}$

$4a^2-16 = 4(a^2-4) = 4(a-2)(a+2)$

$= \frac{-(2a+1)}{4(a+2)} = \frac{-2a-1}{4(a+2)}$, $a \neq \pm 2, \frac{1}{2}$

c) $\frac{x^2+5x+6}{3x} \times \frac{6x}{x^2+9x+14}$ $= \frac{(x+2)(x+3)}{3x} \times \frac{6x}{(x+2)(x+7)}$

$= \frac{2(x+3)}{x+7}$, $x \neq -7, -2, 0$

d) $\frac{2y^3-4y^2}{3y^2-9y} \times \frac{y^2-y-6}{y^2-4}$ $= \frac{2y^2(y-2)}{3y(y-3)} \times \frac{(y+2)(y-3)}{(y+2)(y-2)}$

$= \frac{2y}{3}$, $y \neq \pm 2, 0, 3$

4. a) $\frac{(x-1)(x-2)}{(x-1)(x+4)} \times \frac{(x+4)(x+5)}{(x+3)(x-2)}$

$= \frac{x+5}{x+3}$, $x \neq -4, -3, 1, 2$

b) $= \frac{3(t^2+t-2)}{2(t^2-t-2)} \times \frac{4(t^2+t-6)}{3(t^2+2t-3)}$

$= \frac{3(t+2)(t-1)}{2(t-2)(t+1)} \times \frac{4(t+3)(t-2)}{3(t+3)(t-1)}$

$= \frac{2(t+2)}{t+1}$, $t \neq -3, \pm 1, 2$

c) $= \frac{x(x-6)}{x(x+5)} \times \frac{(x+2)(x+5)}{3(6-x)}$

$= \frac{-(x+2)}{3}$

$= \frac{-x-2}{3}$, $x \neq -5, 0, 6$

d) $= \frac{(a-2)(a-4)}{2a(a-4)} \times \frac{a(a-1)}{4(2a^2+7)} \times \frac{6(2a^2+7)}{2a}$

$= \frac{3(a-2)(a-1)}{8a}$, $a \neq 0, 4$

5. a) area $= \left(\frac{x^2-4x+4}{5x}\right)\left(\frac{20x}{x^3-2x^2}\right)$

$= \frac{(x-2)(x-2)}{5x} \times \frac{4 \cdot 20x}{x^2(x-2)}$

$= \frac{4(x-2)}{x^2}$

b) area $= \frac{4(4\sqrt{5}-2)}{(4\sqrt{5})^2}$

$= \frac{16\sqrt{5}-8}{(16)(5)} = \frac{8(2\sqrt{5}-1)}{80}$

$= \frac{2\sqrt{5}-1}{10}$ cm^2

6. a) $= \frac{2(x^2-4y^2)}{6(2x+y)} \times \frac{9x(2x+y)}{6(x+2y)}$

$= \frac{2(x-2y)(x+2y)}{6(2x+y)} \times \frac{9x(2x+y)}{6(x+2y)}$

$= \frac{x(x-2y)}{2}$, $x \neq -\frac{1}{2}y, -2y$

b) $= \frac{(p-3q)(p+5q)}{3(p^2-11pq+28q^2)} \times \frac{(4q-p)(3q+p)}{2(p^2+8pq+15q^2)}$

$= \frac{(p-3q)(p+5q)}{3(p-4q)(p-7q)} \times \frac{(4q-p)(3q+p)}{2(p+3q)(p+5q)}$

$= \frac{-(p-3q)}{6(p-7q)}$

$= \frac{3q-p}{6(p-7q)}$, $p \neq -5q, -3q, 4q, 7q$

b) $12q^2+qp-p^2$

$= 12q^2-3qp+4qp-p^2$

$= 3q(4q-p)+p(4q-p)$

$= (4q-p)(3q+p)$

Multiple Choice 7. (D.) $-\frac{4(3x-7)}{3x+7} = \frac{-4(3x-7)}{3x+7}$

$3x^2-10x+7$

$= 3x^2-3x-7x+7$

$= 3x(x-1)-7(x-1)$

$= (x-1)(3x-7)$

Numerical Response 8. | 1 | 2 | | |

$\frac{12(x-2)}{3(x^2-4)} \times \frac{6(x^2+5x+6)}{2(x+3)} = \frac{12(x-2)}{3(x-2)(x+2)} \times \frac{6(x+2)(x+3)}{2(x+3)} = 12$

Rational Expressions and Equations Lesson #6: Division of Rational Expressions

Class Ex. #1

a) $= \frac{7}{10} \times \frac{14}{3} = \frac{49}{15}$

b) $= \frac{6}{5} \times \frac{10}{9} \times \frac{1}{20} = \frac{1}{15}$

c) $= \frac{6}{5} \div \frac{9}{200} = \frac{6}{5} \times \frac{200}{9} = \frac{80}{3}$

Class Ex. #2

a) $= \frac{16a}{9b^2} \times \frac{15b}{32a^2} = \frac{5}{6ab}$

b) $= -\frac{5xy^3}{7xz^3} \times \frac{2z}{15x} \times \frac{-21z^4}{10x^2y^2} = \frac{yz^2}{5x^3}$

Class Ex. #3

a) $\frac{16a}{9b^2} \div \frac{32a^2}{15b}$ $a \neq 0,\ b \neq 0$

b) $\frac{-5xy^3}{7xz^3} \times \frac{2z}{15x} \div \frac{10x^2y^2}{-21z^4}$ $x \neq 0,\ y \neq 0,\ z \neq 0$

Nonpermissible Values in Division of Rational Expressions

For the rational expression $\frac{a}{b}$, the nonpermissible value is $b \neq 0$.

For the rational expression $\frac{c}{d}$, the nonpermissible value is $d \neq 0$.

This introduces another nonpermissible value $c \neq 0$

Class Ex. #4

a) $= \frac{x+1}{(x-2)(x+3)} \times \frac{x(x+3)}{2(x+1)}$

$= \frac{x}{2(x-2)}$, $x \neq -3, -1, 0, 2$

b) $\frac{4x+12}{3x+12} \div \frac{3x^2+9x}{(x+4)^2}$

$= \frac{4x+12}{3x+12} \times \frac{(x+4)^2}{3x^2+9x}$

$= \frac{4(x+3)}{3(x+4)} \times \frac{(x+4)(x+4)}{3x(x+3)}$

$= \frac{4(x+4)}{9x}$, $x \neq -4, -3, 0$

Class Ex. #5

a) $= \frac{4x^2-12x}{x^2-9} \times \frac{x^2+4x+3}{7x^3+7x^2}$

$= \frac{4x(x-3)}{(x-3)(x+3)} \times \frac{(x+1)(x+3)}{7x^2(x+1)}$

$= \frac{4}{7x}$, $x \neq \pm 3, -1, 0$

b) $2m^2-m-3$

$2m^2-3m+2m-3$

$m(2m-3)+1(2m-3)$

$= (2m-3)(m+1)$

$\frac{10m(2m+3)}{(3-2m)(3+2m)} \div \left(\frac{11m(m^2-1)}{(2m-3)(m+1)} \times \frac{2m+3}{m-1}\right)$

$= \frac{10m}{3-2m} \div \left(\frac{11m(m-1)(m+1)}{(2m-3)(m+1)} \times \frac{2m+3}{m-1}\right)$

$= \frac{10}{3-2m} \times \frac{2m-3}{11m(2m+3)}$

$= -\frac{10}{11m(2m+3)}$, $m \neq \pm 1, \pm\frac{3}{2}, 0$

Class Ex. #6

$= \frac{2(4a+5)}{a(2a+1)} \times \frac{a}{5+4a}$

$= \frac{2}{2a+1}$, $a \neq -\frac{1}{2}, 0, -\frac{5}{4}$

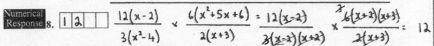

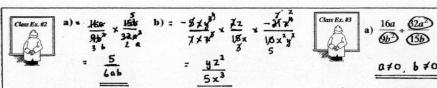

Assignment

1. a) $= \frac{3a^2bc}{10bc^2} \times \frac{6bc}{12a^2b^2c}$

$= \frac{3}{20bc}, a \neq 0, b \neq 0, c \neq 0$

b) $= \frac{8x^4y^3y^2}{-9x^3y} \times \frac{2y^3y^2}{-15x^2y} \times \frac{-6xy^4}{7x}$

$= \frac{32y^8}{45x^3}, x \neq 0, y \neq 0$

c) $= \frac{2xy}{5x^4y^2} \times \frac{15y}{10x^2y}$

$= \frac{3}{5x^3y}, x \neq 0, y \neq 0$

d) $= \frac{-5m^3n}{2p} \div \left(\frac{8p^3}{10m} \times \frac{15n}{4p}\right)$

$= \frac{-5m^3n}{2p} \times \frac{10m}{8p^3} \times \frac{4p}{15n}$

$= -\frac{5m^4}{6p^3}, m \neq 0, n \neq 0, p \neq 0$

2. a) $= \frac{(3x+5)^2}{(x-7)(x+7)} \times \frac{x-7}{(3x+5)(x+1)}$

$= \frac{3x+5}{(x+7)(x+1)}, x \neq \pm 7, -\frac{5}{3}, -1$

b) $= \frac{4(y+5)}{5(y-4)} \div \frac{2(y^2-25)}{(y-4)(y+4)}$

$= \frac{4(y+5)}{5(y-4)} \times \frac{(y-4)(y+4)}{2(y+5)(y-5)}$

$= \frac{2(y+4)}{5(y-5)}, y \neq \pm 4, \pm 5$

c) $= \frac{(p-6)(p+2)}{p(p+1)} \div \frac{(6-p)(6+p)}{p(p+1)}$

$= \frac{(p-6)(p+2)}{p(p+1)} \times \frac{p(p+1)}{(6-p)(6+p)}$

$= \frac{-p-2}{p+6}, p \neq \pm 6, -1, 0$

d) $= \frac{(a-9)(a+9)}{9a} \times \frac{1}{(a-9)^2}$

$= \frac{a+9}{9a(a-9)}, a \neq 0, 9$

3. a) $= \frac{(a-5)(a+2)}{(a-2)(a-3)} \div \frac{(a-5)(a+6)}{(a-2)(a+6)}$

$= \frac{(a-5)(a+2)}{(a-2)(a-3)} \times \frac{(a-2)(a+6)}{(a-5)(a+6)}$

$= \frac{a+2}{a-3}, a \neq -6, 2, 3, 5$

b) $= \frac{(x+9)(x+4)}{(x-2)(x+2)} \div \frac{(x+4)(x-10)}{(x+2)(x-10)}$

$= \frac{(x+9)(x+4)}{(x-2)(x+2)} \times \frac{(x+2)(x-10)}{(x+4)(x-10)}$

$= \frac{x+9}{x-2}, x \neq \pm 2, -4, 10$

c) $\frac{y(y^2+4y-32)}{(y-8)(y+8)} \times \frac{1}{y-4}$

$= \frac{y(y+8)(y-4)}{(y-8)(y+8)} \times \frac{1}{y-4}$

$= \frac{y}{y-8}, y \neq \pm 8, 4$

d) $\frac{(x+7)(x+7)}{1} \div \frac{(x+7)(x-2)}{x(x-2)}$

$= \frac{(x+7)(x+7)}{1} \times \frac{x(x-2)}{(x+7)(x-2)}$

$= x(x+7), x \neq -7, 0, 2$

4. a) $2a^2-3a-9 = 2a^2-6a+3a-9$

$= 2a(a-3) + 3(a-3) = (a-3)(2a+3)$

$3a^2-7a-6 = 3a^2-9a+2a-6$

$= 3a(a-3)+2(a-3) = (a-3)(3a+2)$

$8a^2+14a+3 = 8a^2+2a+12a+3$

$= 2a(4a+1)+3(4a+1) = (4a+1)(2a+3)$

$\frac{(a-3)(2a+3)}{(4a+1)(2a+3)} \div \frac{(a-3)(3a+2)}{(4a+1)(2a+3)}$

$= \frac{(a-3)(2a+3)}{(4a+1)(2a+3)} \times \frac{(4a+1)(2a+3)}{(a-3)(3a+2)}$

$= \frac{2a+3}{3a+2}, a \neq -\frac{1}{4}, -\frac{3}{2}, -\frac{2}{3}, 3$

b) $= \frac{(x^2-y^2)(x^2-4y^2)}{(x+y)(x+2y)} \div \frac{(x-2y)(x-2y)}{5(x-2y)}$

$= \frac{(x-y)(x+y)(x-2y)(x+2y)}{(x+y)(x+2y)} \times \frac{5(x-2y)}{(x-2y)(x-2y)}$

$= 5(x-y), x \neq -y, \pm 2y$

5. $4x^2+7x-2 = 4x^2+8x-x-2$

$= 4x(x+2)-1(x+2) = (x+2)(4x-1)$

area of rectangle $= (5x^2+10x)(16x-4)$

area of triangle $= \frac{1}{2}(4x^2+7x-2)(10x)$

$= 5x(4x^2+7x-2)$

ratio $= \frac{(5x^2+10x)(16x-4)}{5x(4x^2+7x-2)}$

$= \frac{5x(x+2)(4)(4x-1)}{5x(x+2)(4x-1)} = 4$ ratio $= 4:1$

6. a) $= \frac{5a-1}{a} \div \frac{5a+1}{a}$

$= \frac{5a-1}{a} \times \frac{a}{5a+1}$

$= \frac{5a-1}{5a+1}, a \neq 0, -\frac{1}{5}$

b) $= \frac{8x+4}{x} \div \frac{4x^2-1}{x^2}$

$= \frac{8x+4}{x} \times \frac{x^2}{4x^2-1}$

$= \frac{4(2x+1)}{x} \times \frac{x \cdot x}{(2x-1)(2x+1)}$

$= \frac{4x}{2x-1}, x \neq \pm\frac{1}{2}, 0$

c) $= \frac{3(p^2-4)-1(p^2)}{p^2(p^2-4)} \div \frac{p^2-6}{p^2}$

$= \frac{3p^2-12-p^2}{p^2(p-2)(p+2)} \times \frac{p^2}{p^2-6}$

$= \frac{2p^2-12}{p^2(p-2)(p+2)} \times \frac{p^2}{p^2-6}$

$= \frac{2}{(p-2)(p+2)}, p \neq \pm 2, 0, \pm\sqrt{6}$

7. a) $= \dfrac{a-1}{a+4} \div \dfrac{(a+1)(a+5)}{(a+1)(a-1)} \times \dfrac{(a+4)(a-1)}{(a-1)(a-1)}$

$= \dfrac{a-1}{a+4} \times \dfrac{(a+1)(a-1)}{(a+1)(a+5)} \times \dfrac{(a+4)(a-1)}{(a-1)(a-1)}$

$= \dfrac{a-1}{a+5}, \ a \neq -5, -4, \pm 1$

b) $\dfrac{a-1}{a+4} \div \left(\dfrac{(a+5)(a+1)}{(a+1)(a-1)} \times \dfrac{(a+4)(a+1)}{(a-1)(a+1)}\right)$

$= \dfrac{a-1}{a+4} \div \dfrac{(a+5)(a+4)}{(a-1)(a-1)}$

$= \dfrac{a-1}{a+4} \times \dfrac{(a-1)(a-1)}{(a+5)(a+4)}$

$= \dfrac{(a-1)^3}{(a+4)^2(a+5)}, \ a \neq -5, -4, \pm 1$

8. $= \dfrac{3x}{(x+1)(3-x)} - \left(\dfrac{1}{x+1} \times \dfrac{x-3}{2}\right) = \dfrac{3x}{(x+1)(3-x)} - \dfrac{x-3}{2(x+1)} = \dfrac{6x-3x+x^2+9-3x}{2(x+1)(3-x)}$

$= \dfrac{2(3x)-(x-3)(3-x)}{2(x+1)(3-x)} = \dfrac{6x-(3x-x^2-9+3x)}{2(x+1)(3-x)} = \dfrac{x^2+9}{2(x+1)(3-x)}, \ x \neq -1, 3$

Multiple Choice 9. (C.) 4

$a^2-4a+4 \neq 0 \quad (a-2)(a-2) \neq 0 \quad a \neq 2$

$a^2-a-2 \neq 0 \quad (a-2)(a+1) \neq 0 \quad a \neq -1, 2$

$a^2-10a+24 \neq 0 \quad (a-6)(a-4) \neq 0 \quad a = 4, 6$

$a \neq -1, 2, 4, 6$

Numerical Response 8

10. $= \dfrac{(5x-3)(2x+1)}{(x-3)(2x+1)} \times \dfrac{2(x-3)(x+3)}{5x-3} = 2x+6$

$A = 2, B = 6$

$A + B = 8$

Rational Expressions and Equations Lesson #7:
Rational Equations Part One

Intersection Method

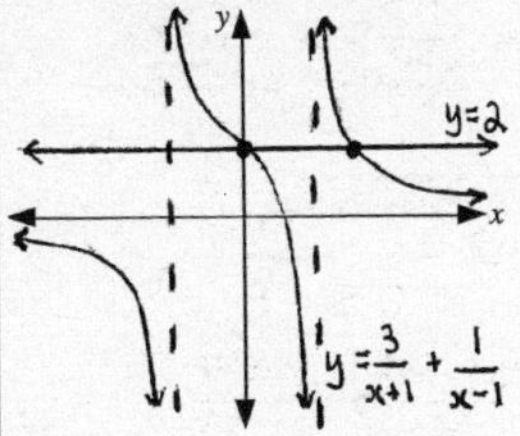

x-intercept Method

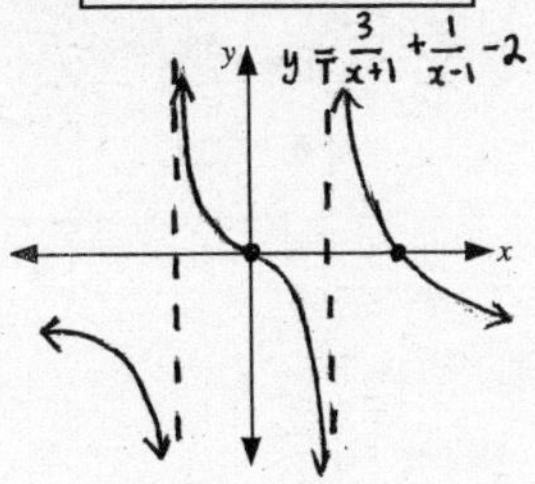

Class Ex. #1

a) $x \neq 0$

mult. by x

$4x + 2 = 7x + 3$

$-1 = 3x$

$x = -\frac{1}{3}$

b) $x \neq -1, -2$

cross multiply

$5(x+2) = 2(x+1)$

$5x + 10 = 2x + 2$

$3x = -8$

$x = -\frac{8}{3}$

Class Ex. #3

$\dfrac{1}{x-4} + \dfrac{2}{x+4} = \dfrac{5}{(x-4)(x+4)} \qquad x \neq \pm 4$

multiply by $(x-4)(x+4)$

$(x-4)(x+4)\left(\dfrac{1}{x-4}\right) + (x-4)(x+4)\left(\dfrac{2}{x+4}\right) = (x-4)(x+4)\left(\dfrac{5}{(x-4)(x+4)}\right)$

$1(x+4) + 2(x-4) = 5$

$x + 4 + 2x - 8 = 5$

$3x = 9$

$x = 3$

verify:

$LS = \dfrac{1}{3-4} + \dfrac{2}{3+4} = -1 + \dfrac{2}{7} = -\dfrac{5}{7}$

$RS = \dfrac{5}{(3)^2-16} = -\dfrac{5}{7}$

$LS = RS$

Assignment

1. a)

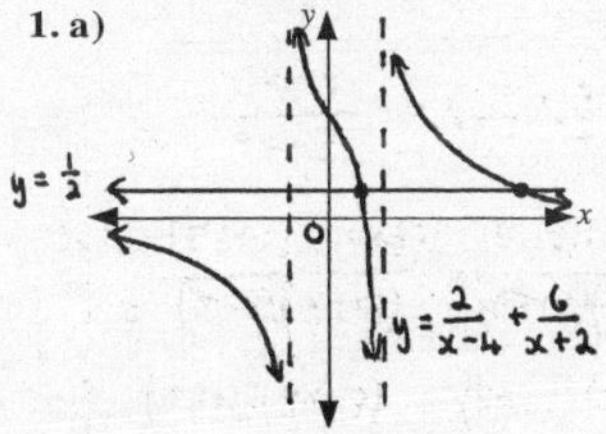

window $x: [-10, \ , 2]$

$y: [-5, 5, 1]$

$x = 2, 16$

b)

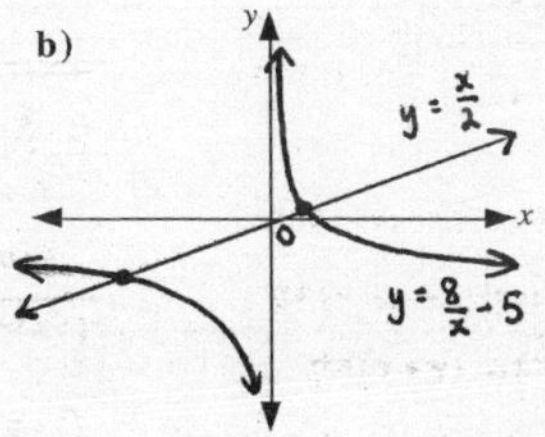

window $x: [-20, 10, 2]$

$y: [-20, 10, 2]$

$x = -11.40, 1.40$

c)

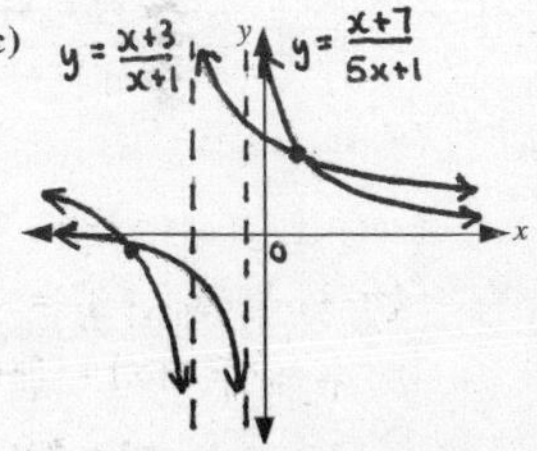

window $x: [-5, 5, 1]$

$y: [-5, 5, 1]$

$x = -2.41, 0.41$

d)

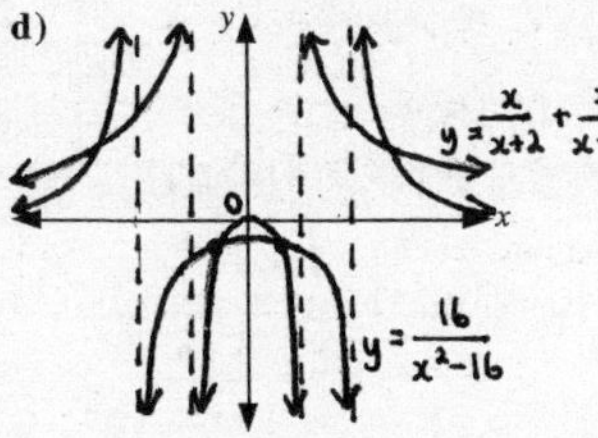

window $x: [-8, 8, 2]$

$y: [-8, 8, 2]$

$x = -4.75, -1.19, 1.19, 4.75$

2. a) $a \neq \frac{3}{2}$

$2(6a+3) = 3(2a-3)$

$12a + 6 = 6a - 9$

$6a = -15$

$a = -\frac{5}{2}$

verify:

$LS = \dfrac{6\left(-\frac{5}{2}\right)+3}{2\left(-\frac{5}{2}\right)-3} = \dfrac{-12}{-8}$

$= \dfrac{3}{2} = RS$

b) $(m+1)\left(\dfrac{2}{m+1}\right)$

$= (m+1)\left(\dfrac{8m}{m+1}\right) - (m+1)(3)$

$2 = 8m - 3m - 3$

$5 = 5m \qquad m = 1$

verify:

$LS = \dfrac{2}{1+1} = 1$

$RS = \dfrac{8(1)}{1+1} - 3$

$= \dfrac{8}{2} - 3 = 4 - 3 = 1$

3. a) $(5a-3)(a+1) = (5a-14)(a+7)$

$5a^2+2a-3 = 5a^2+21a-98$

$95 = 19a$

$a = 5$ $a \neq -7, -1$

b) $\frac{2x+1}{x-3} = \frac{4x-1}{2x-3}$ $x \neq \frac{3}{2}, 3$

$(2x+1)(2x-3) = (4x-1)(x-3)$

$4x^2-4x-3 = 4x^2-13x+3$

$9x = 6$

$x = \frac{2}{3}$

c) $\frac{6y-2}{3y-2} = \frac{2y+6}{y+6}$

$(6y-2)(y+6) = (2y+6)(3y-2)$

$6y^2+34y-12 = 6y^2+14y-12$

$20y = 0$

$y = 0$ $y \neq -6, \frac{2}{3}$

d) $a \neq 0$

$4a\left(\frac{4a+9}{2a}\right) - 4a\left(\frac{3}{4}\right) = 4a(2)$

$2(4a+9) - a(3) = 8a$

$8a+18-3a = 8a$

$18 = 3a$

$a = 6$

e) $x \neq \pm\frac{1}{3}$

$(3x-1)(3x+1)\left(\frac{5}{3x-1}\right) + (3x-1)(3x+1)\left(\frac{3x}{3x+1}\right) = (3x-1)(3x+1)(1)$

$5(3x+1) + 3x(3x-1) = (3x-1)(3x+1)$

$15x+5+9x^2-3x = 9x^2-1$

$12x = -6$

$x = -\frac{1}{2}$

f) $x \neq -7, -\frac{3}{2}$

$(2x+3)(x+7)\left(\frac{8x}{2x+3}\right) - (2x+3)(x+7)\left(\frac{x+3}{x+7}\right) = (2x+3)(x+7)(3)$

$8x(x+7) - (2x+3)(x+3) = 3(2x+3)(x+7)$

$8x^2+56x - (2x^2+9x+9) = 3(2x^2+17x+21)$

$8x^2+56x-2x^2-9x-9 = 6x^2+51x+63$

$-72 = 4x$

$x = -18$

4. $\frac{1}{(x-3)(x+3)} = \frac{4}{x-3} - \frac{2}{x+3}$ $x \neq \pm 3$

$(x-3)(x+3)\left(\frac{1}{(x-3)(x+3)}\right) = (x-3)(x+3)\left(\frac{4}{x-3}\right) - (x-3)(x+3)\left(\frac{2}{x+3}\right)$

$1 = 4(x+3) - 2(x-3)$

$1 = 4x+12-2x+6$

$-17 = 2x$

$x = -\frac{17}{2}$

verify: $LS = \frac{1}{\left(-\frac{17}{2}\right)^2-9} = \frac{1}{253/4} = \frac{4}{253}$ $RS = \frac{4}{\left(-\frac{17}{2}\right)-3} - \frac{2}{\left(-\frac{17}{2}\right)+3} = -\frac{8}{23} + \frac{4}{11} = \frac{4}{253}$

LS = RS

Multiple Choice 5. (B) $\frac{10}{3}$

$y \neq 4$, $2 = 3(4-y)$

$2 = 12-3y$

$3y = 10$

$y = \frac{10}{3}$

Numerical Response 6. $x \neq 0, 4$

$x(x-4)\left(\frac{4}{x}\right) + x(x-4)\left(\frac{2x}{x-4}\right) - x(x-4)(2) = 0$

$4(x-4) + x(2x) - 2x(x-4) = 0$

$4x-16+2x^2-2x^2+8x = 0$

$12x = 16$ $x = \frac{4}{3}$

| 1 | . | 3 | |

7. $\frac{1}{x+3} - \frac{2}{x+7} = \frac{x}{(x+3)(x+7)}$ $x \neq -7, -3$

| 0 | . | 5 | |

$(x+3)(x+7)\left(\frac{1}{x+3}\right) - (x+3)(x+7)\left(\frac{2}{x+7}\right) = (x+3)(x+7)\left(\frac{x}{(x+3)(x+7)}\right)$

$1(x+7) - 2(x+3) = x$

$x+7-2x-6 = x$

$1 = 2x$

$x = \frac{1}{2} = 0.5$

Rational Expressions and Equations Lesson #8: Rational Equations Part Two

Class Ex. #1

a) In the previous lesson, we solved the equation $\frac{3}{x+1} + \frac{1}{x-1} = 2$ graphically. The solution is $x =$ 0 or $x =$ 2.

b) $(x+1)(x-1)\left(\frac{3}{x+1}\right) + (x+1)(x-1)\left(\frac{1}{x-1}\right) = (x+1)(x-1)(2)$

$3(x-1) + 1(x+1) = 2(x^2-1)$

$3x-3+x+1 = 2x^2-2$

$0 = 2x^2-4x$

$0 = 2x(x-2)$

$x = 0$ or $x = 2$

Class Ex. #2

a) $x^2-5x-6 = 2(x+1)$

$x^2-5x-6 = 2x+2$

$x^2-7x-8 = 0$

$(x+1)(x-8) = 0$

$x = -1$ or $x = 8$

reject $x = -1$ (non-permissible value)

$x = 8$

b) $x = -1$ is a non-permissible value and leads to division by zero. $\frac{0}{0} \neq 2$

Class Ex. #3

a) $x \neq 0$

$x(x) + x\left(\frac{2}{x}\right) = x(3)$

$x^2+2 = 3x$

$x^2-3x+2 = 0$

$(x-2)(x-1) = 0$

$x = 1, 2$

verify $x = 1$

$LS = 1+\frac{2}{1} = 3 = RS$

verify $x = 2$

$LS = 2+\frac{2}{2} = 3 = RS$

b) $\frac{x}{(x-2)(x+2)} = \frac{2}{x+2}$

$x(x+2) = 2(x^2-4)$

$x^2+2x = 2x^2-8$

$0 = x^2-2x-8$

$(x-4)(x+2) = 0$

$x = -2, 4$

reject $x = -2$ (non permissible value)

$x = 4$ $x \neq \pm 2$

verify $x = 4$

$LS = \frac{4}{(4)^2-4} = \frac{4}{12} = \frac{1}{3}$

$RS = \frac{2}{4+2} = \frac{2}{6} = \frac{1}{3}$

LS = RS

Class Ex. #4

$x \neq 3$

$(x-3)\left(\frac{8x+10}{x-3}\right) - (x-3)(4) = (x-3)\left(\frac{10x+4}{x-3}\right)$

$8x+10-4(x-3) = 10x+4$

$8x+10-4x+12 = 10x+4$

$18 = 6x$

$x = 3$

reject $x = 3$ (non permissible value)

<u>no solution</u>

Assignment

1. a) $x \neq -2$

$4 = 3(x+2)$

$4 = 3x+6$

$-2 = 3x$

$x = -\frac{2}{3}$

verify: $LS = \frac{4}{\left(-\frac{2}{3}\right)+2} = \frac{4}{4/3} = 3 = RS$

b) $x \neq -7, \frac{1}{2}$

$3(x+7) = 4(2x-1)$

$3x+21 = 8x-4$

$25 = 5x$

$x = 5$

verify: $LS = \frac{3}{2(5)-1} = \frac{3}{9} = \frac{1}{3}$

$RS = \frac{4}{5+7} = \frac{4}{12} = \frac{1}{3}$

$LS = RS$

2. a) $\frac{x+3}{(x+3)(x+1)} = 1$ $\quad x \neq -3, -1$

$\frac{1}{x+1} = 1$

$1 = x+1$

$x = 0$

verify: $LS = \frac{0+3}{(0)^2+4(0)+3} = \frac{3}{3} = 1 = RS$

b) $\frac{30}{(x-5)(x+5)} = \frac{3}{x-5} - \frac{2}{x+5}$ $\quad x \neq \pm 5$

$(x-5)(x+5)\left(\frac{30}{(x-5)(x+5)}\right) = (x-5)(x+5)\left(\frac{3}{x-5}\right) - (x-5)(x+5)\left(\frac{2}{x+5}\right)$

$30 = 3(x+5) - 2(x-5)$

$30 = 3x+15-2x+10$

$x = 5$, reject (non permissible value)

<u>no solution</u>

3. a) $x \neq -1$

$15(x-1) = 2x(x+1)$

$15x-15 = 2x^2+2x$

$0 = 2x^2-13x+15$

$0 = 2x^2-3x-10x+15$

$0 = x(2x-3)-5(2x-3)$

$0 = (2x-3)(x-5)$

$x = \frac{3}{2}, 5$

$x = -\frac{5}{2}, 4$

b) $x \neq -6, -\frac{4}{3}$

$\frac{4x}{3x+4} = \frac{10}{x+6}$

$4x(x+6) = 10(3x+4)$

$4x^2+24x = 30x+40$

$4x^2-6x-40 = 0$

$2(2x^2-3x-20) = 0$

$2x^2-3x-20 = 0$

$2x^2-8x+5x-20 = 0$

$2x(x-4)+5(x-4) = 0$

$(x-4)(2x+5) = 0$

4. a) $x \neq \frac{1}{2}$

$(2x-1)\left(\frac{4x+3}{2x-1}\right) - (2x-1)(2) = (2x-1)\left(\frac{6x+2}{2x-1}\right)$

$4x+3-2(2x-1) = 6x+2$

$4x+3-4x+2 = 6x+2$

$3 = 6x$

$x = \frac{1}{2}$

reject (non permissible value)

<u>no solution</u>

b) $x \neq 0, 6$

$x(6-x)\left(\frac{2}{x}\right) + x(6-x)\left(\frac{1}{6-x}\right) = x(6-x)(1)$

$2(6-x) + x = x(6-x)$

$12-2x+x = 6x-x^2$

$x^2-7x+12 = 0$

$(x-3)(x-4) = 0$

$x = 3, 4$

5. $x \neq 0$

$2x\left(\frac{8}{x}\right) - 2x(5) = 2x\left(\frac{x}{2}\right)$

$16-10x = x^2$

$x^2+10x-16 = 0$

$a = 1$, $b = 10$, $c = -16$

$x = \frac{-b \pm \sqrt{b^2-4ac}}{2a} = \frac{-10 \pm \sqrt{(10)^2-4(1)(-16)}}{2(1)}$

$= \frac{-10 \pm \sqrt{164}}{2} = \frac{-10 \pm 2\sqrt{41}}{2} = -5 \pm \sqrt{41}$

Multiple Choice **6.** (D.) no solution

$a \neq -6, 0$

$a(a+6)\left(\frac{7}{a+6}\right) - a(a+6)\left(\frac{3}{a}\right) = a(a+6)\left(\frac{4}{a+6}\right)$

$7a - 3(a+6) = 4a$

$7a - 3a - 18 = 4a$

$-18 = 0$

Numerical Response **7.** $x \neq -\frac{1}{5}, -\frac{1}{2}$

0	.	7	5

$(x+3)(5x+1) = (x+7)(2x+1)$

$5x^2+16x+3 = 2x^2+15x+7$

$3x^2+x-4 = 0$

$3x^2+4x-3x-4 = 0$

$x(3x+4)-1(3x+4) = 0$

$(3x+4)(x-1) = 0$

$x = -\frac{4}{3}, 1$ $\quad a = 1 \quad b = \frac{4}{3}$

$\frac{a}{b} = \frac{1}{4/3} = \frac{3}{4} = 0.75$

Rational Expressions and Equations Lesson #9: Solving Problems Involving Rational Equations

Problems Involving Distance, Speed, and Time

Class Ex. #1

a)

Cycle	120	8s	$\frac{120}{8s}$
Swim	12	*s*	$\frac{12}{s}$

b) cycle time + swim time

$\frac{120}{8s} + \frac{12}{s} = 9$

$8s\left(\frac{120}{8s}\right) + 8s\left(\frac{12}{s}\right) = 8s(9)$

$120 + 96 = 72s$

$216 = 72s$

$s = 3$

Her average swimming speed $= \underline{3 \text{ km/h}}$

Class Ex. #2

	Distance (km)	Speed (km/h)	Time (h)
Bus	1500	s	$\frac{1500}{s}$
Train	1500	s+25	$\frac{1500}{s+25}$

bus time − train time = 3

$\frac{1500}{s} - \frac{1500}{s+25} = 3$

$s(s+25)\left(\frac{1500}{s}\right) - s(s+25)\left(\frac{1500}{s+25}\right) = s(s+25)(3)$

$1500(s+25) - 1500s = 3s(s+25)$

$1500s + 37500 - 1500s = 3s^2+75s$

$0 = 3s^2+75s-37500$

$0 = 3(s^2+25s-12500)$

$0 = 3(s+125)(s-100)$

$s = -125$ or $s = 100$ (reject since $s > 0$)

$s = 100$

train time $= \frac{1500}{100+25} = \frac{1500}{125}$

$= \underline{12 \text{ hours}}$

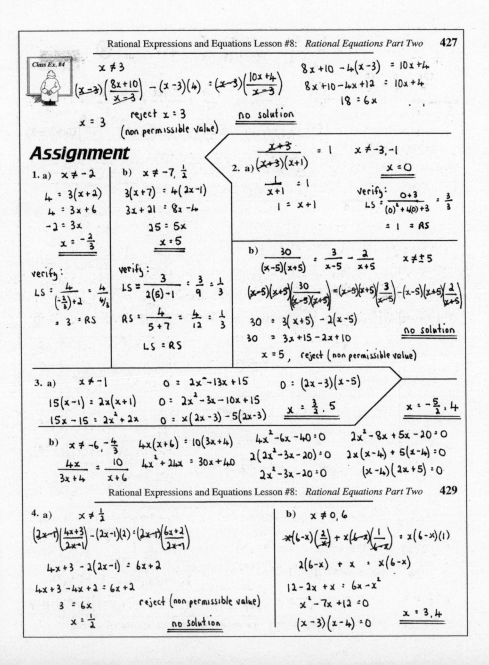

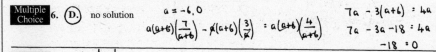

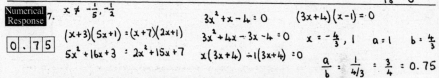

Assignment

1.

	Distance (km)	Speed (km/h)	Time (h)
Evan	308	s	$\frac{308}{s}$
Meghan	329	$s+6$	$\frac{329}{s+6}$

$\frac{308}{s} = \frac{329}{s+6}$

$308(s+6) = 329s$

$308s + 1848 = 329s$

$1848 = 21s$

$s = 88$

$s+6 = 94$

Meghan drove 94 km/h

Time taken $= \frac{329}{94} = 3.5$ hours

2.

	Distance (km)	Speed (km/h)	Time (h)
Erin Airlines	2000	$4s$	$\frac{2000}{4s}$
Derailer Train	2000	s	$\frac{2000}{s}$

$\frac{2000}{s} - \frac{2000}{4s} = 12$

$\frac{2000}{s} - \frac{500}{s} = 12$

$\frac{1500}{s} = 12$

$1500 = 12s$

$s = 125$

$4s = 500$

Derailer Train 125 km/h

Erin Airplane 500 km/h

3. a)

	Distance (km)	Speed (km/h)	Time (h)
Exante	1800	$s+50$	$\frac{1800}{s+50}$
Paral	1800	s	$\frac{1800}{s}$

$\frac{1800}{s} = 1.6\left(\frac{1800}{s+50}\right)$

$\frac{1800}{s} = \frac{2880}{s+50}$

$1800(s+50) = 2880s$

$1800s + 90000 = 2880s$

$90000 = 1080s$

$s = \frac{250}{3} = 83\frac{1}{3}$

$s + 50 = 133\frac{1}{3}$

average speed: Paral $83\frac{1}{3}$ km/h   Exante $133\frac{1}{3}$ km/h

b) time: Exante $\frac{1800}{133\frac{1}{3}} = 13.5$ h or 13 h 30 min

Paral $\frac{1800}{83\frac{1}{3}} = 21.6$ h or 21 h 36 min

4. Let the numbers be x and $x+2$.

$\frac{1}{x} - \frac{1}{x+2} = \frac{1}{60}$

$60x(x+2)\left(\frac{1}{x}\right) - 60x(x+2)\left(\frac{1}{x+2}\right) = 60x(x+2)\left(\frac{1}{60}\right)$

$60(x+2) - 60x = x(x+2)$

$60x + 120 - 60x = x^2 + 2x$

$0 = x^2 + 2x - 120$

$0 = (x-10)(x+12)$

$x = 10, -12$ reject $x = -12$ (not a whole number)

$x = 10$

$x + 2 = 12$

The numbers are 10 and 12

5.

	Distance km	Speed km/h	Time h
Bob	264	s	$\frac{264}{s}$
Al	264	$1.1s$	$\frac{264}{1.1s}$

$\frac{264}{s} - \frac{264}{1.1s} = 0.3$

$1.1s\left(\frac{264}{s}\right) - 1.1s\left(\frac{264}{1.1s}\right) = 1.1s(0.3)$

$1.1(264) - 264 = 0.33s$

$290.4 - 264 = 0.33s$

$26.4 = 0.33s$

$s = 80$

$1.1s = 88$

18 min $= \frac{18}{60}$ h $= 0.3$ h

b) time $= \frac{264}{88} = 3$ h

average speed: Bob drove 80 km/h

6. a) Let s km/h be the speed of the boat in calm water.

upstream: speed $= s-6$ km/h   downstream: speed $= s+6$ km/h

b)

	Distance (km)	Speed (km/h)	Time (h)
Upstream	8	$s-6$	$\frac{8}{s-6}$
Downstream	12	$s+6$	$\frac{12}{s+6}$

$\frac{8}{s-6} = \frac{12}{s+6}$

$8(s+6) = 12(s-6)$

$8s + 48 = 12s - 72$

$120 = 4s$

$s = 30$

$s - 6 = 24$ $s + 6 = 36$

time upstream $= \frac{18}{24} = \frac{3}{4}$ h $= 45$ min

7. $\frac{\frac{21}{30} + \frac{38}{50} + \frac{15}{x} + \frac{29}{40}}{4} = \frac{64}{100}$

$0.7 + 0.76 + \frac{15}{x} + 0.725 = 0.64(4)$

$2.185 + \frac{15}{x} = 2.56$

$\frac{15}{x} = 0.375$

$15 = 0.375x$

$x = 40$

Total possible mark in radicals is 40

8. Let w m be the original width

$2w$ = new width

$\frac{144}{w} - \frac{72}{w} = 12$

$\frac{72}{w} = 12$

$72 = 12w$ $w = 6$

Original length $= \frac{144}{w}$

new length $= \frac{144}{2w} = \frac{72}{w}$

new width $= 2w = 12$

new length $= \frac{72}{w} = \frac{72}{6} = 12$

dimensions 12 m × 12 m

9.

	(km) Distance	(km/h) Speed	(h) Time
V→C	1260	s	$\frac{1260}{s}$
C→V	1260	$s-90$	$\frac{1260}{s-90}$

20 min $= \frac{1}{3}$ h

$\frac{1260}{s} + \frac{1}{3} = \frac{1260}{s-90}$

$3s(s-90)\left(\frac{1260}{s}\right) + 3s(s-90)\left(\frac{1}{3}\right) = 3s(s-90)\left(\frac{1260}{s-90}\right)$

$3780(s-90) + s(s-90) = 3780s$

$3780s - 340200 + s^2 - 90s = 3780s$

$s^2 - 90s - 340200 = 0$

$(s-630)(s+540) = 0$

$s = 630, -540$ (reject since $s>0$)

a) time $= \frac{1260}{630} = 2$ h

b) speed $= s - 90$

$= 630 - 90$

$= 540$ km/h

Multiple Choice 10.

	Distance (km)	Speed (km/h)	Time (h)
Kelcie	340	s − 6	$\frac{340}{s-6}$
Nick	360	s	$\frac{360}{s}$

(C.) $\frac{340}{s-6} = \frac{360}{s}$ $\quad \frac{340}{s-6} = \frac{360}{s}$

time $= \frac{360}{108}$ h $= 200$ min

Numerical Response 11.

2	0	0	

$340s = 360(s-6)$

$340s = 360s - 2160$

$2160 = 20s$

$s = 108$

Rational Expressions and Equations Lesson #10: Practice Test

1. (B.) Statement 2

2. (C.) $\frac{a+2}{a+1}$

$\frac{(a+2)(a-1)}{(a+1)(a-1)} = \frac{a+2}{a+1}$

3. (D.) $\frac{3+y}{1-3y}$

$= \frac{(5-y)(3+y)}{(y-5)(3y-1)} = \frac{-(3+y)}{(3y-1)} = \frac{3+y}{1-3y}$

$15 + 2y - y^2$
$= 15 - 3y + 5y - y^2$
$= 3(5-y) + y(5-y)$
$= (5-y)(3+y)$

$3y^2 - 16y + 5$
$= 3y^2 - 15y - y + 5$
$= 3y(y-5) - 1(y-5)$
$= (y-5)(3y-1)$

4. (D.) none of the above

$\frac{(x+4y)(x+5y)}{x(x+5y)} = \frac{x+4y}{x}$

5. (A.) $\frac{3v-1}{4v-3}$

$\frac{(3v-1)(3v-1)}{(4v-3)(3v-1)} = \frac{3v-1}{4v-3}$

$9v^2 - 6v + 1$
$= 9v^2 - 3v - 3v + 1$
$= 3v(3v-1) - 1(3v-1)$
$= (3v-1)(3v-1)$

$12v^2 - 13v + 3$
$= 12v^2 - 9v - 4v + 3$
$= 3v(4v-3) - 1(4v-3)$
$= (4v-3)(3v-1)$

6. (C.) $x \neq 1, x \neq 2$, and $x \neq 3$ only

$x \neq 2,\ x \neq 1,\ x \neq 3$ $\quad = \frac{x-5}{x-2} \times \frac{x-1}{x-3}$

7. (A.) −3

$= \frac{5y}{(2y-3)(3y+1)} + \frac{4y-3}{(2y-3)(y-6)}$

7. $6y^2 - 7y - 3$
$= 6y^2 - 9y + 2y - 3$
$= 3y(2y-3) + 1(2y-3)$
$= (2y-3)(3y+1)$

$2y^2 - 15y + 18$
$= 2y^2 - 3y - 12y + 18$
$= y(2y-3) - 6(2y-3)$
$= (2y-3)(y-6)$

nonpermissible values

$y \neq \frac{3}{2} \quad y \neq -\frac{1}{3} \quad y \neq 6$

product $= \left(\frac{3}{2}\right)\left(-\frac{1}{3}\right)(6)$
$= -3$

8. (A.) $\frac{2}{x-3}$

$= \frac{4}{x-3} - \frac{2}{x-3}$
$= \frac{2}{x-3}$

9. (A.) 2

$= \frac{8}{3a} - \frac{6}{3a}$
$= \frac{2}{3a}$

$k = 2$

Numerical Response 1.

2	1		

$\frac{4}{x^2-49} - \frac{3}{x^2-5x-14} = \frac{4x+8-3x-21}{(x-7)(x+7)(x+2)}$

$= \frac{4}{(x-7)(x+7)} - \frac{3}{(x+2)(x-7)} = \frac{x-13}{(x-7)(x+7)(x+2)}$

$= \frac{4(x+2) - 3(x+7)}{(x-7)(x+7)(x+2)} = \frac{x-13}{(x-7)(x+2)(x+7)}$

A = 1 B = 13 C = 7

A + B + C = 21

10. (D.) $\frac{4x+8}{(x-4)^2}$

$\frac{6x}{(x-4)^2} - \frac{2}{x-4} = \frac{6x-2x+8}{(x-4)^2}$

$= \frac{6x - 2(x-4)}{(x-4)^2} = \frac{4x+8}{(x-4)^2}$

11. (C.) 32

area $= \left(\frac{2x^2+7x+3}{x+5}\right)\left(\frac{x^2+12x+35}{2x+1}\right)$

$= \frac{(2x+1)(x+3)(x+5)(x+7)}{(x+5)(2x+1)}$

$2x^2 + 7x + 3$
$= 2x^2 + x + 6x + 3$
$= x(2x+1) + 3(2x+1)$
$= (2x+1)(x+3)$

A = 1 B = 10 C = 21

A + B + C = 32

$= (x+3)(x+7)$
$= x^2 + 10x + 21$

12. (B.) −2

$\left(\frac{2x(x^2-25)}{5(x^2-6x+5)}\right)\left(\frac{5x(1-x)}{x^2(x+5)}\right)$

$= \frac{2x(x-5)(x+5)(5x)(1-x)}{5(x-5)(x-1)(x^2)(x+5)}$

$= -2$

Numerical Response 2.

4	1	1	9

$\frac{16x^2+8x+1}{x^2+6x-27} \times \frac{2x^2-x-15}{8x^2+22x+5}$

$= \frac{(4x+1)(4x+1)(x-3)(2x+5)}{(x+9)(x-3)(4x+1)(2x+5)}$

$= \frac{4x+1}{x+9}$

a = 4 b = 1
c = 1 d = 9

$16x^2 + 8x + 1 = 16x^2 + 4x + 4x + 1$
$= 4x(4x+1) + 1(4x+1) = (4x+1)(4x+1)$

$2x^2 - x - 15 = 2x^2 - 6x + 5x - 15$
$= 2x(x-3) + 5(x-3) = (x-3)(2x+5)$

$8x^2 + 22x + 5 = 8x^2 + 2x + 20x + 5$
$= 2x(4x+1) + 5(4x+1) = (4x+1)(2x+5)$

13. (D.) $\frac{1}{a+6}$

$\frac{1}{a^2-36} \times \frac{a-6}{1} = \frac{a-6}{(a-6)(a+6)} = \frac{1}{a+6}$

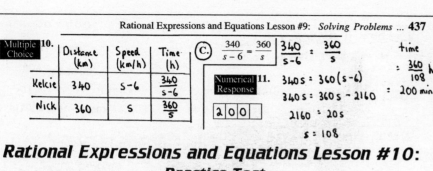

14. (B.) $\frac{2x}{1+3x}$

$\left(\frac{6x-2}{x}\right) \div \left(\frac{9x^2-1}{x^2}\right) = \frac{6x-2}{x} \times \frac{x^2}{9x^2-1} = \frac{2(3x-1)(x^2)}{x(3x-1)(3x+1)} = \frac{2x}{1+3x}$

Numerical Response 3. $\frac{x}{x+3} = \frac{3}{4}$

1	2		

$4x = 3(x+3)$

$4x = 3x + 9$

$x = 9$

smaller number = 9

larger number = 12

15. (B.) $4x^2 - 6x - 40 = 0$

$\frac{4x}{3x+4} = \frac{10}{x+6}$

$4x(x+6) = 10(3x+4)$

$4x^2 + 24x = 30x + 40$

$4x^2 - 6x - 40 = 0$

Numerical Response 4.

$R_1 \to x$

$R_2 \to x-8$

$\frac{1}{3} = \frac{1}{x} + \frac{1}{x-8}$

1	2		

$3x(x-8)\left(\frac{1}{3}\right) = 3x(x-8)\left(\frac{1}{x}\right) + 3x(x-8)\left(\frac{1}{x-8}\right)$

$x(x-8) = 3(x-8) + 3x$

$x^2 - 8x = 3x - 24 + 3x$

$x^2 - 14x + 24 = 0$

$(x-2)(x-12) = 0$

$x = 2$ or $x = 12$

if $x = 12$, $x - 8 = 4$

if $x = 2$, $x - 8 = -6$ not possible

$x = 12$

Numerical Response 5.

5			

	Distance (km)	Speed (km/h)	Time (h)
Walk	4+3=7	x	$\frac{7}{x}$
Run	7.5	2.5x	$\frac{7.5}{2.5x}$

$\frac{7}{x} + \frac{7.5}{2.5x} = 2$

$\frac{7}{x} + \frac{3}{x} = 2$

$\frac{10}{x} = 2$

$10 = 2x$

$x = 5$

5 km/h is his walking speed.

Written Response - 5 marks

- If the average speed of the plane from Red Deer to Winnipeg is *x* km/hr, state an expression for the average speed of the plane from Winnipeg to Red Deer in km/hr.

$x - 20$ km/h

- Calculate the average speed of the plane from Winnipeg to Red Deer.

	Distance (km)	Speed (km/h)	Time (h)
RD→W	1260	x	$\frac{1260}{x}$
W→RD	1200	x−20	$\frac{1200}{x-20}$

$\frac{1260}{x} = \frac{1200}{x-20}$

$1260(x-20) = 1200x$

$1260x - 25200 = 1200x$

$60x = 25200$

$x = 420$

$x - 20 = 400$

average speed from Winnipeg to Red Deer is 400 km/h

- Calculate the total flying time for the round trip.

W→RD time = $\frac{1260}{400}$ = 3.15h = 3h 9min

RD→W time = $\frac{1260}{420}$ = 3 h

total flying time = 6h 9 min

Absolute Value Functions and Reciprocal Functions Lesson #1: Absolute Value Functions

Class Ex. #1

a) 3 b) 3 c) −8 d) −8 e) = 14 f) = 4 g) $-|-9| = -9$

Investigating the Function f(x) = |x|

1. $h(x) = -x$ $g(x) = x$

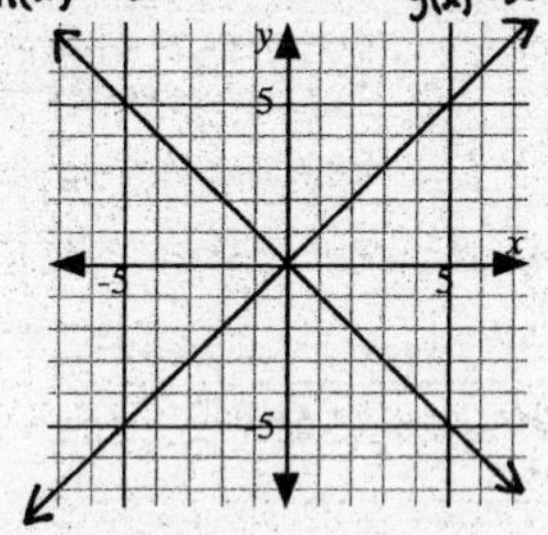

2.

x	y
−5	5
−4	4
−3	3
−2	2
−1	1
0	0
1	1
2	2
3	3
4	4
5	5

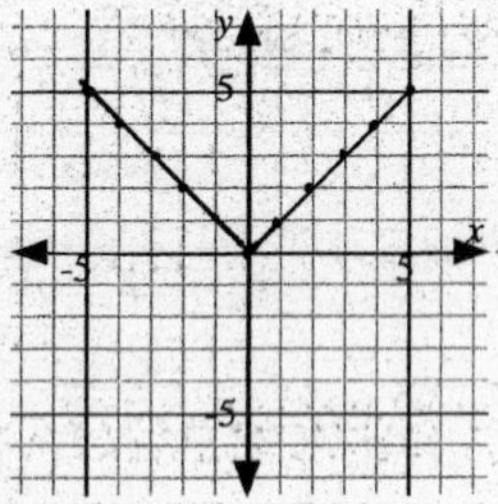

4. a) $y = x$

b) $y = -x$

5. $f(x) = \begin{cases} x & \text{if } x \geq 0 \\ -x & \text{if } x < 0 \end{cases}$

3. Explain the similarities and differences between the graphs on the two grids above.

when $y > 0$ the graph of $y = |x|$ is the same as the combined graph on the left.

when $y < 0$ the graph of $y = |x|$ has no points.

Investigating the Function f(x) = |x − 3|

1.

x	−4	−3	−2	−1	0	1	2	3	4	5
y = x − 3	−7	−6	−5	−4	−3	−2	−1	0	1	2

x	−4	−3	−2	−1	0	1	2	3	4	5
y = −(x − 3)	7	6	5	4	3	2	1	0	−1	−2

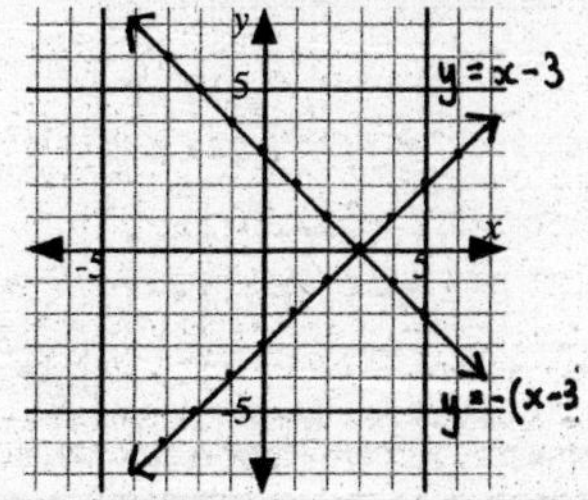

2.

x	y
−5	8
−4	7
−3	6
−2	5
−1	4
0	3
1	2
2	1
3	0
4	−1
5	−2

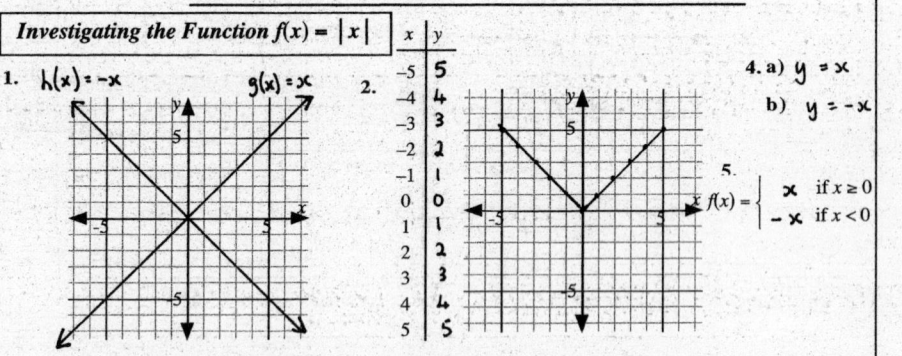

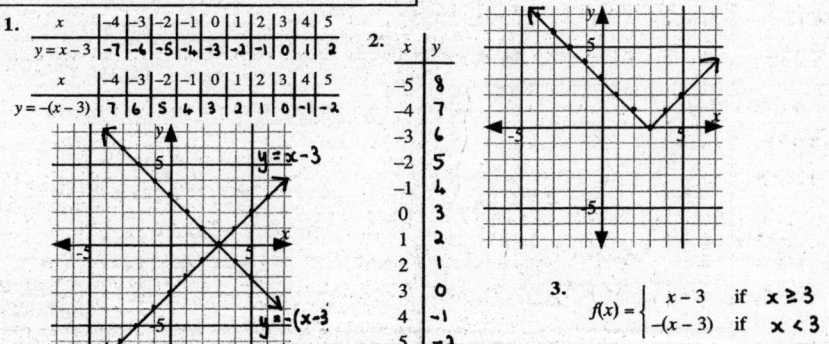

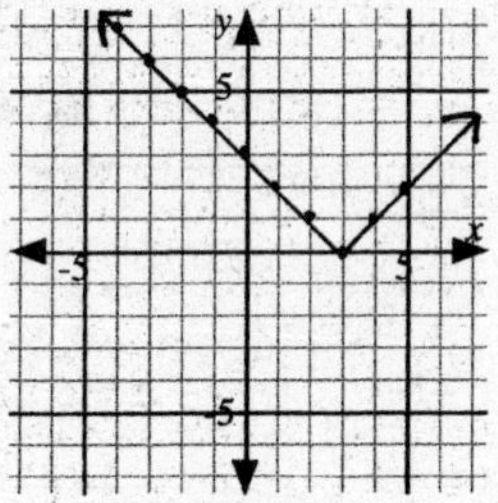

3. $f(x) = \begin{cases} x - 3 & \text{if } x \geq 3 \\ -(x-3) & \text{if } x < 3 \end{cases}$

4. The equation of the second piece is the negative of the first piece.

5. The zero of the absolute value function, call it p, divides the absolute value function into two pieces with domains $x \geq p$ and $x < p$.

a) $f(x) = \begin{cases} 3x+2, & 3x+2 \geq 0 \\ -3x-2, & 3x+2 < 0 \end{cases}$

$f(x) = \begin{cases} 3x+2, & x \geq -\frac{2}{3} \\ -3x-2, & x < -\frac{2}{3} \end{cases}$

b) $g(x) = \begin{cases} 4-x, & 4-x \geq 0 \\ -4+x, & 4-x < 0 \end{cases}$

$g(x) = \begin{cases} 4-x, & x \leq 4 \\ -4+x, & x > 4 \end{cases}$

Assignment

1. a) $|8|$ 8 b) $|-8|$ 8 c) $-|7|$ -7 d) $-|-7|$ -7

e) $|-2| - |2|$ $2-2 = 0$ f) $|-23| + |15|$ $23+15 = 38$ g) $|16-25|$ $|-9| = 9$ h) $|12-22| - 11$ $|-10| - 11 = 10 - 11 = -1$

2. a) $|3-9|$ $|-6| = 6$ b) $|3| - |9|$ $3-9 = -6$ c) $||3| - |9||$ $|3-9| = |-6| = 6$ d) $-|-\sqrt{81}|$ $-|-9| = -9$

e) $-|\sqrt[3]{27}|$ $-|3| = -3$ f) $|-\sqrt[3]{27}|$ $|-3| = 3$ g) $|\sqrt[3]{-27}|$ $|-3| = 3$ h) $|-\sqrt[3]{-27}|$ $|-(-3)| = |3| = 3$

3. a) $|-7| = |7|$ 7 7 true b) $|3-6| = -3$ $|-3|$ 3 -3 false c) $|2| - |4| = |-2|$ $2-4 = -2$ 2 false d) $||5| - |-32|| = 27$ $|5-32|$ $|-27|$ 27 true

4. a) $f(x) = |x|$ $f(x) = \begin{cases} x, & x \geq 0 \\ -x, & x < 0 \end{cases}$

b) $g(x) = |x+1|$ $g(x) = \begin{cases} x+1, & x \geq -1 \\ -x-1, & x < -1 \end{cases}$

c) $f(x) = |x-2|$ $f(x) = \begin{cases} x-2, & x \geq 2 \\ -x+2, & x < 2 \end{cases}$

d) $g(x) = |3-x|$ $g(x) = \begin{cases} 3-x, & x \leq 3 \\ -3+x, & x > 3 \end{cases}$

5. a) $|2x+1|$

$|2x+1| = \begin{cases} 2x+1, & 2x+1 \geq 0 \\ -2x-1, & 2x+1 < 0 \end{cases}$

$|2x+1| = \begin{cases} 2x+1, & x \geq -\frac{1}{2} \\ -2x-1, & x < -\frac{1}{2} \end{cases}$

b) $|4x-1|$

$|4x-1| = \begin{cases} 4x-1, & 4x-1 \geq 0 \\ -4x+1, & 4x-1 < 0 \end{cases}$

$|4x-1| = \begin{cases} 4x-1, & x \geq \frac{1}{4} \\ -4x+1, & x < \frac{1}{4} \end{cases}$

c) $|2+x|$

$|2+x| = \begin{cases} 2+x, & 2+x \geq 0 \\ -2-x, & 2+x < 0 \end{cases}$

$|2+x| = \begin{cases} 2+x, & x \geq -2 \\ -2-x, & x < -2 \end{cases}$

d) $|4-2x|$

$|4-2x| = \begin{cases} 4-2x, & 4-2x \geq 0 \\ -4+2x, & 4-2x < 0 \end{cases}$

$|4-2x| = \begin{cases} 4-2x, & x \leq 2 \\ -4+2x, & x > 2 \end{cases}$

6. a) true

b) true

7. Although $-x$ might appear to be a negative quantity, it is in fact a positive quantity if x is negative.

8. a) $|-x| = -x$ false

b) $|-x| = x$ false

c) $|2x-1| = -2x+1$ false

d) true

e) $|2-5x| = -2+5x$ false

f) $|x-7| = -x+7$ false

9. a)

x	y
−4	12
−3	5
−2	0
−1	−3
0	−4
1	−3
2	0
3	5
4	12

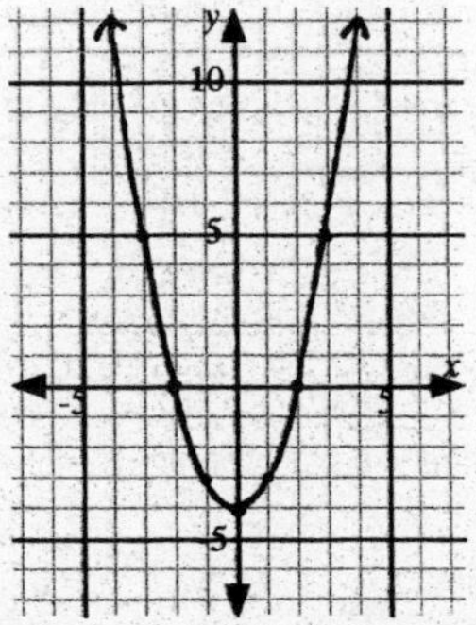

b)

x	y
−4	12
−3	5
−2	0
−1	3
0	4
1	3
2	0
3	5
4	12

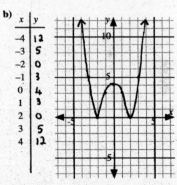

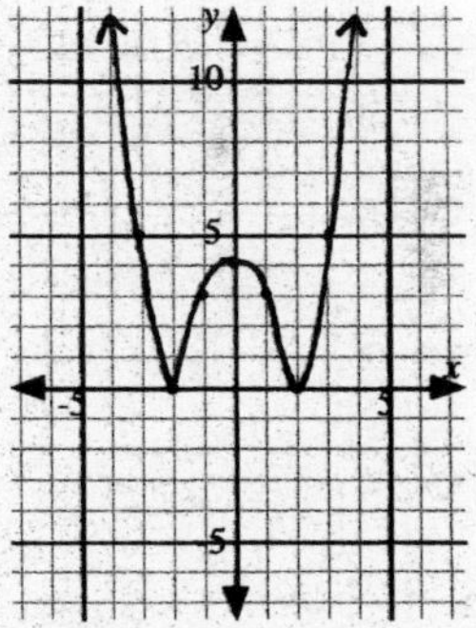

c) $f(x) = \begin{cases} x^2-4 \\ -x^2+4 \\ x^2-4 \end{cases}$

d) $f(x) = \begin{cases} x^2-25, & x < -5 \\ -x^2+25, & -5 \leq x \leq 5 \\ x^2-25, & x > 5 \end{cases}$

ii) $g(x) = \begin{cases} -36+x^2, & x < -6 \\ 36-x^2, & -6 \leq x \leq 6 \\ -36+x^2, & x > 6 \end{cases}$

10. Since x^2+4 is positive for all values of x, $|x^2+4|$ can be written as x^2+4 for $x \in R$.

456 Absolute Value Functions and Reciprocal Functions Lesson #1: *Absolute Value Functions*

Multiple Choice 11. (D) $|x^2-9| = x^2-9$ if $-3 \le x \le 3$ $\quad 9 - x^2$

Absolute Value Functions and Reciprocal Functions Lesson #2: Solving Absolute Value Equations - Part One

Solving Absolute Value Equations Using a Graphing Calculator

Intersection Method

3. $x = -\frac{11}{2}, \frac{5}{2}$

1.
2.

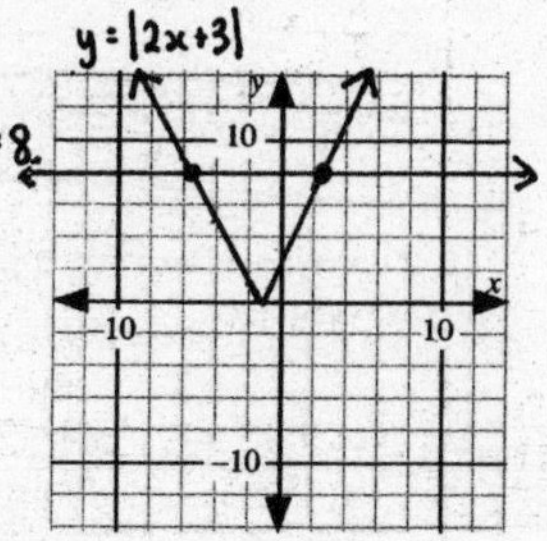

***x*-intercept Method**

3. $x = -\frac{11}{2}, \frac{5}{2}$

1.
2.

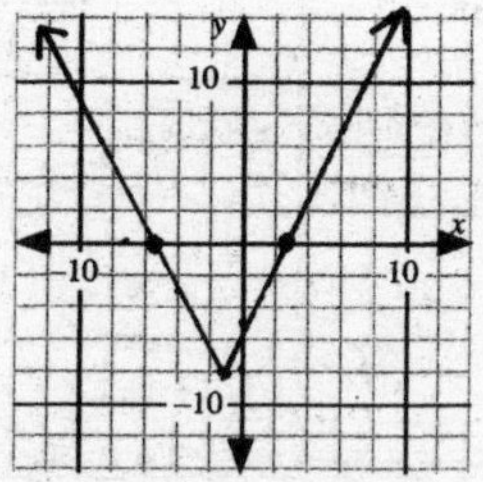

458 Absolute Value Functions and Reciprocal Functions Lesson #2: *Solving Absolute Value ... Part One*

Class Ex. #1

a) $|3+x| = 2x+1$

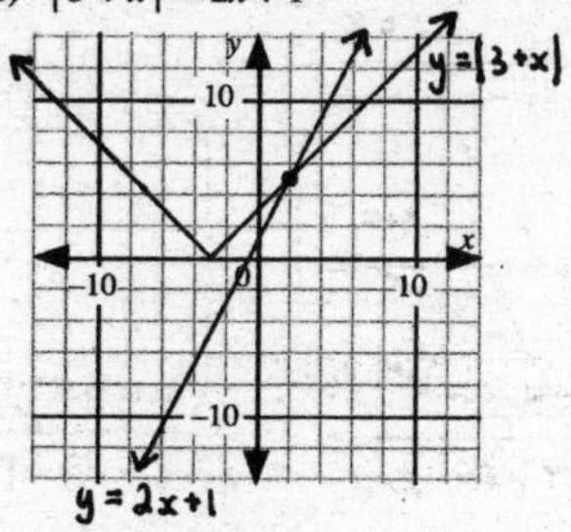

$x = 2$

b) $|x^2-17| = 8$

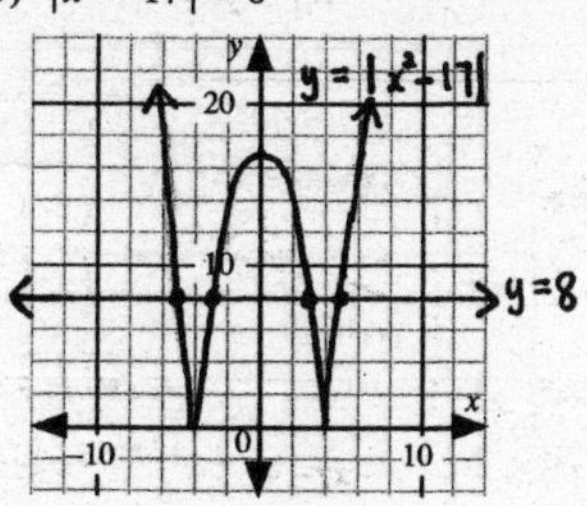

$x = \pm 3, \pm 5$

Class Ex. #2

Solve $|2x+3| = 8$	Solve $|2x+3| = 8$
$-(2x+3) = 8$	$2x+3 = 8$
$-2x-3 = 8$	$2x = 5$
$-2x = 11$	$x = \frac{5}{2}$
$x = -\frac{11}{2}$	
Is the solution in the subdomain? yes	Is the solution in the subdomain? yes

Final solution: $x = -\frac{11}{2}, \frac{5}{2}$

Class Ex. #3

subdomain		subdomain
$x < -3$	-3	$x \ge -3$

number line

solve $|3+x| = 2x+1$	solve $|3+x| = 2x+1$
$-3-x = 2x+1$	$3+x = 2x+1$
$-4 = 3x$	$2 = x$
$x = -\frac{4}{3}$	$x = 2$
Is the solution in the subdomain? no	Is the solution in the subdomain? yes

Final solution: $x = 2$

460 Absolute Value Functions and Reciprocal Functions Lesson #2: *Solving Absolute Value ... Part One*

An Alternative Method for Solving Single Absolute Value Equations

Class Ex. #4

a) $|3+x| = \begin{cases} 3+x, & \text{if } 3+x \ge 0 \\ -3-x, & \text{if } 3+x < 0 \end{cases}$ $\qquad |3+x| = \begin{cases} 3+x, & x \ge -3 \\ -3-x, & x < -3 \end{cases}$

b) $3+x = 2x+1$
$2 = x$
$x = 2$

verify $x = 2$
LS $= |3+2| = |5| = 5$
RS $= 2(2)+1 = 5$
LS = RS

$-3-x = 2x+1$
$-4 = 3x$
$x = -\frac{4}{3}$
reject

verify $x = -\frac{4}{3}$
LS $= |3+(-\frac{4}{3})| = |\frac{5}{3}| = \frac{5}{3}$
RS $= 2(-\frac{4}{3})+1 = -\frac{5}{3}$
LS ≠ RS

$x = 2$

c) Same answer

Class Ex. #5

a)

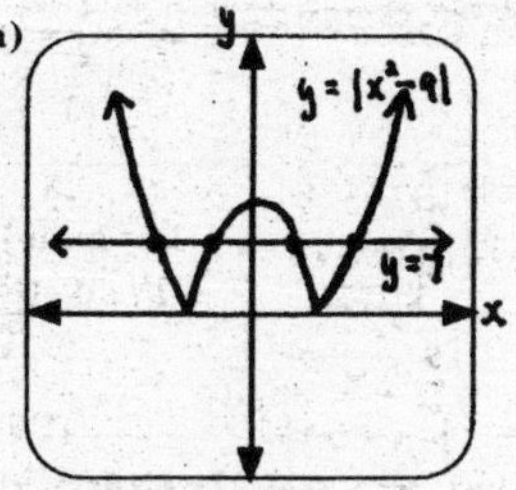

$x = \pm 1.41, 4$

b) $x^2-9 = 7$
$x^2 = 16$
$x = \pm 4$

$-x^2+9 = 7$
$2 = x^2$
$x = \pm\sqrt{2}$

verify $x=-4$: LS $= |(-4)^2-9| = |7| = 7 =$ RS
verify $x = 4$: LS $= |(4)^2-9| = |7| = 7 =$ RS
verify $x = -\sqrt{2}$: LS $= |(\sqrt{2})^2-9| = |-7| = 7 =$ RS
verify $x = \sqrt{2}$: LS $= |(\sqrt{2})^2-9| = |-7| = 7 =$ RS

$x = \pm\sqrt{2}, \pm 4$

Assignment

1. Graph $y_1 = |x+3|$
   Graph $y_2 = 4$

   Find the x-coordinate(s) of the point(s) of intersection using the intersect feature of the calculator.

   Solution is $x = -7, 1$

2. Graph $y_1 = |x-2| - x - 1$

   Use the zero feature on the calculator to find the x-intercepts.

   Solution is $x = \frac{1}{2}$

3. a) $|x+5| = 0$

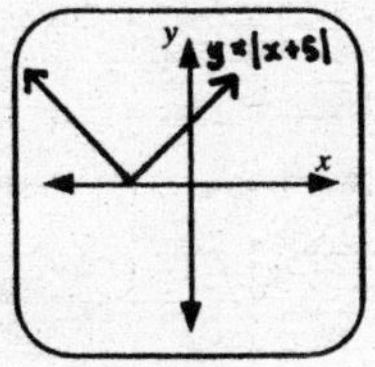

$x = -5$

b) $|1-4x| = x+4$

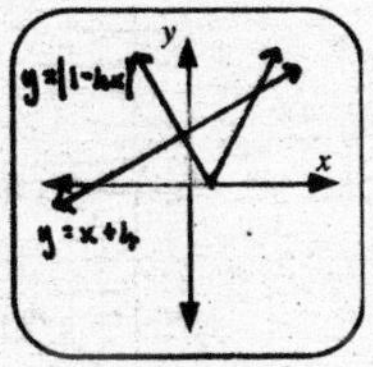

$x = -\frac{3}{5}, \frac{5}{3}$

c) $|4-x| = -2x-10$

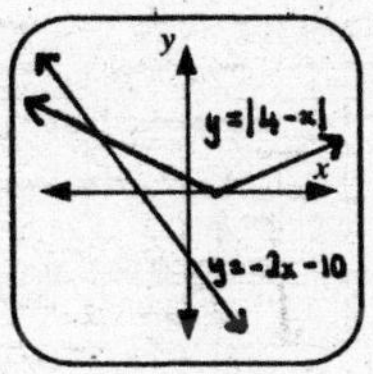

$x = -14$

d) $3|x-8| = 2x+7$

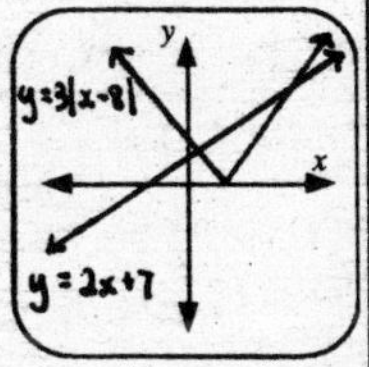

$x = \frac{17}{5}, 31$

4. a) $|x+5| = 10$

$x+5=0$, $x=-5$

$x < -5$	$x \geq -5$
$\|x+5\| = 10$	$\|x+5\| = 10$
$-x-5 = 10$	$x+5 = 10$
$-x = 15$	$x = 5$
$x = -15$	solution is in subdomain
solution is in subdomain	

$x = -15, 5$

b) $|3x-1| = 4$

$3x-1=0$, $x=\frac{1}{3}$

$x < \frac{1}{3}$	$x \geq \frac{1}{3}$
$\|3x-1\| = 4$	$\|3x-1\| = 4$
$-3x+1 = 4$	$3x-1 = 4$
$-3x = 3$	$3x = 5$
$x = -1$	$x = \frac{5}{3}$
solution is in subdomain	solution is in subdomain

$x = -1, \frac{5}{3}$

c) $|2x+1| = x$

$2x+1=0$, $x=-\frac{1}{2}$

$x < -\frac{1}{2}$	$x \geq -\frac{1}{2}$
$\|2x+1\| = x$	$\|2x+1\| = x$
$-2x-1 = x$	$2x+1 = x$
$-3x = 1$	$x = -1$
$x = -\frac{1}{3}$	solution is not in subdomain
solution is not in subdomain	

no solution

d) $|1-4x| = 6x$

$1-4x=0$, $x=\frac{1}{4}$

$x < \frac{1}{4}$	$x \geq \frac{1}{4}$
$\|1-4x\| = 6x$	$\|1-4x\| = 6x$
$1-4x = 6x$	$-1+4x = 6x$
$1 = 10x$	$-1 = 2x$
$x = \frac{1}{10}$	$x = -\frac{1}{2}$
solution is in subdomain	solution is not in subdomain

$x = \frac{1}{10}$

e) $|7x-2| + 6 = 3x$

$7x-2=0$, $x=\frac{2}{7}$

$x < \frac{2}{7}$	$x \geq \frac{2}{7}$
$\|7x-2\|+6 = 3x$	$\|7x-2\|+6 = 3x$
$-7x+2+6 = 3x$	$7x-2+6 = 3x$
$-10x = -8$	$4x = -4$
$x = \frac{4}{5}$	$x = -1$
Solution is not in subdomain	Solution is not in subdomain

no solution

f)

$x < 4$	$x \geq 4$
$\|4-x\| = -2x-10$	$\|4-x\| = -2x-10$
$4-x = -2x-10$	$-4+x = -2x-10$
$x = -14$	$3x = -6$
Solution is in subdomain	$x = -2$
	solution is not in subdomain

$x = -14$

5. a) $3|x-8| = 2x+7$

$3(x-8) = 2x+7$	$3(-x+8) = 2x+7$
$3x-24 = 2x+7$	$-3x+24 = 2x+7$
$x = 31$	$-5x = -17$
	$x = \frac{17}{5}$
verify	verify
LS $= 3\|31-8\| = 69$	LS $= 3\|\frac{17}{5}-8\| = \frac{69}{5}$
RS $= 2(31)+7 = 69$	RS $= 2(\frac{17}{5})+7 = \frac{69}{5}$
LS = RS	LS = RS

$x = \frac{17}{5}, 31$

b) $|2x-8| - 2 = 4x$

$2x-8-2 = 4x$	$-2x+8-2 = 4x$
$-10 = 2x$	$6 = 6x$
$x = -5$	$x = 1$
verify	verify
LS $= \|2(-5)-8\|-2 = 16$	LS $= \|2(1)-8\|-2 = 4$
RS $= 4(-5) = -20$	RS $= 4(1) = 4$
LS ≠ RS	LS = RS

$x = 1$

c) $|x^2 - 26| = 10$

$x^2-26 = 10$	$-x^2+26 = 10$
$x^2 = 36$	$16 = x^2$
$x = \pm 6$	$x = \pm 4$
verify $x=-6$	verify $x=-4$
LS $= \|(-6)^2-26\| = 10 =$ RS	LS $= \|(-4)^2-26\| = 10 =$ RS
verify $x=6$	verify $x=4$
LS $= \|6^2-26\| = 10 =$ RS	LS $= \|4^2-26\| = 10 =$ RS

$x = \pm 4, \pm 6$

d) $|x^2 + 10x + 15| = 6$

$x^2+10x+15 = 6$	$-x^2-10x-15 = 6$
$x^2+10x+9 = 0$	$0 = x^2+10x+21$
$(x+9)(x+1) = 0$	$0 = (x+7)(x+3)$
$x = -9, -1$	$x = -7, -3$
verify $x=-9$	verify $x=-7$
LS $= \|(-9)^2+10(-9)+15\| = 6 =$ RS	LS $= \|(-7)^2+10(-7)+15\| = 6 =$ RS
verify $x=-1$	verify $x=-3$
LS $= \|(-1)^2+10(-1)+15\| = 6 =$ RS	LS $= \|(-3)^2+10(-3)+15\| = 6 =$ RS

$x = -9, -7, -3, -1$

6. a) $|x^2 - 2x - 6| = 4$

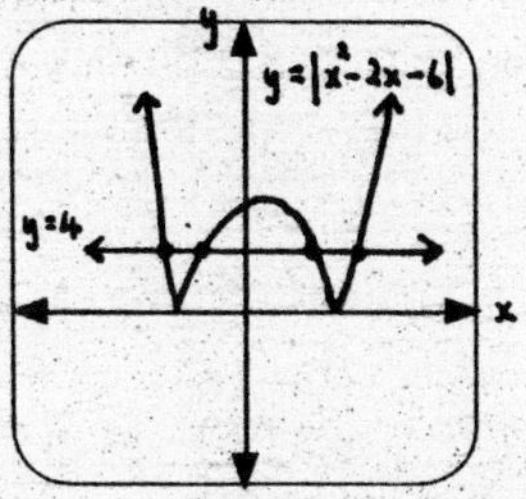

$x = -2.3, -0.7, 2.7, 4.3$

b) $|12 + 3x - x^2| - 14 = 0$

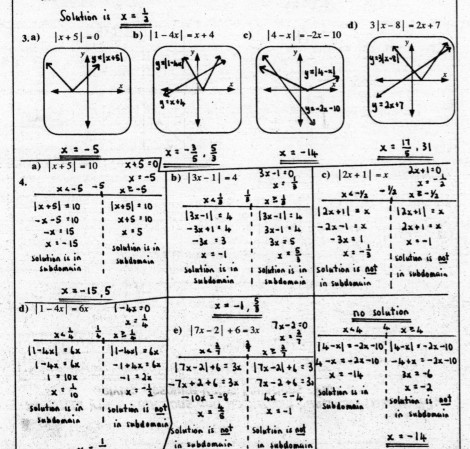

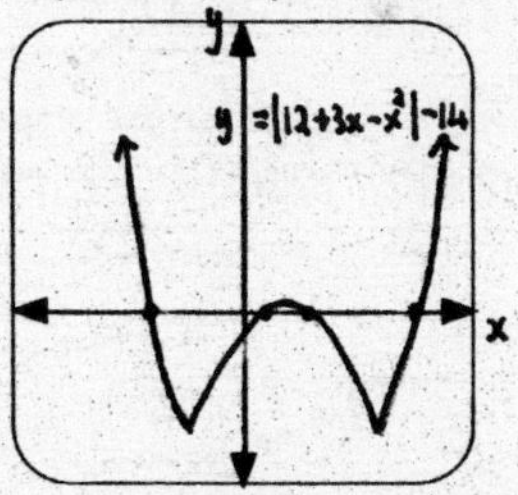

$x = -3.8, 1.0, 2.0, 6.8$

7.

$x^2-2x-6=4$

$x^2-2x-10=0$

$a=1 \quad b=-2 \quad c=-10$

$x=\dfrac{-b\pm\sqrt{b^2-4ac}}{2a}$

$x=\dfrac{2\pm\sqrt{(-2)^2-4(1)(-10)}}{2(1)}$

$x=\dfrac{2\pm\sqrt{44}}{2}=\dfrac{2\pm2\sqrt{11}}{2}$

$x=1\pm\sqrt{11}$

verify $x=1-\sqrt{11}$

$LS=|(1-\sqrt{11})^2-2(1-\sqrt{11})-6|$

$=|1-2\sqrt{11}+11-2+2\sqrt{11}-6|$

$=|4|=4=RS$

$-x^2+2x+6=4$

$0=x^2-2x-2$

$a=1 \quad b=-2 \quad c=$

$x=\dfrac{2\pm\sqrt{(-2)^2-4(1)(}}{2(1)}$

$x=\dfrac{2\pm\sqrt{12}}{2}=\dfrac{2\pm2\sqrt{3}}{2}$

$x=1\pm\sqrt{3}$

verify $x=1+\sqrt{11}$

$LS=|(1+\sqrt{11})^2-2(1+\sqrt{11})-6|$

$=|1+2\sqrt{11}+11-2-2\sqrt{11}-6|$

$=|4|=4=RS$

verify $x=1-\sqrt{3}$

$LS=|(1-\sqrt{3})^2-2(1-\sqrt{3})-6|$

$=|1-2\sqrt{3}+3-2+2\sqrt{3}-6|$

$=|-4|=4=RS$

verify $x=1+\sqrt{3}$

$LS=|(1+\sqrt{3})^2-2(1+\sqrt{3})-6|$

$=|1+2\sqrt{3}+3-2-2\sqrt{3}-6|$

$=|-4|=4=RS$

$x=1\pm\sqrt{3}\,,\ 1\pm\sqrt{11}$

[redacted] 8. (D.) –14 and 14

$|x|=14$

$x=\pm14$

[redacted] 9.

7			

$x^2+4x-15=6$

$x^2+4x-21=0$

$(x+7)(x-3)=0$

$x=-7,\ 3$

verify $x=-7$

$LS=|(-7)^2+4(-7)-15|$

$=|6|=6=RS$

verify $x=3$

$LS=|3^2+4(3)-15|$

$=|6|=6=RS$

$a=-7 \quad b=3 \quad c=-2 \quad d=13$

$a+b+c+d=7$

$-x^2-4x+15=6$

$0=x^2+4x-9$

$a=1 \quad b=4 \quad c=-9$

$x=\dfrac{-b\pm\sqrt{b^2-4ac}}{2a}$

$x=\dfrac{-4\pm\sqrt{(4)^2-4(1)(-9)}}{2(1)}$

$x=\dfrac{-4\pm\sqrt{52}}{2}=\dfrac{-4\pm2\sqrt{13}}{2}=-2\pm\sqrt{13}$

verify $x=-2-\sqrt{13}$

$LS=|(-2-\sqrt{13})^2+4(-2-\sqrt{13})-15|$

$=|4+4\sqrt{13}+13-8-4\sqrt{13}-15|=|-6|=6=RS$

verify $x=-2+\sqrt{13}$

$LS=|(-2+\sqrt{13})^2+4(-2+\sqrt{13})-15|$

$=|4-4\sqrt{13}+13-8+4\sqrt{13}-15|=|-6|=6=RS$

[redacted] Determine the zero of each absolute value expression and use these to determine subdomains.

$2x+1=0 \quad x=-\frac{1}{2}$

$x-2=0 \quad x=2$

$x<-\frac{1}{2}$	$-\frac{1}{2}\le x\le 2$	$x\ge 2$
$\lvert 2x+1\rvert-\lvert x-2\rvert=2$	$\lvert 2x+1\rvert-\lvert x-2\rvert=2$	$\lvert 2x+1\rvert-\lvert x-2\rvert=2$
$-2x-1-(-x+2)=2$	$2x+1-(-x+2)=2$	$2x+1-(x-2)=2$
$-2x-1+x-2=2$	$2x+1+x-2=2$	$2x+1-x+2=2$
$-x=5$	$3x-1=2$	$x+3=2$
$x=-5$	$3x=3$	$x=-1$
	$x=1$	
solution is in subdomain	solution is in subdomain	solution is not in subdomain

$x=-5,\ 1$

Absolute Value Functions and Reciprocal Functions Lesson #3: Extension: Solving Absolute Value Equations - Part Two

a) graph $y_1=|2x-3|-|x+4|$

graph $y_2=8$

intersect

$x=-3,\ 15$

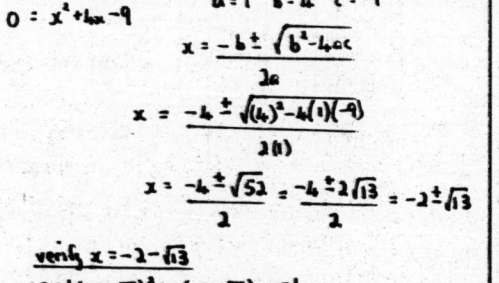

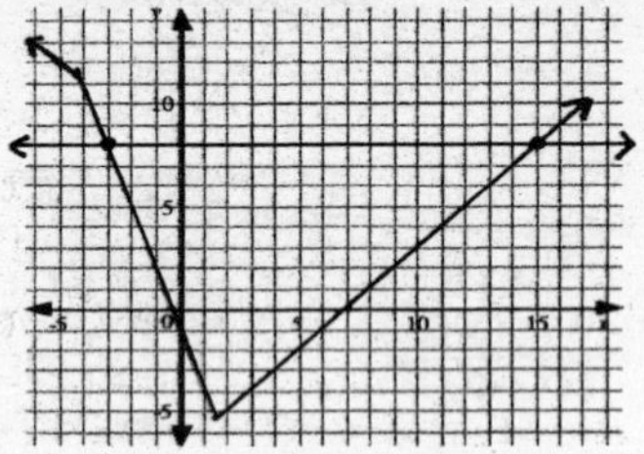

b) number line

$2x-3=0 \Rightarrow x=3/2$

$x+4=0 \Rightarrow x=-4$

$-4 \qquad 3/2$

subdomain $x<-4$	subdomain $-4\le x\le 3/2$	subdomain $x>3/2$
$\lvert 2x-3\rvert=-2x+3$	$\lvert 2x-3\rvert=-2x+3$	$\lvert 2x-3\rvert=2x-3$
$\lvert x+4\rvert=-x-4$	$\lvert x+4\rvert=x+4$	$\lvert x+4\rvert=x+4$
Solve $\lvert 2x-3\rvert-\lvert x+4\rvert=8$	Solve $\lvert 2x-3\rvert-\lvert x+4\rvert=8$	Solve $\lvert 2x-3\rvert-\lvert x+4\rvert=8$
$-2x+3-(-x-4)=8$	$-2x+3-(x+4)=8$	$2x-3-(x+4)=8$
$-2x+3+x+4=8$	$-2x+3-x-4=8$	$2x-3-x-4=8$
$-x+7=8$	$-3x=9$	$x-7=8$
$-x=8-7$	$x=-3$	$x=15$
$-x=1$	Is the solution in the subdomain? Yes	Is the solution in the subdomain? Yes
$x=-1$		
Is the solution in the subdomain? No		

Final Solution: $x=-3,\ 15$

number line (marked at −4 and 2)

subdomain $x < -4$	subdomain $-4 \le x \le 2$	subdomain $x > 2$
$\lvert x+4\rvert = -x-4$	$\lvert x+4\rvert = x+4$	$\lvert x+4\rvert = x+4$
$\lvert x-2\rvert = -x+2$	$\lvert x-2\rvert = -x+2$	$\lvert x-2\rvert = x-2$
solve $\lvert x+4\rvert = \lvert x-2\rvert$	solve $\lvert x+4\rvert = \lvert x-2\rvert$	solve $\lvert x+4\rvert = \lvert x-2\rvert$
$-x-4 = -x+2$	$x+4 = -x+2$	$x+4 = x-2$
$-4 = 2$	$2x = -2$	$4 = -2$
no solution	$x = -1$	not true, ∴ no solution in this subdomain
	solution is in subdomain	

Final Solution $x =$ -1

Assignment

1. a) $|x+4| = |x-2|$

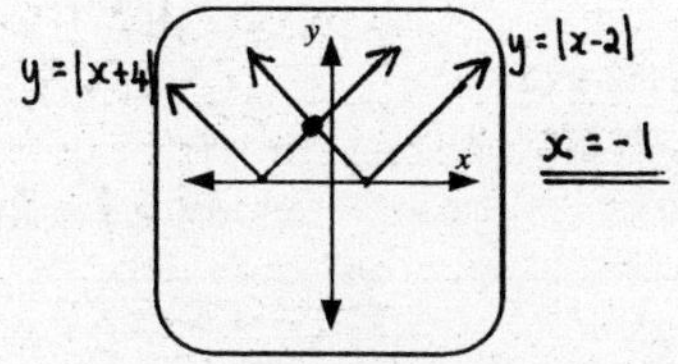

$x = -1$

b) $|x+4| - |2x| = 0$

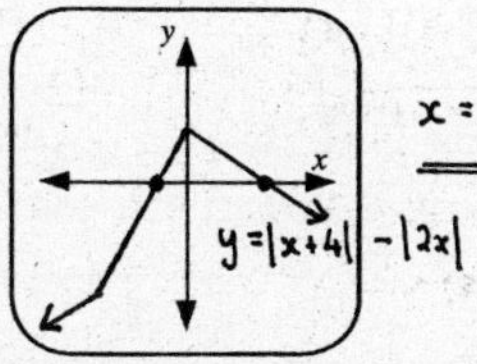

$x = -\frac{4}{3}, 4$

c) $|3x+1| = |x-2|$

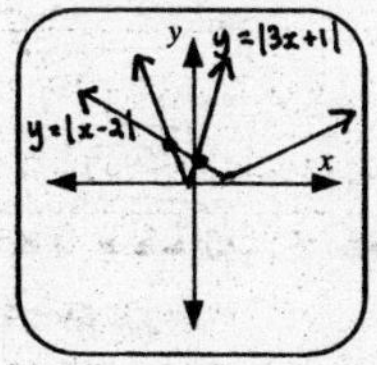

$x = -\frac{3}{2}, \frac{1}{4}$

d) $|x^2-4| = x^2-4$

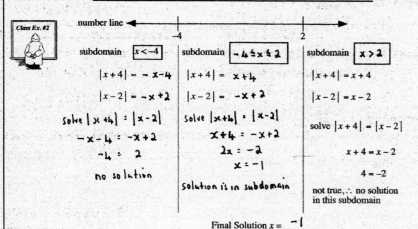

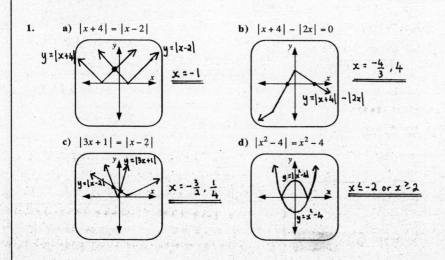

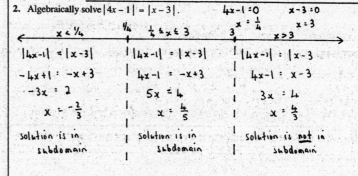

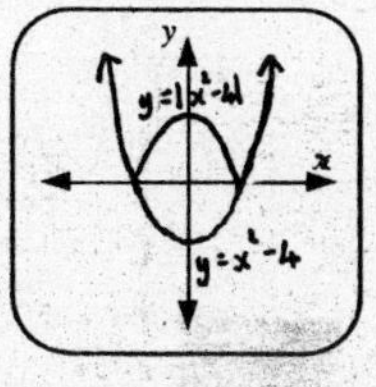

$x \le -2$ or $x \ge 2$

2. Algebraically solve $|4x-1| = |x-3|$.

$4x-1=0$, $x = \frac{1}{4}$ $\quad$ $x-3=0$, $x=3$

$x < \frac{1}{4}$	$\frac{1}{4} \le x \le 3$	$x > 3$
$\lvert 4x-1\rvert = \lvert x-3\rvert$	$\lvert 4x-1\rvert = \lvert x-3\rvert$	$\lvert 4x-1\rvert = \lvert x-3\rvert$
$-4x+1 = -x+3$	$4x-1 = -x+3$	$4x-1 = x-3$
$-3x = 2$	$5x = 4$	$3x = 4$
$x = -\frac{2}{3}$	$x = \frac{4}{5}$	$x = \frac{4}{3}$
solution is in subdomain	solution is in subdomain	solution is not in subdomain

$x = -\frac{2}{3}, \frac{4}{5}$

3. Algebraically determine the solution to the equation $|2x+1| - |x-2| = 2$.

$2x+1=0$, $x=-\frac{1}{2}$ $\quad$ $x-2=0$, $x=2$

$x < -\frac{1}{2}$	$-\frac{1}{2} \le x \le 2$	$x > 2$
$\lvert 2x+1\rvert - \lvert x-2\rvert = 2$	$\lvert 2x+1\rvert - \lvert x-2\rvert = 2$	$\lvert 2x+1\rvert - \lvert x-2\rvert = 2$
$(-2x-1)-(-x+2) = 2$	$2x+1-(-x+2) = 2$	$2x+1-(x-2) = 2$
$-2x-1+x-2 = 2$	$2x+1+x-2 = 2$	$2x+1-x+2 = 2$
$-x = 5$	$3x = 3$	$x = -1$
$x = -5$	$x = 1$	
solution is in subdomain	solution is in subdomain	solution is not in subdomain

$x = -5, 1$

4. $2x-3=0$, $x=\frac{3}{2}$ $\quad$ $2x+5=0$, $x=-\frac{5}{2}$

$x < -\frac{5}{2}$	$-\frac{5}{2} \le x \le \frac{3}{2}$	$x > \frac{3}{2}$
$\lvert 2x-3\rvert - \lvert 2x+5\rvert = 0$	$\lvert 2x-3\rvert - \lvert 2x+5\rvert = 0$	$\lvert 2x-3\rvert - \lvert 2x+5\rvert = 0$
$-2x+3-(-2x-5) = 0$	$-2x+3-(2x+5) = 0$	$2x-3-(2x+5) = 0$
$-2x+3+2x+5 = 0$	$-2x+3-2x-5 = 0$	$2x-3-2x-5 = 0$
$8 = 0$	$-4x = 2$	$-8 = 0$
no solution	$x = -\frac{1}{2}$	no solution
	solution is in subdomain	

$x = -\frac{1}{2}$

5. Subdomains: $x < -\frac{5}{2}$ | $-\frac{5}{2}$ | $-\frac{5}{2} \le x \le \frac{2}{3}$ | $\frac{2}{3}$ | $x > \frac{2}{3}$

$x < -\frac{5}{2}$	$-\frac{5}{2} \le x \le \frac{2}{3}$	$x > \frac{2}{3}$
$\lvert 3x-2\rvert = \lvert 2x+5\rvert + 1$	$\lvert 3x-2\rvert = \lvert 2x+5\rvert + 1$	$\lvert 3x-2\rvert = \lvert 2x+5\rvert + 1$
$-3x+2 = -2x-5+1$	$-3x+2 = 2x+5+1$	$3x-2 = 2x+5+1$
$-x = -6$	$-5x = 4$	$x = 8$
$x = 6$	$x = -\frac{4}{5}$	
solution is not in sub domain	solution is in subdomain	solution is in subdomain

$3x-2=0$, $x=\frac{2}{3}$ $2x+5=0$, $x=-\frac{5}{2}$

$x = -\frac{4}{5}, 8$

6. Subdomains: $x < -\frac{1}{2}$ | $-\frac{1}{2}$ | $-\frac{1}{2} \le x \le 3$ | 3 | $x > 3$

$x < -\frac{1}{2}$	$-\frac{1}{2} \le x \le 3$	$x > 3$
$\lvert 3-x\rvert - 1 = \lvert 4x+2\rvert$	$\lvert 3-x\rvert - 1 = \lvert 4x+2\rvert$	$\lvert 3-x\rvert - 1 = \lvert 4x+2\rvert$
$3-x-1 = -4x-2$	$3-x-1 = 4x+2$	$-3 = 4x+2$
$3x = -4$	$-5x = 0$	$-3x = 6$
$x = -\frac{4}{3}$	$x = 0$	$x = -2$
solution is in subdomain	solution is in subdomain	solution is not in subdomain

$3-x=0$, $x=3$ $4x+2=0$, $x=-\frac{1}{2}$

$x = -\frac{4}{3}, 0$

Numerical Response

7. graph $y_1 = \lvert x^2+1\rvert$
graph $y_2 = \lvert x^2-8\rvert$
intersect
$x = 1.8708\ldots$

| 1 | . | 8 | 7 |

8. graph $y_1 = \lvert \frac{x}{2}+3\rvert - \lvert 2x-1\rvert$
graph $y_2 = x^2$
intersect
$x = 1.386..$

| 1 | . | 3 | 9 |

Group Work

$5x-10=0$, $x=2$ $3x+9=0$, $x=-3$ $3x-6=0$, $x=2$ $x+1=0$, $x=-1$ or $\lvert 3x-6\rvert \ge 2\lvert x+1\rvert$, $x \ne -1$

a) Subdomains: $x < -3$ | -3 | $-3 \le x \le 2$ | 2 | $x > 2$

$x < -3$	$-3 \le x \le 2$	$x > 2$
$\lvert 5x-10\rvert < \lvert 3x+9\rvert$	$\lvert 5x-10\rvert < \lvert 3x+9\rvert$	$\lvert 5x-10\rvert < \lvert 3x+9\rvert$
$-5x+10 < -3x-9$	$-5x+10 < 3x+9$	$5x-10 < 3x+9$
$-2x < -19$	$-8x < -1$	$2x < 19$
$x > \frac{19}{2}$	$x > \frac{1}{8}$	$x < \frac{19}{2}$
no solution region in subdomain	Solution in subdomain is $\frac{1}{8} < x \le 2$	solution in subdomain is $2 < x < \frac{19}{2}$

combining the two intervals the final solution is $\frac{1}{8} < x < \frac{19}{2}$

b) note that domain does not include $x = -1$

Subdomains: $x < -1$ | -1 | $-1 < x \le 2$ | 2 | $x > 2$

$x < -1$	$-1 < x \le 2$	$x > 2$
$\lvert 3x-6\rvert \ge 2\lvert x+1\rvert$	$\lvert 3x-6\rvert \ge 2\lvert x+1\rvert$	$\lvert 3x-6\rvert \ge 2\lvert x+1\rvert$
$-3x+6 \ge 2(-x-1)$	$-3x+6 \ge 2(x+1)$	$3x-6 \ge 2(x+1)$
$-3x+6 \ge -2x-2$	$-3x+6 \ge 2x+2$	$3x-6 \ge 2x+2$
$-x \ge -8$	$-5x \ge -4$	$x \ge 8$
$x \le 8$	$x \le \frac{4}{5}$	
Solution in subdomain is $x < -1$	Solution in subdomain is $-1 < x \le \frac{4}{5}$	solution in subdomain is $x \ge 8$

final solution $x < -1$ or $-1 < x \le \frac{4}{5}$ or $x \ge 8$

Absolute Value Functions and Reciprocal Functions Lesson #4: Absolute Value Transformations

Investigating the Graphs of $y = f(x)$ and $y = \lvert f(x)\rvert$

1. a) $y = \lvert x-1\rvert$

b), c), d)

x	$y = f(x)$	$y = \lvert f(x)\rvert$
-4	-5	5
-3	-4	4
-2	-3	3
-1	-2	2
0	-1	1
1	0	0
2	1	1
3	2	2
4	3	3

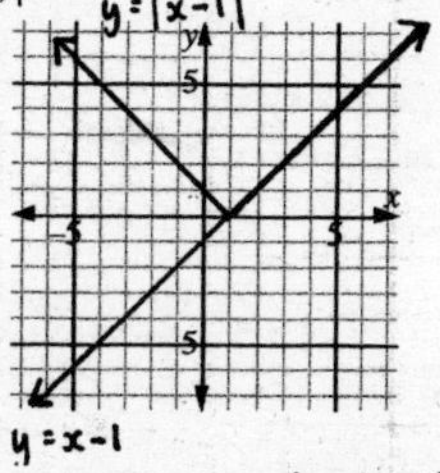

2. a) $y = \lvert x^2-4\rvert$

c) yes

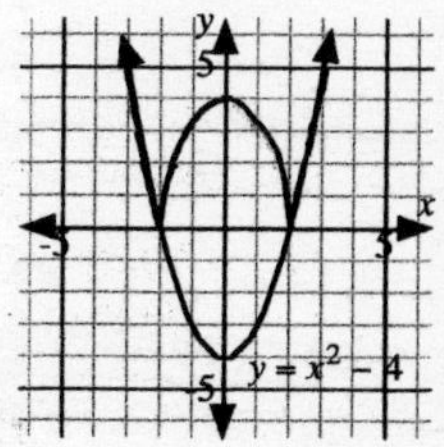

i) When $f(x) \ge 0$, the graph of $y = \lvert f(x)\rvert$ is identical to the graph of $y = f(x)$.

ii) When $f(x) < 0$, the graph of $y = \lvert f(x)\rvert$ is a reflection in the x-axis of the graph of $y = f(x)$.

3. a)

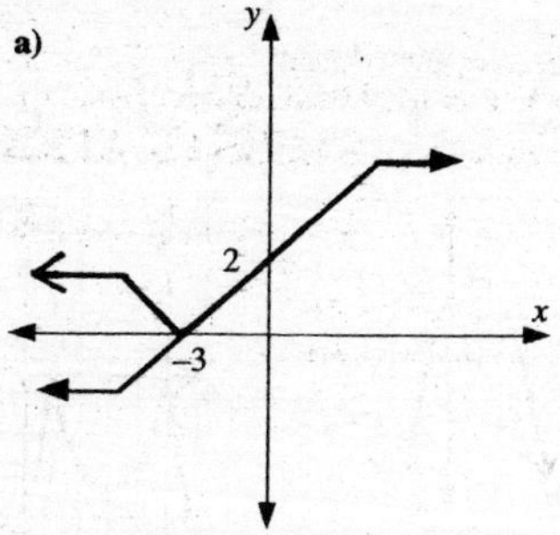

b)

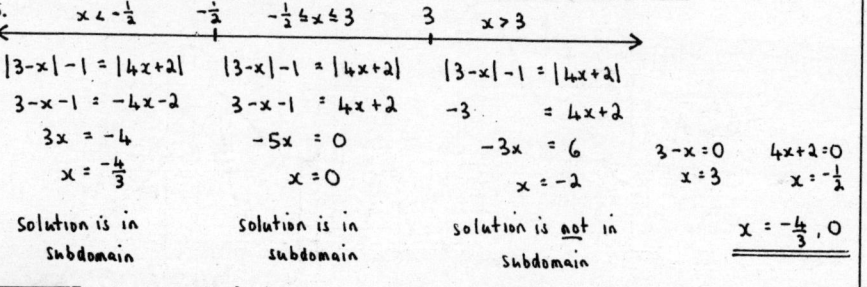

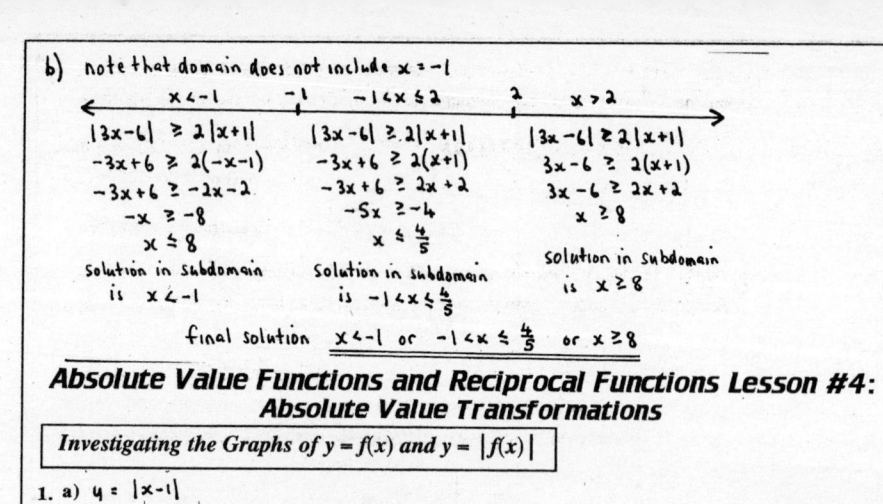

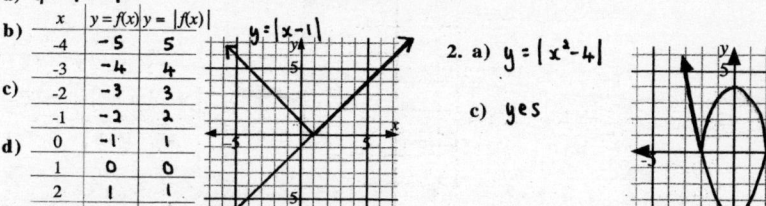

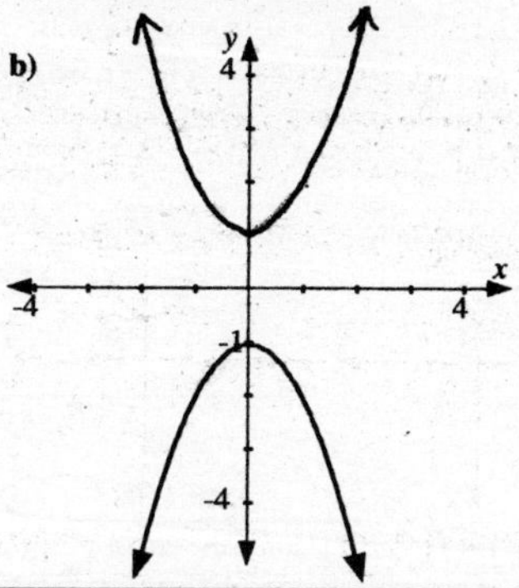

4. a) same b) the range of $y = |f(x)|$ includes all values of $f(x)$ when $f(x) > 0$, and all values of $-f(x)$ when $f(x) < 0$.

c) same d) If y_{int} of $f(x)$ is positive, the y_{int} of $|f(x)|$ is the same value (+ve positive)

If y_{int} of $f(x)$ is negative, the y_{int} of $|f(x)|$ is the opposite

Assignment

1. a)

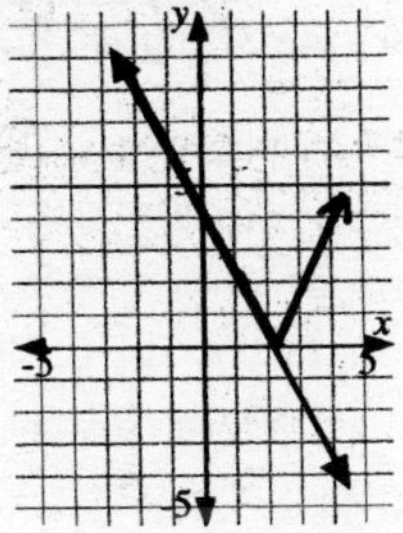

b)

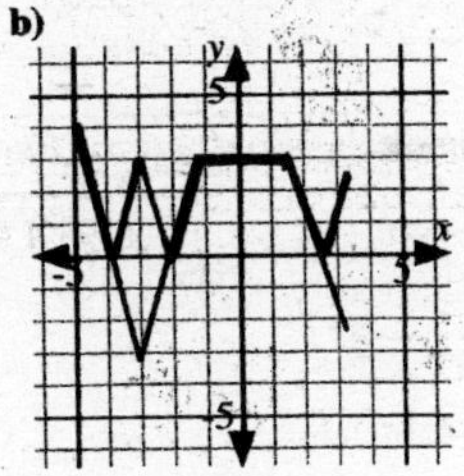

d)

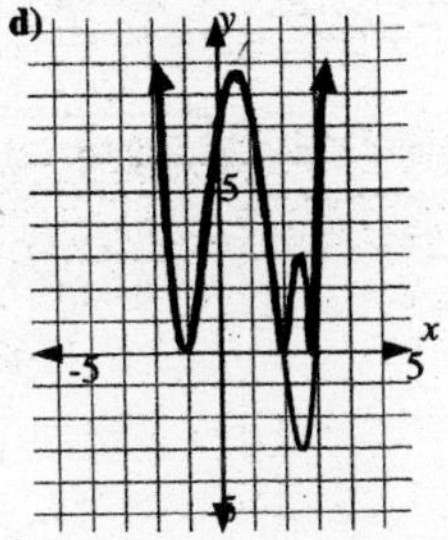

e)

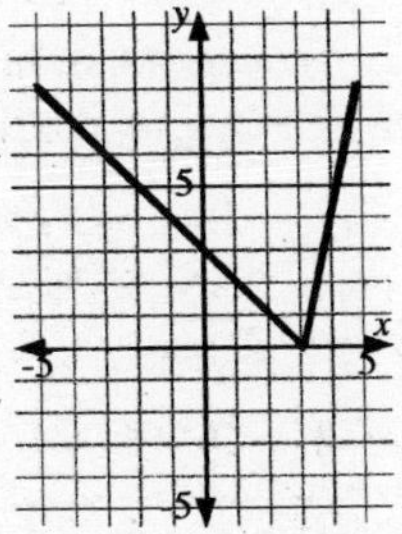

f)

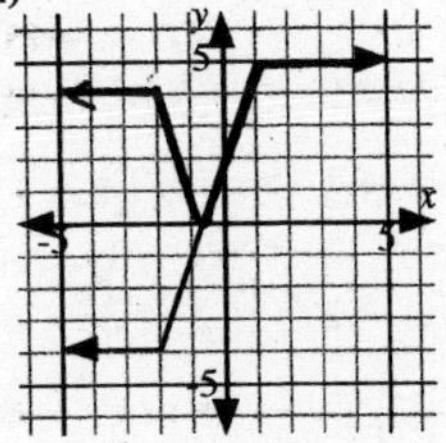

g)

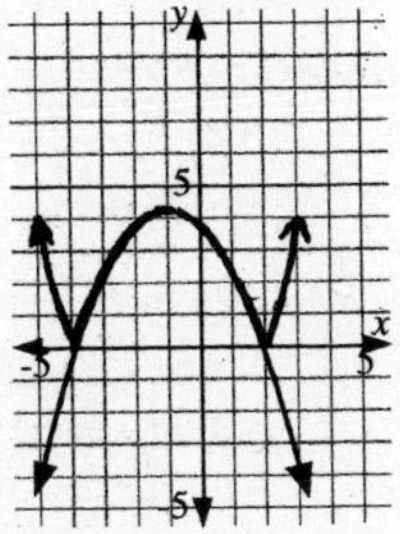

2. The absolute value of a function is non-negative for all values of x. It is not possible for $|f(x)|$ to be less than zero.

3.

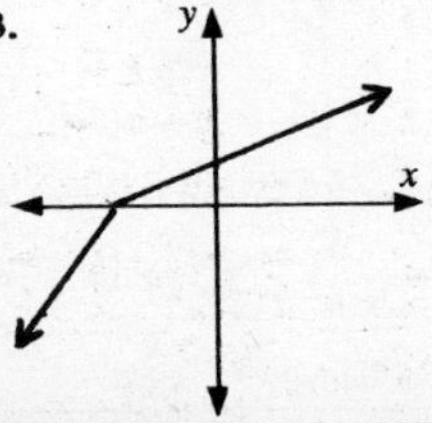

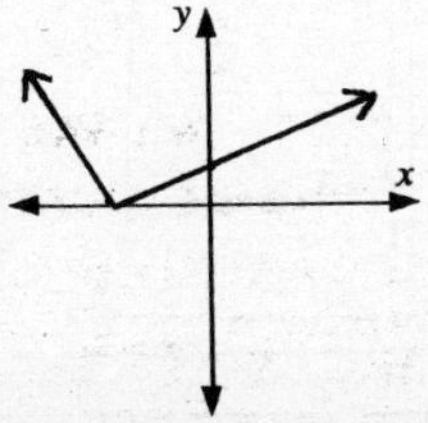

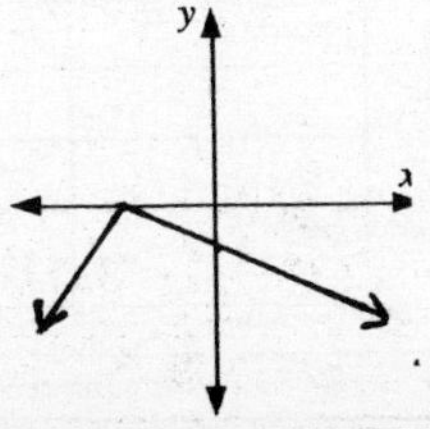

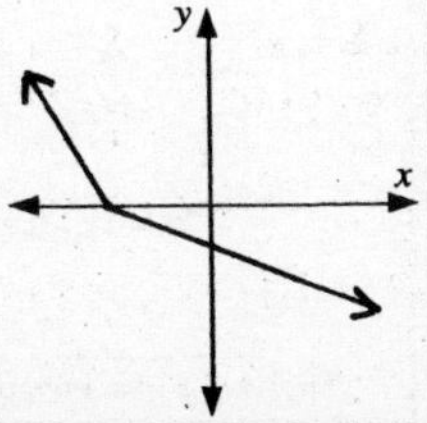

4.

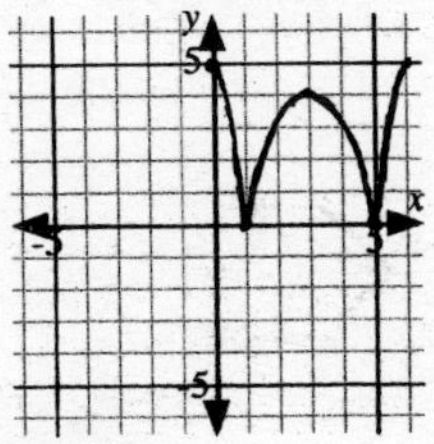

5. a) $\{y \mid y \geq 0, y \in R\}$ b) $\{y \mid y \geq 2, y \in R\}$ c) $\{y \mid y \geq 1, y \in R\}$

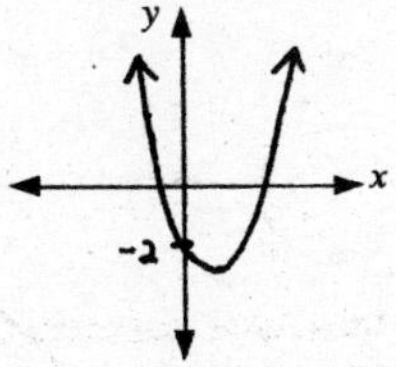

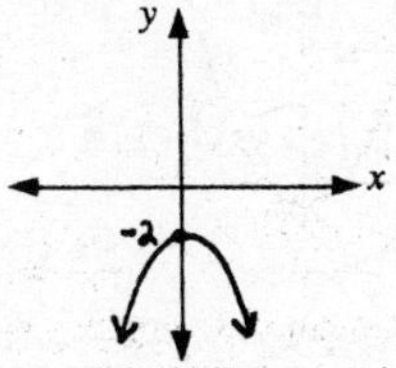

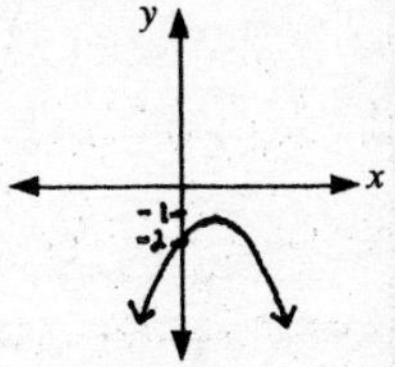

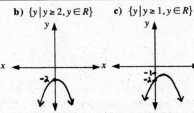

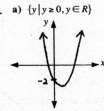

Multiple Choice 6. (C.) (−3, 6)

7. (C.) If the point (4, 9) lies on the graph of $y = |h(x)|$, then the point (4, −9) must lie on the graph of $y = h(x)$. could be (4, 9) ×

Absolute Value Functions and Reciprocal Functions Lesson #5: Reciprocal Functions

Exploring a Reciprocal Function

1.a) $y = \frac{1}{x+3}$

b)

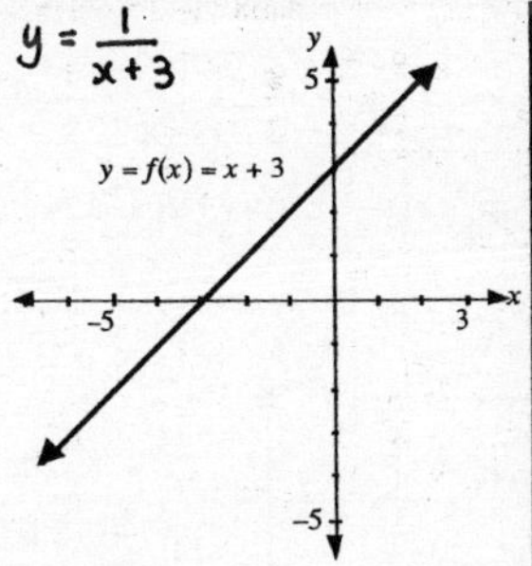

x	$y = f(x)$	$y = \frac{1}{f(x)}$
−6	−3	−1/3
−5	−2	−1/2
−4	−1	−1
−3	0	Undefined
−2	1	1
−1	2	1/2
0	3	1/3
1	4	1/4
2	5	1/5
3	6	1/6

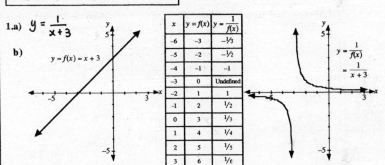

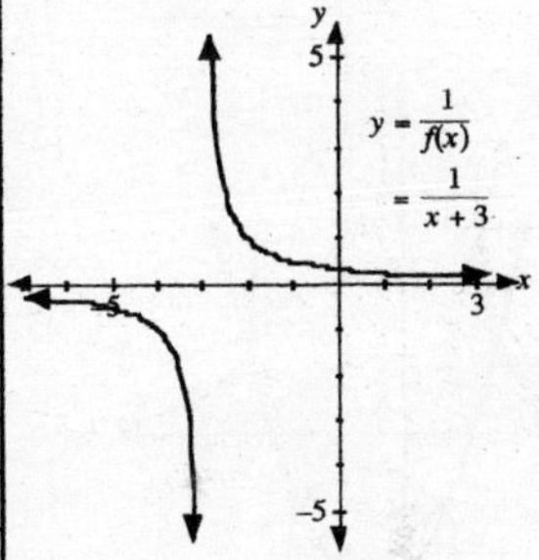

Complete the following statements using the graphs and table of values.

- The y-intercept of $f(x)$ is 3.
- The y-intercept of $\frac{1}{f(x)}$ is $\frac{1}{3}$.
- The x-intercept of $f(x)$ is −3.
- The equation of the vertical asymptote of $\frac{1}{f(x)}$ is $x =$ −3.
- State the coordinates of the two points which appear on **both** the graph of $y = f(x)$ and the graph of $y = \frac{1}{f(x)}$. These points are called **invariant points**. (−4, −1) (−2, 1)
- The horizontal asymptote of $y = \frac{1}{f(x)}$ is $y =$ 0.

c) Complete the following:

- When $f(x) = 0$, the graph of $y = \frac{1}{f(x)}$ has a vertical asymptote.
- As $f(x)$ approaches $\pm\infty$, (positive or negative infinity), the graph of $y = \frac{1}{f(x)}$ approaches closer to the horizontal asymptote.

2.a) $y = \frac{1}{x^2-4}$

b)

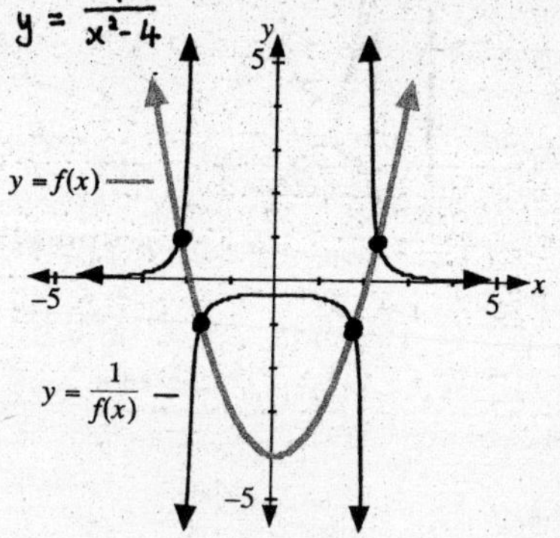

x	$y=f(x)$	$y=\frac{1}{f(x)}$
-4	12	1/12
-3	5	1/5
–2	0	Undefined
–1	-3	–1/3
0	-4	–1/4
1	-3	–1/3
2	0	Undefined
3	5	1/5
4	12	1/12

Complete the following statements using the graphs and table of values.

- The y-intercept of $f(x)$ is -4.
- The y-intercept of $\frac{1}{f(x)}$ is $-\frac{1}{4}$.
- The x-intercepts of $f(x)$ are -2 and 2.
- The equations of the vertical asymptotes of $\frac{1}{f(x)}$ are $x=-2$ and $x=2$.
- The horizontal asymptote of $y = \frac{1}{f(x)}$ is $y = 0$.

c) the reciprocal of 1 is $\frac{1}{1} = 1$ When $y = \pm 1$, $\frac{1}{y} = \pm 1$

the reciprocal of -1 is $\frac{1}{-1} = -1$

d) Complete the following:

- When $f(x) = 0$, the graph of $y = \frac{1}{f(x)}$ has vertical asymptotes.
- As $f(x)$ approaches $\pm\infty$, the graph of $y = \frac{1}{f(x)}$ approaches closer to the horizontal asymptote with equation $y = 0$.

Properties of Reciprocal Transformations

1. • When $f(x) = 0$, the graph of $y = \frac{1}{f(x)}$ has a vertical asymptote.
   • When $f(x)$ is positive, $\frac{1}{f(x)}$ is positive.
   • When $f(x)$ is negative, $\frac{1}{f(x)}$ is negative.
2. • When $f(x) = 1$, $\frac{1}{f(x)} = 1$. When $f(x) = -1$, $\frac{1}{f(x)} = -1$
3. • When $f(x)$ increases over an interval, $\frac{1}{f(x)}$ decreases over the same interval.
   • When $f(x)$ decreases over an interval, $\frac{1}{f(x)}$ increases over the same interval.

4. • When $f(x)$ approaches zero, $\frac{1}{f(x)}$ approaches $\pm\infty$ and the graph of $\frac{1}{f(x)}$ approaches a vertical asymptote.
   • When $f(x)$ approaches $\pm\infty$, $\frac{1}{f(x)}$ approaches zero and the graph of $\frac{1}{f(x)}$ approaches a horizontal asymptote.

Class Ex. #1

a)

d)

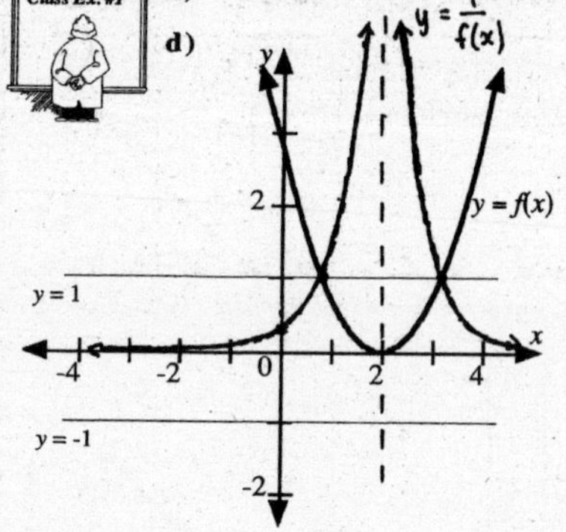

b) $\frac{1}{3}$

c) $y = \frac{1}{\frac{3}{4}(x-2)^2}$ or $y = \frac{4}{3(x-2)^2}$

b) $y = 0$ $x = -2$ $x = 1$

c) If $(a, \frac{1}{2})$ lies on $\frac{1}{f(x)}$ then $(a, 2)$ lies of $f(x)$

x-coordinate of vertex $= \frac{-2+1}{2} = -\frac{1}{2}$

$a = -\frac{1}{2}$

Class Ex. #2

a)

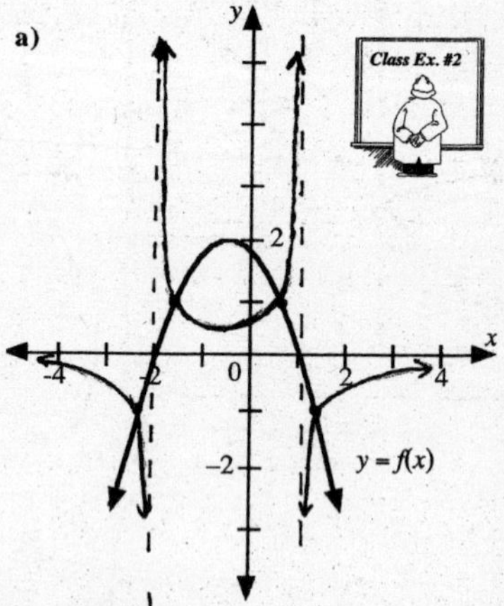

Class Ex. #3

a) $y$int of $f(x)$ is 5

minimum point of $f(x)$ is at $(-3, \frac{1}{2})$

invariant points where $y = 1$

by symmetry the point $(-6, 5)$ is on the graph of f.

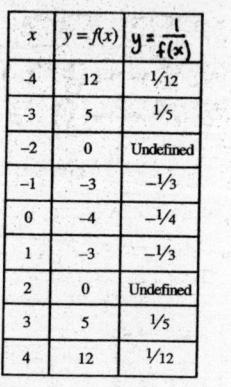

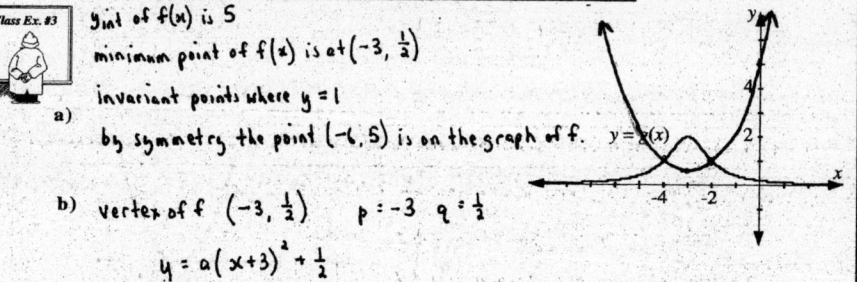

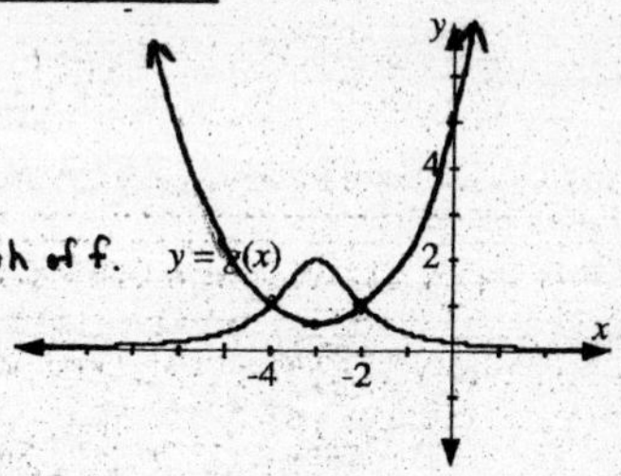

b) vertex of f $(-3, \frac{1}{2})$ $p = -3$ $q = \frac{1}{2}$

$y = a(x+3)^2 + \frac{1}{2}$

$(0, 5) \rightarrow 5 = a(0+3)^2 + \frac{1}{2}$

$5 = 9a + \frac{1}{2}$

$4.5 = 9a$

$a = \frac{1}{2}$

$y = \frac{1}{2}(x+3)^2 + \frac{1}{2}$

$a = \frac{1}{2}$, $p = -3$, $q = \frac{1}{2}$

Assignment

1. a)

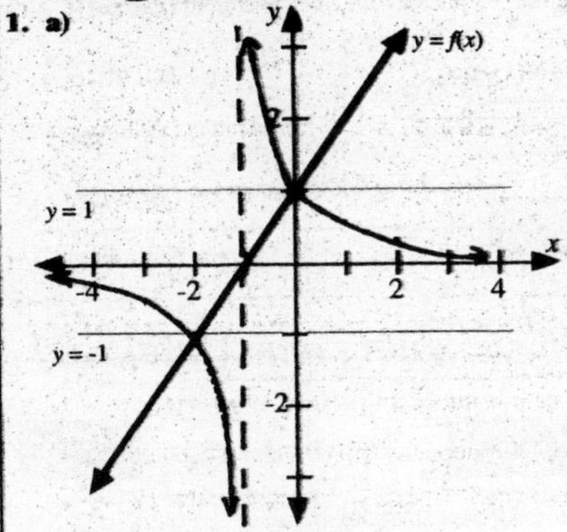

ii) $x = -1$ iii) 1

b)

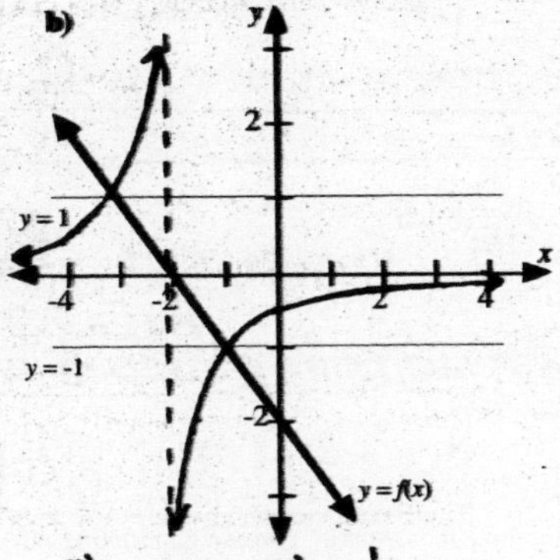

ii) $x = -2$ iii) $-\frac{1}{2}$

2. a)

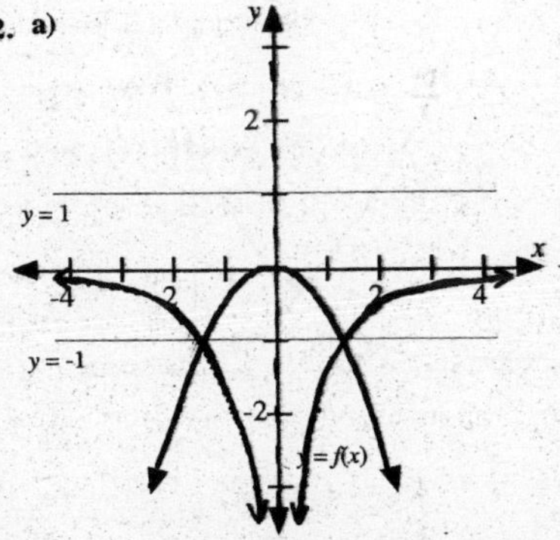

b)

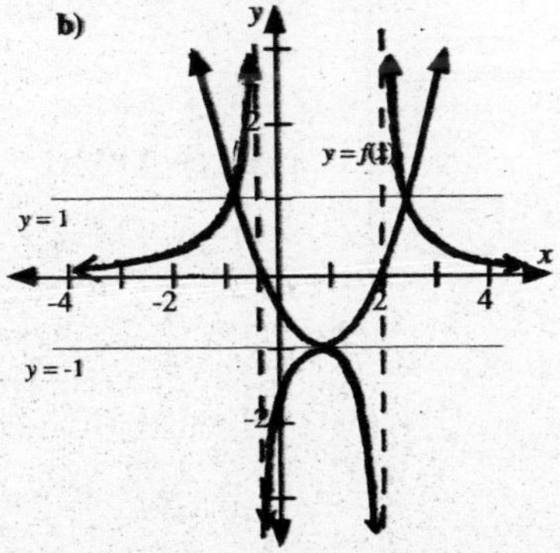

3. Both $y = f(x)$ and $y = g(x)$ have a y-intercept of 0 and an x-intercept of 0. The graphs of $y = \frac{1}{f(x)}$ and $y = \frac{1}{g(x)}$ have vertical asymptotes with equation $x = 0$, and so do not have y-intercepts.

4. a) $\frac{1}{2}$

b)

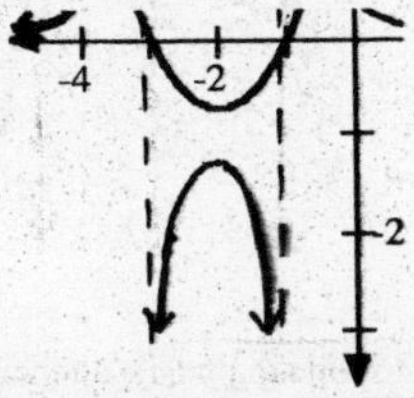

c) $(-2, -\frac{5}{4})$ lies on $y = \frac{1}{f(x)}$ so $(-2, -\frac{4}{5})$ lies on $y = f(x)$

Minimum value of $f = -\frac{4}{5}$ or -0.8

5. a)

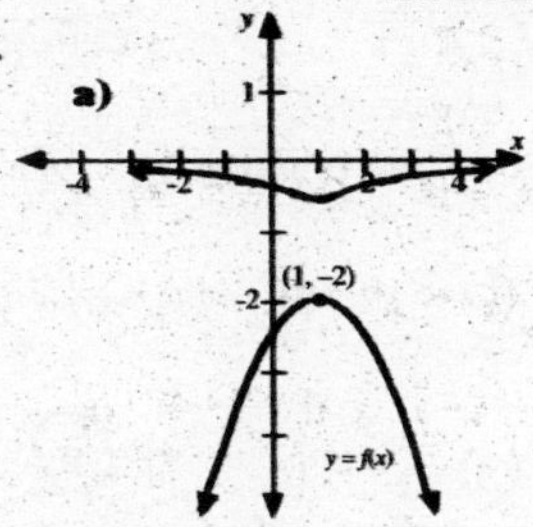

b) The graph of $y = f(x)$ has no x-intercepts so the graph of $y = \frac{1}{f(x)}$ has no vertical asymptotes.

c) Since $f(x)$ is always negative, $\frac{1}{f(x)}$ is always negative. The graph of $y = \frac{1}{f(x)}$ has no points in quadrants 1 and 2.

6. a) $y = \frac{1}{x+3}$

b)

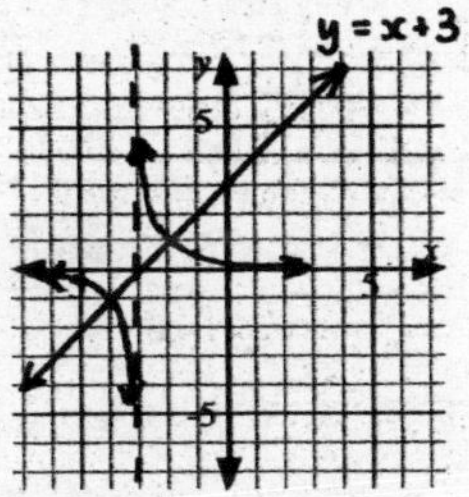

c) $(-2, 1)$, $(-4, -1)$

7. a) $y = \frac{1}{5-x^2}$

b)

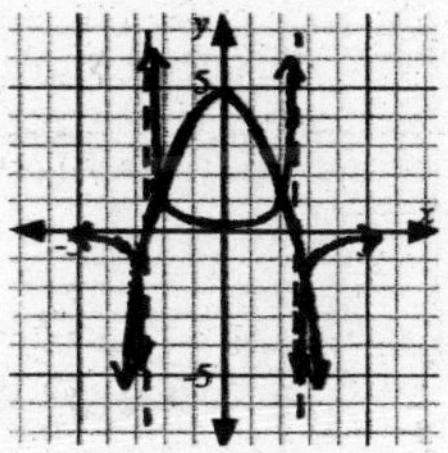

c) $(2, 1)$

8. **i)** $y = x$

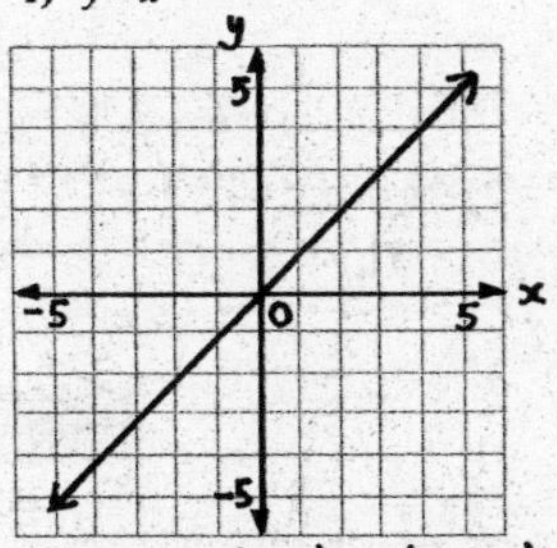

ii) $y = \frac{1}{x}$

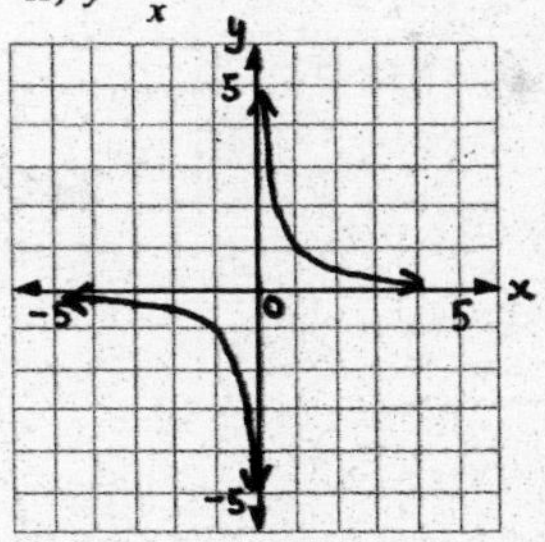

b) $(1, 1)$, $(-1, -1)$

b)

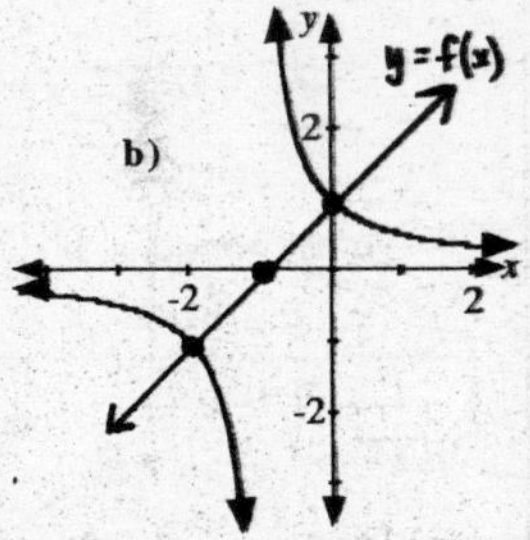

9. a) The asymptote of $y = g(x)$ becomes a zero of $y = f(x)$.

The points on $y = g(x)$ where $y = 1$ or -1 are invariant points

Draw a straight line through the points

c) Points $(0, 1)$ and $(-1, 0)$

slope $= \frac{0-1}{-1-0} = 1 \Rightarrow a = 1$

y-intercept $= 1 \Rightarrow b = 1$

equation $y = ax + b$ $y = x + 1$

10. i) $y = x^2$ ii) $y = \frac{1}{x^2}$

a)

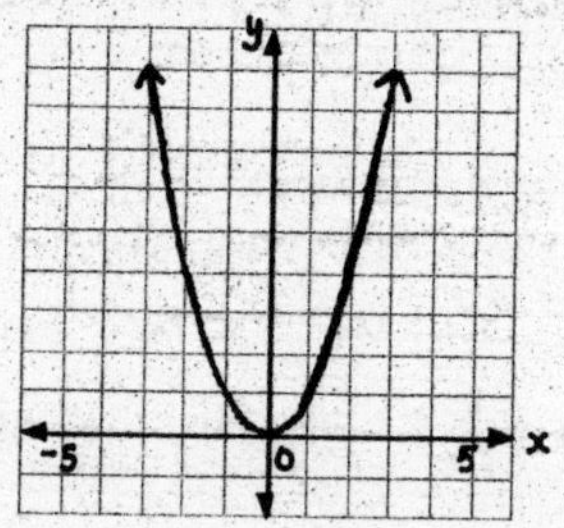

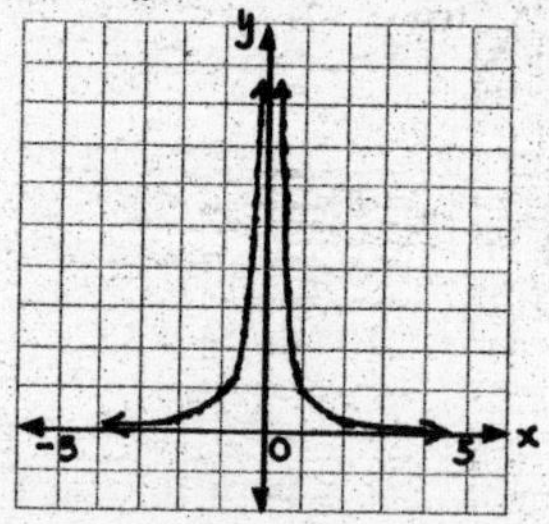

b) $(1, 1)$, $(-1, 1)$

11. a) -3

b)

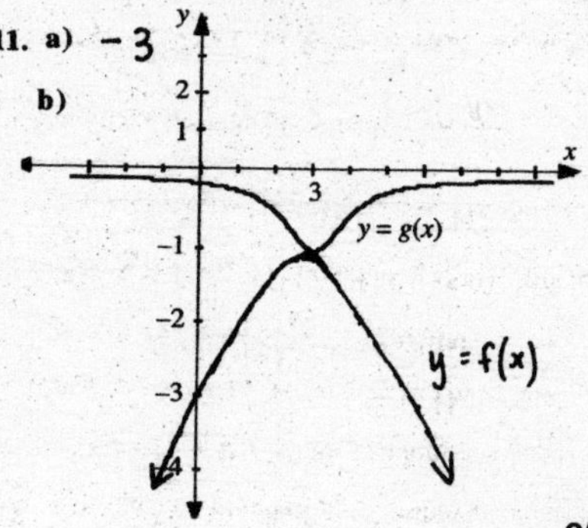

c) $(3, -1)$

d) vertex $(3, -1)$ $f(x) = a(x-3)^2 - 1$

$p = 3$ replace point $(0, -3)$

$q = -1$ $-3 = a(0-3)^2 - 1$

$-3 = 9a - 1$

$-2 = 9a$ $a = -\frac{2}{9}$

$f(x) = -\frac{2}{9}(x-3)^2 - 1$

e) $-\frac{2}{9}(x-3)^2 - 1$

$-\frac{2}{9}(x^2 - 6x + 9) - 1$

$-\frac{2}{9}x^2 + \frac{4}{3}x - 2 - 1$

$f(x) = -\frac{2}{9}x^2 + \frac{4}{3}x - 3$

Multiple Choice 12. (B.) 1 and 3 only

Numerical Response 13. 0 . 1 7 $p = \frac{1}{6} = 0.166...$

Absolute Value Functions and Reciprocal Functions Lesson #6: Practice Test

1. (D.) 1, 2, and 3

2. (D.) $g(x) = \begin{cases} x - 5 & \text{if } x \ge 5 \\ 5 - x & \text{if } x < 5 \end{cases}$

$|5-x| = \begin{cases} 5-x & \text{if } 5-x \ge 0 \\ -5+x & \text{if } 5-x < 0 \end{cases}$

$= \begin{cases} 5-x & \text{if } x \le 5 \\ -5+x & \text{if } x > 5 \end{cases}$

Numerical Response 1. $7 - 6 + |-(-4)|$

$= 7 - 6 + 4 = 5$

5

3. (C.) $|5-x| = 5-x$, if $x \ge 5$ $-5+x$

4. (D.) There are no roots of the equation $|3x - 1| = -5$.

$3x - 1 = -5$ verify: $LS = |3(-\frac{4}{3}) - 1|$ $= 5$, $RS = -5$, $LS \ne RS$

$3x = -4$

$x = -\frac{4}{3}$ reject

$-3x + 1 = -5$ verify: $LS = |3(2) - 1|$ $= 5$, $RS = -5$, $LS \ne RS$

$-3x = -6$

$x = 2$ reject

5. (C.) 3 and −3

$12 - x = 9$ verify: $LS = |12 - |3||$ $= 9 = RS$

$3 = x$

$x = 3$

$12 - (-x) = 9$ verify: $LS = |12 - |-3||$ $= 9 = RS$

$12 + x = 9$

$x = -3$

$x = \pm 3$

6. (C.) $f(x) = 2x^2$

7. (B.) $\left(-\frac{1}{2}, \frac{2}{3}\right)$ x-coordinate does not change

y-coordinate reflects in x-axis

Numerical Response 3. 0 . 8

$x < \frac{1}{3}$	$\frac{1}{3}$	$x \ge \frac{1}{3}$

$6x - 3 = 0$

$x = \frac{1}{2}$

$|6x-3| = 4x-5$

$-6x + 3 = 4x - 5$

$-10x = -8$

$x = \frac{4}{5}$

solution not in subdomain

$|6x-3| = 4x-5$

$6x - 3 = 4x - 5$

$2x = -2$

$x = -1$

solution not in subdomain

$\frac{4}{5} = 0.8$

Numerical Response 2. 7 . 4

graph $y_1 = |x-2|$

graph $y_2 = x^2 - 5$

intersect at $x = -3.192582..$

and $x = 2.302775..$

$|pq| = 7.351798..$

$= 7.4$

8. (A.) 6

$-x^2 - 2x + 10 = 5$

$0 = x^2 + 2x - 5$

$x^2 + 2x - 10 = 5$ $a = 1, b = 2, c = -5$

$x^2 + 2x - 15 = 0$ $x = \frac{-b \pm \sqrt{b^2 - 4ac}}{2a}$

$(x+5)(x-3) = 0$

$x = -5, 3$ both roots verify

$= \frac{-2 \pm \sqrt{(2)^2 - 4(1)(-5)}}{2(1)}$

$= \frac{-2 \pm \sqrt{24}}{2} = \frac{-2 \pm 2\sqrt{6}}{2}$

$= -1 \pm \sqrt{6}$

both roots verify

Numerical Response 4. graph $y = 4 - |3x^2 - 5x + 1|$

2 . 1 4

determine the largest x-intercept using the zero feature of the calculator.

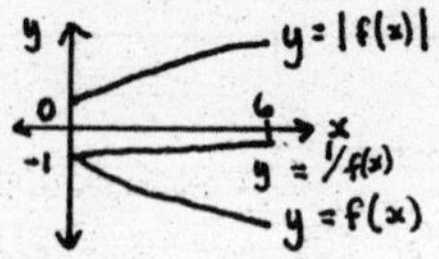

9. (C.) Both $|f(x)|$ and $\frac{1}{f(x)}$ are increasing on the interval $0 \le x \le 6, x \in R$.

10. (B.) $\left(-\frac{1}{2}, -\frac{3}{2}\right)$

↓

reciprocal $\left(-\frac{1}{2}, -\frac{3}{2}\right)$

11. (C.) C

	A	B	C	D
$y = \lvert f(x)\rvert$	$(4, 1)$	$(1, 4)$	$(-2, 1)$	$(-1, 0)$
$y = \frac{1}{f(x)}$	$(4, -1)$	$(1, \frac{1}{4})$	$(-2, 1)$	vertical asymptote

12. (B.) The domain of $|f(x)|$ is the same as the domain of $f(x)$.

13. (A.) $y \le -\frac{1}{7}, y \ge 1$ $-7 \rightarrow -\frac{1}{7}$

$1 \rightarrow 1$

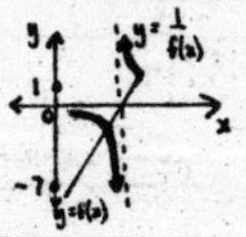

14. (C.) $x = 3$

$f(x) = \dfrac{1}{(x-3)(x+2)}$ vertical asymptote when $(x-3)(x+2) = 0$

15. (A.) $-\dfrac{25}{4}$

$\dfrac{1}{f(x)} = x^2 - x - 6$

$= x^2 - x + \frac{1}{4} - \frac{1}{4} - 6$

$= (x - \frac{1}{2})^2 - \frac{25}{4}$ vertex$(\frac{1}{2}, -\frac{25}{4})$

Numerical Response **5.** | 2 | . | 3 | |

$f(x) = a(x-2)^2 + \frac{1}{4}$

Vertex of f $(2, \frac{1}{4})$ → $\frac{1}{2} = a(0-2)^2 + \frac{1}{4}$

y-int of f at $(0, \frac{1}{2})$ $\quad \frac{1}{2} = 4a + \frac{1}{4}$

$\frac{1}{4} = 4a$

$a = \frac{1}{16}$

$p = 2 \quad q = \frac{1}{4} \quad a = \frac{1}{16}$

$a + p + q = 2 + \frac{1}{4} + \frac{1}{16}$

$= 2.3125$

Written Response - 5 marks

1. Consider the graph of $y = f(x)$ shown on Grid 1.

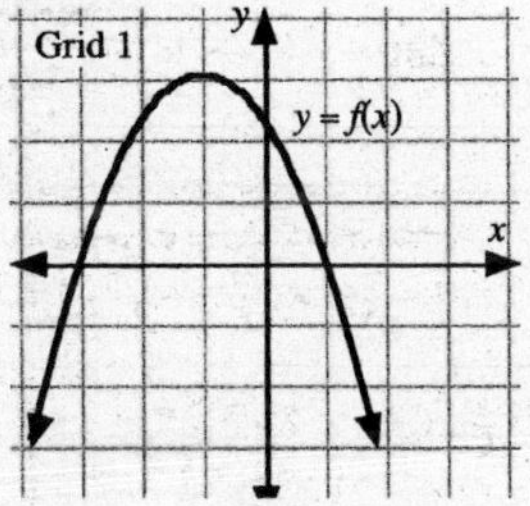

- Describe a strategy for graphing $y = |f(x)|$.

When $y = f(x)$ is on or above the y-axis, the graph of $y = |f(x)|$ is identical.

When $y = f(x)$ is below the y-axis, the graph of $y = |f(x)|$ is a reflection in the x-axis.

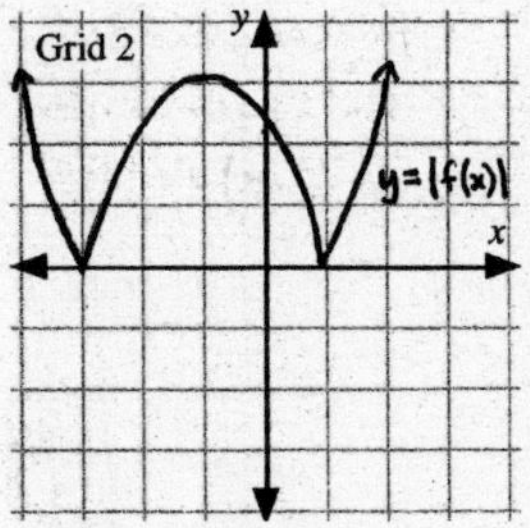

- Describe a strategy for graphing $y = \dfrac{1}{f(x)}$.

zeros of $f(x)$ become vertical asymptotes of $\frac{1}{f(x)}$.

the points where $y = \pm 1$ are invariant.

the maximum point at (x, y) on $f(x)$ becomes a local minimum point $(x, \frac{1}{y})$ on $\frac{1}{f(x)}$.

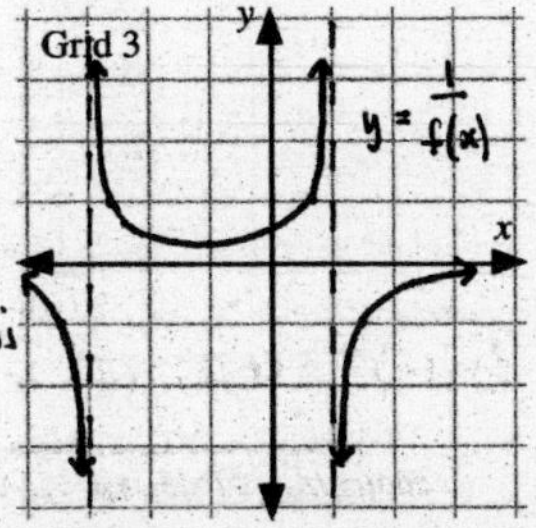

As $f(x)$ approaches $-\infty$, the graph of $\frac{1}{f(x)}$ approaches the x-axis

As $f(x)$ approaches 0, the graph of $\frac{1}{f(x)}$ approaches $\pm\infty$.

- Extend your thinking by graphing $y = \left|\dfrac{1}{f(x)}\right|$ and $y = \dfrac{1}{|f(x)|}$.

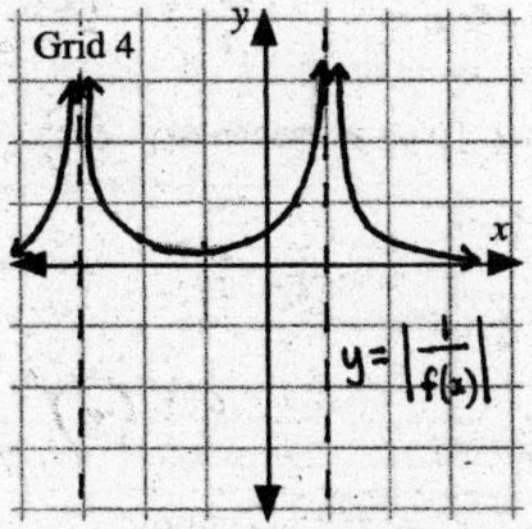

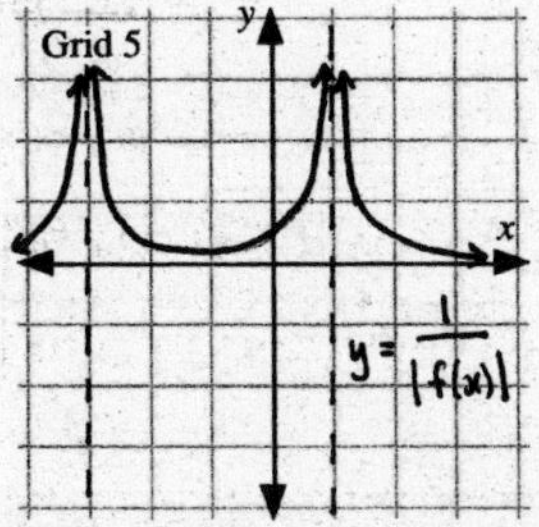

Linear and Quadratic Systems and Inequalities Lesson #1:

Solving a System of Linear-Quadratic Equations

a) $(-2, 4)$ and $(3, 9)$

b) $y = x^2$ $\quad$ $y = x + 6$

$x^2 = x + 6$

$x^2 - x - 6 = 0$

$(x-3)(x+2) = 0$

$x = 3$ or $x = -2$

when $x = 3$, $y = (3)^2 = 9$

when $x = -2$, $y = (-2)^2 = 4$

points of intersection $(-2, 4)$ and $(3, 9)$

c) verify $(-2, 4)$ in $y = x^2$

LS = 4 $\quad$ RS = $(-2)^2 = 4$ $\quad$ LS = RS

verify $(-2, 4)$ in $y = x + 6$

LS = 4 $\quad$ RS = $(-2) + 6 = 4$ $\quad$ LS = RS

verify $(3, 9)$ in $y = x^2$

LS = 9 $\quad$ RS = $(3)^2 = 9$ $\quad$ LS = RS

verify $(3, 9)$ in $y = x + 6$

LS = 9 $\quad$ RS = $3 + 6 = 9$ $\quad$ LS = RS

d) $x = -2$, $y = 4$, or $x = 3$, $y = 9$, $\quad$ OR $\quad$ $(-2, 4)$, $(3, 9)$.

Investigating the Number of Solutions to a Linear-Quadratic System

The graph of $y = x^2 - x - 12$ is shown on the grid.

a) • Algebraically determine the point(s) of intersection of the line $y = 3x$ and the parabola $y = x^2 - x - 12$.

• Sketch the line and plot the point(s) of intersection on the grid.

$x^2 - x - 12 = 3x$

$x^2 - 4x - 12 = 0$

$(x+2)(x-6) = 0 \quad x = -2, 6$

when $x = -2$, $y = 3(-2) = -6$

when $x = 6$, $y = 3(6) = 18$

points of intersection $(-2, -6)$ and $(6, 18)$

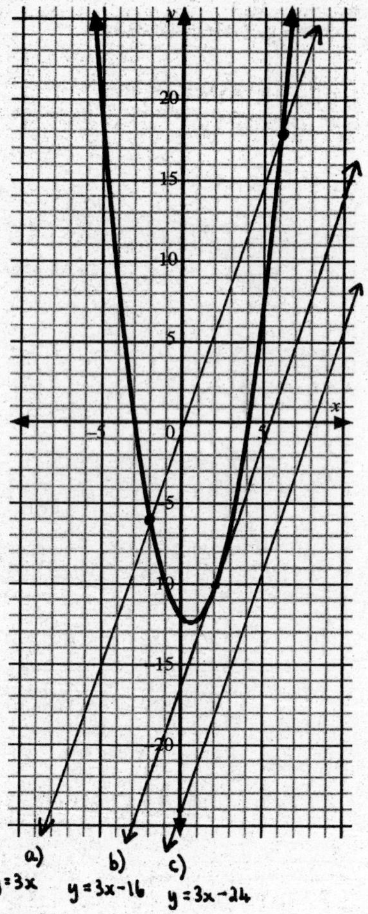

b) Repeat part a) for the line $y = 3x - 16$ and the parabola $y = x^2 - x - 12$.

$x^2 - x - 12 = 3x - 16$

$x^2 - 4x + 4 = 0$

$(x-2)^2 = 0 \quad x = 2$

when $x = 2$, $y = 3(2) - 16 = -10$

point of intersection $(2, -10)$

c) $x^2 - x - 12 = 3x - 24$

$x^2 - 4x + 12 = 0$

$a = 1$, $b = -4$, $c = 12$

$x = \frac{-b \pm \sqrt{b^2 - 4ac}}{2a}$

$x = \frac{4 \pm \sqrt{(-4)^2 - 4(1)(12)}}{2(1)}$

$x = \frac{4 \pm \sqrt{-32}}{2}$ no solution

no points of intersection

d) linear-quadratic system has __2__ solutions.
linear-quadratic system has __1__ solution.
linear-quadratic system has __no__ solutions.

e) • If the resulting quadratic equation has two distinct roots, then the discriminant is __positive__ and the linear-quadratic system has __2__ solutions.

• If the resulting quadratic equation has two equal roots, then the discriminant is __zero__ and the linear-quadratic system has __1__ solution.

• If the resulting quadratic equation has no real roots, then the discriminant is __negative__ and the linear-quadratic system has __no__ solutions.

Assignment

1. a) $y = x^2 - 2$, $y = x$ graph $y_1 = x^2 - 2$, $y_2 = x$ intersect at $(-1, -1)$ and $(2, 2)$

$x^2 - x = x$

$x^2 - x - 2 = 0$

$(x+1)(x-2) = 0$

$x = -1$ or $x = 2$

when $x = -1$, $y = -1$

when $x = 2$, $y = 2$

verify $x = -1, y = -1$ in $y = x^2 - 2$: LS = −1, RS = $(-1)^2 - 2 = -1$, LS = RS

verify $x = -1, y = -1$ in $y = x$: LS = −1, RS = −1, LS = RS

verify $x = 2, y = 2$ in $y = x^2 - 2$: LS = 2, RS = $(2)^2 - 2 = 2$, LS = RS

verify $x = 2, y = 2$ in $y = x$: LS = 2, RS = 2, LS = RS

$x = -1, y = -1 \quad x = 2, y = 2$

b) $y = 8x - x^2$, $y = 2x$ graph $y_1 = 8x - x^2$, $y_2 = 2x$ intersect at $(0, 0)$ and $(6, 12)$

$2x = 8x - x^2$

$x^2 - 6x = 0$

$x(x-6) = 0$

$x = 0$ or $x = 6$

when $x = 0$, $y = 0$

when $x = 6$, $y = 12$

verify $x = 0, y = 0$ in $y = 8x - x^2$: LS = 0, RS = $8(0) - (0)^2 = 0$, LS = RS

verify $x = 0, y = 0$ in $y = 2x$: LS = 0, RS = $2(0) = 0$, LS = RS

verify $x = 6, y = 12$ in $y = 8x - x^2$: LS = 12, RS = $8(6) - 6^2 = 12$, LS = RS

verify $x = 6, y = 12$ in $y = 2x$: LS = 12, RS = $2(6) = 12$, LS = RS

$x = 0, y = 0 \quad x = 6, y = 12$

c) $y = 2x - 7$, $y = x^2 - 12x + 42$ graph $y_1 = 2x - 7$, $y_2 = x^2 - 12x + 42$ intersect at $(7, 7)$

$x^2 - 12x + 42 = 2x - 7$

$x^2 - 14x + 49 = 0$

$(x-7)^2 = 0$

$x = 7$

when $x = 7$, $y = 2(7) - 7 = 7$

verify $x = 7, y = 7$ in $y = 2x - 7$: LS = 7, RS = $2(7) - 7 = 7$, LS = RS

verify $x = 7, y = 7$ in $y = x^2 - 12x + 42$: LS = 7, RS = $(7)^2 - 12(7) + 42 = 7$, LS = RS

$x = 7, y = 7$

2. a) $x = 4.8,\ y = 5.8$ $x = -0.8,\ y = 0.2$

b) $x^2 - 3x - 3 = x + 1$

$x^2 - 4x - 4 = 0$ $a = 1,\ b = -4,\ c = -4$

$x = \dfrac{-b \pm \sqrt{b^2 - 4ac}}{2a}$

$x = \dfrac{4 \pm \sqrt{(-4)^2 - 4(1)(-4)}}{2(1)}$

$x = \dfrac{4 \pm \sqrt{32}}{2} = \dfrac{4 \pm 4\sqrt{2}}{2} = 2 \pm 2\sqrt{2}$

when $x = 2 - 2\sqrt{2}$, $y = 3 - 2\sqrt{2}$

when $x = 2 + 2\sqrt{2}$, $y = 3 + 2\sqrt{2}$

$x = 2 - 2\sqrt{2},\ y = 3 - 2\sqrt{2}$

$x = 2 + 2\sqrt{2},\ y = 3 + 2\sqrt{2}$

3. a) Graph each equation.

There will be no points of intersection.

b) Try to solve the system by substitution.

The quadratic equation which results will have no solution

i.e. the discriminant will be negative.

c) a)

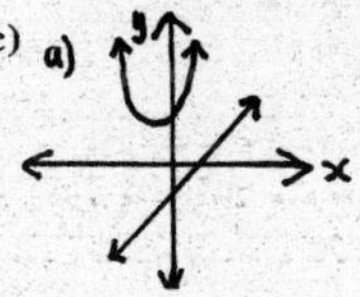

no solution since there are no points of intersection

b) $2x^2 + 3x + 9 = 2x - 3$

$2x^2 + x + 12 = 0$ $a = 2,\ b = 1,\ c = 12$

$x = \dfrac{-b \pm \sqrt{b^2 - 4ac}}{2a}$

$x = \dfrac{-1 \pm \sqrt{(1)^2 - 4(2)(12)}}{2(2)}$

$x = \dfrac{-1 \pm \sqrt{-95}}{4}$

no solution since the discriminant is negative

4. a)

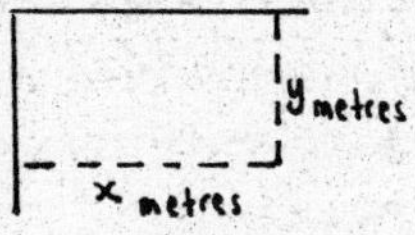

sides are x m and $12 - x$ m

$x + y = 12$

$y = 12 - x$

area: $x(12 - x) = 24$

$12x - x^2 = 24$

$12x = x^2 + 24$

$x^2 + 24 = 12x$

b) $y = x^2 + 24$

$y = 12x$

$x = 2.54$ or 9.46

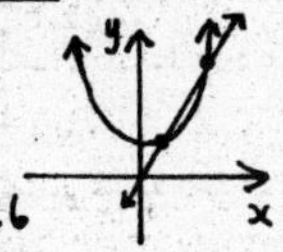

If length = 2.54 m, width = 12 − 2.54 = 9.46 m

If length = 9.46 m, width = 12 − 9.46 = 2.54 m

dimensions are 2.54 m by 9.46 m

5.

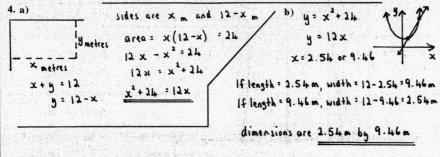

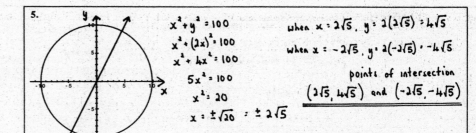

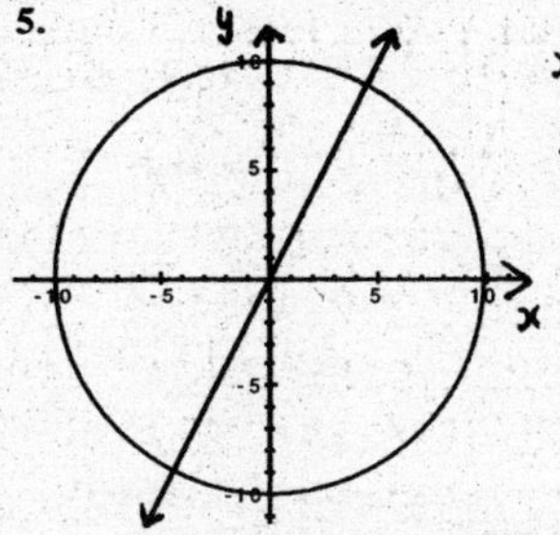

$x^2 + y^2 = 100$

$x^2 + (2x)^2 = 100$

$x^2 + 4x^2 = 100$

$5x^2 = 100$

$x^2 = 20$

$x = \pm\sqrt{20} = \pm 2\sqrt{5}$

when $x = 2\sqrt{5}$, $y = 2(2\sqrt{5}) = 4\sqrt{5}$

when $x = -2\sqrt{5}$, $y = 2(-2\sqrt{5}) = -4\sqrt{5}$

points of intersection

$(2\sqrt{5}, 4\sqrt{5})$ and $(-2\sqrt{5}, -4\sqrt{5})$

6. $3x + 4y - 25 = 0$

$4y = 25 - 3x$

$y = \dfrac{25 - 3x}{4}$

$x^2 + y^2 = 25$

$x^2 + \left(\dfrac{25 - 3x}{4}\right)^2 = 25$

$x^2 + \dfrac{625 - 150x + 9x^2}{16} = 25$

$16x^2 + 625 - 150x + 9x^2 = 400$

$25x^2 - 150x + 225 = 0$

$25(x^2 - 6x + 9) = 0$

$25(x - 3)^2 = 0$

$x = 3$

when $x = 3$, $y = \dfrac{25 - 3(3)}{4} = 4$

The system has only one solution so the line is tangent to the circle at the point (3, 4)

Multiple Choice 7. (B.) 1.5

$4x^2 - 15x + 16 = -3x + 7$

$4x^2 - 12x + 9 = 0$

$(2x - 3)^2 = 0$

$x = \frac{3}{2} = 1.5$

Numerical Response 8. 16

$x^2 = kx - 2$

$x^2 - kx + 2 = 0$ $a = 1,\ b = -k,\ c = 2$

Discriminant = 0

$b^2 - 4ac = 0$

$(-k)^2 - 4(1)(2) = 0$

$k^2 - 8 = 0$

$k^2 = 8$ $k = \pm\sqrt{8}$

Sum of squares

$= (-\sqrt{8})^2 + (\sqrt{8})^2$

$= 8 + 8 = 16$

Group Work

$4x^2 - 9x + 20 = 15x + k$

$4x^2 - 24x + 20 - k = 0$

Use the quadratic formula to solve the equation

$x = \dfrac{-b \pm \sqrt{b^2 - 4ac}}{2a}$

$a = 4,\ b = -24,\ c = 20 - k$

$x = \dfrac{24 \pm \sqrt{(-24)^2 - 4(4)(20 - k)}}{2(4)} = \dfrac{24 \pm \sqrt{256 + 16k}}{8}$

the larger root = 3(the smaller root)

$\dfrac{24 + \sqrt{256 + 16k}}{8} = 3\left(\dfrac{24 - \sqrt{256 + 16k}}{8}\right)$

$24 + \sqrt{256 + 16k} = 72 - 3\sqrt{256 + 16k}$

$4\sqrt{256 + 16k} = 48$

$16k = -112$ $k = -7$

roots are $x = \dfrac{24 \pm \sqrt{256 + 16(-7)}}{8}$

$x = \frac{3}{2}, \frac{9}{2}$

Linear and Quadratic Systems and Inequalities Lesson #2:
Solving a System of Quadratic-Quadratic Equations

Quadratic-Quadratic Systems

Class Ex. #1

a) $6x^2+7x-4 = 2x^2-x+1$

$4x^2+8x-5=0$

$4x^2-2x+10x-5=0$

$2x(2x-1)+5(2x-1)=0$

$(2x-1)(2x+5)=0$

$x=\frac{1}{2}$ or $x=-\frac{5}{2}$

when $x=\frac{1}{2}$, $y=2(\frac{1}{2})^2-\frac{1}{2}+1 = 1$

when $x=-\frac{5}{2}$, $y=2(-\frac{5}{2})^2-(-\frac{5}{2})+1 = 16$

solution is

$x=\frac{1}{2}, y=1$ $\quad$ $x=-\frac{5}{2}, y=16$

b)

$x:[-5,5,1]$

$y:[-10,30,5]$

$x=\frac{1}{2}, y=1$ $\quad$ $x=-\frac{5}{2}, y=16$

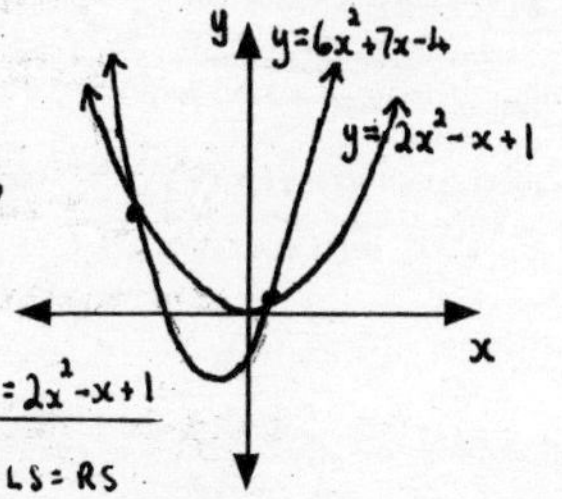

c) Verify that the solution obtained satisfies both equations.

verify $x=\frac{1}{2}, y=1$ in $y=6x^2+7x-4$

LS $=1$ $\quad$ LS $=$ RS

RS $=6(\frac{1}{2})^2+7(\frac{1}{2})-4=1$

verify $x=\frac{1}{2}, y=1$ in $y=2x^2-x+1$

LS $=1$ $\quad$ LS $=$ RS

RS $=2(\frac{1}{2})^2-\frac{1}{2}+1=1$

verify $x=-\frac{5}{2}, y=16$ in $y=6x^2+7x-4$

LS $=16$ $\quad$ LS $=$ RS

RS $=6(-\frac{5}{2})^2+7(-\frac{5}{2})-4=16$

verify $x=-\frac{5}{2}, y=16$ in $y=2x^2-x+1$

LS $=16$ $\quad$ LS $=$ RS

RS $=2(-\frac{5}{2})^2-(-\frac{5}{2})+1=16$

Assignment

1. a) $2x^2-3x+2 = x^2-4x+8$

$x^2+x-6=0$

$(x+3)(x-2)=0$

$x=-3$ or $x=2$

when $x=-3$, $y=(-3)^2-4(-3)+8=29$

when $x=2$, $y=(2)^2-4(2)+8=4$

Solution is

$x=-3, y=29$ $\quad$ $x=2, y=4$

b) $x:[-5,10,1]$

$y:[-10,40,5]$

$x=-3, y=29$ $\quad$ $x=2, y=4$

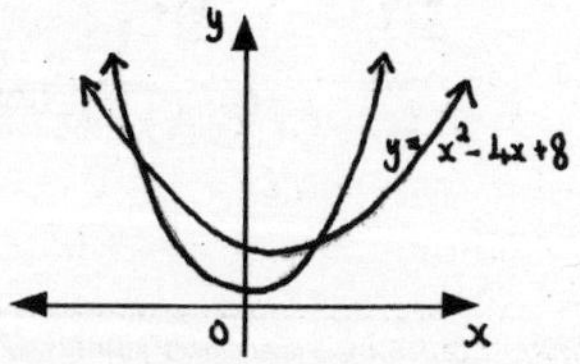

c) verify $x=-3, y=29$ in $y=x^2-4x+8$

LS $=29$ $\quad$ LS $=$ RS

RS $=(-3)^2-4(-3)+8=29$

verify $x=-3, y=29$ in $y=2x^2-3x+2$

LS $=29$ $\quad$ LS $=$ RS

RS $=2(-3)^2-3(-3)+2=29$

verify $x=2, y=4$ in $y=x^2-4x+8$

LS $=4$ $\quad$ LS $=$ RS

RS $=(2)^2-4(2)+8=4$

verify $x=2, y=4$ in $y=2x^2-3x+2$

LS $=4$ $\quad$ LS $=$ RS

RS $=2(2)^2-3(2)+2=4$

2. a) no solution $\quad$ b) one solution $\quad$ c) two solutions $\quad$ d) infinite number of solutions

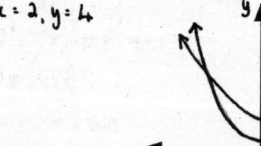

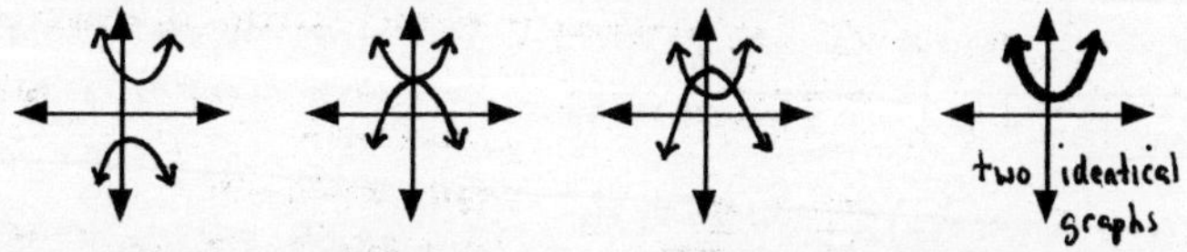

3. a) $y=x^2$
$y=(x-2)^2$

$x^2=(x-2)^2$

$x^2=x^2-4x+4$

$4x=4$

$x=1$

when $x=1$, $y=(1)^2=1$

Solution $x=1, y=1$

verify $x=1, y=1$ in $y=x^2$

LS $=1$ $\quad$ RS $=(1)^2=1$ $\quad$ LS $=$ RS

verify $x=1, y=1$ in $y=(x-2)^2$

LS $=1$ $\quad$ RS $=(1-2)^2=1$ $\quad$ LS $=$ R

b) $y=x^2-4x+6$
$y=-x^2+4x-2$

$x^2-4x+6=-x^2+4x-2$

$2x^2-8x+8=0$

$2(x^2-4x+4)=0$

$2(x-2)^2=0$

$x=2$

when $x=2$, $y=(2)^2-4(2)+6=2$

verify $x=2, y=2$ in $y=x^2-4x+6$

LS $=2$ $\quad$ RS $=(2)^2-4(2)+6=2$ $\quad$ LS $=$ RS

verify $x=2, y=2$ in $y=-x^2+4x-2$

LS $=2$ $\quad$ RS $=-(2)^2+4(2)-2=2$ $\quad$ LS $=$ RS

Solution $x=2, y=2$

c) $y=3x^2-3x-8$
$y=12-3x-2x^2$

$3x^2-3x-8=12-3x-2x^2$

$5x^2-20=0$

$5(x^2-4)=0$

$5(x+2)(x-2)=0$

$x=-2$ or $x=2$

when $x=-2$, $y=12-3(-2)-2(-2)^2=10$

when $x=2$, $y=12-3(2)-2(2)^2=-2$

verify $x=-2, y=10$ in $y=3x^2-3x-8$

LS $=10$ $\quad$ RS $=3(-2)^2-3(-2)-8=10$ $\quad$ LS $=$ RS

verify $x=-2, y=10$ in $y=12-3x-2x^2$

LS $=10$ $\quad$ RS $=12-3(-2)-2(-2)^2=10$ $\quad$ LS $=$ RS

verify $x=2, y=-2$ in $y=3x^2-3x-8$

LS $=-2$ $\quad$ RS $=3(2)^2-3(2)-8=-2$ $\quad$ LS $=$ RS

verify $x=2, y=-2$ in $y=12-3x-2x^2$

LS $=-2$ $\quad$ RS $=12-3(2)-2(2)^2=-2$ $\quad$ LS $=$ RS

solution $x=-2, y=10$ $\quad$ $x=2, y=-2$

4. a) $y = x^2 + 6x + 9$

$y = 1 - 2x - x^2$

graph $y_1 = x^2 + 6x + 9$

$y_2 = 1 - 2x - x^2$

intersect at $(-2, 1)$

$x^2 + 6x + 9 = 1 - 2x - x^2$

$2x^2 + 8x + 8 = 0$

$2(x^2 + 4x + 4) = 0$

$2(x+2)^2 = 0$

$x = -2$

when $x = -2$, $y = 1 - 2(-2) - (-2)^2$
$= 1$

$x = -2, y = 1$

b) $y = \frac{1}{2}x^2 - 20x + 200$

$y = 20 + 7x - \frac{1}{2}x^2$

graph $y_1 = \frac{1}{2}x^2 - 20x + 200$

$y_2 = 20 + 7x - \frac{1}{2}x^2$

intersect at $(12, 32)$ and $(15, \frac{25}{2})$

$\frac{1}{2}x^2 - 20x + 200 = 20 + 7x - \frac{1}{2}x^2$

$x^2 - 27x + 180 = 0$

$(x-12)(x-15) = 0$, $x = 12$ or $x = 15$

when $x = 12$, $y = 20 + 7(12) - \frac{1}{2}(12)^2 = 32$

when $x = 15$, $y = 20 + 7(15) - \frac{1}{2}(15)^2 = \frac{25}{2}$

$x = 12, y = 32$ $x = 15, y = \frac{25}{2}$

5. $3x^2 + 9x - 10 = x^2 + 2x + 5$

$2x^2 + 7x - 15 = 0$

$2x^2 - 3x + 10x - 15 = 0$

$x(2x-3) + 5(2x-3) = 0$

$(2x-3)(x+5) = 0$

$x = \frac{3}{2}$ or $x = -5$

when $x = \frac{3}{2}$, $y = (\frac{3}{2})^2 + 2(\frac{3}{2}) + 5 = \frac{41}{4}$

when $x = -5$, $y = (-5)^2 + 2(-5) + 5 = 20$

points of intersection are

$(\frac{3}{2}, \frac{41}{4})$ and $(-5, 20)$

6. graph $y_1 = x^2 + 4x - 12$

$y_2 = 2x^2 - 10x + 12$

2 points of intersection

(C.) 2

$102.9 = -4.9(4-p)^2 + q$

$44.1 = -4.9(6-p)^2 + q$

subtract: $58.8 = -4.9(4-p)^2 + 4.9(6-p)^2$

$58.8 = -4.9((4-p)^2 - (6-p)^2)$

$-12 = (4-p)^2 - (6-p)^2$

$-12 = 16 - 8p + p^2 - (36 - 12p + p^2)$

$-12 = 16 - 8p + p^2 - 36 + 12p - p^2$

$8 = 4p$

$p = 2$

replace $p = 2$ in

$44.1 = -4.9(6-p)^2 + q$

$44.1 = -4.9(6-2)^2 + q$

$44.1 = -78.4 + q$

$q = 122.5$

$h = -4.9(t-2)^2 + 122.5$

7. (B.) 102.9 m

$t = 0$

$h = -4.9(0-2)^2 + 122.5$

$= 102.9$

8. vertex $(2, 122.5)$

Numerical Response 9. | 2 | | | |

Numerical Response 10. | 7 | | | |

$x_{int} = 7$

graph $y = -4.9(x-2)^2 + 122.5$

Group Investigation

On the grid, shade the region that satisfies the following system of inequalities.

$y \geq x^2 + 2x - 15$, and $y \leq -2x - 1$

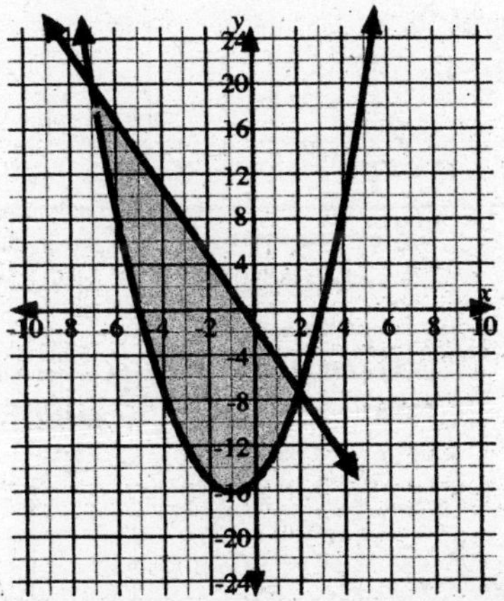

graph $y = x^2 + 2x - 15$

$y = x^2 + 2x - 15 \quad = (x+5)(x-3)$

$x_{int} = -5, 3 \quad y_{int} = -15$

$y = x^2 + 2x + 1 - 1 - 15$

$y = (x+1)^2 - 16$ min. at $(-1, -16)$

graph $y = -2x - 1$

$y_{int} = -1$ slope $= -2$

$y \geq x^2 + 2x - 15$ is inside the parabola

$y \leq -2x - 1$ is below the line

Shade the intersection of the two regions.

Linear and Quadratic Systems and Inequalities Lesson #3: Solving Linear Inequalities in Two Variables Without Technology

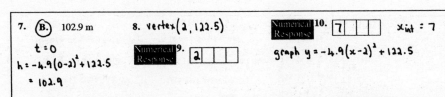

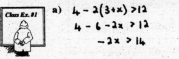

a) $4 - 2(3+x) > 12$

$4 - 6 - 2x > 12$

$-2x > 14$

$\frac{-2x}{-2} \quad \frac{14}{-2}$

$x < -7$

b) Choose a value of x which is less than -7. Try $x = -10$

LS: $4 - 2(3 + (-10)) = 4 - 6 + 20 = 18$

RS $= 12$

Since LS > RS, -10 is in the correct interval.

c) [number line with open circle at -7, shaded to the left] x

Linear Inequalities in Two Variables

Class Ex. #2

a) $y > x$

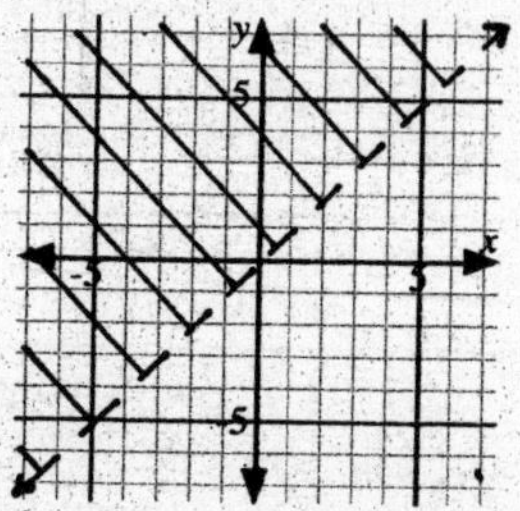

use test point (5, 0)

Is 0 > 5 ? No.

shade region not containing (5, 0)

b) $3x - 2y \le -6$ $3x - 2y = -6$

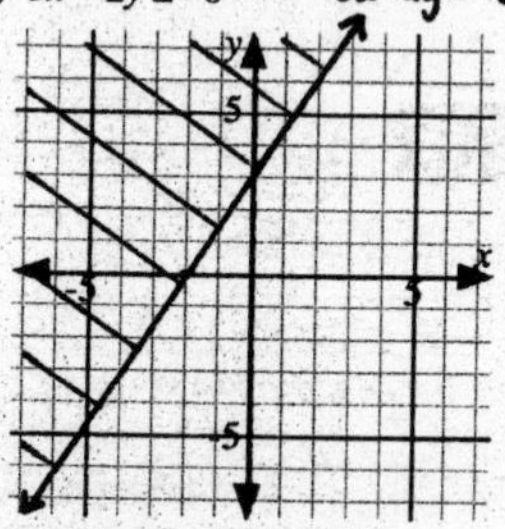

$3x - 2y = -6$

$x_{int} = -2$

$y_{int} = 3$

use test point (0, 0)

Is $3(0) - 2(0) \le -6$? No.

shade region not containing (0, 0)

Class Ex. #3

$y = \frac{3}{4}x + 3$

$y_{int} = 3$ slope $= \frac{3}{4}$ $x_{int} = -4$

Use test point (0, 0)

Is $0 < \frac{3}{4}(0) + 3$? Yes.

Shade region containing (0, 0)

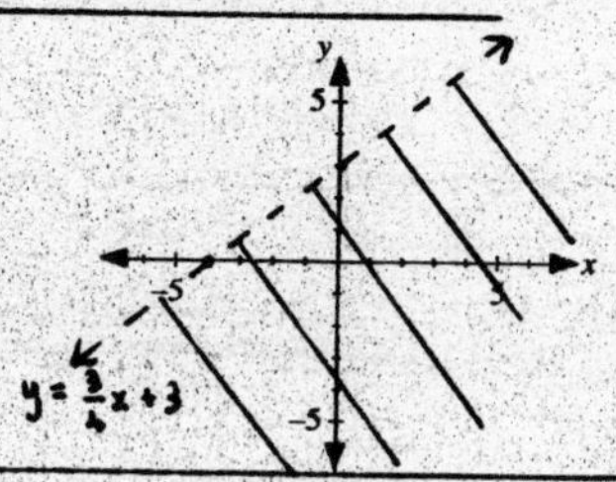

Class Ex. #4

a) slope $= \frac{y_2 - y_1}{x_2 - x_1} = \frac{4 - 0}{0 + 2} = 2$

$y_{int.} = 4$

$y = mx + b$ $y = 2x + 4$

b) Use test point (0, 0)

LS = 0

RS = 2(0) + 4 = 4

LS < RS

Inequality is $y \le 2x + 4$

Assignment

1. a)

$5x - 3 \ge 33 - x$

$5x + x \ge 33 + 3$

$6x \ge 36$

$x \ge 6$

b) Test x = 10

LS = 5(10) − 3 = 47

RS = 33 − 10 = 23

LS > RS

so x = 10 is in the solution region

c)

2. a) $28\left(\frac{p+4}{4}\right) - 28\left(\frac{3p-9}{7}\right) < 28\left(\frac{1}{2}\right)$

$7(p+4) - 4(3p-9) < 14$

$7p + 28 - 12p + 36 < 14$

$-5p < -50$

$\frac{-5p}{-5} > \frac{-50}{-5}$

$p > 10$

c)

b) Test p = 20

LS $= \frac{20+4}{4} - \frac{3(20)-9}{7} = 6 - \frac{51}{7} = -\frac{9}{7}$

RS $= \frac{1}{2}$

LS < RS

so p = 20 is in the solution region

3. a) $y \ge 3x + 2$

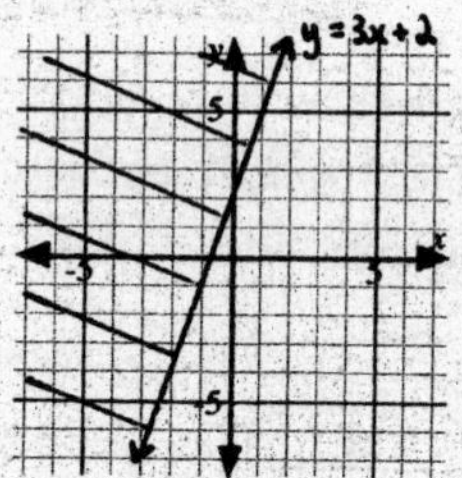

$y = 3x + 2$ $y_{int} = 2$ slope = 3

Use test point (0, 0)

Is $0 \ge 3(0) + 2$? No.

shade region not containing (0, 0)

b) $y < 5 - x$

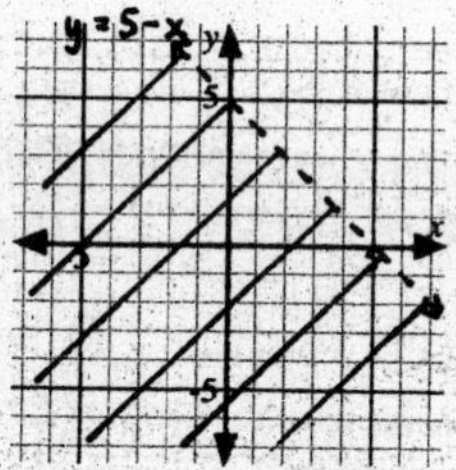

$y = 5 - x$ $x_{int} = 5$ $y_{int} = 5$

Use test point (0, 0)

Is $0 < 5 - 0$? Yes.

Shade region containing (0, 0).

c) $y > \frac{x}{2}$

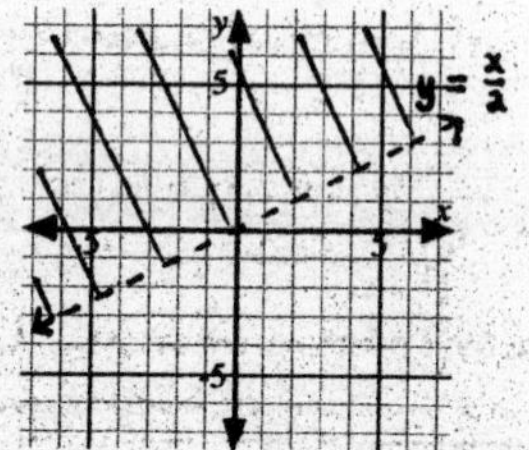

$y = \frac{1}{2}x$ $y_{int} = 0$ slope $= \frac{1}{2}$

Use test point (4, 0)

Is $0 > \frac{4}{2}$? No

shade region not containing (4, 0)

4. a)

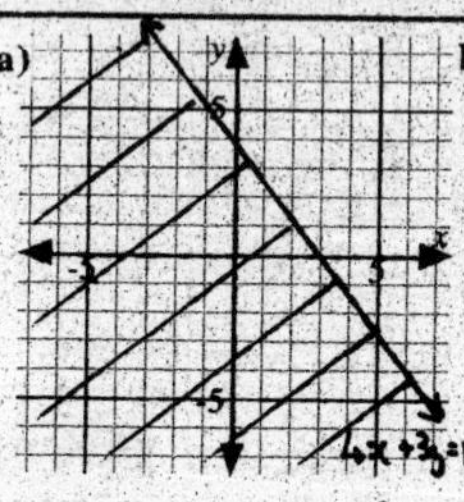

$4x + 3y = 12$ $x_{int} = 3$ $y_{int} = 4$

Use test point (0, 0)

Is $4(0) + 3(0) \le 12$? Yes.

Shade region containing (0, 0).

b)

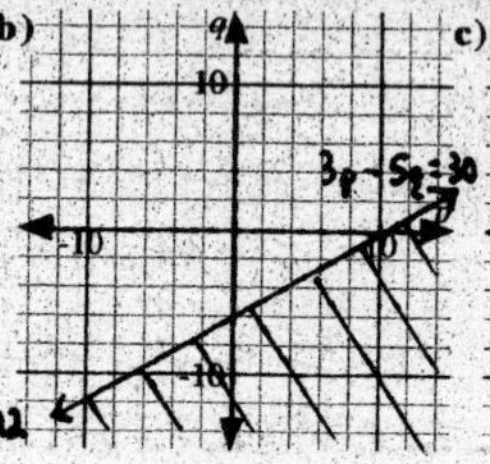

$3p - 5q = 30$ $p_{int} = 10$ $q_{int} = -6$

Use test point (0, 0)

Is $3(0) - 5(0) \ge 30$? No.

shade region not containing (0, 0)

c)

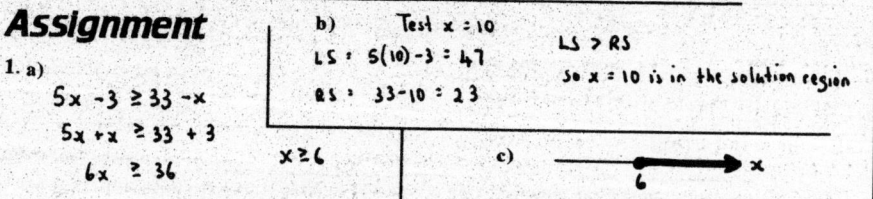

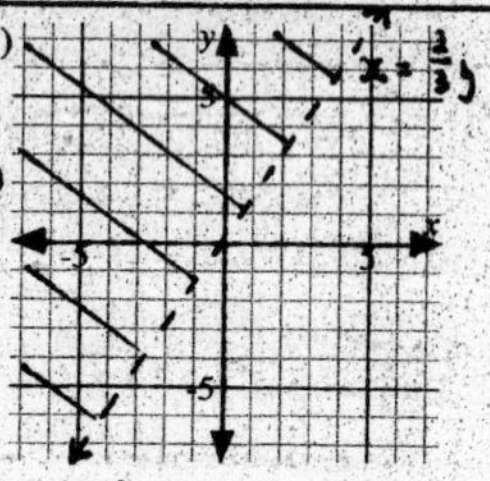

$x = \frac{2}{3}y$ slope $= \frac{3}{2}$

$y = \frac{3}{2}x$ $y_{int} = 0$

Use test point (3, 0)

Is $3 < \frac{3}{2}(0)$? No.

shade region not containing (3, 0)

5\.
a) The inequality does not contain "equal to" so the line is broken not solid.

b) Test (0,0) Is 5(0) − 2(0) < 10. Yes. The point (0,0) is in the solution region, so the solution region is above the line.

6\. a) $y > -2$ b) $x < 2$ c) $x \geq 0$ d) $y + 3 \leq 0$ $y \leq -3$

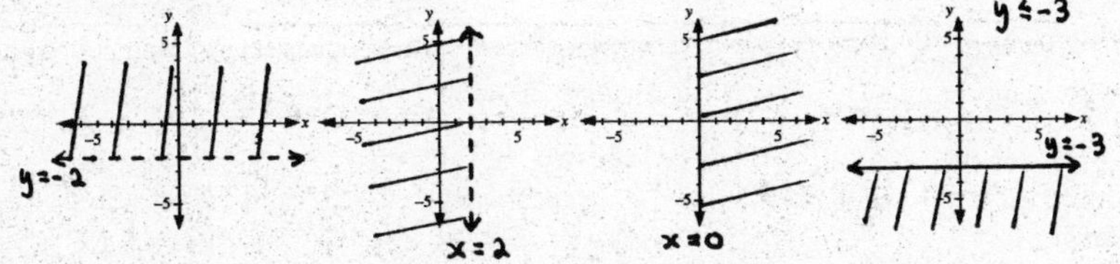

7\. a)

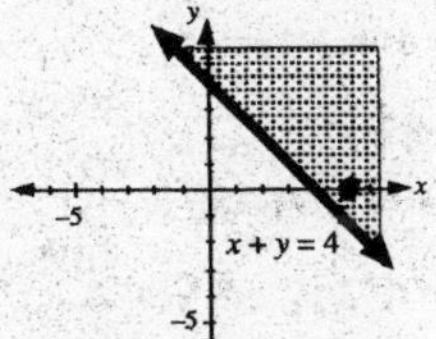

use test point (5,0)
LS = 5+0 = 5
RS = 4
LS>RS

$x + y \geq 4$

b)

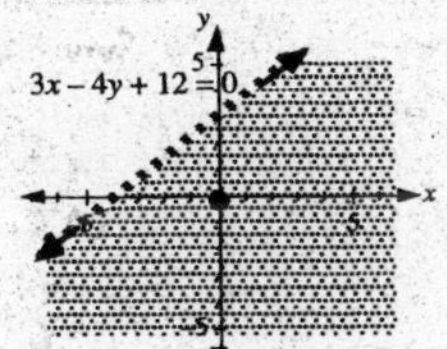

use test point (0,0)
LS = 3(0) − 4(0) + 12 = 12
RS = 0 LS>RS

$3x - 4y + 12 > 0$

c)

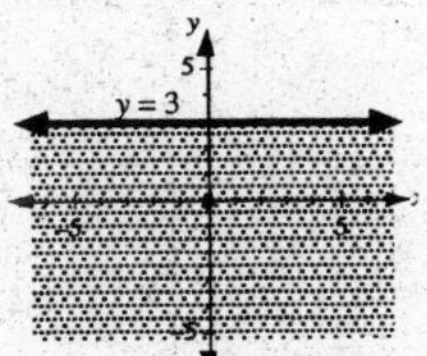

use test point (0,0)
LS = 0 LS < RS
RS = 3

$y \leq 3$

8\. a) slope $m = \frac{2}{3}$ $y_{int} = -2$ $y = \frac{2}{3}x - 2$
use test point (5,0)
LS = 0 RS = $\frac{2}{3}(5) - 2 = \frac{4}{3}$ LS<RS

$y < \frac{2}{3}x - 2$

b) $m = \frac{y_2 - y_1}{x_2 - x_1} = \frac{0-6}{0+2} = -3$ $y = -3x$
use test point (5,0)
LS = 0 RS = −3(5) = −15 LS > RS

$y > -3x$

9\. a) $1 \leq y \leq 4$

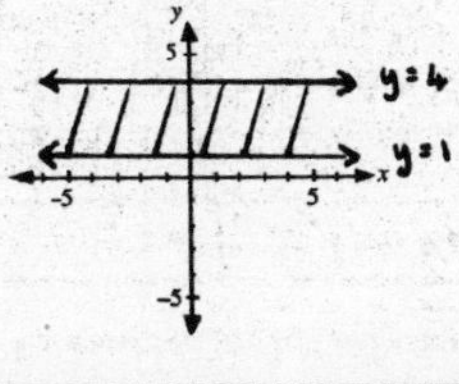

b) $-3 < x < 2$

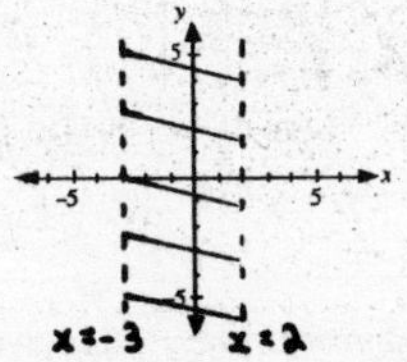

Multiple Choice

10\. (C.) (1, −2)
LS = 4(1) − 3(−2) = 10
RS = 6
LS > RS

11\. (B.) $x + 2y \leq -4$ $m = \frac{-2-0}{0+4} = -\frac{1}{2}$ $y_{int} = -2$
$y = -\frac{1}{2}x - 2$ $\frac{1}{2}x + y + 2 = 0$
$x + 2y + 4 = 0$
use test point (0,−5)
LS = 0 + 2(−5) + 4 = −6 RS = 0 LS<RS
$x + 2y + 4 \leq 0$ $x + 2y \leq -4$

Linear and Quadratic Systems and Inequalities Lesson #4: Solving Quadratic Inequalities in Two Variables Without Technology

Investigating a Quadratic Inequality in Two Variables

a) Explain why the point (3, 0) is in the solution region of $y \geq x^2 - 3x - 4$.

LS = 0
RS = $(3)^2 - 3(3) - 4 = -4$

LS > RS so (3,0) is in the solution region of $y \geq x^2 - 3x - 4$

b)

Points in the solution region of $y \geq x^2 - 3x - 4$	(3,0) (0,0) (0,3) (1,4) (2,−2)
Points in the solution region of $y \leq x^2 - 3x - 4$	(−3,0) (0,−7) (7,−1) (−4,2) (8,5) (−5,−2)

$y = 20 + x - x^2$
$y = 20 - 4x + 5x - x^2$
$y = 4(5-x) + x(5-x)$
$y = (5-x)(4+x)$

x_{int}: −4, 5 y_{int}: 20

Use test point (0,0)
Is $0 < 20 + 0 - 0^2$? Yes.
shade region including (0,0)

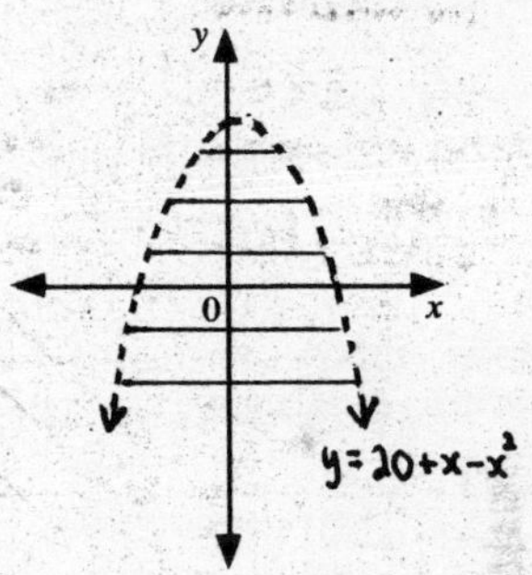

Assignment

1\. a) $y = x^2 - 3x - 10$ $y \leq x^2 - 3x - 10$

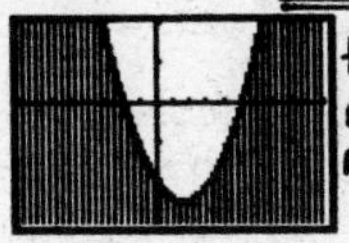

test (6,0)
LS = 0
RS = $(6)^2 - 3(6) - 10 = 8$
LS<RS

b) $y = x^2 - 10x + 21$ $y > x^2 - 10x + 21$

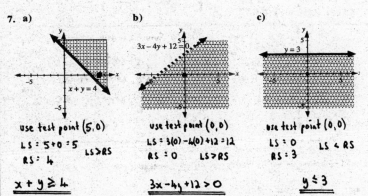

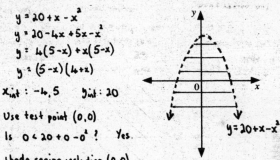

test (5,0)
LS = 0
RS = $(5)^2 - 10(5) + 21 = -4$
LS > RS

2. a) $y \le x^2 + 3x - 18$

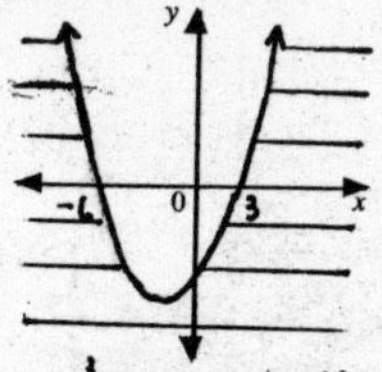

$y = x^2 + 3x - 18 = (x+6)(x-3)$
$x_{int}: -6, 3$ $y_{int}: -18$
test (0,0)
Is $0 \le 0^2 + 3(0) - 18$? No.
shade region not containing (0,0).

b) $y > x^2 - 9x + 8$

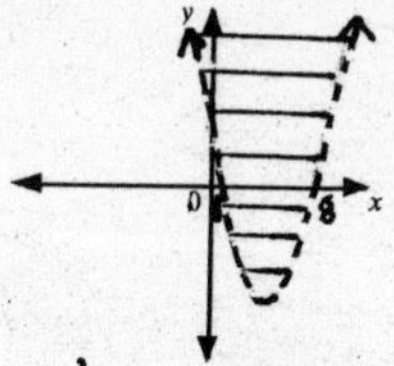

$y = x^2 - 9x + 8 = (x-1)(x-8)$
$x_{int}: 1, 8$ $y_{int}: 8$
test (0,0)
Is $0 > 0^2 - 9(0) + 8$? No.
shade region not containing (0,0).

c) $y \ge 15 - 2x - x^2$

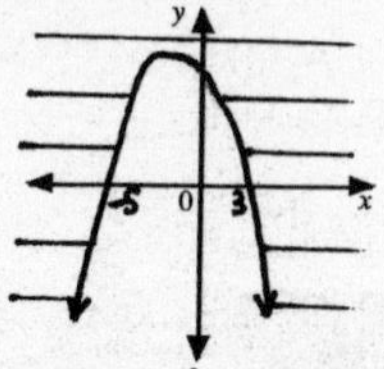

$y = 15 - 2x - x^2 = (5+x)(3-x)$
$x_{int}: -5, 3$ $y_{int}: 15$
test (0,0)
Is $0 \ge 15 - 2(0) - 0^2$? No.
shade region not containing (0,0).

d) $y < x^2 - 6x$

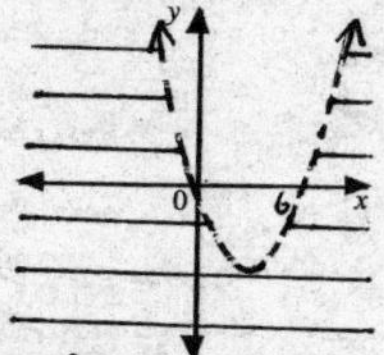

$y = x^2 - 6x = x(x-6)$
$x_{int}: 0, 6$ $y_{int}: 0$
test (0,2)
Is $2 < 0^2 - 6(0)$? No.
shade region not containing (0,2).

e) $y \le 16 - x^2$

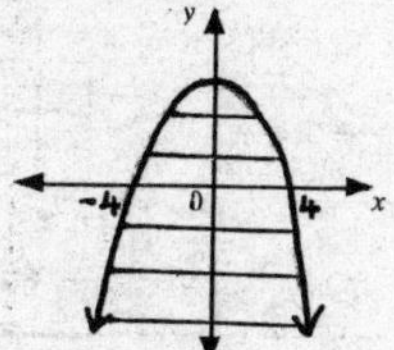

$y = 16 - x^2 = (4+x)(4-x)$
$x_{int}: -4, 4$ $y_{int}: 16$
test (0,0)
Is $0 \le 16 - 0^2$? Yes.
shade region containing (0,0).

f) $y \le x^2 - 16$

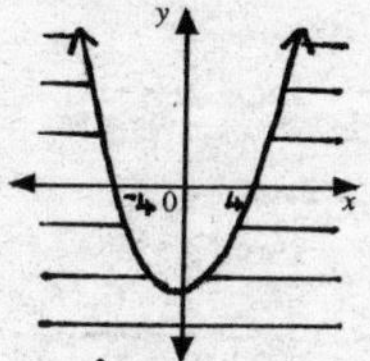

$y = x^2 - 16 = (x+4)(x-4)$
$x_{int}: -4, 4$ $y_{int}: -16$
test (0,0)
Is $0 \le 0^2 - 16$? No.
shade region not containing (0,0).

3. a) $y + 24 < 3x^2 + 14x$

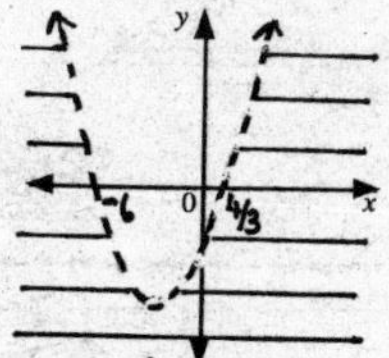

$y < 3x^2 + 14x - 24$
consider $y = 3x^2 + 14x - 24$

$y = 3x^2 - 4x + 18x - 24$
$y = x(3x-4) + 6(3x-4)$
$y = (3x-4)(x+6)$
$x_{int}: -6, \frac{4}{3}$ $y_{int}: -24$
test (0,0)
Is $0 + 24 < 3(0)^2 + 14(0)$? No.
shade region not containing (0,0)

b) $y \le 28 - x - 2x^2$
consider $y = 28 - x - 2x^2$.
$y = 28 - 8x + 7x - 2x^2$
$y = 4(7-2x) + x(7-2x)$
$y = (7-2x)(4+x)$
$x_{int}: -4, \frac{7}{2}$ $y_{int}: 28$
test (0,0)
Is $2(0) \le 56 - 2(0) - 4(0)^2$? Yes.
shade region containing (0,0)

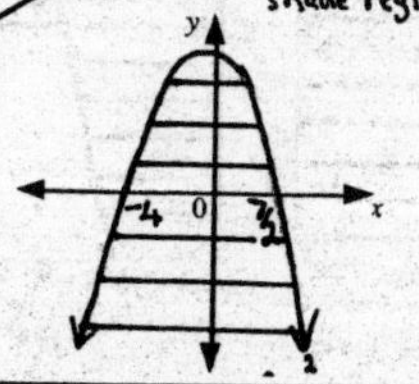

4. The point (0,0) is on the graph of $y = x - 4x^2$, so it cannot be used to determine when $y > x - 4x^2$.

5. a) $y = a(x-p)^2 + q$ vertex$(-1,-4)$ $p = -1$, $q = -4$
$y = a(x+1)^2 - 4$
$(1,-6) \rightarrow -6 = a(1+1)^2 - 4$
$-6 = 4a - 4$
$-2 = 4a$
$a = -\frac{1}{2}$
$y = -\frac{1}{2}(x+1)^2 - 4$, $y = -\frac{1}{2}(x^2 + 2x + 1) - 4$
$y = -\frac{1}{2}x^2 - x - \frac{1}{2} - 4$
$y = -\frac{1}{2}x^2 - x - \frac{9}{2}$

b) test (0,−6)
LS = −6
$RS = -\frac{1}{2}(0)^2 - 0 - \frac{9}{2} = -\frac{9}{2}$
LS < RS
$y \le -\frac{1}{2}x^2 - x - \frac{9}{2}$

Multiple Choice 6. (D) $y < 2x^2 - 12x + 20$

$y = a(x-p)^2 + q$ vertex(3,2)
$y = a(x-3)^2 + 2$ $p: 3, q = 2$
$(0,20) \rightarrow 20 = a(0-3)^2 + 2$
$20 = 9a + 2$ $18 = 9a$ $a = 2$
$y = 2(x-3)^2 + 2 = 2x^2 - 12x + 20$
test (0,0) LS = 0
$RS = 2(0)^2 - 12(0) + 20 = 20$ LS < RS

Linear and Quadratic Systems and Inequalities Lesson #5: Solving Inequalities in Two Variables Using Technology

5.

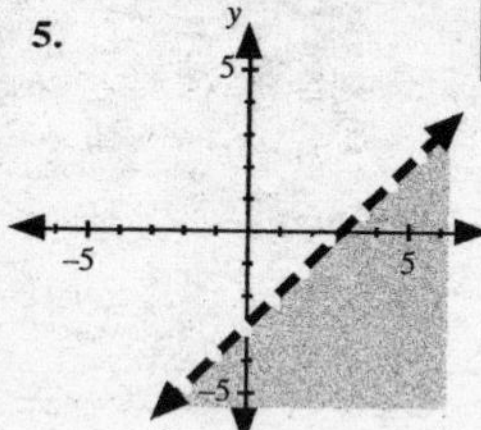

Graphing a Quadratic Inequality Using a Graphing Calculator

Class Ex. #1

a)

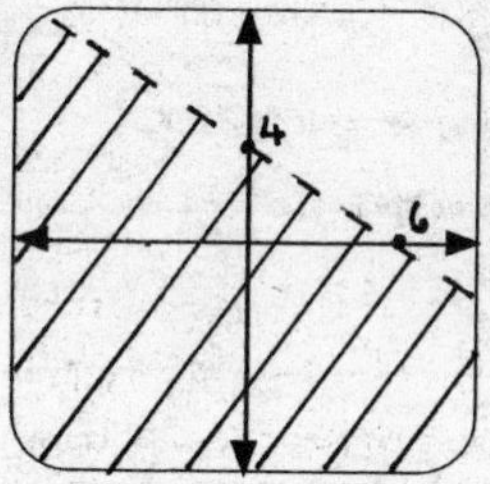

b)

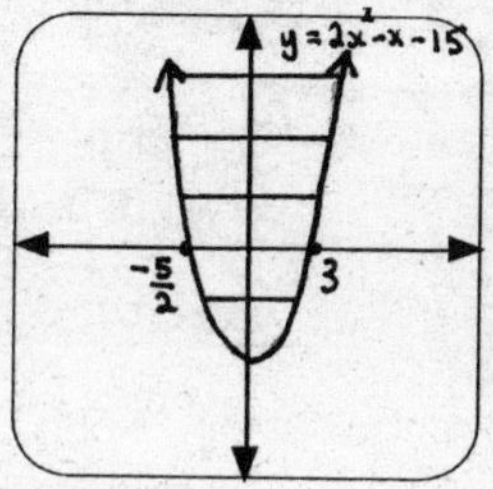

Assignment

1. a)

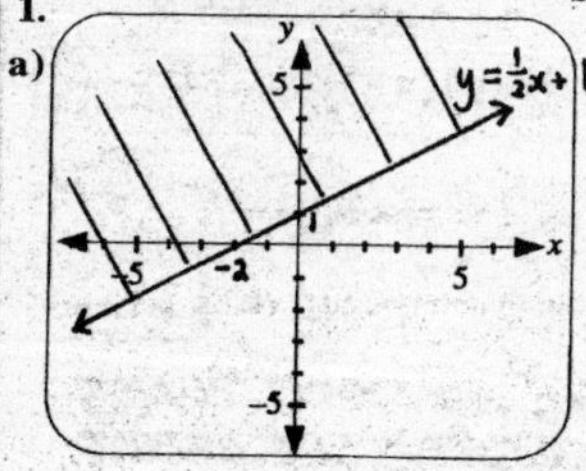

b)

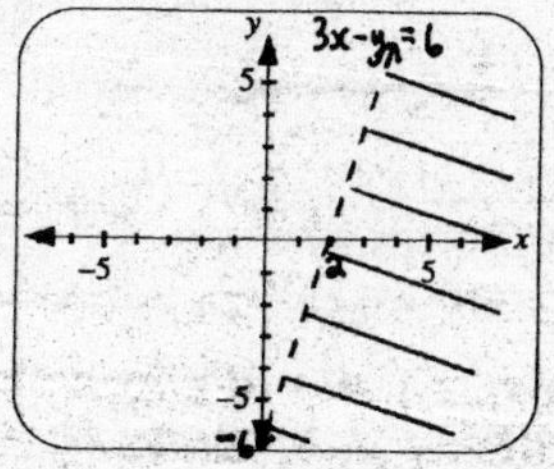

c)

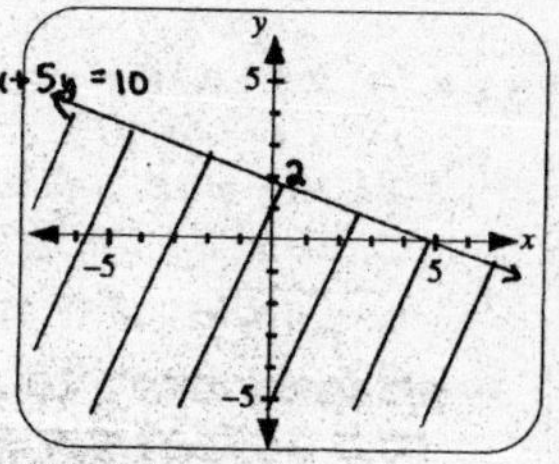

d)

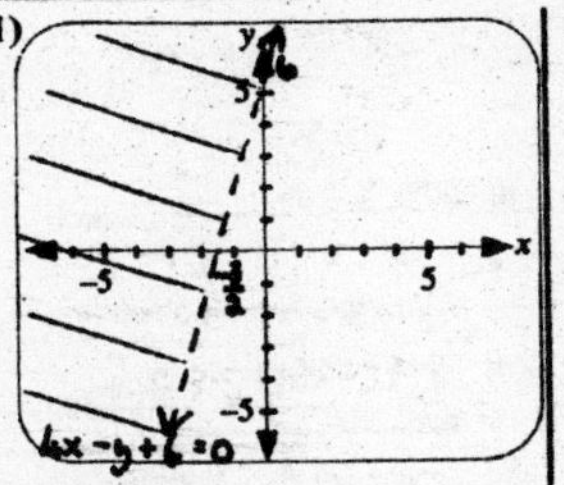

4x − y + 6 = 0

2. a) $y \le x^2 + 4x - 32$

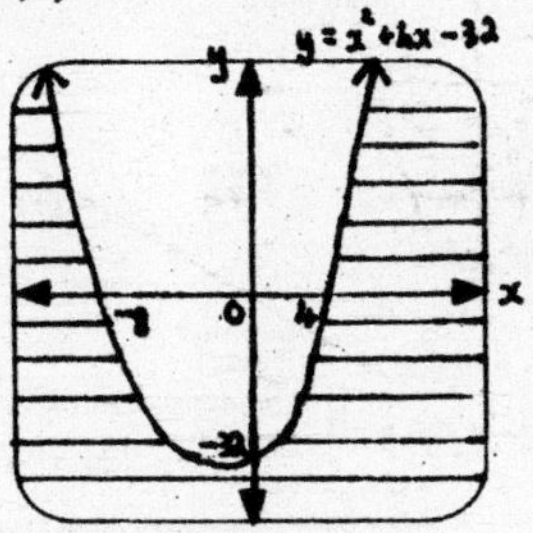

b) $y > -2(4x+1)(x-5)$

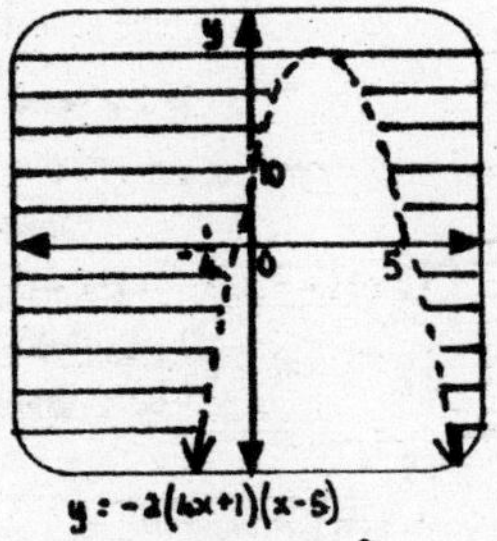

y = −2(4x+1)(x−5)

Group Work **3.**

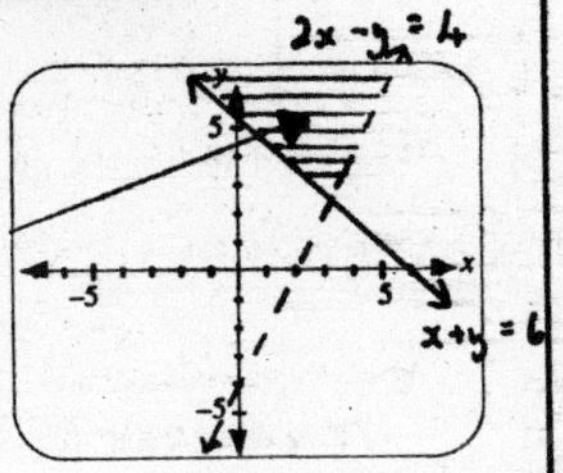

2x − y = 4
x + y = 6

c) $y < -10x^2 + 35x - 15$

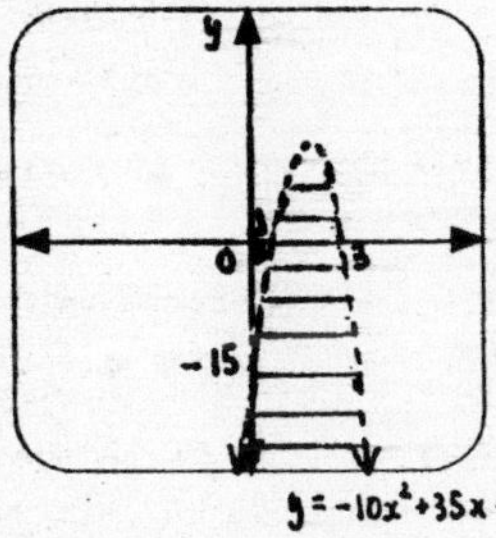

d) $y - 2 \ge (x+3)^2$

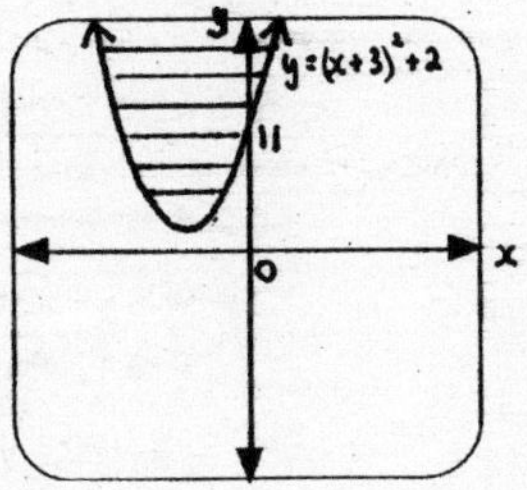

4. a) $500x + 400y \le 2000$ $\quad 6x + 9y \le 36$

$5x + 4y \le 20$ $\quad 2x + 3y \le 12$

$x \ge 0 \quad 5x + 4y \le 20$

$y \ge 0 \quad 2x + 3y \le 12$

b)

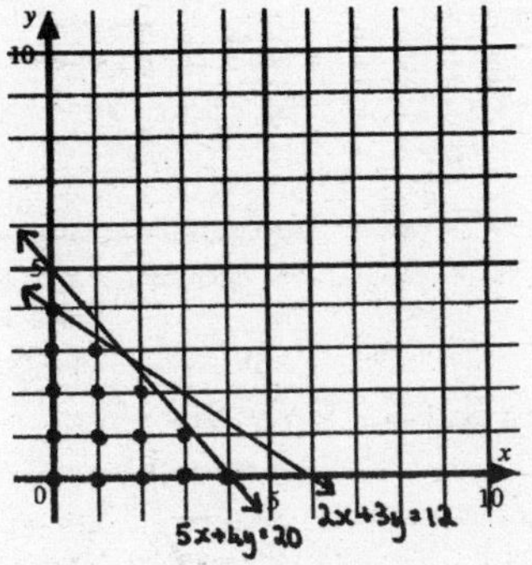

5x + 4y = 20
2x + 3y = 12

c)

# sweaters	# vests
0	0
0	1
0	2
0	3
0	4
1	0
1	1

# sweaters	# vests
1	2
1	3
2	0
2	1
2	2
3	0
3	1
4	0

d)

# sweaters	# vests	value
1	3	36 + 3(30) = $126
2	2	2(36) + 2(30) = $132
3	1	3(36) + 1(30) = $138

Three sweaters and one vest sell for $138.

Linear and Quadratic Systems and Inequalities Lesson #6: Solving Quadratic Inequalities in One Variable by Case Analysis

Class Ex. #1

a) The solution to the inequality $x^2 + 2x - 8 > 0$ is $x < -4$ or $x > 2$.

b) The solution to the inequality $x^2 + 2x - 8 < 0$ is $-4 < x < 2$.

Class Ex. #2

a) $= (6-x)(2+x)$

$-2 \le x \le 6$

b)

c) $x \le -2$ or $x \ge 6$

Investigating an Algebraic Solution to a Quadratic Inequality

a) Describe the other case that Colin did not consider in going from Line 2 to Line 3.

both quantities, x+4 and x−2, could be negative

the product of two negative quantities is positive.

b) Determine the complete solution to the inequality.

$x + 4 < 0$ and $x - 2 < 0$

$x < -4$ and $x < 2$

$x < -4$

complete solution

$x < -4$ or $x > 2$

c) $x^2 - x - 20 \le 0$

$(x+4)(x-5) \le 0$

either $x + 4 \le 0$ and $x - 5 \ge 0$

$x \le -4$ and $x \ge 5$

no solution

or $x + 4 \ge 0$ and $x - 5 \le 0$

$x \ge -4$ and $x \le 5$

$-4 \le x \le 5$

solution is $-4 \le x \le 5$

Class Ex. #3

$(1-3x)(5+x) \ge 0$

Case 1

$1 - 3x \ge 0$ and $5 + x \ge 0$

$-3x \ge -1$ and $x \ge -5$

$x \le \frac{1}{3}$ and $x \ge -5$

$-5 \le x \le \frac{1}{3}$

Case 2

$1 - 3x \le 0$ and $5 + x \le 0$

$-3x \le -1$ and $x \le -5$

$x \ge \frac{1}{3}$ and $x \le -5$

no solution

Factor $5 - 14x - 3x^2$

$= 5 - 15x + x - 3x^2$

$= 5(1-3x) + x(1-3x)$

$= (1-3x)(5+x)$

solution $-5 \le x \le \frac{1}{3}$

Assignment

1. a) $x = \pm 3$

b) $-3 \le x \le 3$

c) $x \le -3$ or $x \ge 3$

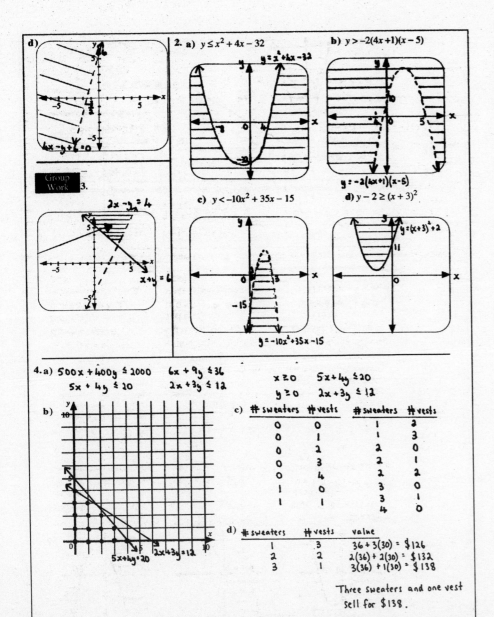

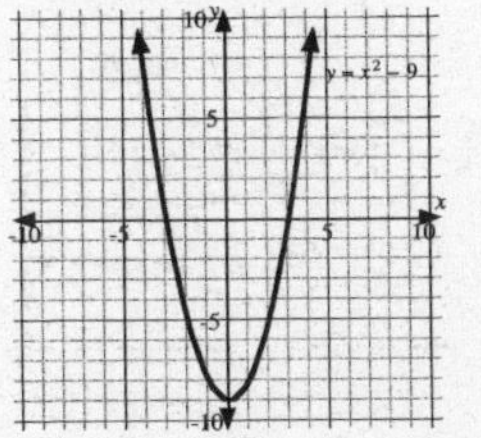

2.

a) $-\frac{1}{5}x^2+\frac{2}{5}x+7=0$

$x = -5, 7$

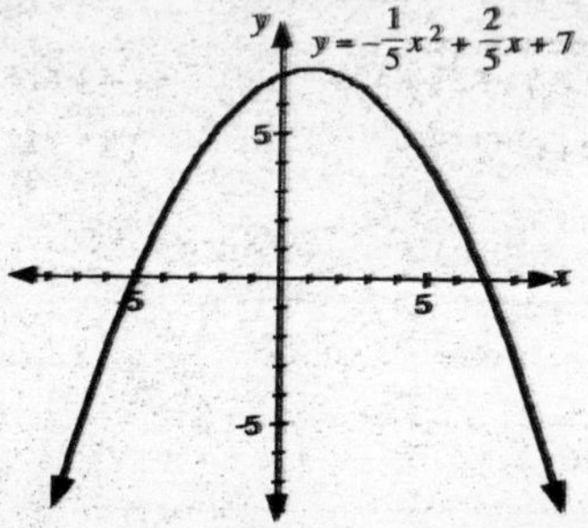

b) $-\frac{1}{5}x^2+\frac{2}{5}x+7<0$

$x < -5$ or $x > 7$

c) $-\frac{1}{5}x^2+\frac{2}{5}x+7>0$

$-5 < x < 7$

3. a) $x^2-4x+3<0$

$1 < x < 3$

b) $2+x-x^2 \geq 0$

$-1 \leq x \leq 2$

c) $2x^2+7x>-5$

$x < -\frac{5}{2}$ or $x > -1$

d) $x^2+4x>0$

$x < -4$ or $x > 0$

e) $x^2-6x+9 \leq 0$

$x = 3$

f) $-4x^2-8x+21 \leq 0$

$x \leq -\frac{7}{2}$ or $x \geq \frac{3}{2}$

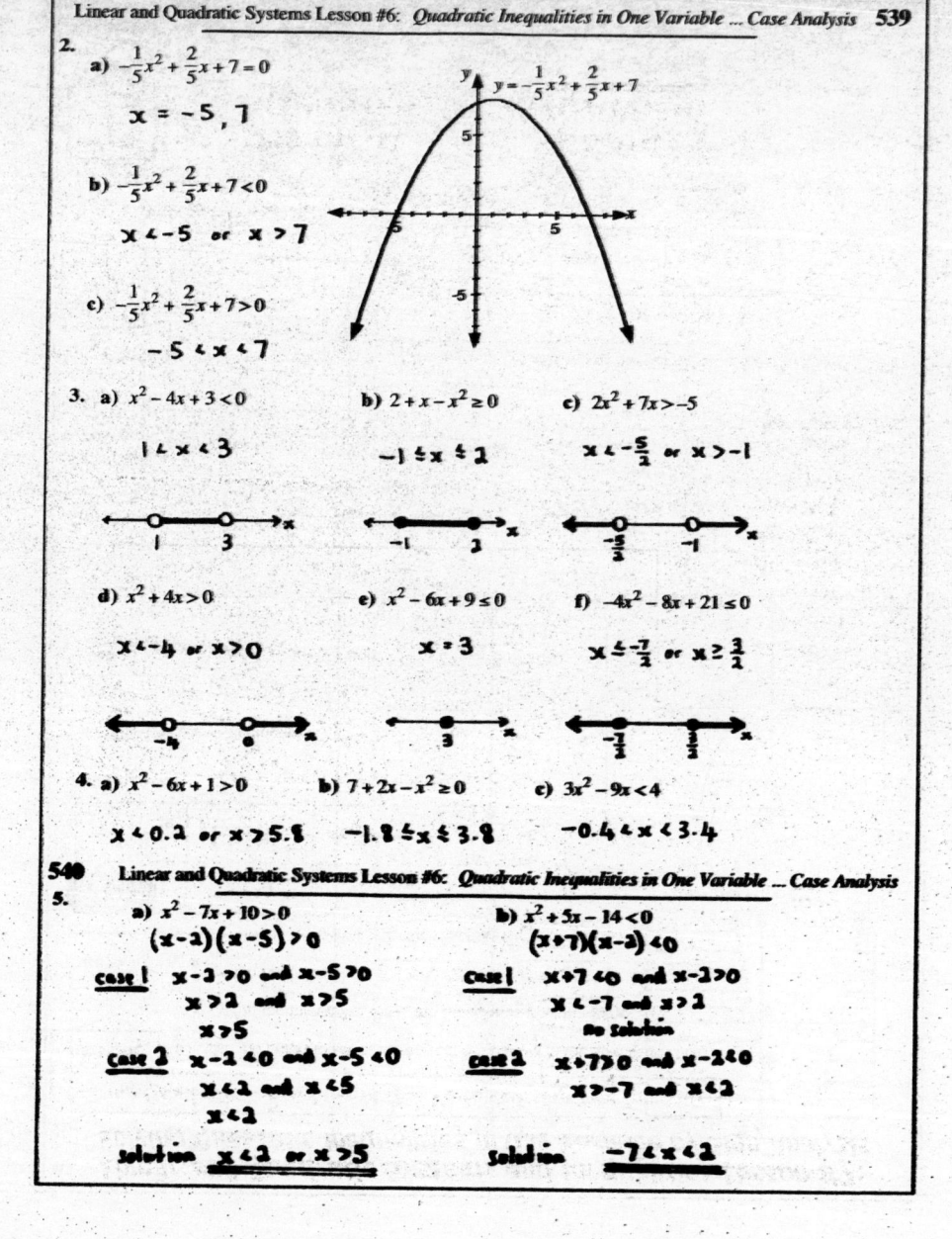

4. a) $x^2-6x+1>0$

$x < 0.2$ or $x > 5.8$

b) $7+2x-x^2 \geq 0$

$-1.8 \leq x \leq 3.8$

c) $3x^2-9x<4$

$-0.4 < x < 3.4$

5.

a) $x^2-7x+10>0$

$(x-2)(x-5)>0$

case 1 $x-2>0$ and $x-5>0$
$x>2$ and $x>5$
$x>5$

case 2 $x-2<0$ and $x-5<0$
$x<2$ and $x<5$
$x<2$

solution $x<2$ or $x>5$

b) $x^2+5x-14<0$

$(x+7)(x-2)<0$

case 1 $x+7<0$ and $x-2>0$
$x<-7$ and $x>2$
no solution

case 2 $x+7>0$ and $x-2<0$
$x>-7$ and $x<2$

Solution $-7<x<2$

c) $2x^2-x-15 \geq 0$

$2x^2-6x+5x-15 \geq 0$
$2x(x-3)+5(x-3) \geq 0$
$(x-3)(2x+5) \geq 0$

case 1 $x-3 \geq 0$ and $2x+5 \geq 0$
$x \geq 3$ and $x \geq -\frac{5}{2}$
$x \geq 3$

case 2 $x-3 \leq 0$ and $2x+5 \leq 0$
$x \leq 3$ and $x \leq -\frac{5}{2}$
$x \leq -\frac{5}{2}$

Solution $x \leq -\frac{5}{2}$ or $x \geq 3$

d) $x^2-9x \leq 0$

$x(x-9) \leq 0$

case 1 $x \leq 0$ and $x-9 \geq 0$
$x \leq 0$ and $x \geq 9$
no solution

case 2 $x \geq 0$ and $x-9 \leq 0$
$x \geq 0$ and $x \leq 9$
$0 \leq x \leq 9$

solution $0 \leq x \leq 9$

e) $3x^2+5x-2>0$

$3x^2-x+6x-2>0$
$x(3x-1)+2(3x-1)>0$
$(3x-1)(x+2)>0$

case 1 $3x-1>0$ and $x+2>0$
$x>\frac{1}{3}$ and $x>-2$
$x>\frac{1}{3}$

case 2 $3x-1<0$ and $x+2<0$
$x<\frac{1}{3}$ and $x<-2$
$x<-2$

solution $x<-2$ or $x>\frac{1}{3}$

f) $24-2x-x^2<0$

$24-6x+4x-x^2<0$
$6(4-x)+x(4-x)<0$
$(4-x)(6+x)<0$

case 1 $4-x<0$ and $6+x>0$
$x>4$ and $x>-6$
$x>4$

case 2 $4-x>0$ and $6+x<0$
$x<4$ and $x<-6$
$x<-6$

solution $x<-6$ or $x>4$

6. For two unequal roots, the discriminant $b^2-4ac>0$

$a=1$
$b=m$
$c=4$

$b^2-4ac>0$
$m^2-4(1)(4)>0$
$m^2-16>0$
$(m+4)(m-4)>0$

case 1 $m+4>0$ and $m-4>0$
$m>-4$ and $m>4$
$m>4$

case 2 $m+4<0$ and $m-4<0$
$m<-4$ and $m<4$
$m<-4$

Solution $m<-4$ or $m>4$

[redacted]7. eliminate options A/B.

(C) $(x+1)(x-3) \leq 0$

$x=-1$ $x=3$
$x+1=0$ $x-3=0$

try C

case 1 $x+1 \leq 0$ and $x-3 \geq 0$
$x \leq -1$ and $x \geq 3$
no solution

case 2 $x+1 \geq 0$ and $x-3 \leq 0$
$x \geq -1$ and $x \leq 3$
$-1 \leq x \leq 3$ correct number line

Linear and Quadratic Systems and Inequalities Lesson #7: Solving Quadratic Inequalities in One Variable by Sign Analysis

Solving Quadratic Inequalities in One Variable Using Test Intervals

Part One a) Use the graph to select the correct alternative in the statements below.

- On the interval $x < -4$, the function is (positive / negative). *(positive circled)*
- On the interval $-4 < x < 2$, the function is (positive / negative). *(negative circled)*
- On the interval $x > 2$, the function is (positive / negative). *(positive circled)*

b)

interval	$x < -4$	$-4 < x < 2$	$x > 2$
sign of $x^2 + 2x - 8$	positive	negative	positive

c) • The solution to the inequality $x^2 + 2x - 8 > 0$ is $x < -4$ or $x > 2$

• The solution to the inequality $x^2 + 2x - 8 < 0$ is $-4 < x < 2$

Part Two a) $x^2 - 9x + 14 < 0$

$(x-2)(x-7) < 0$

$x^2 - 9x + 14 = 0$

$(x-2)(x-7) = 0$

$x = 2, 7$

c) $x = 0$

$x^2 - 9x + 14$

$= (0)^2 - 9(0) + 14 = 14$

positive

$x = 5$

$x^2 - 9x + 14$

$= (5)^2 - 9(5) + 14 = -6$

negative

$x = 10$

$x^2 - 9x + 14$

$= (10)^2 - 9(10) + 14 = 24$

positive

b)

interval	$x < 2$	$2 < x < 7$	$x > 7$
sign of $x^2 - 9x + 14$	positive	negative	positive

d) $2 < x < 7$

e) i) $x < 2$ or $x > 7$ ii) $2 \le x \le 7$ iii) $x \le 2$ or $x \ge 7$

$8x - x^2 \le 0$

$x(8 - x) \le 0$

$x \le 0$ or $x \ge 8$

interval	$x < 0$	$0 < x < 8$	$x > 8$
sign of $8x - x^2$	negative	positive	negative
	$8(-1) - (-1)^2 = -9$	$8(1) - (1)^2 = 7$	$8(10) - (10)^2 = -20$

a) $= -3(2x^2 + 13x + 6)$

$= -3(2x^2 + 12x + x + 6)$

$= -3(2x(x+6) + 1(x+6))$

$= -3(x+6)(2x+1)$

b)

x	←	-6	↔	$-\frac{1}{2}$	→
-3	−	−	−	−	−
$x+6$	−	0	+	+	+
$2x+1$	−	−	−	0	+
product	−	0	+	0	−

$x \le -6$ or $x \ge -\frac{1}{2}$

Assignment

1.

interval	$x < 3$	$3 < x < 5$	$x > 5$
sign of $x^2 - 8x + 15$	pos.	neg.	pos.

$3 < x < 5$

interval	$x < -\frac{2}{9}$	$-\frac{2}{9} < x < 0$	$x > 0$
sign of $9x^2 + 2x$	pos.	neg.	pos.

$x \le -\frac{2}{9}$ or $x \ge 0$

2. a) $3x^2 - 10x - 8 \le 0$

$3x^2 - 12x + 2x - 8 \le 0$

$3x(x-4) + 2(x-4) \le 0$

$(x-4)(3x+2) \le 0$

interval	$x < -\frac{2}{3}$	$-\frac{2}{3} < x < 4$	$x > 4$
sign of $3x^2 - 10x - 8$	pos.	neg.	pos.

$-\frac{2}{3} \le x \le 4$

b) $32 - 4x - x^2 > 0$

$32 - 8x + 4x - x^2 > 0$

$8(4-x) + x(4-x) > 0$

$(4-x)(8+x) > 0$

interval	$x < -8$	$-8 < x < 4$	$x > 4$
sign of $32 - 4x - x^2$	neg.	pos.	neg.

$-8 < x < 4$

3. a) $x^2 - 5x - 24 \le 0$

$(x+3)(x-8) \le 0$

x	←	-3	↔	8	→
$x+3$	−	0	+	+	+
$x-8$	−	−	−	0	+
product	+	0	−	0	+

$-3 \le x \le 8$

b) $x^2 + 5x + 6 > 0$

$(x+3)(x+2) > 0$

x	←	-3	↔	-2	→
$x+3$	−	0	+	+	+
$x+2$	−	−	−	0	+
product	+	0	−	0	+

$x < -3$ or $x > -2$

4. a) $(3-x)(1+x) \le 0$

x	←	-1	↔	3	→
$3-x$	+	+	+	0	−
$1+x$	−	0	+	+	+
product	−	0	+	0	−

$x \le -1$ or $x \ge 3$

b) $3x(3x-1) < 0$

x	←	0	↔	$\frac{1}{3}$	→
$3x$	−	0	+	+	+
$3x-1$	−	−	−	0	+
product	+	0	−	0	+

$0 < x < \frac{1}{3}$

5. **a)** $x(x+4)<0$

x	$\leftarrow -4 \leftrightarrow 0 \rightarrow$				
x	−	−	−	0	+
$x+4$	−	0	+	+	+
product	+	0	−	0	+

$\underline{\underline{-4<x<0}}$

b) $x(x+4)<21$

$x^2+4x-21<0$

$(x+7)(x-3)<0$

x	$\leftarrow -7 \leftrightarrow 3 \rightarrow$				
$x+7$	−	0	+	+	+
$x-3$	−	−	−	0	+
product	+	0	−	0	+

$\underline{\underline{-7<x<3}}$

c) $-4x(x+4)<0$

x	$\leftarrow -4 \leftrightarrow 0 \rightarrow$				
-4	−	−	−	−	−
x	−	−	−	0	+
$x+4$	−	0	+	+	+
product	−	0	+	0	−

$\underline{\underline{x<-4 \text{ or } x>0}}$

6. **a)** case analysis

$(x+14)(x-2)>0$

case 1 $\quad x+14>0$ and $x-2>0$

$x>-14$ and $x>2$

$x>2$

case 2 $\quad x+14<0$ and $x-2<0$

$x<-14$ and $x<2$

$x<-14$

solution $\underline{\underline{x<-14 \text{ or } x>2}}$

b) sign analysis with test intervals

interval	$x<-14$	$-14<x<2$	$x>2$
sign of $x^2+12x-28$	pos.	neg.	pos.

Solution $\underline{\underline{x<-14 \text{ or } x>2}}$

c) sign analysis with a sign chart

x	$\leftarrow -14 \leftrightarrow 2 \rightarrow$				
$x+14$	−	0	+	+	+
$x-2$	−	−	−	0	+
product	+	0	−	0	+

solution $\underline{\underline{x<-14 \text{ or } x>2}}$

d) graphically

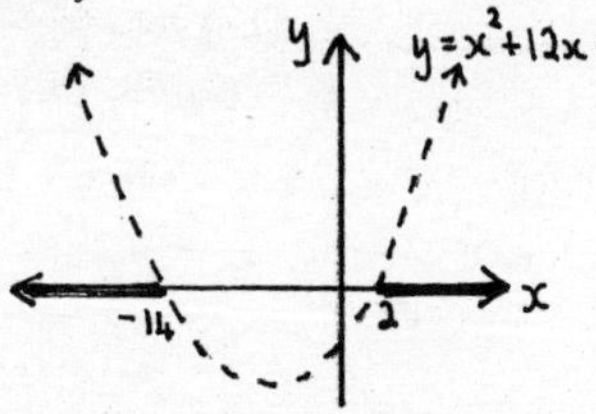

solution $\underline{\underline{x<-14 \text{ or } x>2}}$

7. $8x^2-28x+2x-7<0$

$4x(2x-7)+1(2x-7)<0$

$(2x-7)(4x+1)<0$

x	$\leftarrow -\frac{1}{4} \leftrightarrow \frac{7}{2} \rightarrow$				
$2x-7$	−	−	−	0	+
$4x+1$	−	0	+	+	+
product	+	0	−	0	+

$\underline{\underline{-\frac{1}{4}<x<\frac{7}{2}}}$

8. **a)** $-5 \le x \le -1$ $\quad x=-5,\ x+5=0$

$x=-1,\ x+1=0$

graph $y=(x+5)(x+1)=x^2+6x+5$

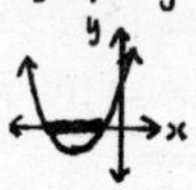

$\underline{\underline{x^2+6x+5 \le 0}}$

b) $x<-2$ or $x>3$ $\quad x=-2,\ x+2=0$

$x=3,\ x-3=0$

graph $y=(x+2)(x-3)=x^2-x-6$

$\underline{\underline{x^2-x-6>0}}$

9. **a)** $0=60t-5t^2$

$0=5t(12-t)$ $\qquad \underline{\underline{t=0,\ 12}}$

b) Since $h=0$ at $t=0$ and $t=12$, the maximum height is at the halfway time, $t=6$.

when $t=6$, $h=60(6)-5(6)^2=180$.

The height of the object cannot be greater than 180 m.

c) $h \ge 0$

$60t-5t^2 \ge 100$

$-5t^2+60t-100 \ge 0$

$-5(t^2-12t+20) \ge 0$

$-5(t-2)(t-10) \ge 0$

$\underline{\underline{2 \le t \le 10}}$

t	$\leftarrow 2 \leftrightarrow 10 \rightarrow$				
-5	−	−	−	−	−
$t-2$	−	0	+	+	+
$t-10$	−	−	−	0	+
product	−	0	+	0	−

Multiple Choice 10. Ⓓ $x^2+2x-48>0$

$x=-8,\ x+8=0$

$x=6,\ x-6=0$

graph $y=(x+8)(x-6)=x^2+2x-48$

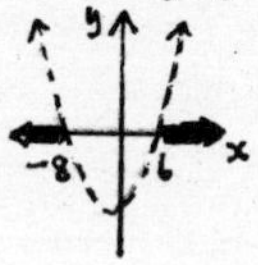

$x^2+2x-48>0$

Enrichment 11.

a)

x	$\leftarrow -3 \leftrightarrow 2 \leftrightarrow 5 \rightarrow$						
-2	−	−	−	−	−	−	−
$x-2$	−	−	−	0	+	+	+
$5-x$	+	+	+	+	+	0	−
$x+3$	−	0	+	+	+	+	+
product	−	0	+	0	−	0	+

$\underline{\underline{-3<x<2 \text{ or } x>5}}$

b) domain restriction $x \ne 2$

$\dfrac{x(x+3)}{x-2} \le 0$

x	$\leftarrow -3 \leftrightarrow 0 \leftrightarrow 2 \rightarrow$						
x	−	−	−	0	+	+	+
$x+3$	−	0	+	+	+	+	+
$x-2$	−	−	−	−	−	0	+
quotient	−	0	+	0	−	not defined	+

$\underline{\underline{x \le -3 \text{ or } 0 \le x < 2}}$

Linear and Quadratic Systems and Inequalities Lesson #8: Practice Test

1. (D.) $\frac{7}{2}$

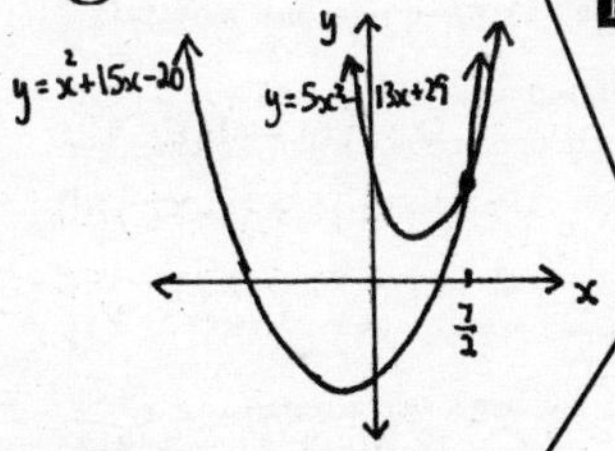

Numerical Response 1. 4

intersect at

$x=-0.828$ and $x=4.828$

graph $y_1=x^2-3x-3$

$y_2=x+1$

4.828
$+(-0.828)$
$=4$

2. (B.) $3x^2-3x-1=0$

$3x^2-4x+2=3-x$

$3x^2-3x-1=0$

Numerical Response 2. 1.17

graph $y_1=4x^2-7x+12$

graph $y_2=13-2x-x^2$

intersect at $x=-0.17$

and $x=1.17$

4. (B.) $2\sqrt{5}$

$x^2+8=kx+3$

$x^2-kx+5=0$

The line is a tangent to the parabola if the equation $x^2-kx+5=$ has equal roots.

$b^2-4ac=0$

$a=1$ $b=-k$ $c=5$

$(-k)^2-4(1)(5)=0$

$k^2-20=0$

$k^2=20$

$k=\pm\sqrt{20}=\pm 2\sqrt{5}$

Numerical Response 3. 21

$2x^2-7x+3=x^2+3x-k$

$x^2-10x+3+k=0$

$3+k=24$

$k=21$

$x=4$ $x=6$

$x-4=0$ $x-6=0$

$(x-4)(x-6)=0$

$x^2-10x+24=0$

5. (C.) $(-3,5)$

LS $=3(3)-5(-5)=34$

LS $=3(-3)-5(-5)=16$

LS $=3(-3)-5(5)=-34$

LS $=3(5)-5(-3)=30$

≤ 2

Numerical Response 4. 14

$2x^2-3x-6=7-4x$

$2x^2+x-13=0$

$b=1$ $c=-13$

$b-c=1-(-13)=14$

6. (D.) $(-3,20)$

y	$2x+8$	$y>2x+8$?	y	x^2-3x+2	$y\leq x^2-3x+2$?
10	8	yes	10	2	no
6	6	no	6	6	yes
4	4	no	4	12	yes
20	2	yes	20	20	yes

7. (A.) $y<x^2-5x-11$

dotted line

test $(-10,0)$

LS $=0$

RS $=(-10)^2-5(-10)-11=139$

LS < RS

8. (B.) $2x-y\leq 4$

$m=\frac{-4-0}{0-2}=2$

equation

$y=mx+b$

$y=2x-4$

$2x-y-4=0$

$2x-y=4$

test $(0,0)$

LS $=2(0)-0=0$

RS $=4$

LS < RS so $2x-y\leq 4$

$(2,0)$ $(0,-4)$

9. (D.) none of the above

$y=a(x+5)(x-2)$

$(0,30)$

$\rightarrow 30=a(0+5)(0-2)$

$30=-10a$

$a=-3$

$y=-3(x+5)(x-2)$

$y=-3x^2-9x+30$

test $(0,0)$

LS $=0$

RS $=30$

LS < RS

so $y\leq -3x^2-9x+30$

10. (C.) $y\geq 2x^2+5x-1$ and $y\leq -2x^2-5x+6$

$y=2x^2+5x-1$

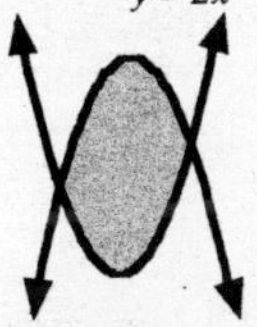

$y=-2x^2-5x-6$

graph each pair of inequalities

Numerical Response 5. 43

expenses $1800+39n-0.15n^2$

takings $75n$

profit $75n-(1800+39n-0.15n^2)$

$=0.15n^2+36n-1800$

solve $0.15n^2+36n-1800>0$ on graphing calculator

$n>42.48$

$43\leq n\leq 125$

11. (C.) $x\leq -9$ or $x\geq 10$

$(x+9)(x-10)\geq 0$

x	←	-9	↔	10	→
$x+9$	−	0	+	+	+
$x-10$	−	−	−	0	+
product	+	0	−	0	+

12. $x=-5$, $x+5=0$

$x=-2$, $x+2=0$

graph $y=(x+5)(x+2)$

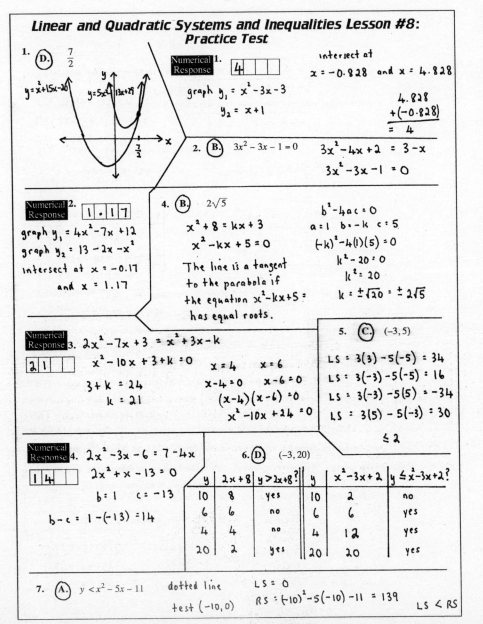

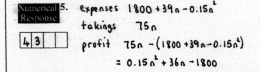

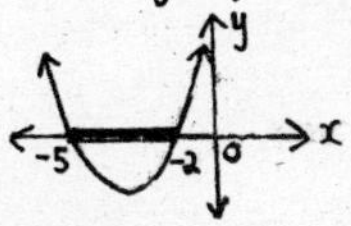

13. (B.) 0, 3, 9

$3(6-7x+x^2)\leq 0$

$3(6-x)(1-x)\leq 0$

interval	$x<1$	$1<x<6$	$x>6$
sign of $18-21x+3x^2$			

He must choose one value in each interval

14. (C.) $P = -3,\ Q = 2,\ R = -$

$-5x^2 - 5x + 30$

$= -5(x^2 + x - 6)$

$= -5(x+3)(x-2)$ $P = -3$ $Q = 2$ $R = -$

15. (C.) $-3 < x < 2$

Written Response - 5 marks

1. • Describe a method, which does not use technology, for determining the solution region to an inequality of the form $y > ax^2 + bx + c$.

Determine the x-intercepts of the graph of $y = ax^2 + bx + c$ by solving $ax^2 + bx + c = 0$.
Determine the y-intercept of the graph of $y = ax^2 + bx + c$ by replacing x with 0.
Use the x and y-intercepts to sketch the parabola with equation $y = ax^2 + bx + c$ (use a broken line for the sketch)
Choose a test point not on the parabola (choose (0, 0) if possible) and determine whether the test point satisfies $y > ax^2 + bx + c$ or not.
If the test point satisfies the inequality, shade the region containing the test point.
If the test point does not satisfy the inequality, shade the other region.

• Use your method to sketch the solution region to the inequality $y > 6x^2 + 17x - 45$ on the grid provided.

$y = 6x^2 + 17x - 45$
$y = 6x^2 - 10x + 27x - 45$
$y = 2x(3x-5) + 9(3x-5)$
$y = (3x-5)(2x+9)$

x_{int} $\frac{5}{3}, -\frac{9}{2}$ y_{int} -45

test (0, 0)
Is $0 > 6(0)^2 + 17(0) - 45$?
Yes. Shade the region containing (0, 0).

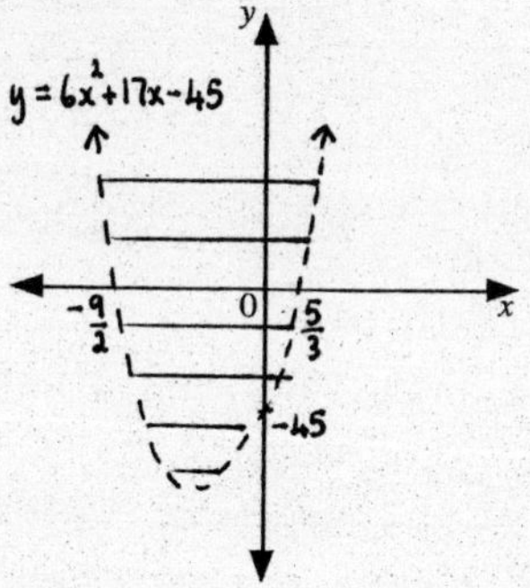

• Explain how to use the graph in the bullet above to determine the solution to the inequality $6x^2 + 17x - 45 < 0$, and state the solution.

Determine for which values of x the parabola is below the x-axis.

$-\frac{9}{2} < x < \frac{5}{3}$, $x \in R$.

Notes Page 1

Notes Page 2

Notes Page 3

Notes Page 4

Notes Page 6